의사국가고시 | 레지던트시험 | 전문의시험 | 준비를 위한

HANDBOOK

POWER

Internal Medicine

Gastroenterology

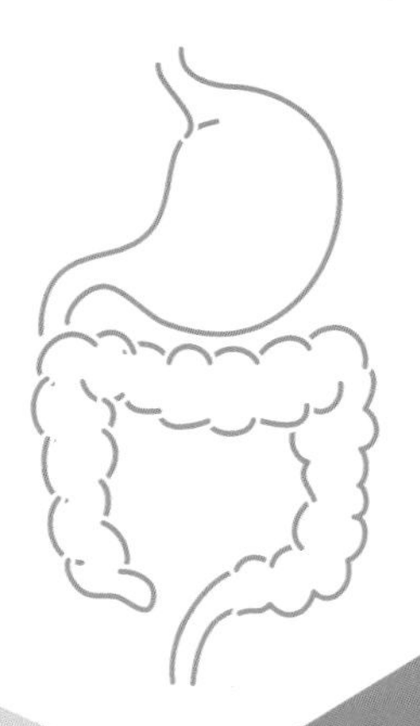

POWER MANUAL SERIES

소화기내과

Power 내과 01 3rd edition

첫 째 판 1쇄 발행 | 2009년 9월 25일
셋 째 판 1쇄 인쇄 | 2019년 10월 7일
셋 째 판 1쇄 발행 | 2019년 10월 22일

지 은 이 신규성
발 행 인 장주연
출 판 기 획 김도성
책 임 편 집 조형석, 안경희
표지디자인 김재욱
발 행 처 군자출판사(주)
등록 제 4-139호(1991. 6. 24)
본사 (10881) **파주출판단지** 경기도 파주시 서패동 474-1(회동길 338)
Tel. (031) 943-1888 Fax. (031) 955-9545
홈페이지 | www.koonja.co.kr

ISBN 979-11-5955-492-6
979-11-5955-490-2(세트)

정가 15,000원
세트 90,000원

머리말

6년 만에 파워내과-핸드북의 세 번째 개정판이 나오게 되었습니다. 그동안 많은 분야에서 진단과 치료에 큰 변화가 있었고, 그에 따라 파워내과(본책)는 상당히 두꺼워졌습니다. 핸드북은 휴대성이 중요하기 때문에 파워내과 내용의 일부가 빠지기는 했지만, 각종 시험 준비에는 충분하리라 생각합니다. 가능한 자주 휴대하면서 참고하고, 부족하거나 더 궁금한 부분은 교과서나 논문 등을 통해 확인하는 습관을 들이면 의사로서의 지식을 쌓는 데는 충분할 것으로 생각합니다.

요즘의 의학계는 가치추구 면에서 많은 변화를 겪고 있습니다. 인증제도의 활성화 등을 통해 의료의 질은 향상되고 있고, 전공의법을 통해 인턴/레지던트들도 삶의 질을 찾게 되었습니다. 이는 사회 전체적 변화의 일환으로 우리나라가 이미 선진국에 진입했기 때문입니다. 다만 빠르게 발전하다 보니 아직 과거 적폐의 잔재들이 남아있거나 새로운 문젯거리가 생기기도 합니다. 사이비극우 사이트에 중독되어 대표랍시고 설쳐대는 일부 의사들도 그 중 하나일 것입니다.

가장 유능한 인재로 의대에 들어온 만큼 그에 걸맞은 도덕성과 사회역사적 소양도 갖추어야 하는데, 오히려 사회의 공통 선(善)과 정의를 짓밟는 반인륜적 무리들에 동조한다면 그런 의사에게는 생명을 다룰 자격이 없습니다. 시험공부만 열심히 하며 자신의 이익만 추구하는 삶은 그런 괴물을 만들어 낼 위험성이 있습니다. 파워내과 및 핸드북의 취지는 시험공부의 부담을 가볍게 해보자는 것이므로, 의학 이외에 다른 인문사회적 학습과 경험에 더 많은 시간을 투자할 수 있기를 바랍니다.

끝으로 이번 개정판이 나오기까지 애써주신 군자출판사의 장주연 사장님과 김도성 차장님, 조형석님을 비롯한 직원 여러분들 모두에게도 감사를 드립니다.

2019년 10월 1일

신 규 성

■ **파워내과 핸드북의 특징**

1. 내과학의 중요 내용을 간략하게 정리하여 학습의 방향을 제시
2. 파워내과의 90% 정도 분량으로 충실하고 업데이트된 내용
3. 의사국가고시를 포함한 각종 시험의 마지막 정리용
4. 항상 가볍게 휴대하면서 참고할 수 있도록 과목별로 분책

■ **안내**

1. 여러 시험에 출제가 되었거나 출제 가능성이 높은 부분들은
   ★, !, **굵은 글자**, 밑줄 등으로 중요 표시를 하였으니 학습할 때
   꼭 확인을 하시기 바랍니다.
2. 각종 약자는 군자출판사 홈페이지의 약자풀이를 참고하시기 바랍니다.
   약자나 용어는 대한의협 및 각 학회에서 사용되는 것과 실제 임상에서
   통용되는 것을 함께 사용하여 학습의 편의를 도모하였습니다.

■ 파워내과 핸드북의 본문에는 네이버(NHN)의 나눔글꼴이 사용되었습니다.

목차
contents

소화기 내과 *POWER Internal Medicine*

소화기 내과

Part I
위장관 질환

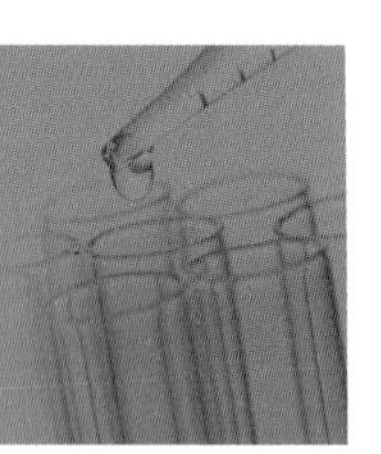

1 서론

복부진찰

- 두 다리를 약간 굽혀서 복벽에 제대로 힘을 주지 않도록 함
- 시진, 청진, 타진, 촉진의 순서로 시행
- 통증이 없는 부위에서 시작하여, 있는 부위로 진행
- 복통이 심해 환자가 만지지 못하게 하면 → 기침을 시켜서 복통 발생 부위를 가리키게 함
  (c.f., 기침이나 가벼운 타진시 복통이 발생하면 복막염을 시사)

1. 시진

- 장의 연동운동이 보이면 → 위장관 폐쇄 의심
- 배꼽 돌출 ; 복강내 압력 증가 (e.g., 복수, 임신, 난소종양)
- caput medusae ; portal HTN (e.g., LC)
- Cullen's sign ; 복강내/후복막내 출혈 (e.g., 급성췌장염, 자궁외임신 파열)
- Grey-Turner's sign ; 출혈성 췌장염, 장의 strangulation, 근육괴사 등

2. 청진

- 장음의 정상 빈도 : 5~34회/분
- 장음 증가 ; 기계적 장폐쇄 초기, 설사 등
- 장음 감소/소실 ; 마비성 장폐쇄, strangulated 장폐쇄, 복막염 등
- 금속성 장음(metallic sound) ; 기계적 장폐쇄 (초기)
- 복명(borborygmi) : 연동(peristalsis) 증가시의 꾸르륵거리는 소리
- 진탕음(succussion splash) : 장관 내에 물이 고였을 때 복벽을 흔들면 들리는 출렁거리는 물소리
  (e.g., 유문부 협착증, 위마비)

3. 타진

- 간과 비장의 크기 파악
  - 복수 → 이동 탁음 (최소 500 mL의 복수를 탐지할 수 있음)
  - 장 유착을 동반한 복수 (e.g., 결핵성 복막염) → 편측성 이동탁음
- tympanic sound → 장내 유리공기(bowel obstruction)를 더 시사함

4. 촉진

- 정상적으로 촉진될 수 있는 장기 ; 간(일부에서), 신장, 맹장, 하행결장, 복부대동맥, 요추 등
- 종괴 ; 췌장의 가성낭종, 농양(게실염, IBD), 악성종양, 복부대동맥의 동맥류
  (복부에 힘을 주었을 때 종괴가 만져지면 → 복벽내 종괴)
- 압통(tenderness)
  - 심와부 중앙 ; 소화성 궤양, 췌장염
  - 우상복부 ; 간이나 담도 질환
  - 우하복부 ; 급성충수염 (종괴 동반시 CD, lymphoma 의심)
  - 좌하복부 ; S상결장의 게실염
- 반발압통(rebound tenderness) ; 복막염 (→ 장파열, 복강내농양, 장경색 등 의심)

5. 직장수지검사

- 직장수지검사(digital rectal exam.; DRE)도 기본으로 시행함
- 전립선, 괄약근, 직장/골반강 내의 종괴, 대변내 혈액 등을 봄
- 측벽의 종괴 & 압통 ; 급성충수염, 게실염, IBD, 악성종양 등

내시경(Endoscopy)

1. 적응증(진단)

1. Esophagogastroduodenocopy (EGD) : Upper endoscopy
   소화불량(dyspepsia) ; 치료에 반응이 없거나, 기질적 질환 의심시,
   45세 이상(new onset), 복부 종괴 or 림프절비대, 상부 위장관 종양의 가족력
   상부 위장관 출혈, 지속적 구토, 조기 포만감, 연하곤란, 체중감소(>10%), 흡수장애, 빈혈
   PUD, 위암 수술 등의 과거력
   방사선 조영검사(upper GI) 이상 소견의 조직검사
   Barrett's esophagus 감시(F/U)
   Gastrostomy, 십이지장 조직/액 채취
   부식제(산, 염기) 섭취시 손상 정도의 평가
2. Colonoscopy
   하부 위장관 출혈, 빈혈, 설사, 변비, 폐쇄 증상
   방사선 조영검사(barium enema) 이상 소견의 조직검사
   암 선별검사 (e.g., 대변잠혈반응검사 양성)
   암 감시 (e.g., 가족력, 과거력, UC 환자)
   Inflammatory bowel diseases
   급성 염증기가 아닌 diverticulitis
   (c.f., diverticula의 평가나 colonic stricture의 정확한 측정에는
   barium enema가 더 정확함)
3. Endoscopic Retrograde Cholangiopancreatography (ERCP)
   황달, 담관염, 담관결석, 담도 수술후 증상 호소시
   췌장염 (원인 불명, 담석 동반, 극심한 통증 때)
   유두(팽대부) 주위 종양
   Oddi 괄약근과 담관의 내압 검사, 담즙 채취

4. Endoscopic Ultrasonography (EUS)
암의 병기(staging) 결정
점막하 병변의 확인 및 조직검사, 위 점막 주름의 이상
담관 결석, 만성 췌장염, 가성낭종(pseudocyst)의 배액
항문의 연속성
종격동, 복강, 후복막강 등의 병변

* 소장내시경 검사 : 흔히 원인불명의 위장관 출혈 환자에서 시행 (→ I-3장 참조)
① push enteroscopy : mid-jejunum까지 도달 가능
② double-balloon enteroscopy, capsule endoscopy : 전체 소장을 관찰 가능

2. 내시경초음파(endoscopic ultrasonography, EUS)

- 내시경에 연결된 초음파장비를 통하여 위장관의 병소나 주위의 림프절을 정확히 검사하는 방법으로 해상력이 매우 높음. 고주파의 초음파를 이용하여 위장벽의 각층을 구분할 수 있으므로 암의 심달도 진단에 유용하며, 내시경적 점막절제술을 시행하는 데에도 필수적임
- EUS가 진단/평가에 도움이 되는 질환 ★
  ① esophageal, gastric, pancreatic, bile duct, rectal ca.의 preop. local staging!
  ② submucosal GI lesions
  ③ bile duct stones
  ④ GB diseases
  ⑤ chronic pancreatitis
- EUS-guided fine-needle aspiration (e.g., 종격동, 복부, 골반 등의 종괴/림프절)
  - 수술전 local tumor 및 nodal staging 평가에 가장 정확한 방법
  - NSCLC의 종격동 림프절 침범도 EUS with transesophageal needle biopsy로 확인 가능
- 위장관벽의 EUS layers ★

EUS layer		Echo 특성	Subepithelial lesions
1st	Mucosa (M) / superficial mucosa	Echo-rich	Carcinoid
2nd	Muscularis mucosae (MM) / deep mucosa	Echo-Poor	Leiomyoma, Carcinoid, Varix
3rd	Submucosa (SM)	Echo-rich	Lipoma, Carcinoid, Pancreatic rest, Varix
4th	Muscularis propria (MP)	Echo-Poor	GIST, Leiomyoma, Glomus tumor
5th	Serosa (S)	Echo-rich	Duplication cyst

■ **점막하 종양(submucosal tumor, SMT) = 상피하 병변(subepithelial lesion)**
- GIST ; 대부분 4th layer (근육층 기원), 대개 악성
  - high risk : 크기 >3 cm, 표면/외연 불규칙, 부정형, 궤양 동반 등 (→ 수술)
- leiomyoma ; 위에는 드묾, 2nd or 4th layers
- varices ; 2nd or 3rd layers, 둥글거나 길죽한 낭성 구조물, Echo-poor~absent
- lipoma ; 3rd layer, 양성, pillow sign (누르면 쉽게 눌러짐), 노랑, 경계 명확, Echo-rich, 균질
- carcinoid ; 1~3 layers, 매끈하고 둥글고 노란 색조를 띈 딱딱한 조직
  - type 3 (gastrin level 정상) : 악성 (→ 수술)

• pancreatic rest (= ectopic pancreas) ; 3rd layer, 중앙에 작은 함몰, 크기 다양, Echo-poor, 불균일, 경계 불분명, 종양 내부에 정상 췌장 조직(→ 관 구조, salt & pepper appearance)

* 추가검사가 필요 없는 subepithelial lesion (→ 경과관찰)
; 크기 1 cm 미만, lipoma, varix, pancreatic rest, duplication cyst

* 악성 ; lymphoma, leiomyosarcoma, GIST (>3 cm), carcinoid type 3 등 (→ 수술)

c.f.) 상부 위장관에서 SMT의 빈도 ; 위(60%) > 식도(30%) > 십이지장(10%)

3. 치료적 내시경의 이용

(1) hemostasis (bleeding control)
(2) luminal restoration (dilatation, ablation, stenting)
(3) lesion removal (e.g., foreign body, polypectomy)
(4) ERCP ; sphincterotomy (pancreaticobiliary drainage), stone removal
(5) sigmoid volvulus - endoscopic reduction
(6) palliate neoplasm

* NOTES (natural orifice transluminal endoscopic surgery)
- 위장관(위, 대장 등) 벽을 통과하여 내시경을 복강내 장기의 진단/치료에 이용하는 것
- 예 ; percutaneous endoscopic gastrostomy (PEG), endoscopic pancreatic necrosectomy, endoscopic appendectomy, cholecystectomy, tubal ligation ...

4. 색소내시경검사

(1) indigo carmine (Evan's blue) ; 색소가 점막의 요철에 모여 점막 표면을 보다 자세히 관찰 가능
(2) acetic acid ; 염증/dysplasia 부위를 하얗게 염색함, Barrett's esophagus 평가에 유용
(3) Lugol's iodine solution ; 정상 식도점막의 glycogen과 반응하여 흑갈색으로 변색됨
(식도암, dysplasia, gastric metaplasia 등에서는 변색되지 않으므로 식도암의 조기 진단에 유용)
(4) methylene blue ; 정상 소장/대장점막에 염색되므로 intestinal metaplasia 발견에 유용,
위에서는 위암, 장화생(intestinal metaplasia) / 식도에서는 Barrett's esophagus의 장화생 발견에 사용 (정상 위점막은 염색 안 됨)
(5) toluidine blue ; Lugol's solution에 보조적으로 사용, 식도의 암 및 dysplasia 조직에 염색됨
(6) crystal violet ; indigo carmine과 같은 용도 → 둘 다 확대내시경으로 조직형 예측에 사용
(7) Congo red ; 위산과 반응하여 흑청색으로 변색됨 (위산분비가 없는 atrophic gastritis, epithelial dysplasia, fundus 등에서는 변색되지 않음)
(8) phenol red ; urea와 같이 산포하면 *H. pylori* 감염 부위는 붉게 염색됨

5. 진정 내시경검사

- 진정약물로 졸리지만 말할 수 있는 의식하 진정상태(conscious sedation)를 유도하여 내시경 시행
- 목적/장점 ; 검사/시술시 불편/고통 감소, 검사 자체를 기억하지 못해 향후 검사에 대한 호응도↑
- 진정약물 ; benzodiazepine 계열인 midazolam이 m/c

진정제	약효발생	지속시간	감량이 필요한 경우	중요 부작용	길항제
Midazolam (D)	1~2분 후	20~60분	고령, 저알부민혈증, 간기능저하, cytochrome P450 억제 약물 병용	호흡억제, 무호흡, 역설반응(5%)*	flumazenil (C)
Propofol (B)	30~45초	4~8분	고령, 심장기능저하 (간이나 신장 기능의 영향은 안받음)	심장수축↓(저혈압), 무호흡	없음
Meperidine (B)	1~3분 후	2~4시간	**마약성 진통제로 주로 진통의 목적으로 midazolam or propofol과 병용	호흡억제	naloxone (B)
Fentanyl (C)	1.5분 이내	1~2시간			

(B, C, D는 임신시 약물안전 category임)

C.f.) 진정 단계	Minimal sedation	Moderate sedation	Deep sedation	General anesthesia
반응	말소리에 정상 반응	말소리나 가벼운 자극에 반응	아픈 또는 반복적 자극에 반응	아픈 자극에도 반응 없음
기도 확보	불필요	불필요	필요할 수도 있음	필요
자발 호흡	가능	가능	부적절할 수 있음	부적절함
심혈관기능	영향 없음	대개 유지됨	대개 유지됨	영향 받을 수 있음

* 역설반응 : 진정되지 않고 수다, 흥분, 분노, 적대감, 난폭함, 경련 등을 보이는 것 (깨어난 뒤 대부분 기억 못함)
- 저산소증으로 인한 고통 반응과는 감별해야!
- 고용량, 알코올 섭취, 고령, 여자, 소아, 성격장애자 등에서 상대적으로 흔함
- 적정 용량 투여 시에도 발생한 경우 → 길항제인 flumazenil을 투여하여 진정을 깨움 & 추후 다른 진정제 사용

6. 내시경시술의 합병증

(1) 일반적인 합병증 ; bleeding, perforation, bacteremia, sedation에 의한 심폐기능저하 등
- 진단 목적의 위내시경과 대장내시경 모두 출혈과 천공 위험은 매우 낮음(<0.1%)
- 치료 목적의 내시경시술(e.g., 지혈, 확장, 용종제거, EMR/ESD)에서는 위험 증가(0.5~5%)
- flexible sigmoidoscopy는 위험이 매우 낮음
- 진단 목적의 EUS (without FNA)의 위험도는 위내시경과 비슷함

(2) 특수한 합병증
- ERCP ; pancreatitis (m/c, 5%, SOD 환자는 ~25%), bleeding (sphincterotomy의 1%에서), ascending cholangitis, pseudocyst infection, retroperitoneal perforation, abscess ... (post-ERCP pancreatitis → II-10장 참조)
- percutaneous endoscopic gastrostomy (PEG) (10~15%) ; wound infection (m/c), fasciitis, peritonitis, pneumonia, bleeding, buried bumper syndrome, colonic injury ...

c.f.) Buried bumper syndrome (0.3~2.4%) ; 위루관 내부완충기 위로 위점막이 과다 형성되면서 위루관이 막히고 복벽 내로 위치하게 되는 것, PEG 시술 후 보통 3개월~1년 뒤에 발생

7. 위장관 내시경검사의 금기 사항

① 환자가 거부하거나, 협조가 부족할 때 (예; 정신병자)
② 인후나 식도 상부의 통과 장애나 협착이 의심되는 경우 주의를 요함
③ 의식장애가 있거나 거동이 불편한 환자도 시행은 가능하나 조심해야
④ 내시경 조작이 위험을 초래할 수 있는 다른 중한 질환의 동반시
(예; 고령, AMI 직후, 부정맥, 심부전, 대동맥류, 호흡곤란)
⑤ 위장관 천공/폐쇄, 위장관 수술 직후
(검사의 이득이 위험성보다 클 때에는 시행 가능)

8. 내시경 시술시 예방적 항생제요법

- 대부분에서 infectious Cx. (e.g., infective endocarditis)은 드물다
- 적응증
  - percutaneous endoscopic gastrostomy (feeding tube placement) 시행시에는 모든 환자에서 예방적 항생제 권장!
  - (1) 담도폐쇄 환자에서 불완전 배출 예상 ERCP 시행(e.g., sclerosing cholangitis, hilar stricture)
    (2) 췌관과 교통하는 췌액 저류 환자에서 ERCP 시행(e.g., pseudocyst, necrosis)
    (3) 췌액 저류 환자에서 transmural drainage 시행
    (4) 위장관계의 낭성 종양 (종격동 포함) 환자에서 EUS-FNA 시행
    (5) 위장관출혈을 동반한 간경화 환자에서 모든 내시경 시술 시행시.. 등에도 예방적 항생제 권장

[기타: 참고] 환자 상태		Procedures High-risk	 Low-risk
High risk	인공 판막 심내막염의 과거력 Systemic-pulmonary shunt 인공 혈관 이식 (1년 이내) 복합 청색증형 선천성 심장병	권장(recommanded)	선택적(optional)
Moderate risk	기타 선천성 심장병 후천성 판막질환(e.g., rheumatic heart dz.) MVP with insufficiency, HCMP 간경화(복수) 등의 면역저하 환자	선택적(optional)	필요 없음
Low risk	Pacemaker, implantable defibrillator (ICD) CABG 과거력, 교정된 중격결손 or PDA MVP without insufficiency, 인공 관절	필요 없음	필요 없음

High-risk procedures	Stricture dilatation, Variceal sclerotherapy EUS with fine-needle aspiration (EUS-FNA) ERCP for biliary obstruction (endoscopic sphincterotomy; EST) Biliary tract surgery, Surgical op. involving intestinal mucosa
Low-risk procedures	Biopsy, Polyp removal, Variceal ligation (EVL) ERCP without sphincterotomy 등

• 표준 항생제 요법
  - 1시간 전 amoxicillin PO 또는 30분 전 ampicillin IV
  - penicillin allergy 환자는 1시간 전 clindamycin (or cephalexin, cefadroxil, azithromycin, clarithromycin) PO 또는 30분 전 clindamycin (or cephazolin, vancomycin) IV

9. 항혈전제(antithrombotic drugs) 복용 환자의 내시경 시술

	환자 상태 (혈전색전증 위험도)	Procedures	
		High-risk	Low-risk
Aspirin	High or Low-risk	계속 복용 (환자가 low-risk 면 중단을 고려할 수도)	계속 복용
Thienopyridines	High or Low-risk	Clopidogrel or Ticagrelor은 5일 전, Prasugrel은 7일 전, Ticlopidine은 10~14일 전 복용 중단	계속 복용
Dipyridamole	High or Low-risk	시술 2~7일 전 복용 중단	계속 복용
Warfarin	High-risk	시술 3~7 (대개 5)일 전 복용 중단 시술 전 INR 1.5 이하로 떨어져야 됨 필요시 heparin으로 대치(bridging therapy)	계속 복용 (INR이 치료범위를 초과하면 예정 시술은 연기 or FFP로 INR을 감소시킴)
	Low-risk	시술 3~7일 전 복용 중단 (시술 후에 warfarin 다시 복용)	
New oral anticoagulants	High or Low-risk	약제 및 환자 상태 (신장 기능; Cr) 에 따라 1~5일 전 복용 중단	계속 복용
Heparin	High or Low-risk	Unfractionated haparin은 4~6시간 전 중단	계속 복용
LMWH	High or Low-risk	최소한 8시간 전에 복용 중단 (1 dose skip)	계속 복용

환자 상태 (혈전색전증 위험도)		Procedures	
High-risk	Low-risk	High-risk	Low-risk
판막질환자에서 발생한 AF 승모판의 기계판막 Thromboembolism 병력이 있는 기계판막 환자 최근 3개월 이내의 venous thromboembolism 병력 1년 이내의 coronary stent Acute coronary syndrome Thrombophilia syndromes	판막질환과 관련 없는 단순/발작성 AF 대동맥판의 기계판막 생체인공판막 DVT	EGD/colonoscopy with dilatation, polypectomy, thermal ablation Percutaneous endoscopic gastrostomy ERCP with sphincterotomy or pseudocyst drainage EUS-FNA EMR or ESD Tumor ablation Hemostasis, Varices 치료	EGD/colonoscopy (± biopsy) ERCP with stenting EUS without FNA Argon coagulation Barrett's ablation

• aspirin & NSAIDs 복용 환자는 출혈성 질환의 과거력이 없으면 계속 복용해도 괜찮음

위장관 운동성

1. 위장관 운동 생리

(1) 식후 위의 운동(postprandial gastric motor activity)

① 위 상부의 receptive relaxation : 음식을 섭취하면 위 상부의 확장 reflex 발생
→ gastric accommodation : 위 상부가 내압 증가 거의 없이 점진적으로 확장되는 것
② 위 상부의 지속적인 low tonic contraction : 내용물을 위 하부로 내려 보냄, liquid emptying
③ 위 하부(antrum)의 강력한 peristaltic waves : 내용물(solid)을 부수고 위액과 섞고, pylorus로 내려 보냄(solid food emptying), 음식물을 대개 1 mm 이하로 부순 뒤 소장으로 배출함
④ terminal antrum 이완 → pylorus 개방 → 위 내용물 소장으로 배출

■ **공복시 위의 운동 (gastric MMC)** : 60~120분 간격으로 cyclic motor activity를 보임

MMC phase 1 ; 가장 긴 시기, slow waves, no phasic contractions
MMC phase 2 ; phasic contractions 시작 (postprandial pattern과 비슷)
MMC phase 3 (activity front) ; 약 10~20분 지속, 위 상부와 하부의 조화로운 cyclical burst

- 십이지장의 late phase 2 & phase 3와 동시에 발생 (위가 수축할 때는 십이지장은 정지)
  → phase 3가 ileum에 도달하면 다음의 phase 3가 위와 십이지장에서 시작됨
- 소화되지 않고 남아있던 위의 음식 덩어리를 배출 (최대 25 mm까지 배출 가능)
- 음식을 섭취하면 MMC는 정지되고, postprandial motor activity로 전환됨

(2) 소장의 운동

① segmentation contraction ; 장 내용물을 mixing (주요 역할) & 아래쪽으로 내려 보냄
② peristalsis ; propulsive movement, gastroenteric reflex가 유발
③ migrating motor complex (MMC) : interdigestive motility (phase 3만 MMC로 부르기도 함)
- **공복**시 나타나는 위전정부와 소장의 주기적인 cyclic motor activity, 60~120분마다 반복됨

MMC phase 1 ; 운동이 없는 조용한 시기, 가장 김
MMC phase 2 ; 간헐적이고 불규칙적인 수축
MMC phase 3 (m/i) ; 짧고 강력한 연속 수축 (cyclical burst of contractions), 평균 4분

- 소화되지 않은 위와 소장의 음식물을 대장으로 내려 보내는 역할을 함 (음식물 축적 방지)
- 주로 vagus nerve, gastric pH↑, motilin 등이 MMC를 증가시킴
- 당뇨병성 위장장애시에는 MMC가 소실됨

④ muscularis mucosa에 의한 villi 길이 변동 → 접촉면적 변화로 흡수기능↑

■ **위배출 시간(gastric emptying time)** : 위 내용물이 십이지장으로 비워지는 속도

• 음식 종류에 따른 위배출 속도 : 탄수화물 > 단백질 > 지방
• 위배출시간 측정법/위의 운동성검사(motility test)
(1) 삽관법(intubation technique) : 튜브를 위내에 삽관한 뒤 위 내용물을 흡인하여 분석
(침습적이고 많은 시간이 필요하므로 거의 쓰이지 않음)
(2) 영상검사(imaging technique) ; scintigraphy (gold standard), barium study, 초음파, MRI 등
(3) wireless motility capsule methods

(4) 전도검사 ; electrical impedance epigastrography, electrical impedance tomography
(5) 간접적검사 ; 약물흡수역동검사, 동위원소호기검사(isotopic breath test) 등

c.f.) 소장의 운동성 검사
; barium transit, small-bowel contrast radiography, wireless capsule techniques, small-intestinal manometry 등

(3) 대장의 운동

- 상부 위장관과는 반대로 대장은 지속적인 digestive state를 유지하고 있음
- 대장의 수축 운동은 크게 2가지로 구분됨
  (1) phasic contractions : background contractility
  - short (<15초) or long (>40~60초), 서로 독립적으로 or 조합되어 발생
  - 불규칙적이고, 전파되지 않고, 주로 mixing 기능을 함

  (2) giant migrating contractions : HAPCs (high-amplitude propagated contractions)
  - 대장의 주요 운반/추진(propulsion) 운동
  - 정상적으로 하루 5회 정도, 보통 아침에 잠에서 깰 때와 식사 후에 발생
  - 발생 빈도가 증가하면 diarrhea or urgency 유발
- 식사 후 대장의 운동성 증가 (1~2시간 지속됨)
  (1) gastrocolic reflex (처음 10분) ; 위의 기계적 팽창에 반응하여 vagus nerve에 의해 매개됨
  (2) caloric stimulation ; 500 kcal 이상의 음식 섭취시 유발, 위/십이지장 점막의 접촉에 의해
  (3) hormonal mediation ; gastrin, serotonin 등

2. 위장관 운동 장애

위 운동 장애 ★	
위 배출 시간 지연	*위 배출 시간 단축*
Gastroparesis (→ 뒷 부분 참조)	Dumping syndrome
Mechanical obstruction	Pancreatic insufficiency
(e.g., pyloric stenosis, tumor, constriction)	Celiac sprue
Reflux esophagitis/GERD	Zollinger-Ellison synd. (gastrinoma)
Tachygastria	Duodenal ulcer
Anorexia nervosa, Bulimia	Dopamine antagonist
Cyclic vomiting syndrome	Erythromycin
Rumination syndrome	Hyperthyroidism

위장관 운동성에 영향을 미치는 Neurotransmitters와 Peptides	
Excitatory	Inhibitory
Acetylcholine	Vasoactive inhibitory polypeptide (VIP)
Neurokinins	Nitric oxide
Gastrin	Calcitonin gene-related peptide
Gastrin-releasing peptide	Adenosine triphosphate (ATP)
Neurotensin	Neurotensin
Enkephalin	Enkephalin
Cholecystokinin	Somatostatin (high dose)
5-Hydroxytryptamine (5-HT)	Neuropeptide Y, Peptide YY
Somatostatin (low dose)	Glucagon

소장 운동 장애
운동성 감소
Hollow visceral myopathy (primary intestinal pseudo-obstruction)
Progressive systemic sclerosis (late)
Amyloidosis
Muscular dystrophy; Duchenne's, Myotonic
Hypothyroidism
Jejeunal diverticulosis
Jejeunoileal bypass
운동성 증가 또는 부조화
Primary visceral neuropathy
Carcinoma-associated visceral neuropathy
Progressive systemic sclerosis (early)
Irritable bowel syndrome
DM
Infectious diarrhea
Mass lesion of brain stem
Amyloidosis
Hyperthyroidism
Carcinoid syndrome
Shy-Drager syndrome

대장 운동 장애
통과시간 지연
Increased segmenting contraction
Primary constipation
Irritable bowel syndrome (spastic)
Diverticular disease
Antral outlet obstruction
Congenital ; Hirschsprung's disease
Acquired
Decreased segmenting contractions
Irritable bowel syndrome (inertia)
Primary colonic pseudo-obstruction
Ogilvie's syndrome
DM
Progressive systemic sclerosis
Spinal cord injury
통과시간 단축
Functional diarrhea
Bile salt diarrhea
Laxative abuse

■ 위마비(gastroparesis)

(1) 개요

- 위장의 기능 장애에 의해 음식물의 위 배출이 지연되는 경우 (functional obstruction)
- 임상양상 ; N/V, 조기 포만감, 식후 팽만감, 상복부 통증, 복부팽창(bloating), succussion splash
  - 보통 음식섭취와 관련되어 발생함
  - 심한 경우 (대개 평활근장애) 심한 팽창, 체중 감소, 영양 결핍 등도 동반 가능
  - 설사나 변비도 동반되면 위의 범위를 넘어선 motility disorder를 의심해야

Gastroparesis의 원인 ★	
신경장애	근육장애
침윤 ; Systemic sclerosis, Amyloidosis	자가면역질환 ; sclerosis, Amyloidosis, SLE, Dermatomyositis, Ehlers-Danlos syndrome ...
위수술 ; Post-vagotomy	Familial visceral myopathies
신경 ; Brain stem lesions, Parkinson dz., Porphyria, Multiple sclerosis, 척수 절단, 중금속 중독 ...	Metabolic myopathies
내분비 ; DM, Hypothyroidism, Hypoparathyroidism	Myotonia
Paraneoplastic syndrome ; SCLC, Carcinoid syndrome	Idiopathic
감염 ; CMV, EBV, Norwalk virus, Chagas dz. ...	
약물 ; TCA, Narcotics, Opioids (e.g., loperamide), Dopamine agonists, 항고혈압제, Laxatives, Vincristine, β-agonists, Amylin agonists, GLP-1, Nicotine ...	
Familial visceral neuropathies	
Idiopathic	

* D/Dx ; mechanical obstruction, functional GI disorders, anorexia nervosa, bulimia, rumination syndrome (음식 먹고 0~30분 뒤에 힘들이지 않고 토하는 것을 반복함) ...

(2) 진단/평가

- 약물 복용, 기저 질환, 과거력, 가족력 등 파악
- mechanical obstruction R/O ; X-ray, 내시경, barium study, CT/MRI enterography
- 위/소장 motility 평가 ; gastric emptying study (scintigraphy), gastroduodenal manometry, wireless motility capsule (WMC) ...
- pathogenesis 파악
  - 원인모를 신경장애 ; autonomic test, ANNA-1 (→ paraneoplastic) ...
  - 원인모를 근육장애 ; 가족력, topoisomerase I (→ SS), ANA (→ SLE 등 자가면역질환), fat biopsy (→ amyloidosis), CK, lactate (→ metabolic myopathy), muscle biopsy ...
- 합병증 파악 ; bacterial overgrowth, dehydration, malnutrition 등

(3) 치료

- 식이조절 ; 소량을 자주 식사, 유동식, 저지방/저섬유 식이
  (필요시 iron, folate, vitamin B_{12}/D/K, 단백질 등의 영양소 보충)
- 약물치료
  ① dopamine antagonist → 식사 30분 전에 복용
    - metoclopramide ; D_2 antagonist & $5HT_4$ agonist, 3개월까지만 사용
      (antidopaminergic 부작용 ; dystonia, mood & sleep 장애 등)
    - domperidone ; 미국은 허가×, hyperprolactinemia가 주요 부작용
  ② erythromycin : motilin receptor 자극, gastric emptying↑ (MMC phase 3 유발)
    - 불응성 위마비 or 위마비의 급성 악화 때 IV로 투여하면 가장 효과적
  ③ antiemetics ; antihistamines (e.g., diphenhydramine, promethazine, meclizine) ...
- 기타 ; venting gastrostomy, botulinum toxin injection, gastric electric stimulation ...
- diabetic gastroparesis 때는 혈당 조절도 (∵ hyperglycemia가 위 배출을 지연시킴)

구역(Nausea)/구토(Vomiting)

N/V의 흔한 원인	
복강 내	폐쇄 ; 유문, 소장, 대장, superior mesensteric artery syndrome 감염 ; 바이러스, 세균 / 염증 ; 담낭염, 췌장염, 충수염, 간염 감각운동 기능장애 ; 위마비(gastroparesis), 가성 장폐쇄, GERD, chronic idiopathic vomiting, functional vomiting, cyclic vomiting syndrome 쓸개급통증(biliary colic), 복부방사선조사
복강 외	심폐질환 ; 심근병증, 심근경색 미로(labyrinthine)질환 ; 멀미, 미로염, 암 / 뇌 장애 ; 암, 출혈, 종양, 물뇌증(수두증) 정신질환 ; 식욕부진과 신경성 병적 과식, 우울증 / 수술 후 구토
약물 및 대사장애	약물 ; 항암제, 항생제, 항부정맥제, digoxin, 경구혈당강하제, 경구피임약 내분비/대사질환 ; 임신, 요독증, ketoacidosis, 갑상선/부갑상선질환, 부신부전(adrenal insufficiency) 독소 ; 간부전(liver failure), ethanol

- 구토와 관련된 neurotransmitters ; neurokinin NK_1, serotonin $5-HT_3$, vasopressin

• N/V의 치료제

분류	기전	예	적응	부작용
Antiemetics	Antihistamine	Dimenhydrinate, Meclizine	멀미, 내이장애	진정, 구강건조
	Anticholinergic	Scopolamine	멀미, 내이장애	진정
	Antidopaminergic	Prochlorperazine, Thiethylperazine	광범위	진정, 불안
	5-HT_3 antagonist	Ondansetron, Granisetron	항암제,RTx,수술	두통, 졸음, 변비
	NK_1 antagonist	Aprepitant	항암제 구토	무력, 두통, 불면
	TCA	Amitriptyline, Nortriptyline	기능성 N/V	진정,건조,두통,변비
	기타 항우울제	Mirtazapine	기능성, 위마비	졸음, 체중증가
Prokinetics	5-HT_3 agonist & antidopa.	Metoclopramide	위마비	파킨슨양 효과
	Motilin agonist	Erythromycin	위마비, 장폐쇄	고용량은 경련 유발
	Peripheral antidopaminergic	Domperidone	위마비	prolactin ↑
	Somatostatin analogue	Octreotide	가성 장폐쇄	설사, 복통, 탈모
	Acetylcholinesterase inhibitor	Pyridostigmine	소장 운동장애	설사, 복통
ETC	Benzodiazepines	Lorazepam	항암제 예기구토	졸음, 두통 ...
	Glucocorticoids	Methylprednisolone,Dexamethasone	항암제 구역	고혈당, 체중증가
	Cannabinoids	Tetrahydrocannabinol	항암제 구역	감각/신경 장애

* cyclic vomiting syndrome
- 특별한 원인 없이 주기적으로 심한 구토가 반복되는 것, migraine을 동반하기도 함
- 이전 episode와 비슷한 임상양상 및 발생 시간을 보임
- 치료
  ① 예방 ; TCA, cyproheptadine, β-blockers ...
  ② 급성 증상기 ; IV 5-HT_3 antagonists + benzodiazepine (e.g., lorazepam)
  ③ antimigrane agents ; 5-HT_3 agonist (e.g., sumatriptan)
  ④ anticonvulsants ; zonisamide, levetiracetam

소화불량 (Dyspepsia)

• 정의 : 상복부 or 명치부위의(epigastric) pain or discomfort (GERD의 heartburn과는 다름)
• 원인(D/Dx)
① functional or nonulcer dyspepsia (NUD) : m/c
② peptic ulcer dz. (PUD)
③ gastroesophageal reflux dz. (GERD)
④ gastric or esophageal cancer
⑤ 기타 위장관 질환 ; chronic *H. pylori* infection, aerophagia, gastroparesis, gastric volvulus, paraesophageal hernia, lactose intolerance, intestinal angina (만성장간막허혈), 기생충감염
⑥ 췌장 ; chronic pancreatitis, pancreatic ca.
⑦ 담도 ; cholelithiasis, choledocholithiasis, biliary dyskinesia
⑧ 기타 ; 임신, DM, hypothyroidism, hypercalcemia, renal insufficiency, aortic dissection, myocardial ischemia, intraabdominal malignancy

⑨ 음식/약물 ; 과식, 빠른 식사, 고지방식, 알코올 or 커피 과다섭취, 항생제, aspirin, NSAIDs, steroids, digoxin, theophylline, iron, narcotics ...

기능성 소화불량 (functional dyspepsia, NUD)

(1) 개요

- 정의: 소화불량 증상은 있으나 기질적/전신적/대사 질환이 없는 것
- 전체 인구의 20~30%에서 발생, 남≒여
- 병태생리
  - ① 운동기능의 이상 ; 약 50%에서 고형식에 대한 위배출 지연
  - ② 내장 과민성(hypersensitivity) ; 위 팽창에 대한 pain threshold 감소
  - ③ 염증
  - ④ 뇌-장관 상호작용, 뇌-장관 peptides
  - ⑤ 정신 사회학적 요인 (e.g., 스트레스, 우울증, 불안장애가 흔함)
- 음식, 흡연, 음주, NSAID 등과의 관련성은 불명확
- *H. pylori*와의 관련성은 논란 (일부에서 *H. pylori* 제균치료가 효과적)
- 위산 분비는 정상임

(2) 진단 및 아형 (로마 III 기준)

아래의 증상이 6개월 이전에 시작되고, 지난 3개월간 지속됐을 때
1. 다음 증상 중 1개 이상 ① 성가신 식후 충만감 (bothersome postprandial fullness) ② 조기 포만 (early satiation) ③ 상복부 통증 (epigastric pain) ④ 상복부 쓰림 (epigastric burning) 2. 위 증상을 설명할 수 있는 구조적 질환이 없음 (내시경을 포함한 검사에서)

아형A. 식후고통증후군(postprandial distress syndrome) : 아래 중 1개 이상이 적어도 매주 수차례 발생
① 통상의 식사량 후에 발생하는 성가신 식후 충만감 ② 통상의 식사를 마치지 못하게 하는 조기 포만
아형B. 상복부통증증후군(epigastric pain syndrome) : 통증과 쓰림이 아래 5가지를 모두 만족할 때
① 간헐적(intermittent) ② 상복부에서 발생(매주 한번 이상, moderate severity 이상) ③ 전반적 또는 흉복부의 다른 위치에 국한된 것이 아님 ④ 배변이나 방귀에 의해 완화되지 않음 ⑤ 담낭이나 오디괄약근 장애에 속하지 않음

(3) 임상양상

- 증상 ; 식후 불쾌감/포만감 (m/c), 상복부 팽만감, 트림, 조기 포만감, 식후 상복부 통증/쓰림 ...
- 대부분 호전과 악화를 반복, 음식이나 스트레스 등에 의한 변화가 심함
- 증상을 일으킬 만한 기질적인 병변을 R/O한 뒤 진단
- 과민성 장증후군(IBS) or GERD와 혼동 또는 겹칠 수 있음

(4) 치료

① 생활 습관의 변화 ; 술/담배 피함, 규칙적인 생활/운동, 스트레스 해소

② 식이 요법

- 본인에게 맞는 음식을 먹고, 맞지 않는 음식은 피함
- 맵고 자극성이 심한 음식은 좋지 않다
- 고지방식은 위배출을 느리게 하거나 장운동 변화를 일으켜 복통을 일으킬 수도 있으므로 주의
- 커피 및 탄산가스가 포함된 음료수의 과음을 금함

③ *H. pylori* 제균요법 (→ I-5장 소화성궤양 편 참조)

④ 위산 분비 억제제(e.g., H_2-RA, PPI) 및 제산제(e.g., sucralfate)

⑤ 위장 운동 촉진제

	작용기전	상품명 예
Metoclopramide	5-HT_4 agonist central& peripheral D_2 antagonist	Macperan, Mexolon, Gasrobi
Domperidone	peripheral dopamine D_2 antagonist	Motilium
Itopride	peripheral D_2 antagonist, ACE inhibitor	Ganaton
Mosapride	5-HT_4 agonist	Gasmotin
Levosulpiride	central& peripheral $D_{2,3,4}$ antagonist	Levopride

⑥ 내장 진통 약물 (visceral analgesics)

Peripheral action	Spinal action	Supraspinal action
5-HT_3 antagonist Kappa opioid Octreotide	Octreotide Clonidine Mexilitene	Low-dose tricyclics SSRI Anxiolytics or sedatives Leuprolide

⑦ 정신과적 치료

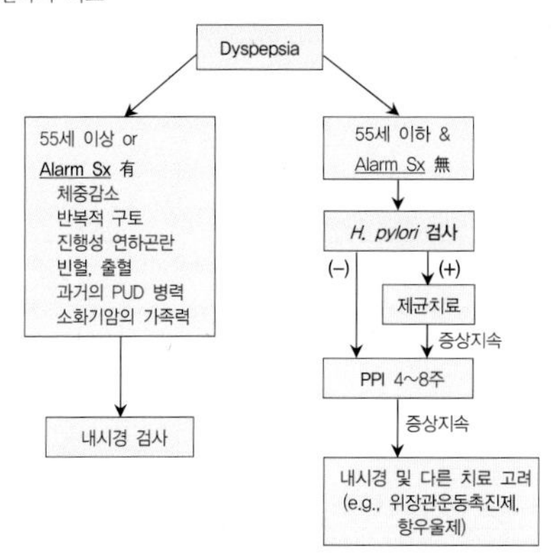

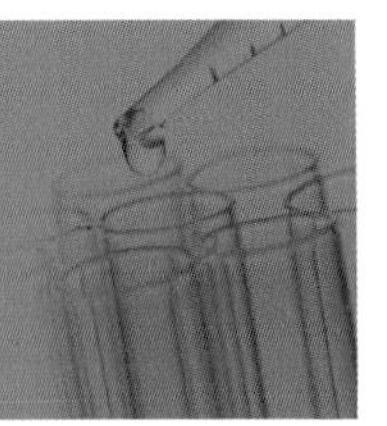

2
설사 및 변비

급성 설사

1. 개요

- 설사의 정의 : 대변양이 200 g/day 이상 (or 배변 횟수가 하루 4회 이상)
  - 급성(acute) : 2주 미만
  - 지속성(persistent) : 2~4주 지속
  - 만성(chronic) : 4주 이상 지속
- 대부분은 mild & self-limited!, 감염이 m/c 원인 (80~90%)

급성 감염성 설사의 원인 ★		
	비염증성(noninflammatory) 설사	염증성(Inflammatory) 설사
바이러스	Norovirus (m/c), Rotavirus	Cytomegalovirus
기생충	*Giardia lamblia, Crytosporidium*	*Entamoeba histolytica*
세균	*1. Preformed enterotoxin* 생산 *S. aureus* *Bacillus cereus* *Clostridium perfringens* *Clostridium botulinum* *2. Enterotoxin* 생산 Enterotoxigenic *E. coli* (ETEC) *Vibrio cholerae* *Klebsiella pneumoniae* *Aeromonas* spp.	*1. Cytotoxin* 생산 Enterohemorrhagic *E. coli* O157:H7 (EHEC) *Vibrio parahaemolyticus* *Clostridium difficile* *2. Mucosal invasion* *Shigella, Salmonella,* Enteroinvasive *E. coli* (EIEC) *Campylobacter jejuni, Vibrio parahaemolyticus* *Yersinia enterocolitica, Chlamydia* *Neisseria gonorrhoeae* *Listeria monocytogenes*

설사를 일으키는 흔한 약물
1. GI drugs ; Magnesium 함유 제산제, Laxatives, Misoprostol, Olsalazine, Lactulose, Cholinergic drugs
2. Cardiac drugs ; Digitalis, Quinidine, Procainamide, Hydralazine, β-blockers, ACEi, Diuretics
3. Antibiotics
4. Hypolipidemic agents ; Clofibrate, Gemfibrozil, Lovastatin, Probucol
5. Neuropsychiatric drugs ; Lithium, Fluoxetine, Alprazolam, Valproic acid, Ethosuximide, L-Dopa
6. Chemotherapeutic agents
7. Others ; Theophylline, Thyroid hormones, Colchicine, NSAID, alcohol

– 입원환자에서 설사가 발생한 경우 흔한 원인이므로 반드시 약물 부작용을 의심해 봐야됨

특징	소장	대장
Pain의 위치	diffuse or periumbilical	lower abdomen
Tenesmus	없다	있다
Stool volume	1 L/day 이상	1 L/day 이하
Stool의 형태	watery	mucoid or bloody
Fecal leukocytes	드물다	흔하다
Proctosigmoidoscopy	정상	erythema, ulceration, hemorrhage
주요 원인균	*Salmonella, Vibrio,* pathogenic *E. coli*	*Shigella, C. difficile, Campylobacter*

전염성 설사의 임상적 특징	
다량의 cholera양 설사	*Vibrio cholerae*, ETEC, *Shigella* (초기), *Salmonella* (변형된 위 생리를 가진 환자)
구토	*S. aureus* or *B. cereus* 식중독, 바이러스성 위장관염
고열	*Shigella, Salmonella,Campylobacter, Yersinia, Clostridium difficile*
이질 (혈성변)	*Shigella, Salmonella,Campylobacter, Yersinia, Vibrio parahemolyticus, C. difficile*
심한 설사 (3주)	바이러스성 위장관염, EPEC, *Giardia*, 소장의 세균 과증식에 의한 설사

2. 진단

- evaluation의 적응 ★
  ① 탈수를 동반한 대량 설사
  ② 육안적 혈변
  ③ 발열 (>38.5℃)
  ④ 호전 없이 48시간 이상 지속
  ⑤ 최근의 항생제 사용
  ⑥ 새로운 집단 발병
  ⑦ 50세 이상에서 심한 복통과 동반
  ⑧ 70세 이상 노인 or 면역저하자
- inflammatory와 noninflammatory의 감별이 제일 중요!
  - **inflammatory** ; fever, bloody or mucoid stool, fecal leukocytes, fecal lactoferrin ↑
  - tenesmus (후중, 뒤무직) → rectum의 염증 e.g.) shigellosis
  - profuse, "rice-water" → cholera or cholera-like toxin
- fecal leukocytes test (FLT) : Wright's or methylene blue stain, 진단 민감도/특이도는 별로임
  - 많이 나오는 경우 ; *Shigella, Campylobacter,* enteroinvasive *E. coli* (EIEC)
  - 보통~적게 나오는 경우 ; *Salmonella, Yersinia, C. difficile*, non-cholera *Vibrios* ...
  - noninflammatory diarrhea에서는 안 나옴
- inflammatory diarrhea가 의심되면 반드시 대변 배양, toxin assay, PCR 등의 검사 시행
- 대변 배양검사 (-)면 flexible sigmoidoscopy with biopsy & upper endoscopy with duodenal aspirates/biopsies 시행 가능!

- 원인모를 persistent diarrhea 환자 (→ IBD R/O) 또는 noninfectious acute diarrhea (e.g., ischemic colitis, diverticulitis, 부분 장폐쇄 등) 의심시 구조적검사(e.g., sigmoidoscopy, colonoscopy, CT/MRI) 시행 고려
- noninflammatory diarrhea 대부분은 자연 치유되고, 대증요법으로 치료할 수 있기 때문에 원인균을 반드시 규명할 필요는 없음 (심한 경우에는 검사 ; *V. cholerae* 의심시 TCBS agar에 대변 배양, enterotoxigenic *E. coli* 의심시 배변 배양 & enterotoxin assay 등)

3. 치료

- inflammatory ; rehydration, antibiotics
- noninflammatory ; rehydration, antimotility drug

(1) 수분과 전해질의 교정 (m/i)

- WHO 경구수액보충요법(ORS) = water 1 L + glucose 20 g (설탕 40 g:4숟가락) + NaCl 4 g + KCl 2 g + $NaHCO_3$ 2 g
- 여러 상업적인 용액이나 이온음료도 경구수액제로 사용 가능
- 심한 경우 IV fluid (5% DW 1 L + KCl 35 mEq + NaHCO3 45 mEq) 추천

(2) 대증요법

- 영양공급 ; 음식에 의해 유발된 설사이외에 금식은 필요 없다
- 지사제
  ① bismuth subsalicylate (장분비↓)
  → 면역저하자 or 신기능저하자에서는 금기 (∵ bismuth encephalopathy 발생 위험)
  ② loperamide or diphenoxylate (장운동↓ & 장분비↓)
  → 감염성 설사에서는 병의 경과를 길게 하거나 악화시킬 수 있으므로 금기!
  ③ 기타 ; KTB (Kaolin, Tannalbin, Bismuth subnitrate), aluminum hydroxide ...
- 복통완화 ; anticholinergics (Buscopan® 등)

(3) 항생제

- 감염의 증거가 있거나 의심되면 사용 (e.g., fever, bloody diarrhea, leukocytosis, fecal WBC)
- 감염의 증거가 없더라도 고령, 면역저하자, 인공심장판막, 최근의 인조혈관수술 등의 경우에는 항생제를 사용함
- 경험적 항생제 ; fluoroquinolone (e.g., ciprofloxacin, levofloxacin), azithromycin, rifaximin (태국 여행시에는 fluoroquinolone-resistant *Campylobacter* 위험 → azithromycin)
- 항생제 사용 병력이 있으면 PMC 고려하여 metronidazole or vancomycin
- EHEC 의심시에는 항생제 금기, 특히 소아에서
  (∵ 효과 없고, 항생제가 Shiga toxin 방출 유발 가능 / 소아에서는 HUS 발생 위험)

■ 여행자 설사(Traveler's diarrhea)

- 고위험지역 ; 라틴아메리카, 아프리카, 중동, 아시아 등의 열대지방
- 특히 20대 젊은 여행자에서 호발, 도착 3~5일 후에 m/c
- 증상 ; watery diarrhea, abdominal cramps, anorexia, nausea (때때로 vomiting)

(fever, mucus or bloody stool은 드물다)

- 원인균 : enterotoxigenic *E. coli* (ETEC) (m/c), *Campylobacter, Shigella, Aeromonas,* norovirus, coronavirus, *Salmonella* ... (러시아 → *Giardia*, 네팔 → *Cyclospora*)
- 대부분 toxin에 의한 것이지만(noninflammatory), 항생제 치료가 증상기간 단축에 도움 됨
- 치료 ; 경미한 물설사만 있는 경우에는 oral fluid & 짭짤한 크래커만
  - 복통 동반시 → bismuth subsalicylate or loperamide
  - 심한 설사(2회/day 이상) → 항생제 + loperamide
  - fever or dysentery (bloody stool) → 항생제 (loperamide는 금기)
  - 구토가 주인 경우 → bismuth subsalicylate
- 예방적 항생제 투여 (목적지 도착 전날 ~ 떠난 다음날까지)
  - 대상 ; 면역저하자, IBD, hemochromatosis, gastric achlorhydria 환자 등
  - ciprofloxacin, azithromycin, rifaximin (→ 여행자에서 세균성 설사 90% 감소)

■ 식중독(Food poisoning)

- 정의 : 섭취한 음식에 존재하는 미생물 or toxins에 의해 발생한 질환
- 임상적으로 진단 : 동일 그룹이 같은 음식을 섭취하고 단시간 내에 발병
- 잠복기/음식에 따른 원인균 ★

잠복기	원인균	원인음식
1~6시간	*S. aureus*	햄, 닭고기, 감자와 달걀 샐러드, 마요네즈, 빵/과자, 김밥, 떡
	Bacillus cereus (구토형)	볶음밥, 김밥, 떡
8~16시간	*C. perfringens*	쇠고기, 닭고기, legumes, 고깃국물
	Bacillus cereus (복통,설사형)	고기, 야채, 말린 콩, 곡물
16시간 이상	*Vibrio cholerae*	조개, 굴
	Enterotoxigenic *E. coli*	샐러드, 치즈, 고기, 물
	Enterohemorrhagic *E. coli* (혈성 설사)	갈은 쇠고기, 구운 고기, 살라미 소시지, 생우유, 생야채, 사과주스
	Salmonella	소/돼지/닭고기, 계란, 낙농제품
	Shigella	감자와 달걀 샐러드, 상치, 생야채
	Campylobacter jejuni	닭고기, 생우유
	Vibrio parahemolyticus	해산물
	Norovirus	감염자의 손, 변, 구토물 등이 오염된 음식

* *Salmonella*와 *Vibrio parahemolyticus*는 6~8시간 이후부터 가능

- *S. aureus, Bacillus cereus*
  - 오염된 음식에 존재하는 preformed enterotoxin이 원인 (noninflammatory)
  - 음식을 끓여도 소용없다 (∵ heat resistant toxin)
  - 구토, 복통, 설사가 주 증상이며, 대개 fever는 없다
  - 잠복기 가장 짧다(2~6시간)
  - 대부분 24시간 내에 자연 회복 (치료 : 수분과 전해질 공급뿐)

- 음식을 끓여 먹어도 발생 가능한 식중독 (∵ preformed enterotoxin)
  ; *S. aureus, Bacillus cereus, C. perfringens, C. botulinum* ...

만성 설사

• 4주 이상 지속되는 설사 (소아는 3주), irritable bowel syndrome이 m/c 원인

만성 설사의 분류 ★		
병태생리	임상양상	예
1. Osmotic diarrhea Nonabsorbed or nondigested intraluminal solute (삼투작용으로 장관 내로 수분 이동)	금식하면 설사 호전! Bulky, greasy, foul-smelling stools Weight loss Nutrient deficiencies 대변 osmotic gap 증가	설사제 ; Mg^{2+}, PO_4^{-3}, SO_4^{-2} 제산제 ; $Mg(OH)_2$ Lactase 등의 이당류 결핍 비흡수성 탄수화물 : lactulose (lactase def.), sorbitol, fructose, mannitol, polyethylene glycol **지방 흡수장애 (지방변)** ; 췌장 부전 (만성 췌장염), bacterial overgrowth, short bowel syndrome, 간질환, 비만 수술, 점막 흡수불량, 림프관 폐색(intestinal lymphangiectasia), Celiac dz., tropical sprue, Whipple's dz., MAC 감염 (AIDS), abetalipoproteinemia
2. Secretory diarrhea 소화액(전해질)의 과다 분비	다량의(>1 L/day) watery diarrhea 금식해도 설사 지속! 대변 내 Na^+, K^+ ↑ (→ osmotic gap 정상!) Hypokalemia Dehydration Hormones의 다른 systemic effects	자극성 설사제 남용 ; senna, cascara, bisacodyl, ricinoleic acid (castor oil) 만성 음주 (∵ 장세포 손상) 장 절제, 점막 질환, enterocolic fistula (∵ 수분/전해질 흡수 면적↓, 식사하면 악화됨) 회장만 침범한 CD (ileitis) (∵ 회장말단의 bile acid 흡수↓→ 대장분비↑) idiopathic secretory diarrhea (∵ bile acid 흡수↓)* 부분 장 폐쇄, ostomy stricture, fecal impaction (∵ fluid 과다 분비) 호르몬 생산 종양 ; carcinoid syndrome, Zollinger-Ellison syndrome (gastrinoma), VIPoma, medullary carcinoma of thyroid, mastocytosis, colorectal villous adenoma Addison's disease 선천성 전해질 흡수 장애 장독소에 의한 감염성 설사(e.g., 여행자 설사, 콜레라) 일부 약물/독소 : arsenic
3. Inflammatory diarrhea Mucosal & submucosal inflammation Damaged epithelium 일부에선 장 흡수장애와 과다 분비	Fever, abdominal pain, 대변 내 blood and/or leukocytes	IBD (UC, CD) Microscopic colitis (lymphocytic, collagenous) 면역관련 점막 질환 ; 면역저하증, 음식 allergy, eosinophilc gastroenteritis, GVHD 감염 ; 침습성 세균(e.g., *Salmonella*, *Shigella*), 바이러스, 기생충 Behçet' dz., Radiation enterocolitis 위장관 악성종양, Cronkhite-Canada syndrome
4. Motility disorder (1) Rapid transit (2) Slow transit (→ bacterial overgrowth)	설사와 변비의 반복 Neurologic symptoms; bladder involvement	IBS (postinfectious IBS 포함)…만성설사의 m/c 원인 Hyperthyroidism, Carcinoid syndrome Neurologic dz., Postvagotomy, DM, sclerosis ... 일부 약물 ; prostaglandins, prokinetic agents
5. Factitious Self-induced	대개 여성, 정신과 병력 저혈압과 hypokalemia 동반이 흔함	Munchausen syndrome Eating disorders 설사제 남용 (secretory diarrhea 유발)

* idiopathic bile acid malabsorption은 원인불명 만성 설사의 약 40%를 차지함

- 약 1/3의 환자는 Hx, P/Ex, 기본(routine) 검사 이후에도 원인을 찾지 못함
- 정량적 대변 수집과 분석 (대변양이 200 g/day 이상이면 시행)
  ; electrolytes, pH, occult blood, leukocyte (or leukocyte protein assay), fat 정량, laxative screen

Stool osmotic gap = measured osmolality − estimated osmolality

- 정상 : < 50 mosm/kg
- estimated stool osmolality = stool (Na^+ + K^+)× 2

┌ osmotic gap 증가 ; osmotic diarrheas, malabsorptions
└ osmotic gap 정상 ; secretory diarrheas

	금식시	설사의 양	osmotic gap
Osmotic diarrhea	호전	적다 (< 1 L/day)	↑ (≥50)
Secretory diarrhea	지속	많다 (1~10 L/day)	정상(<50)

- 치료 : 원인 질환/기전에 대한 치료 or 잘 모르면 경험적 치료
  - mild~moderate watery diarrhea → mild opiates (e.g., diphenoxylate, loperamide)
  - severe diarrhea → codeine, tincture of opium
  - severe IBD에서는 위의 antimotility agents 금기 (∵ toxic megacolon 유발 위험)
  - diabetic diarrhea → clonidine (α_2-adrenergic agonist)
  - bile acid에 의한 diarrhea (e.g., 회장 절제) → cholestyramine
  - IBS diarrhea & urgency → 5-HT_3 antagonists (e.g., alosetron)
  - chronic steatorrhea → 지용성 비타민 보충도 필요

■ Microscopic colitis

- 육안(내시경)상 정상인 대장의 조직검사(무작위 multiple)에서 염증 소견이 관찰됨 (2가지 type)

  ┌ collagenous microscopic colitis : subepithelial collagen deposition (band), 남<여
  └ lymphocytic microscopic colitis : intraepithelial lymphocytes accumulation, 남=여
- chronic watery diarrhea의 원인으로 증가 추세 (inflammatory or secretory)
- 특히 NSAID, statin, PPI, SSRI 등을 복용하거나 흡연하는 중년~노년 여성에서 호발!
- 설사형 IBS, celiac sprue, drug-induced enteropathy 등과 비슷한 양상을 보일 수 있음
  (celiac sprue 환자의 약 15%에서 microscopic colitis 동반)
- 치료 (대개 자연 호전되지만, 재발이 흔함)
  ① 지사제 ; loperamide (opioid agonist) 등
  ② budesonide (가장 효과적) or bismuth subsalicylate, 5-aminosalicylates (e.g., mesalamine)
  ③ 반응 없는 경우 ; corticosteroids (e.g., prednisone), azathioprine, anti-TNF Ab
  ④ 최후로 fecal steam diversion surgery 고려

변비 (Constipation)

1. 원인

1. **가장 흔한 원인 ;** 저섬유소 식이, 잘못된 배변습관
2. **변비 우세형 과민대장증후군(IBS-C) :** normal colonic transit constipation
3. **서행성 변비(slow colonic transit) ;** Idiopathic, Psychogenic, Chronic intestinal pseudo-obstruction (CIPO)
4. **출구폐쇄형 변비(outlet obstruction/delay, evacuation d/o) ;** 골반저 기능부전(pelvic floor dysfunction, anismus), 대장게실(rectocele), Rectal intussusception or prolapse, Perineal descent
5. **구조적 이상 (장관폐쇄)**
   Perianal disease : fissure, abscess, hemorrhoid
   Colonic mass (e.g., adenocarcinoma), stricture (e.g., diverticulosis, radiation, ischemia, IBD/UC)
   Intussusception, Congenital megacolon (Hirschsprung's disease)
6. **전신적 원인**
   내분비 : hypopituitarism, hypothyroidism, hyperparathyroidism, DM, pheochromcytoma
   대사 : hypokalemia, hypercalcemia, uremia, porphyria
   신경 : paraplegia, Parkinson's disease, multiple sclerosis, pelvic surgery로 인한 pelvic nerve 손상, 척추손상, 척추종양, 뇌종양, meningocele
   기타 : amyloidosis, scleroderma, dermatomyositis, 납중독
7. **근육기능 약화 ;** 폐기종에 의한 횡격막 운동장애, 복부수술, 임신, 복부종물, 복수
8. **약물 ;** opiates (아편제제), 이뇨제, 철분제, Calcium channel blockers, Anticholinergics, 항우울제(TCA), 제산제(calcium, aluminum), Bismuth, 피임약, 장기간 복용하는 하제

■ **기능성 변비 : 기질적 질환이 없는 것**

- Rome III criteria : 6개월 이전에 시작된 증상으로 최근 3개월 동안 증상이 있을 때
  (1) 다음 중 2가지 이상에 해당되는 경우
    ① 배변시 과도한 힘주기가 전체 배변 횟수의 25% 이상
    ② 덩어리변이나 단단한 변이 전체 배변 횟수의 25% 이상
    ③ 배변 후 잔변감이 전체 배변 횟수의 25% 이상
    ④ 배변시 항문의 폐쇄나 막혀있는 느낌이 전체 배변 횟수의 25% 이상
    ⑤ 배변을 돕기 위한 수조작이 필요한 경우가 전체 배변 횟수의 25% 이상
       (e.g., 대변을 손가락으로 파기, 골반저를 지지하는 조작)
    ⑥ 1주일에 3회 미만의 배변
  (2) 하제를 사용하지 않는 경우 묽은 변은 거의 없어야 한다
  (3) 과민성 장증후군의 진단 기준에 부적합하여야 한다

■ **기능성 출구폐쇄 = 골반저 기능부전(pelvic floor dysfunction), 항문연축증(anismus), 협동장애**

- 배변시 항문 괄약근이 정상적으로 이완되지 못하거나 역설적으로 수축되는 것
- 다음 중 적어도 2개 이상의 소견을 동반
  ① balloon expulsion test ; 풍선 배출 못함 (dyssynergia, 협동운동장애)
  ② colonic transit time study ; outlet obstruction type (marker들이 골반 부위에 모여 있음)
  ③ 배변조영술(defecography) ; 치골직장근(puborectalis muscle)의 역행성 수축, 항문직장각(rectoanal angle)이 열리지 않음, 바륨 배출이 잘 안됨

■ **서행성 변비(slow-transit constipation), 대장무력증(colonic inertia)**
- 기질적인 원인이 없으면서, 대장 전체 통과시간(transit time)이 72시간 이상으로 지연된 경우
- 식도, 위, 소장, 대장, 항문, 방광의 기능이상이나 기립성 저혈압과 동반되는 경우도 많음
- 식후 대장운동이 거의 없음

2. 평가/검사

변비의 Evaluation
Initial
History & P/Ex.
Serum potassium, calcium, glucose, creatinine
Thyroid function tests
Chest & abdominal X-ray
Colonoscopy (or flexible sigmoidoscopy + barium enema)
Intermediate
Colonic transit marker study
Anorectal & pelvic floor의 기능적 검사
┌ Balloon expulsion test
│ Anorectal manometry
│ Defecography, Proctography, Dynamic MRI
└ EMG

- 우선 colonoscopy (m/g) or "barium enema + sigmoidoscopy"를 시행하여 기질적인 질환을 R/O!
- 정상이면 (기질적인 원인이 없으면) 기능적 평가!
  ① colonic transit time (marker study, 대장통과시간 측정)
  (정상 : radiopaque markers 섭취 5일 뒤 단순복부촬영에서 markers의 80% 이상이 배설됨)
  ② colonic transit time 지연이 있으면 anorectal & pelvic floor의 기능적 검사 시행
    ⓐ balloon expulsion test (풍선배출검사) … anorectal dysfunction의 m/g screening test
    : 50 mL의 물/공기를 넣은 풍선을 배출하도록 시킴 → 배출 못하면 기능성출구폐쇄 시사
    ⓑ anorectal manometry (항문직장내압검사)
    ⓒ 위 검사가 이상이면 배변조영술(defecography) 시행 (rectoanal angle 측정 등)
    ⓓ 치골직장근(puborectalis muscle)의 이완 장애 (pelvic outlet obstruction의 m/c 원인) 확진을 위해서는 dynamic study 필요 ; defecation proctography, dynamic MRI 등
    ⓔ 대변실금(incontinence)의 확인에는 신경학적 검사(e.g., EMG)가 도움

3. 합병증

Hemorrhoids	Fecal impaction
Anal fissures	Colonic obstruction
Rectal prolapse	Urinary tract obstruction
Cecal perforation	Stercoral ulceration
Volvulus	Fecal incontinence
Ischemic colitis	Decubitus ulcers
Laxative use	Urinary tract infection
Cathartic colon	
Melanosis coli	

4. 내과적 치료

(1) 일반적 치료방법

- 만성 변비의 대부분(>90%)은 기저질환/기질적원인이 없고, 일반적인 처치로 호전됨
- 다른 치료에 앞서 대개 1개월 정도 일반적인 처치를 실시
- 배변습관과 생활양식의 변화
- 고섬유질(>30 g/day) 식이와 수분 섭취
  (고섬유질 식이의 금기 ; GI obstruction, megacolon or megarectum)

(2) 약물요법

: bulk or osmotic laxatives가 부작용이 적고 장기간 사용 가능!

① **부피형성하제(bulk laxatives)** … 가장 먼저 사용
- bran powder, psyllium fiber, methylcellulose, calcium polycarbophil
- 충분한 양의 물과 함께 복용하여야 하고, 장기간 사용해야
- 일시적인 변비를 빠르게 해소하는 데는 부적합
- bowel obstruction or impaction에서는 금기

② **삼투성하제(osmotic laxatives)**
- lactulose ; 투여 2~3일 후에 효과
- magnesium ; 투여 6시간 이내에 배설
- 기타 ; sorbitol, sodium phosphate, PEG (polyethylene glycol) solution (대장세척액)

③ 자극성하제(stimulant laxatives)
- anthraquinone 제제 (senna, 알로에 등)
  - 복용 후 6~8시간 내에 배변 유도
  - Cx ; 알레르기반응, 전해질손실, 대장무력증, 대장흑색소증(melanosis coli : lipofuscin 침착)
  - 알로에는 선천성 기형과도 관련 있음
  - 일시적 변비 환자에서 한두번 사용하는 것이 적당
- 기타 ; diphenylmethane 유도체(bisacodyl [Dulcolax®], phenolphthalein), 피마자유(caster oil), 표면활성제, ricinoleic acid ↳ 장기간 사용시 대장무력증 발생

④ 윤활성하제
- 종류 ; 광유(mineral oil), docusate sodium (대변연화제)
- 부작용 ; 지용성 비타민 흡수장애, 흡인성 폐렴, pruritus ani

⑤ 장운동항진제(prokinetic agents)
- domperidone, metoclopramide, bethanechol 등
- 하제 용량을 감소시키는 효과, 단독으로는 별 효과 없다!

⑥ serotonin (5-HT_4) agonist ; prucalopride [Resolor®], ATI-7505 (cisapride와 비슷), velusetrag (TD-5108) (c.f., cisapride와 tegaserod는 치명적인 심혈관계 부작용으로 퇴출되었음)
→ 다양한 아형의 만성 변비에 효과적, complete spontaneous bowel movements (CSBM)↑

⑦ Cl channel (ClC)-2 activator (lubiprostone [Amitiza®]) : 분비성하제, PGE_1 유도체
→ 대변을 무르게 하고 장운동 증가시킴, 만성 변비와 변비형 IBS에 효과적, 복통 완화에도 도움

⑧ guanylate cyclase-C (GC-C) agonist (linaclotide [Linzess®], plecanatide) : 분비성하제
→ 상행결장 통과 시간을 감소시킴, 여러 증상도 개선, 만성 변비와 변비형 IBS에 효과적

(3) Biofeedback therapy (pelvic floor rehabilitation)

- 전기 혹은 기계적 장치를 이용하여 배변에 관여하는 근육들을 훈련시킴
- Ix ; 출구폐쇄형 변비 (기능성출구폐쇄, 협동장애 배변), 신경인성 대변실금(incontinence)
- 만성 normal (단순) or slow transit time (서행성) 변비 환자에도 효과적임

(4) 관장(enema)

- 직장을 팽창시켜 대변을 보게 하는 작용, 배변기능 연습에 도움을 줄 수
- 첨가물이 없는 단순한 물을 한번에 500 cc 정도 사용하면 안전

5. 외과적 치료

(1) 천수 신경 자극(sacral nerve stimulation, SNS)

- 일반적인 치료에 불응인 난치성 변비 환자에서 시도해 볼 수
- 직장 감각능 저하를 동반한 변비와 서행성 변비에서 치료 효과가 비교적 좋음

(2) 대장 절제술

- 증상이 매우 심한 난치성 서행성 변비 환자에서 선별적으로 시도
- 수술 후 환자의 만족도는 비교적 좋은 편

■ 기능성 변비의 치료

(1) 대장 통과시간 지연 변비/서행성 변비(slow-transit constipation, colonic inertia)

- 약물치료 : bulk laxatives를 처음 시도하고, 2차적으로 다른 약물들을 시도
- 식후 대장운동이 거의 없기 때문에 식이섬유나 설사제 투여에 반응이 없는 경우가 많음
- 대장절제술(laparoscopic colectomy with ileorectostomy)
  - 3~6개월의 내과적 치료에도 반응이 없고 증상이 심한 난치성 서행성 변비에서 고려
  - 서행성 + 출구폐쇄형 혼합형 변비에서도 마찬가지

(2) 기능성 출구 폐쇄 (골반저 기능부전/협동장애)

- biofeedback이 m/g 치료법 (70~80% 효과적)
- 배변시 골반저 횡문근을 이완하게 훈련하고, 소량의 대변에 의한 직장 팽창을 인식할 수 있게 하며 복압을 효과적으로 상승할 수 있도록 환자를 교육
- 수술이나 botulinum toxin 주사 치료는 치료 효과가 떨어져 거의 사용 안함

3
위장관 출혈

정의/증상

1. 토혈(Hematemesis)

- 구토시 gross blood가 관찰되는 상태
- Treitz ligament (duodenojejunal junction) 상부 (upper GI)의 출혈을 의미
- hematemesis가 있으면 보통 melena도 나타남
  - but, melena가 있는 환자의 1/2 미만에서만 hematemesis를 동반
  - 일반적으로 두 증상이 같이 존재하면 예후가 더 불량함

2. 흑색변(Melena)

- 변성된 혈액에 의해 특징적인 냄새를 지닌 tarry ("sticky") black stool
- 보통 100~200 mL 이상 (최소한 50 mL)의 출혈과 장내에서 8시간 이상 머물러야 발생
- 약 90%가 Treitz ligament 상부 (upper GI)의 출혈이 원인
- GI transit time이 지연되면 lower GI bleeding도 melena를 일으킬 수 있음 (e.g., 노인)
- 출혈이 멈춰도 흑색변은 7일 동안 지속 가능
- 대변색이 정상화되어도 7일 까지는 occult blood (+)일 수 있음

* GI bleeding 없이 흑색변을 보이는 경우 ; bismuth, iron, charcoal, 감초, black cherry, 들쭉나무 열매(bilberry), 다량의 적포도주, 다량의 담즙 ...

3. 혈변(Hematochezia)

- 항문을 통해 red blood가 나오는 것
- 약 90%가 Treitz ligament 하부 (lower GI)의 출혈이 원인
- Treitz ligament 상부 (upper GI)라도 대량의 급격한 출혈의 경우는 hematochezia를 일으킬 수 있음 (hematochezia의 약 10%)

* upper GI bleeding이 melena를 일으키려면 50~100 mL 정도의 출혈로도 가능하나, hematochezia를 일으키려면 적어도 1000 mL 이상의 급성 출혈이 있어야 함

* active UGI bleeding의 단서
① hematemesis시 붉은 색의 fresh blood 발견
② 장운동항진(hyperperistalsis) : 소장의 지속적인 자극 때문
③ BUN↑ : volume depletion 및 소장에서 혈액 단백질의 흡수 때문

원인

1. 상부위장관 출혈(upper GIB)

(1) PUD (m/c, ~50%) ; 위/십이지장 궤양 (재출혈률 10~20%, 사망률 5~10%)
(2) esophageal varix (6~39%)
(3) hemorrhagic or erosive gastropathy/gastritis (2~18%) ; NSAIDs, alcohol, stress 등
- 심각한 출혈은 드물고 대부분 경미한 출혈
- stress-related gastric mucosal injury는 크게 감소 (∵ 중환자 치료의 발전)

(4) Mallory-Weiss syndrome (2~10%)
(5) gastric carcinoma
(6) 기타 ; angiodysplasia, esophagitis, erosive duodenitis, neoplasms, diverticula, aortoenteric fistulas, vascular lesions, Dieulafoy's lesion, prolapse gastropathy, hemobilia ...

2. 하부위장관 출혈(lower GIB)

(1) anorectal dz. [hemorrhoid (m/c), fissure, fistula] : 간헐적인 소량의 출혈
(2) <u>diverticulosis</u> : 보통 급성으로 다량의 출혈, 70~80%는 저절로 멈춤
(경미한 출혈의 hemorrhoid를 제외하고 diverticulosis를 lower GIB의 m/c 원인으로 많이 봄)
(3) <u>vascular ectasia</u> (angiodysplasia) : 퇴행성 변화, 대개 다발성
(4) neoplasms : 소량 출혈 or occult blood (+)
(5) inflammatory bowel dz.
(6) infectious colitis : *C. jejuni, Salmonella, Shigella,* EIEC, *C. difficile* ...
(7) ischemic or radiation-induced colitis
(8) 기타 ; post-polypectomy bleeding, rectal ulcer, NSAIDs, trauma, varices, lymphoid nodular hyperplasia, vasculitis, aortocolic fistulas, intussusception ...

평가 및 치료

1. 혈역학적 상태

- vital signs (HR, BP, postural change)이 실혈 정도 예측에 가장 중요!
- 건강한 성인에서 500 mL 미만의 출혈은 보통 무증상

- orthostatic hypotension (기립시 systolic BP 10 mmHg 이상 감소 or HR 20 이상 증가)
  → total blood volume의 20% 이상 (약 1 L)의 소실을 의미
- shock (현저한 tachycardia, hypotension, peripheral vasoconstriction 등)
  → total blood volume의 40% (약 2 L)의 소실

2. 검사

- blood typing & cross-matching
- hemoglobin & hematocrit (24~72시간이 지나야 감소)
  - acute blood loss의 정도를 잘 반영하지 못한다
  - 심한 blood loss에도 불구하고 처음에는 정상일 수 있음
    (∵ extravascular fluid의 equilibration과 hemodilution에 8시간 이상 소요)
- mild leukocytosis & thrombocytosis (실혈에 대한 반응) : 출혈 6시간 후 나타남
- BUN↑ (∵ UGI bleeding시 장내세균에 의한 blood 분해, GFR 약간 감소 때문)
- PT, PTT 등의 coagulation study (→ clotting defects를 R/O)

*** 분변(대변)잠혈검사 (fecal occult blood test, FOBT)**

(1) 생화학적 검출법 (전통적) : guaiac 법 (대변 내의 peroxidase 측정) 등
  - 대개 10 mL/day 이상의 출혈이 있어야 (+)
  - sensitivity 낮고 (30~50%) 위양성/위음성이 많음, 간편하고 저렴
    - false (+) ; 철분제제, 생고기, 생선, 다량의 조리된 육류, 생야채, bismuth, sucralfate, cimetidine, 한약(감초), 하제, 동, 변기살균제 ...
    - false (−) ; vitamin C, 3일 이상의 변비, 오래되거나 건조된 stool, 칼슘 ...

(2) <u>면역화학법</u> (Hb-specific Ab 이용) : fecal immunochemical test (FIT) for Hb
  - ELISA, hemagglutination, latex 응집법 등 → 정량 검사 가능
  - sensitivity 높고 (70~90%) 위양성/위음성 거의 없음, 식이제한으로부터 자유로움

3. 응급 치료

(1) intravascular volume 회복 ··· 가장 먼저!

- IV route 확보 : large-bore (14 or 16 gauge) cannula
- <u>normal saline</u> or colloid
- potassium은 섞지 않는 것이 좋고, vitamin은 절대 혼합하지 않는다

(2) transfusion

- 심한 출혈이 지속되어 colloid replacement 만으로는 적절한 circulatory volume과 tissue oxygenation을 유지하기 어려울 때
- 제한적인 적응(Hb <7 g/dL시 적혈구 수혈, 목표 Hb 7~9 g/dL)이 사망률과 재출혈을 더 낮춤
  - 심한 출혈에 의한 저혈압이나 심혈관질환 동반시에는 목표 Hb 9~10 g/dL이 권장됨
  - platelet count >50,000/μL 및 INR <2 유지하기 위해 platelet and/or FFP도 수혈
- 응급으로 교차시험을 할 여유가 없을 때에는 universal donor인 Rh(−) O형 혈액을 수혈

4. 비위관(nasogastric [NG] tube) 삽입

(1) gastric aspiration

- stomach을 비우고, 출혈이 Treitz ligament 상부에서인지 보기 위해
- but, UGI bleeding 이라도 혈액이 나오지 않을 수 있음 (~18%에서) → 대개 십이지장 출혈!

(2) gastric lavage

- gastric aspirate (+)일 때, stomach을 saline으로 irrigation
- 목적 ; 출혈 양(속도) 파악, 내시경검사시 시야를 깨끗하게 하기 위해
  (iced saline은 효과 없다! 오히려 local hemostatic mechanism의 장애와 hypothermia 유발 위험)

5. 상부위장관 출혈의 진단

(1) 내시경(esophagogastroduodenoscopy : EGD)

- 85%에서는 출혈이 자연히 멈추지만, 그것을 예측할 수는 없으므로 모든 upper GI bleeding 환자에서 가능한 빨리 시행 (vital signs이 안정된 후 시행하는 것이 바람직)
- 병소의 직접 관찰, 원인 질환 확진, 지혈 치료 가능
- 안전하며, 수혈·수술의 필요성을 감소시키며 사망률도 낮출 수 있다

(2) angiography

- 출혈이 계속되어 내시경검사가 어려울 때 시행
- 적어도 출혈 양이 0.5 mL/min 이상 되어야 발견 가능
- therapeutic angiography : vasopressin infusion, embolization (gelfoam)

(3) upper GI barium radiography

- 내시경검사를 할 수 있으면 시행할 필요 없다
- endoscopy나 angiography시 방해가 될 수 있으므로, 시행하려면 적어도 출혈이 멈춘 지 48시간 이후에 시행해야 됨

■ Upper GI bleeding의 치료 ★

- 심각한 출혈, 고위험 내시경소견(e.g., varices, ulcers with active bleeding or visible vessel)
  ⇨ 내시경 지혈술(e.g., laser/전기응고, epi. 국소주입, ligation 등) 필요! & 3일 이상 입원
- 저위험 내시경소견(e.g., 깨끗한 ulcers, nonbleeding MW tear, erosive/hemorrhagic gastropathy)
  + vital sign & Hb 안정 ⇨ 내시경 지혈술 불필요, 퇴원 가능
- PPI (e.g., omeprazole, pantoprazole, esomeprazole) IV (3일 high-dose continuous infusion)
  - 위산(→ 혈액응고 과정 방해, 응집된 혈소판과 섬유소를 용해) 분비를 억제하여 위내 pH를 6 이상 유지시키면 clot stability가 향상됨 ⇨ 가능하면 일찍, 내시경 대기하면서 투여 시작
  - 내시경 전 PPI 사용은 병변의 severity를 낮추고 내시경 지혈술의 필요성을 감소시킴
    (but, 내시경 전 PPI 사용이 재출혈률, 수술률, 사망률 등을 감소시키는 것은 아님)
  - 고위험 내시경 소견(병변)의 환자에서는, 성공적인 내시경 지혈술 이후 고용량 PPI IV 사용이 재출혈 및 사망률을 감소시킴 (저위험 병변 환자는 oral PPI도 가능)
- erythromycin IV (장운동항진제) : 내시경 시야를 좋게 함 (but, 재출혈률이나 사망률 감소×)

- octreotide (somatostatin analogue) : 식도정맥류 출혈의 지혈에는 매우 효과적이지만, 소화성궤양 출혈에는 별 도움 안됨
- *H. pylori* 제균치료 → 출혈성 궤양의 재출혈률 감소
- asprin 및 NSAIDs는 반드시 중단 (but, 심혈관질환 2차 예방 등에 반드시 필요한 경우는 중단×)

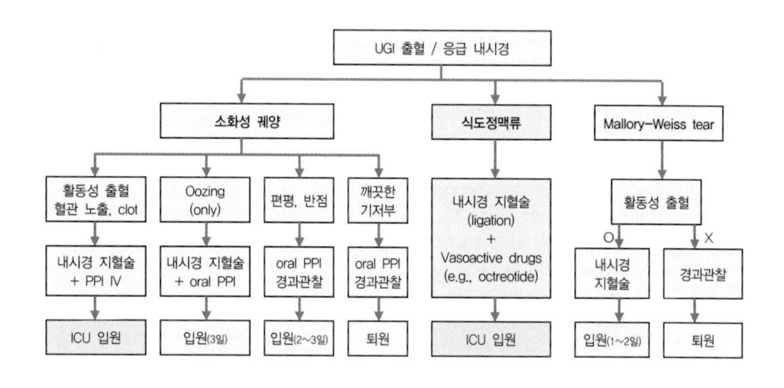

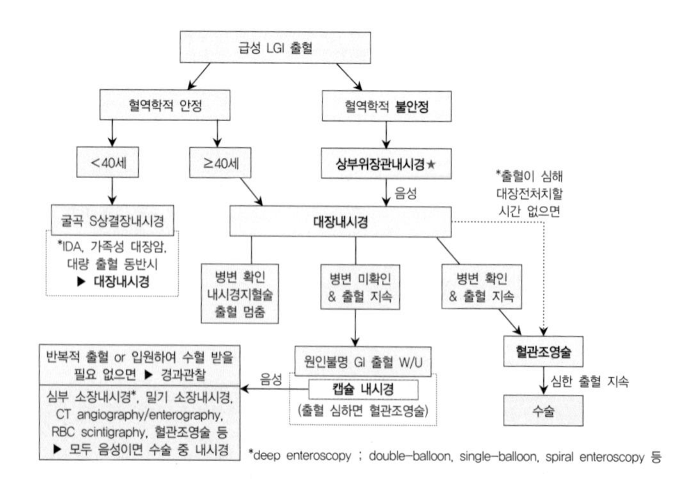

■ 소화성 궤양의 내시경 소견 : modified Forrest classification

내시경 소견		재출혈률	내시경 지혈술
Active bleeding	Ⅰa : Spurting bleeding	90%	필요
	Ⅰb : Oozing bleeding	30%	필요
Stigmata (sing) of recent bleeding	Ⅱa : Visible vessel	40~50%	필요
	Ⅱb : Adherent clot	20~35%	(필요)
	Ⅱc : Pigmentation (spot) or hematin	5~10%	불필요
No sign of bleeding	Ⅲ : Clean base	<5%	불필요

6. 하부위장관 출혈의 진단

(1) 직장수지검사(rectal examination), anoscopy & sigmoidoscopy

- 40세 미만의 minor bleeding (혈역학적으로 안정)시에 유용
- anorectal dz., IBD, infectious colitis 등을 R/O

(2) colonoscopy

- 40세 이상의 minor bleeding (혈역학적으로 안정)시에 유용
- severe/active bleeding으로 시행이 어려우면 angiography를 먼저 시행함
- 응급으로 시행할 수도 있지만, 전처치(rapid high-volume colonic lavage)를 해야 시야 깨끗해짐

(3) esophagogastroduodenoscopy (EGD)

- 혈역학적으로 불안정한 경우 upper GI bleeding을 R/O하기 위해 우선 시행!
- 혈변이 주증상일 때 upper GI bleeding을 시사하는 소견
  ① 혈역학적으로 불안정
  ② Hb 감소
  ③ 장음 증가 (hyperactive bowel sound)
  ④ BUN 증가 (∵ 체액량 감소 및 소장에서 혈액의 흡수 때문)

(4) angiography

- active/severe bleeding 시에 유용 (1~6시간마다 1 unit의 수혈 필요시 시행)
- 0.5 mL/min 이상의 출혈만 발견 가능
- intraarterial vasopressin or embolization으로 치료도 가능한 것이 장점
- ^{99m}Tc-RBC scan 등의 다른 검사를 먼저 시행하고 양성인 경우에도 시행 가능
- 출혈이 멈춘 뒤라도 vascular anomalies or tumor vessel 등의 발견에 쓰일 수 있음

(5) radionuclide scans (e.g., ^{99m}Tc-RBC scan)

- 소량의 lower GI bleeding의 진단 및 위치추정에 유용
  (12시간 내에 1 unit 이하의 수혈이 필요한 경우에 시행)
- 0.1 mL/min 이상의 출혈을 발견 가능, 주사 후 수시간 내에 출혈시 검출 가능

7. 원인 불명 위장관 출혈(obscure GI bleeding)

- 정의 : 통상적인 내시경(EGD, colonoscopy)에서 원인이 밝혀지지 않은 GI bleeding
  - obscure-overt form GI bleeding : 토혈, 흑색변, 혈변 등의 증상 존재시
  - obscure-occult form GI bleeding : fecal OB(+) or 지속적 IDA
- 전제 GI bleeding 환자의 약 5%, 대부분 소장이 원인
- 원인 ; 혈관이형성, 궤양, 종양, CD, celiac sprue, 게실, 정맥류, 림프혈관종, 방사선장염 ...
- 진단
  - ① 영상 or 핵의학 검사(radionuclide scans) ; 현성 출혈일 때만 진단 가능
    - 최근에는 MDCT angiography, CT/MR enterography가 흔히 이용됨
    - massive obscure bleeding의 경우는 angiography가 initial choice!
    - Meckel 게실 진단에는 ^{99m}Tc-pertechnetate scintigraphy가 유용 (특히 젊은 환자에서)
  - ② **캡슐 내시경(capsule endoscopy)** ; 소장 출혈 진단의 choice! (진단율 60~80%)
    - 장점 ; 소장질환의 진단율 높음, 환자의 불편함/통증 無
    - 단점 ; 병변의 위치 추정 불가능, 소장내 공기/이물에 의한 해상도 저하 가능, 조직검사 및 치료 불가능, 소장 폐쇄 동반시 사용 불가능, 일회용, 고가
  - ③ 가압성/밀기 소장내시경(push enteroscopy) ; jejunum 중간까지만 검사 가능 (Treitz 인대 후방 15~160 cm 정도까지), 통증이 심함, 진단율은 capsule endoscopy보다 떨어짐(30~40%)
  - ④ 이중풍선 소장내시경(double-balloon enteroscopy) ; 경구 or 경항문
    - 두개의 라텍스 풍선에 공기 압력을 가함에 따라 소장을 지지하면서 아코디언처럼 소장을 단축시키면서 내시경검사를 시행하는 것 (검사시간이 길어 일반적으로 두 번에 나누어 시행)
    - 장점 ; 전체 소장의 자세한 관찰 가능, 병변의 조직검사 및 내시경적 치료 가능 (capsule endoscopy과 진단율 비슷함)
    - 단점 ; 검사시간 길, 검사과정 복잡, 검사자의 숙련도 필요, 침습적(환자의 불편함/통증↑)
  - ⑤ 위의 검사들로도 원인이 발견 안 되면 intraop. endoscopy 고려

상부위장관 출혈의 경과/예후

1. 급성 상부위장관 출혈

- 저절로 멈춤 (80%) ⟶ 生
- 계속 출혈 or 재발 (20%) ↗→ 死 (8~10%)

2. 상부위장관 출혈의 내시경 치료 결과

- 재출혈률, 수술률, 사망률 등을 감소시킴
- 내시경 치료의 실패 요인 ; PUD의 과거력, 궤양 출혈의 과거력, shock, 활동성 출혈, 궤양 직경 >1~3 cm, 혈관 >2 mm, 위소만 상부 or 십이지장구부 상부/후부에 위치한 궤양 등
- 내시경 지혈술 24시간 이내의 2차 내시경(2nd-look endoscopy) : 최근에는 권장 안됨 (임상적으로 재출혈 징후가 있거나, 초기 치료 효과가 불확실한 경우에만 고려)

3. 예후가 나쁜 경우 (사망률↑) ★

(1) 원인 질환별 사망률

esophageal varix	30%
gastric carcinoma	14%
gastric ulcer	6%
gastric erosin	7%
Mallory-Weiss syndrome	2%

(2) 고령

(3) 나쁜 내시경 소견 ; Forrest classification, Rockall scoring system 참고!

(4) 출혈량↑ ; 맥박↑, 혈압↓, Hb↓, 수혈량↑, 토혈, NG lavage에서 fresh blood
(c.f., 흑색변만 있는 경우는 토혈에 비해 예후 좋음)

(5) 동반질환 ; 심장(e.g., 심부전, 허혈성심장질환), 폐(e.g., COPD), 간 (e.g., LC),
신장(e.g., 신부전: creatinine↑), disseminated carcinoma, coagulopathy ...

4
식도 질환

개요

1. 꿈틀운동/연동(peristalsis)

(1) primary peristalsis : swallowing 후 순차적으로 일어나는 연동운동
(2) secondary peristalsis : 식도중간에 음식물이 걸렸을 때 (local distention) 발생
→ 역류된 위 내용물을 내려 보내는데 중요
(3) tertiary peristalsis : nonspecific, irregular

2. UES (upper esophageal sphincter, 상부식도괄약근/조임근)

- constrictor m. : cricopharyngeus m.과 inf. pharyngeal constrictor m.로 구성
- dilator m. : geniohyoid m.을 포함한 여러 개의 suprahyoid m.로 구성

• constrictor m.은 10번 뇌신경이, dilator m.은 12, 5, 7번 뇌신경이 innervation
(c.f., 구강근육은 5, 7번 뇌신경, 혀근육은 12번 뇌신경, 인두근육은 9, 10번 뇌신경)
• 구강, 인두, UES, cervical esophagus의 근육은 가로무늬근/횡문근(striated m.)임
• 평상시엔 닫혀 있다 (∵ wall의 elastic properties, neurogenic tonic contraction)

3. LES (lower esophageal sphincter, 하부식도괄약근/조임근)

• thoracic esophagus와 LES는 민무늬근/평활근(smooth m.)임
• physiologic sphincter (해부학적인 구조 없음)
• 10번 뇌신경의 parasympathetic excitatory & inhibitory pathways에 의해 innervation

- excitatory nerves의 신경전달물질 ; acetylcholine, substance P
- inhibitory nerves의 신경전달물질 ; VIP, NO (nitric oxide)

• 평상시엔 닫혀있음 (∵ intrinsic myogenic tone)
• diaphragmatic crura muscle : external LES로 작용
• resting LES pr. : 10~20 mmHg

* interstitial cell of Cajal (ICC) : mesenchymal cells (c-kit+)
- 신경과 평활근 사이의 상호작용을 조절 (pacemaker 역할)
- myenteric plexus에 가장 많이 분포하나, circular muscle layer의 deep muscle plexus에도 존재
- LES에서 ICC가 감소되면 LEX relaxation 장애를 일으킴(→ achalasia)

LES pr. 증가 (LES 이완 억제)	LES pr. 감소 (LES 이완 촉진 → GERD 발생위험 증가) ★	
복강내 압력 증가 고단백식 Acetylcholine Gastrin Pancreatic polypeptide (PP) α-adrenergic agonist Muscarinic (M_2, M_3) agonist Dopamine antagonist $PGF_{2\alpha}$ Substance P GABA-B agonist (e.g., baclofen)	흡연(nicotine) 알코올 임신 고지방식 Esophagitis Scleroderma-like diseases 만성 가성 장폐쇄증과 관련된 myopathy 식도 손상 (e.g., Balloon dilatation, Myotomy) Xanthine을 많이 함유한 음료 (e.g., coffee, tea, cola) Peppermint	Glucagon, Secretin, CCK, VIP Calcitonin-gene-related peptide (CGRP) PGE_1, PGE_2 Anticholinergics Calcium channel blocker (CCB) β-adrenergic agonist, α-blocker Adenosine, Nitric oxide, Nitrates Aminophylline Opiate Dopamine, Benzodiazepine Phosphodiesterase-5 inhibitor (e.g., sildenafil)

4. 식도성 통증

(1) 가슴쓰림/흉골하작열감(heartburn, pyrosis) ; reflux esophagitis의 주 증상
- 악화 ; 앞으로 구부림, 긴장, 드러누움, 식후 ...
- 완화 ; 서있음, 침이나 물을 삼킴, 제산제 ...

(2) 삼킴통증/연하통(odynophagia) ; nonreflux (fungal, viral, pill-induced) esophagitis, peptic ulcer (Barrett's ulcer), cancer, drugs, caustic damage, perforation 등이 원인
- dysphagia와 같이 발생되는 경우가 흔함

(3) 흉통(chest pain) ; reflux esophagitis (m/c), esophageal motility d/o, spasm, peptic ulcer, cancer 등이 원인 (→ 반드시 CAD를 R/O 해야!)

5. 연하곤란(dysphagia)의 분류 ★

(1) **mechanical (structural) dysphagia** : 좁아진 내강, 큰 음식덩어리, 외부 압박 등에 의한 dysphagia
- 크기가 큰 고형식 → 작은 고형식 → 유동식 순으로 연하곤란이 발생!
- 원인
  - ① wall defects ; Zenker's diverticulum, esophageal diverticulum, tracheoesophageal fistula
  - ② intrinsic narrowing
    - 염증성 식도염 ; virus (HSV, VZV, CMV), 세균, 진균, 부식 식도염, 호산구성 식도염
    - webs & rings ; Plummer-Vinson syndrome, Schatzki ring (하부식도 mucosal ring)
    - 양성 협착 ; peptic stricture, 부식, 약제, 염증(CD, candida), 허혈, 수술, 방사선 ...
    - 종양 ; 식도암, 분문부 위암(gastric cardia cancer)
  - ③ extrinsic compression ; 혈관 압박, 후종격동 종괴, postvagotomy 혈종 & 섬유화

(2) **motor (propulsive) dysphagia** : peristalsis 또는 deglutitive inhibition의 장애로 인한 dysphagia
- 처음부터 고형식과 유동식 모두 연하곤란이 나타나는 경우가 많음
- 원인
  - ① 평활근 or 자극성신경의 장애 ; scleroderma, myopathy, metabolic neuromyopathy (e.g., amyloid), drugs, hypertensive peristalsis (nutcracker esophagus) ...

② 억제성신경의 장애 ; diffuse esophageal spasm, achalasia (primary & 2ndary), 하부식도 contractile (muscular) ring ...
③ GERD with weak peristalsis
④ 횡문근 장애 (식도 상부 1/3) ; pharyngeal paralysis, globus pharyngeus ...

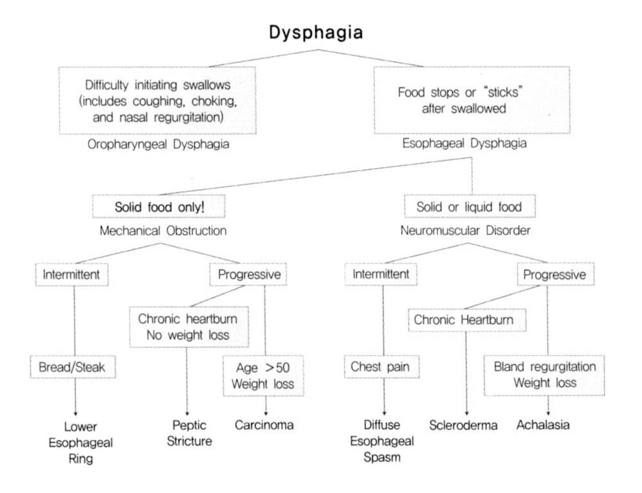

6. 진단적 검사

(1) 영상검사

- videofluoroscopic swallow study (VFSS) : oral & pharyngeal dysphagia 진단에 유용!
- esophagogram : barium swallow, double-contrast (점막병변 발견에 유용)
  (c.f., peristalsis 검사는 누운 자세에서 시행함)

(2) 식도내시경(esophagoscopy) : barium study보다 점막병변 발견율 높고, 조직검사도 가능

(3) 식도내압검사(manometry, motility test)

- 3~5 cm 간격으로 pressure sensors가 있는 catheter를 삽입하고 압력을 측정
- achalasia, diffuse esophageal spasm, scleroderma 등의 식도 운동성질환 진단에 도움
  (mechanical dysphagia 진단 시엔 도움 안 됨)
- GERD에서는 LES의 압력을 측정하고 식도체부 운동능력의 상태를 파악하는데 도움

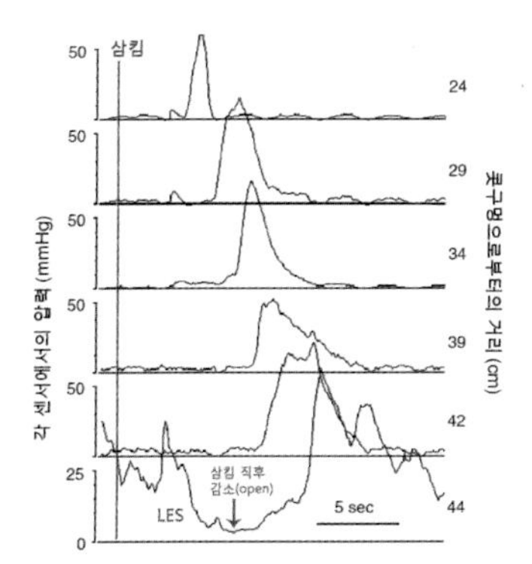

Normal Manometry

센서 사이의 간격이 멀어서(3~5 cm) 식도 모든 부분의 압력을 반영하지 못하는 것이 단점

* X축은 시간

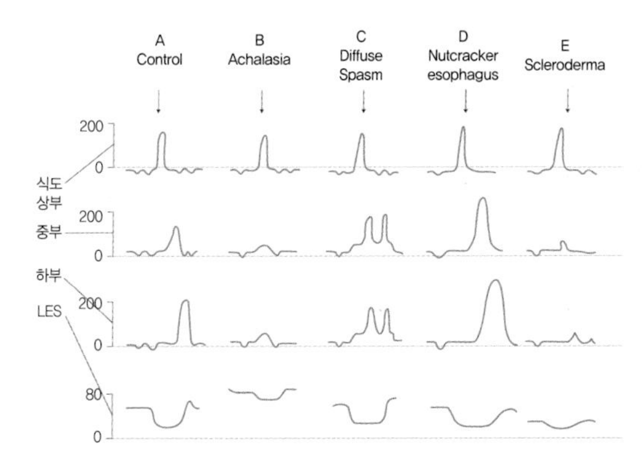

■ **대표적인 식도운동질환의 manometry 양상 : swallow (↓)**

- Achalasia : 식도 중하부의 amplitude 감소, simultaneous-onset contraction, LES의 불완전 이완(압력 <u>증가</u>)
- Diffuse esophageal spasm : 삼킴 뒤 baseline pr. 상승, 식도 중하부의 amplitude & duration 증가, repetitive simultaneous-onset contraction
- Nutcracker esophagus : 식도 중하부의 amplitude & duration 증가, <u>정상 peristalsis!</u>
- Scleroderma : 식도 중하부의 amplitude 감소, LES 압력 <u>감소</u>

■ 식도운동질환의 Chicago classification (v3.0, 2015) - **단계적 평가**

(1) deglutitive LES relaxation 측정 : IRP (mmHg)
(2) propagation 평가 : DL (sec)
(3) contractile vigor 측정 : DCI (mmHg·cm·sec)
(4) peristaltic integrity 평가 : pressure break (20-mmHg 등압선의 결손 부위) - transition 無
(5) pressurization pattern 평가 : 30-mmHg 등압선의 모양으로

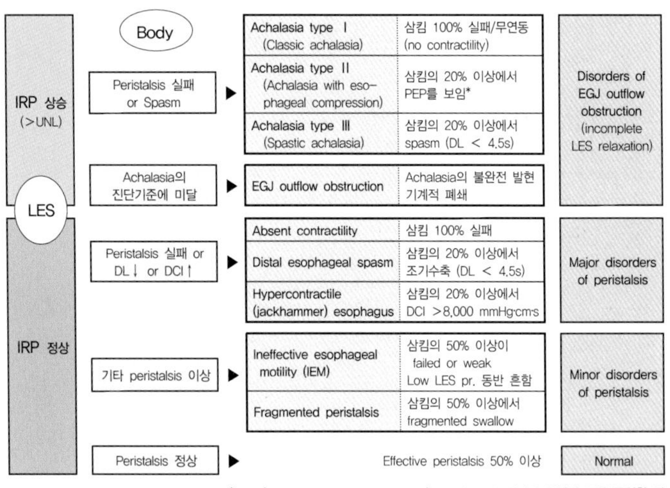

*PEP (panesophageal pressurization) : EUS~LES 사이의 압력이 모두 균일한 것

식도 운동성질환 (Motor disorders)

1. 가로무늬근/횡문근(striated muscle) 장애

(1) 인두마비 (pharyngeal paralysis)

- 원인 : CVA, poliomyelitis, post-polio syndrome, polyneuritis, myasthenia gravis, polymyositis, dermatomyositis, myopathies
- Sx : oropharyngeal dysphagia, nasal regurgitation, swallowing시 tracheobronchial aspiration (일부는 laryngeal muscle을 침범하여 hoarseness를 일으킬 수도 있음)
- Dx : Hx, videofluoroscopic swallow study (VFSS), manometry (인두와 식도상부의 압력↓)
- Tx : 원인질환 치료, 영양공급(NG tube, gastrostomy 등으로)

(2) cricopharyngeal bar (dysfunction)

- 연하시 cricopharyngeus의 이완 불능
- Sx : 음식물이 인두를 잘 통과하지 못함
- barium study에서는 인두 후벽에 뚜렷한 압박 소견이 보임
- 정상인에서도 Valsalva maneuver시 나타날 수 있음
- persistent cricopharyngeal bar는 fibrosis가 원인 (→ myotomy로 치료)

(3) 인두 이물감 (globus pharyngeus)

- 연하곤란은 없으나, 지속적으로 인두 부위에 무엇이 걸려있는 느낌
- barium study or manometry는 정상
- Tx : 심리적으로 안심시킴

2. 식도이완불능증(Achalasia)

(1) 병태생리

- esophageal body, LES smooth muscle 부분의 신경손상(denervation)
  - interstitial cell of Cajal (ICC) 감소 : n-NOS (neuronal NO synthase) 감소와 비례
    - ↳ LES 평활근 조직 면역염색에서 KIT (CD117)+ 감소
  - 주로 intramural inhibitory (VIP, NO) ganglionic neurons의 손상
  - ┌ Auerbach's plexus의 ganglion cells의 후천적인 변성/감소/소실
    └ vagus nerve와 dorsal motor nucleus의 denervation
  - ⇨ LES가 swallowing시 relaxation 안됨, 정상 peristalsis가 비정상 contraction으로 바뀜 (→ 식도내 음식물 정체)
- 신경손상의 기전 ; 퇴행성, 자가면역(antineuronal Ab), 바이러스감염(e.g., HSV-1)
- classic achalasia가 vigorous achalasia보다 neural damage가 심하다

* secondary achalasia (pseudoachalasia)의 원인
; 위암의 식도 침범(m/c), lymphoma, Chagas' dz, viral infection, eosinophilic gastroenteritis, pseudo-obstruction, amyloidosis, neurofibromatosis, post-vagotomy, irradiation ...
(SCLC는 antineuronal Ab [anti-Hu] 분비에 의한 paraneoplastic Sx.으로도 일으킬 수 있음)

(2) 임상양상

; 30~60대에 호발, 남=여

① 연하곤란(dysphagia)
- chronic (1년 이상 : cancer와 감별점), gradual, solid & liquid 모두
- 스트레스나 급히 먹을 때 악화됨
- Valsalva maneuver시 식도 내압의 증가로 음식물이 위로 넘어가는데 도움이 됨 (증상 호전)

② chest pain : angina와 같이 NG 설하 투여에 반응을 보일 수 있음

③ regurgitation (→ pulmonary aspiration), 트림 못함, 체중 감소 ...

④ CXR ; 위 내의 air bubble 無, 기립시 종격동(식도내)에 air-fluid level

* chronic achalasia (식도 확장이 매우 심한 경우) → esophageal ca. (SCC) 발생 위험 17배↑

(3) 진단

① 식도조영술(barium esophagography)
- severe esophageal dilatation (type Ⅰ), type Ⅲ는 DES와 비슷한 모양
- 식도 하부 2/3에서 정상 peristalsis 소실
- 식도 끝부분이 "bird's beak" (새부리) 모양 : nonrelaxing LES

② 식도내압검사(manometry) … m/i
- basal LES pr. 정상 or ↑ (>45 mmHg)
- swallowing시 LES relaxation의 소실/감소 (불완전 이완)
- swallowing시 식도 체부의 normal peristalsis 상실 & 비정상적인 simultaneous-onset (100%) contractions 발생
  - classic achalasia : low amplitude
  - vigorous achalasia : large amplitude (>40 mmHg) & long duration
- HRM (esophageal pressure topography) : 식도 체부의 압력에 따라 3가지 subtypes으로 분류
  (a) type Ⅰ (classic achalasia) : 체부 압력 낮음 (pressurization 無)
  (b) type Ⅱ (achalasia with esophageal compression) : 체부 전체의 압력 높음(pressurization)
  (c) type Ⅲ (spastic/vigorous achalasia) : 체부 압력이 급격히 상승하는 경련성 수축

③ 약물투여검사
- mecholyl 투여검사 (cholinergic muscarinic agonist) → basal esophageal pr.의 심한 증가 → chest pain, 식도내 잔유물의 역류가 일어남
- CCK (cholecystokinin) 투여 검사 → LES의 paradoxical contraction (정상적으론 LES pr.↓)

④ secondary achalasia (e.g., cancer) R/O ; 내시경, CT, EUS 등

(4) 치료

① nitrate (sublingual NG, isosorbide dinitrate), CCB (nifedipine), sildenafil 등의 식전 투여 : 일시적인 호전을 보이지만, 부작용 등으로 현실적으로는 사용에 제한적임

② botulinum toxin을 LES에 주입 (내시경을 이용) : 일시적 호전 가능 (but, 장기간 사용하면 fibrosis를 일으켜 수술을 어렵게 함)

③ balloon (pneumatic) dilatation : ~85%에서 효과적, secondary achalasia에도 효과적
- peristalsis는 회복 안 됨, 25%는 반복 치료 필요
- 부작용 ; perforation (0.5~5%), bleeding

④ laparoscopic Heller myotomy (LHM) : 80% 이상에서 효과적 (balloon dilatation과 비슷함!)
- 위산 역류 방지를 위해 대개 partial fundoplication도 병행함
- 부작용 ; GERD와 peptic stricture 유발↑

⑤ 내시경 식도근절개술(per oral endoscopic/esophageal myotomy, POEM) : ③/④와 효과 비슷함
- LHM 대비 장점 ; GEJ 및 횡격막 손상×, 회복이 빠름 (but, 고난이도의 내시경 기술 필요)
- 부작용 ; perforation, bleeding, mucosal injury, GERD

⑥ 매우 심한 환자에서 모두 효과 없으면
→ 식도절제술(esophagectomy) 후 위를 끌어 올리거나 대장으로 대체하는 수술

* soft foods, sedatives, anticholinergics 등은 대개 효과 없다!

3. 미만성식도경련/광범위식도연축(Diffuse[or distal] esophageal spasm, DES)

(1) 병태생리

- inhibitory nerves의 dysfunction (→ nonperistaltic contractions)
  : nerve process에 국한된 patchy neural degeneration
  (c.f., achalasia : nerve cell body의 prominent degeneration)
- cholinergic or myogenic hyperactivity (→ hypertensive peristaltic contractions, hypertensive or hypercontracting LES)
- cholinergic agonist (e.g., methacholine, bethanechol, carbachol) or choline esterase (e.g., edrophonium) 투여시 식도경련(spasm) 발생

* 최근 DES의 진단기준이 매우 엄격해졌기 때문에, DES는 achalasia보다 훨씬 드물며 과거 spastic (type Ⅲ) achalasia가 DES로 잘못 진단된 경우가 많음

(2) 임상양상

① chest pain : 주로 휴식시에 발생하고, 식사나 스트레스에 의해서도 발생 가능
  → CAD (angina, AMI)와 감별해야 되며, NG에 의해서 완화됨

② dysphagia : solid & liquid

③ 정신과적 문제를 가지고 있는 경우가 많음(e.g., 불안장애, 우울증, 신체화장애)

(3) 진단

① barium esophagography : distal esophagus의 uncoordinated simultaneous contractions
  → 전형적인 "corkscrew", "rosary bead", "curling" 등의 모양을 나타냄
  - but, esophageal spasm에서는 정상으로 나오는 경우도 흔함
  - corkscrew esophagus 소견은 실제로는 spastic (type Ⅲ) achalasia인 경우가 많음

② conventional manometry : 식도 하부 2/3의 high-amplitude & repetitive nonperistaltic contraction (simultaneous onset) → wet swallow (WS)의 30~99%에서 발생해야 됨
  (c.f., dry swallow 때는 정상인에서도 동시 수축 현상이 흔하게 관찰됨)

③ HRM & esophageal pressure topography (EPT) ··· m/i
  - 진단기준 : 삼킴의 20% 이상에서 premature contraction = short (<4.5s) distal latency (DL)
  - DL이 DES를 가장 잘 반영하고, 증상(dysphagia, chest pain)과의 상관성이 좋음
    (rapid contraction만 있고 DL이 정상이면 DES 증상과의 상관성이 떨어짐)

③ 유발검사 (∵ 간헐적으로 발생하므로 manometry에서 정상으로 나올 수 있음)
  - cold swallow → 흉통만 발생 (not spasm)
  - solid bolus, edrophonium → 흉통 & 식도경련(spasm) 발생
  - but, 증상과 일치하지 않는 경우가 많아 제한적임

■ Jackhammer esophagus (hypercontractile esophagus, esophageal hypercontractility)

- 정의 : 삼킴의 20% 이상에서 distal contractile integral (DCI) >8,000 mmHg·cm·sec를 보임
- strong multi-peaked contractions 양상으로 나타나는 경우가 흔함
- 과거 호두까기 식도(nutcracker esophagus) or hypertensive peristalsis의 용어를 대치함

c.f.) nutcracker esophagus : conventional manometry 상 prolonged (>6초) & high-amplitude peristalsis를 보임, mean peristaltic amplitude >220 mmHg (≒ DCI 5,000 mmHg·cm·sec)
→ but, 정상인의 약 5%에서도 나타나므로 DCI 기준을 8,000으로 높였음

(4) 치료

: 뚜렷이 효과적인 치료법이 없어 완치는 어렵지만, 생명을 위협할 수준의 병은 아님

① 약물치료

- 평활근 이완제 or NO 증강제 ; hydralazine, sublingual NG, isosorbide dinitrate, calcium channel blocker (e.g., nifedipine) ...
- 항불안제 ; trazodone hydrochloride, imipramine ...
- anticholinergics는 별 도움 안 됨 (∵ inhibitory neural degeneration)
- 찬 음식 섭취는 흉통을 악화시킬 수 있으므로 피함, 유동식은 증상 호전에 도움

② 식도 체부의 botulinum toxin injection

③ dysphagia가 주증상 or LES의 불완전 이완 → pneumatic dilatation or botulinum toxin

④ 수술(longitudinal myotomy or esophagectomy) : achalasia or GERD 동반하며 수술 필요시

* 치료에 반응 없는 심한 증상(체중감소, 흉통)의 경우 botulinum toxin or POEM 고려
(→ DES 만으로 수술이 필요한 경우는 거의 없음)

c.f.) 강직성 식도 질환(spastic esophageal disorders) ; type Ⅲ achalasia, DES, jackhammer 식도

4. 피부경화증(Scleroderma)

- 식도 하부 2/3의 weakness & LES incompetence
- 식도 평활근의 atrophy & fibrosis가 특징 (myopathy보다 신경조직의 이상이 선행함)
- Sx ; dysphagia (solid), heartburn, regurgitation, 기타 GERD의 증상들
  - Raynaud's phenomenon 흔하다
- barium esophagography
  - 식도 하부 2/3의 dilatation 및 peristalsis 소실
  - LES는 벌어져 있고, GE reflux가 자유롭게 발생 가능
- manometry
  - smooth muscle contraction의 심한 감소
  - resting LES pr.↓ (sphincter relaxation은 정상)
- 혈청 autoantibody 검사가 진단에 도움 (e.g., anti-Scl-70)
- Tx : soft food diet가 도움
  - motility disorder에 대한 효과적인 치료는 없다
  - GERD에 대한 aggressive therapy

위식도역류질환(Gastroesophageal reflux disease, GERD)

- 정의 : 위내용물이 역류되어 불편한 증상(e.g., 흉통, 연하곤란)을 일으키거나 합병증(e.g., 식도염, 천식, 흡인폐렴, 인후염)이 발생한 상태
- 유병률 (우리나라) : 3~11%, 남>여, 증가 추세 (∵ 비만↑, *H. pylori* 감염률↓)

1. 병태생리/위험인자

(1) anti-reflux mechanism : **식도위접합부**(EGJ = LES + crural diaphragm) … m/i
[esophageal hiatus를 둘러싸서 external LES로서 기능함 ↵]

① tLESR (transient LES relaxation) : 위 팽창에 따라 vagovagal reflex에 의해 LES가 이완됨
- hiatal hernia가 없는 GERD 환자의 tLESR 빈도는 정상인과 비슷하나 (역류의 약 90%), tLESR 때 위산역류 동반이 더 흔함, 대부분의 역류는 식후에 발생함("postprandial reflux")
- acid pocket : 위 상부에서 음식물 위에 있는 위산층으로 음식물의 중화를 벗어나 pH가 낮음

② LES hypotension (→ 앞 개요의 LES 부분 참조)
; 실제 LES pr.는 정상인 경우가 많으며, tLESR (transient LES relaxation)이 발병에 중요

③ EGJ의 해부학적 변형 ; hiatal hernia (EGJ가 diaphragmatic hiatus 아래에 위치)

(2) gastric factors
- 위 용적의 증가 ; 과식, pyloric obstruction, gastric emptying 지연(gastric stasis)
- 위 내용물이 GEJ 가까이에 위치 ; 눕거나 구부렸을 때, hiatal hernia
- 위 압력의 상승 (복압 상승) ; 복부비만, 임신, 복수, 꽉 끼는 옷
- 위산(HCl) 과다분비 : 대개 식도염 발생의 주요 인자는 아님
  - 예외 : ZE syndrome은 약 50%에서 심한 식도염 발생
  - 만성 *H. pylori* 감염 (→ 위축성 위험 → 위산↓) → GERD↓
- 위 분비물 내의 pepsin, bile, pancreatic enzyme 등도 식도상피를 손상시킬 수 있지만, 부식성은 위산보다 약하거나 위산이 있어야 활성화됨

(3) reflux clearing mechanism의 기능 감소
- 식도 연동운동의 장애(ineffective esophageal motility), gravity
- 침에 의한 위산 중화(chemical clearing) : 구강건조증 환자에서 GERD 호발
- 식도점막의 방어능력 (e.g., Sjögren's dz. : mucosal atrophy)

* 흡연 → LES pr.↓ & 타액분비↓ → GERD↑

2. 임상양상

(1) 가슴쓰림/흉골하작열감 (heartburn, m/c : >75%)
- 주로 식후 및 밤에 발생, 물을 마시면 호전됨
- 증상이 특징적이면 바로 약물치료를 시도해도 좋다
- 일부에서는 angina-like or atypical chest pain도 발생 가능
- esophagitis의 severity와 heartburn의 빈도/크기는 비례 안함!

(2) 역류(regurgitation) : 인두, 입, 코 등으로 쓴 물이 넘어옴

(3) dysphagia (solid) → peptic stricture 발생 시사
- 급속히 진행하는 dysphagia와 체중감소는 adenoca.의 발생을 시사

(4) bleeding : erosion or Barrett's ulcer에 의해 발생 가능

(5) 식도 외 증상 (기전: 역류물의 직접 접촉 or 식도 신경의 자극에 의한 vagovagal reflex 유발)
- 만성기침, 기관지수축, 부정맥, morning hoarseness, 인두 이물감, 인두염, 후두염, 기관지염, 흡인성 폐렴, 굴염(부비동염), 치아우식 등
- 반복적 폐 흡인 → 폐렴, 폐섬유화, 만성 기관지염, 천식, COPD 등을 일으키거나 악화시킬 수

* angina-like chest pain을 호소하나 CAD (coronary artery dz.)가 배제된 경우 GERD (reflux esophagitis)가 m/c 원인 (→ GERD도 배제되면 전신신체학적 검사 시행)

3. 진단

(1) **병력** : 가장 중요! (typical Sx : heartburn, regurgitation)

(2) <u>PPI trial</u> : 치료 용량 2배를 1주일 투여 → 증상이 50% 이상 호전되면 진단 가능 (empirical Tx.)

(3) <u>endoscopy</u> : esophagitis의 정도, 합병증의 유무 관찰 위해!
- 적응 ; 심한 증상, PPI trial에 반응×, 장기간 지속(e.g., Barrett's esophagus 위험)
- reflux esophagitis의 소견 ; redness, friability, erosion, ulcer, exudates ...
- GERD 환자의 60% 이상은 정상임! : "<u>nonerosive esophagitis (NERD)</u>"
  ⇨ mucosal biopsy, PPI trial, manometry, 24hr (impedance +) pH monitoring 등 고려

* mucosal Bx. (LES 5 cm 상부 이상에서 시행) : esophagitis 확인, 바렛식도나 dysplasia 의심시

(4) **Bernstein test** (provocation test)
- reflux와 증상과의 연관성 확인 (endoscopy상 정상인 경우 진단에 유용)
- 양성 : 0.1 N HCl 100 cc를 식도로 주입 → heartburn 증상 발생
  (정상인에서는 대개 증상 발생 안함)
- 민감도가 낮고 표준화가 어려워 최근에는 사용 감소

(5) **<u>24시간 보행성 식도산도검사</u>(ambulatory esophageal pH recording)** : 증상도 같이 기록함
- GERD의 진단 (acid reflux와 증상과의 연관성 확인)에 가장 정확
- 전체 측정 시간 동안 <u>pH <4</u>인 시간이 5% 이상이면 진단 가능
- 유용한 경우
  ① 비전형적인 or 식도 외 증상 (reflux와의 인과관계가 불확실)
  ② 의심되는 증상은 있으나, 내시경 검사에서 정상인 경우
  ③ PPI 치료에 반응하지 않는 불응성 GERD 환자
- 단점 : 위산 역류로 인해 식도의 pH가 4 이하가 되어야 검출 가능
  (약산 or 알칼리성 소장액의 역류 시에는 진단하지 못할 수 있음)
- 이상이 없이 역류 증상이 지속되면 bile reflux의 존재를 의심 가능

* 무선 pH monitoring (Bravo capsule test)
- catheter 대신 pH 측정용 캡슐을 식도에 장착하고 무선으로 측정
- 48시간 이상 monitoring (→ 진단율↑)
- 진단 뿐 아니라 치료에 대한 반응도 확인 가능

(6) impedance-산도검사 : combined MII-pH monitoring (MII: multichannel intraluminal impedance)
- tLESR with reflux의 빈도 및 pH를 측정 가능
- pH 단독 monitoring보다 reflux-증상 연관성 확인에 더 유용 (GERD 진단 민감도 더 높음!)
  → PPI 치료에 반응 없는 환자에서 증상의 원인이 GERD인지를 확인할 때도 권장됨
- weak acid or nonacid reflux (e.g., alkaline, 액체, 공기)도 측정 가능!

(7) 식도내압검사(esophageal manometry)
- incompetent LES : mean LES pr. <10 mmHg (but, 환자의 약 60%는 정상임)
- HRM ; LES 압력, 식도의 운동성(peristalsis), hiatal hernia, tLESR 등을 더 잘 파악할 수 있음
- 다른 motor disorder (e.g., achalasia, scleroderma) R/O
- 수술 예정인 환자에서는 반드시 시행해야 됨 (연동운동 기능 평가)

(8) barium esophagography : 대부분 정상, GERD 진단에는 필요 없음

■ 전형적인 증상(또는 내시경 소견)이 있고, alarm Sx 없으면 특별한 검사 없이 바로 치료 시작!

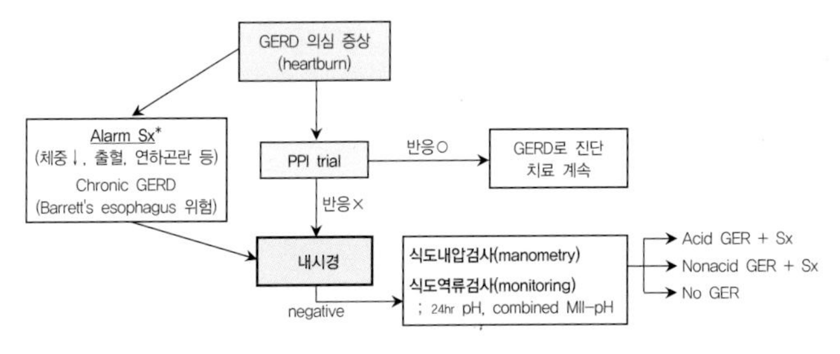

* Alarm Sx ; 연하통(odynophagia), 체중감소, 반복적 구토, 위장관 출혈, 황달, palpable mass or adenopathy, 위장관 악성종양의 가족력

4. 합병증

(1) Barrett's esophagus (4~10%), adenocarcinoma

(2) peptic stricture (~10%)
- Sx ; solid dysphagia, heartburn은 감소 (∵ stricture가 reflux 막아)
- 다른 dz. (Schatzki ring, cancer)와 감별위해 반드시 내시경 시행
- Tx ; endoscopic dilation, 강력한 antireflux therapy

(3) erosive esophagitis

(4) ulcer (5%), bleeding (<2%)

(5) asthma, aspiration pneumonia

5. 치료

(1) 생활습관 조절

- 비만인 경우 체중감량
- LES pr.를 낮추는 음식이나 약물은 피한다
  ; 담배, 고지방식, 술(특히 red wine), 커피, 차/콜라/초콜릿 등의 caffeine, 오렌지주스, 박하(peppermint), 토마토, anticholinergics, CCB, smooth m. relaxants ...
- 과식/밤참은 피하고, 식사시 과량의 물을 마시는 것도 피한다
- 식후 3시간 이내에는 누우면 안됨
- 취침시 상체를 높게 한다 (semi-Fowler 체위) : 침대 머리쪽을 6인치 정도 높임
- 수면 중 왼쪽으로 눕는 것도 GERD 예방에 약간 도움
- 몸에 꼭 조이는 옷은 입지 말고, 몸을 숙이는 행동도 피함

(2) 내과적 치료

- antiacid (e.g., Mylanta) ; 위산 중화 & LES pr.↑
- alginate-antacid : Gaviscon [$Al(OH)_3$, $NaHCO_3$, Mg trisilicate, alginate]
  - 위산과 접촉하면 겔 형태의 mechanical barrier를 형성 → acid pocket을 원위부로 하강시킴, reflux 횟수 감소, first reflux 지연, 위산 중화(refluxate의 pH↑)
  - 작용이 빠르고 지속시간이 4시간 이상으로 긺, 부작용 적음
  - mild heartburn/reflux 환자, 식후 reflux 증상 완화 용도로 사용
- H_2-RA (6~12주) ; 위산 분비↓
  - 약제 ; cimetidine, ranitidine, famotidine, nizatidine
  - GERD에서 증상 호전에 도움 되지만, PPI가 더 효과적이고 치료기간도 짧음
- PPI (8주) ; 위산 분비↓ & 위 용적↓ … GERD의 주 치료제!
  - 약제 ; omeprazole, lansoprazole, pantoprazole, esomeprazole, rabeprazole, dexlansoprazole
  - 4주 이후에 호전 없으면 PPI를 아침, 저녁으로 투여 (or 취침 전 H_2-RA 추가 고려)
  - 8주 이후에도 호전 없으면 용량을 2배로 증량 (c.f., PPIs 제제간의 효과 차이는 거의 없음)
  - erosive esophagitis의 90%가 치유됨
  - 초치료 뒤 1년 이내 재발률이 80%에 이르므로 유지요법 필요 (재발 방지에도 PPI가 m/g)
    - LA 분류 A/B → 재발시에만 다시 치료 or 저용량으로 장기 복용
    - LA 분류 C/D → 초치료(full-dose)를 그대로 장기 치료로 지속
  - esophagitis의 유무에 관계없이 증상은 지속될 수 있으므로, 필요하면 무기한으로도 복용 가능

  * PPI 장기 투여시 부작용 (대개는 경미) ; 흡수장애(vitamin B_{12}, calcium, iron), 폐렴(CAP), 위장관 감염(e.g., *C. difficile* colitis), 고관절 골절 등 → I-5장 참조
  (carcinoid tumor or gastrinoma 발생 위험은 증가 안 됨!)

  * 위산억제치료의 단점 ; reflux 방지 못함, heartburn은 좋아지지만 regurgitation은 반응×
- prokinetic agents (e.g., metoclopramide, bethanechol) ; LES pr.↑, esophageal clearance↑, gastric emptying↑ 효과는 있지만, reflux를 의미 있게 감소시키지는 못하며 부작용 때문에 GERD에서는 권장 안 됨
- GABA agonist (baclofen) ; tLESR을 억제하여 reflux도 감소시킴 (부작용이 많은 것이 문제)
- acid pocket 조절 ; prokinetics, alginates (위 참조) → acid pocket 하방 이동

(3) 외과적 치료 (antireflux surgery)

- Ix ┌ 약물치료에 실패했거나, 반응은 하지만(의존적) 부작용이 심한 경우
  │ 재발성의 식도협착 (반복적인 dilatation을 요구)
  └ 흡인성 폐렴 발생, Barrett's esophagus 등의 합병증 ...
  - 수술 전 impedance-산도검사에서 병적 역류가 객관적으로 증명되었어야 하고, manometry에서 체부의 연동운동은 정상이어야 함
- laparoscopic Nissen's fundoplication (위저부주름술) : 약 90%의 성공률 (PPI와 효과 비슷)
  - Barrett's esophagus의 재발도 예방 가능
- 기타 ; Belsey repair, Hill repair

(4) 내시경 치료

- 수술이나 내시경 치료는 위산억제치료에 비해 regurgitation 증상 치료에 효과적임
- endoscopic fundoplication (m/c) ; EsophyX® transoral incisionless fundoplication (TIF), Medigus ultrasonic surgical endostapler (MUSE™ system)
- energy-based LES augmentation ; Stretta system (고주파로 LES 근육을 리모델링)
- laparoscopic fundoplication에 실패한 경우에는 TIF 만이 효과적임

(5) alkaline (bile) reflux esophagitis의 치료

- 일반적인 antireflux 치료
- bile salts 중화 ; sucralfate (m/g), cholestyramine, aluminum hydroxide

6. 바렛식도(Barrett's esophagus)

(1) 개요/병인

- 정의 : 식도 하부의 정상 squamous epithelium이 columnar epithelium으로 대치된 것 (장상피화생, intestinal metaplasia), 배세포(goblet cell)도 발견되면 더 확실
- 심한 위산 노출과 관련, 거의 대부분 hiatal hernia도 동반
- 식도 말단부 LES 윗부분에 호발

┌ 장분절(long-segment) 바렛식도 (>3 cm) : GERD 환자의 약 1.5%에서 발생
└ 단분절(short-segment) 바렛식도 (<3 cm) : GERD 환자의 약 10~15%에서 발생

- 유병률 : 전체인구의 1.3~1.6%, 백인에서 더 호발, 우리나라는 드묾 (0.1~0.3%)
- risk factor ; 흔하고 지속적인 역류증상, 흡연, 남성, 고령, 중심성 비만
- transcription factor CDX2 (위산 및 담즙에 의해 유도) : columnar epithelium 발생 촉진
- 일부에서는 유전경향도 보임 (대개 AD 양상)

(2) 임상양상

- 젊을 때 역류증상 발생, 역류증상 기간↑, 야간 증상, 이전의 GERD Cx (e.g., esophagitis, ulcer, stricture) 등이 Barrett's esophagus 가능성을 시사 (but, 일반 GERD와 구별 어려움)
- 암 발생 위험이 매우 높은 편은 아님 (2~5%만 adenocarcinoma로 진행)
  - long-segment 환자의 암 발생률은 0.5%/yr
  - high-grade dysplasia : 약 20%에서 암으로 진행

- 암(adenocarcinoma) 발생위험이 증가하는 경우
  ① 식도점막의 침범 길이 (>3 cm), ② dysplasia 존재, ③ 노인 or 증상이 있는 경우
- 내시경 소견 : squamo-columnar junction (SCJ)이 식도위접합부(EGJ)보다 상부로 이동
  → 그 사이의 점막은 위점막과 비슷한 연어빛(salmon-pink appearance)을 띰
  * Lugol's solution을 살포하면 정상 식도점막만 착색되고, 바렛식도는 착색 안 됨!

(3) 치료

- Barrett's esophagus를 예방하기 위해서도 reflux esophagitis를 적극적으로 치료해야 됨
- 내과적 치료의 핵심은 강력한 위산억제치료 : PPI (모든 환자에게 지속적으로 투여)
  - 증상 호전 & esophagitis 치유 효과
  - Barrett's esophagus 조직소견은 약간 호전되지만 정상화는 안 됨, 암 발생도 예방할 수 없음!
    (c.f., PPI 치료에도 불구하고 약 25%의 환자에서는 acid exposure가 지속됨)
- dysplasia or cancer의 조기발견을 위한 내시경 추적검사가 중요!
  : Barrett's segment 전체에서 2 cm 간격으로 4-quadrant biopsy 시행
  ① no dysplasia → 처음 1년 이내 1~2회, 이후에는 3년마다 내시경 F/U biopsy
  ② low-grade dysplasia → 처음 1년은 6개월마다, 이후에는 1년마다 내시경 F/U biopsy
  ③ high-grade dysplasia → 내시경 치료(endoscopic mucosal resection [EMR] and/or radiofrequency ablation), 치료 후에는 3개월마다 내시경 F/U biopsy
  * 수술(Barrett's segment의 esophagectomy)은 내시경 치료가 실패한 경우 고려

식도 염증성질환

1. 감염식도염(Infectious esophagitis)

(1) Viral esophagitis

- HSV ┌ 면역 정상 → HSV-1
  └ 면역 저하 → HSV-1 or HSV-2
  - Sx ; chest pain, odynophagia, dysphagia, 전신증상, 코/입술의 수포
  - Dx (endoscopy) ; vesicles, small punched-out (분화구 모양) ulcers
    → biopsy (ulcer margin에서 시행) : ground-glass nuclei, eosinophilic Cowdry's type A inclusion bodies, giant cells
    → culture, PCR (culture보다 sensitive)
  - Tx ; 대개 self-limited (1~2주), oral acyclovir or valacyclovir로 증상기간 단축
    (심한 경우 IV acyclovir → 반응 없으면 IV foscarnet, oral famciclovir)
- CMV (면역저하자에서만 발생)
  - Dx (endoscopy) ; serpiginous (뱀이 기어가는 모양) ulcers, 특히 식도 하부에 발생
    → biopsy (ulcer base에서 시행) : large nuclear or cytoplasmic inclusion bodies
  - Tx (대개 3~6주) ; IV ganciclovir (TOC), oral valganciclovir, IV foscarnet
- 기타 ; VZV, HIV ...

(2) Bacterial esophagitis

: 면역저하자에서 *Lactobacillus*와 β-hemolytic streptococci에 의한 식도염을 제외하고는 드물다

(3) Candida esophagitis

- 식도 진균증의 m/c 원인 (*Candida albicans*가 m/c)
- 유발인자
  - *Candida*는 정상 상재균이지만, 면역저하자에서는 식도염을 일으킴
  - AIDS, 장기이식, 악성종양(특히 lymphoma, leukemia), 면역억제제, steroids, 광범위 항생제, DM, hypothyroidism, SLE, hemoglobinopathy, 부식식도염, 식도정체 ...
- 임상양상 ; odynophagia (painful swallowing), dysphagia
  (odynophagia → non-reflux esophagitis의 특징)
- 합병증 (드묾) ; ulcer에 의한 bleeding (m/c), perforation, stricture, systemic invasion
- 진단
  - barium esophagography ; 다양한 크기의 multiple nodular filling defects
  - 내시경 (m/g) ; linear & nodular white plaques (백태) with friability
    → plaque or exudate 도말에서 진균의 균체/균사 증명 : Gram, PAS, GMS (Gomori methenamine silver) 등 염색 (biopsy는 도말 검사에 비해 sensitivity 낮음!)
- 치료
  - <u>oral fluconazole</u> (2~3주) → 반응 없으면 itraconazole, voriconazole, posaconazole 등
  - oral therapy에 반응하지 않거나 복용할 수 없으면 → IV echinocandin (e.g., caspofungin)
  - 심한 경우 <u>IV amphotericin B</u>
  - oral thrush : topical agents (nystatin oral suspension)
    → 반응 없으면 amphotericin lozenge + nystatin/fluconazole

* 면역저하자에서 식도염(연하통, 연하곤란)의 원인 ; *Candida*, HSV, CMV, VZV esophagitis

2. 약제원인식도염(Pill-induced esophagitis)

(1) 원인

식도염이나 식도손상을 일으키는 흔한 약물
항생제 (1/2 이상 차지) ; <u>TC 및 유도체</u>, DC, minocycline, penicillin, clindamycin, rifampin ... **항바이러스제** ; zalcitabine, zidovudine, nelfinavir ... NSAIDs ; aspirin, indomethacin, naproxen, ibuprofen ... Bisphosphonates ; alendronate, etidronate, pamidronate ... **항암제** ; dactinomycin, bleomycin, cytarabine, 5-FU, MTX, vincristine ... **기타** ; potassium chloride, quinidine, theophylline, steroid, ferrous sulfate, alprenolol, ascorbic acid (vitamin C), multivitamins, pinaverium bromide, 경구피임약 ...

- 삼킨 알약이 식도 내에 장기간 머무를 때 점막 손상 초래
- 대동맥이나 기관용골(carina) 근처의 식도 중간 부위에 가장 흔히 걸림
- 유발인자 ; 복용후 바로 누움, 물을 적게 마신 경우, 장기간 침상 생활(e.g., 노인), 구조적 장애(e.g., stricture, diverticulum, prominent aortic arch), 운동성 장애

(2) 증상

- severe retrosternal chest pain, odynophagia, dysphagia 등이 갑자기 발생
  (몇 시간 지속되거나 잠에서 깰 정도로 아픈 것이 특징)
- 물 없이 삼키거나, 누운 상태에서 삼킬 때 발생 증가

(3) 치료

- 원인이 되는 약물의 중단, 그 외 특별히 효과적인 치료는 없음
- sucralfate suspension or cocktail (viscous lidocaine, antacid, diphenhydramine)
- PPI : 동반된 GERD에 의해 악화되는 것을 방지
- 예방 : 선 자세로 많은 양의 물과 함께 알약을 삼킴

3. 부식식도염(Corrosive esophagitis)

(1) 원인

- strong alkalies (lye: 양잿물), acids, detergents, Clorox ...
- 강산과 강알칼리는 모두 식도, 위, 십이지장의 손상을 일으킬 수 있음
  (강산은 위 손상이 더 심하고, 강알칼리는 식도 손상이 더 심함)

(2) 임상양상

- severe burning, chest pain, gaging, dysphagia, drooling, aspiration (→ stridor, wheezing)
- 심하면 perforation, bleeding, 사망도 가능
- 치유되면서 대개 stricture (long & rigid)를 형성
- lye stricture → 식도암의 위험 증가

(3) 평가

- laryngoscopy, chest & abdominal X-ray 등으로 자세히 검사
  (→ 식도 천공, 파열이 발생하나 면밀히 관찰)
- endoscopy (식도의 강도가 유지되는 12~48시간 이내에 시행, 5일 이후에는 천공 위험 증가)
  - 손상 범위와 정도를 파악하여 치료 방침 결정 위해 시행
    (정상 소견을 보이면 식도협착 발생 가능성이 매우 낮음)
  - 구강 손상의 정도는 식도 손상의 정도와 관계없다
  - shock, 심한 하인두부 부종/괴사, 호흡곤란, 복막염, 종격동염 등이 있는 경우에는 금기
- 식도조영술 : 협착 발견을 위해 2~3주 후 시행 (이후엔 3달 간격으로)

(4) 치료

- initial Tx : supportive (IV fluid, analgesics)
  - gastric lavage나 oral antidotes는 금기! (희석법은 해도 된다)
  - steroid는 권장 안됨 (∵ 협착 예방×, 치유 지연, 감염↑)
  - 항생제 : 감염이나 천공이 있는 경우에만 사용 (예방적으로는 투여 안함)
- 심한 경우는 수술(esophagogastrectomy)
- 협착(stricture)의 치료 - 만성기(4주 이상, fibrosis 진행)에
  ① bougienation (dilatation) 시행 ; 94%에서 효과적이지만, 재발률이 높은 것이 문제
  ② 수술 : 식도를 소장이나 대장으로 대체, dilatation 치료에 반응하지 않고 자주 재발하는 경우

4. 방사선식도염(Radiation esophagitis)

- 흉부 종양의 방사선 치료 후 흔히 발생
- 발생 위험인자 ; radiation dose↑, radiosensitizing drugs 병용
  (e.g., doxorubicin, bleomycin, cyclophosphamide, cisplatin)
- 치료
  ① acute phase : viscous lidocaine (→ 통증 감소)
  ② indomethacin → radiation damage 감소

5. 호산구성식도염(Eosinophilic esophagitis)

- 주로 소아 및 젊은 성인에서 발생, 백인 남성에서 호발, 남:여 = 3:1
- 주로 food allergen이 발병에 관여, eosinophilia 동반, serum IL-5, eotaxin, TARC 등 상승 가능
- 대부분 food allergy, 천식, 피부반응(eczema), allergic rhinitis 등의 아토피 병력 동반
- 증상 ; dysphagia (solid), food impaction, heartburn/chest pain (PPI에 반응×)
  - 식도 내경 감소, fibrosis, stricture 등도 발생 가능
  - 소아에서는 음식 거부, 역류, 구토가 / 청소년에서는 heartburn, dysphagia가 흔함
- 진단 ; 내시경 (multiple esophageal rings, linear furrows, punctate exudates 등 다양)
  - mucosal biopsy에서 eosinophils 증가(>**15**/HPF) or eosinophilic microabscess
  - 원인 allergen을 찾기 위한 skin test or RAST도 시행해야 됨 (specificity는 떨어짐)
  - 2ndary esophageal eosinophilia R/O해야 (e.g., GERD, 약물 과민반응, CTD, HES, 감염)
- 치료 : 우선 PPI trial (GERD R/O 위해) → 반응 없음
  - topical steroid (fluticasone propionate, budesonide)가 매우 효과적이나, 끊으면 재발이 흔함
  - 원인 음식의 섭취 제한 (특히 소아에서 효과적)
  - 위 치료에 반응 없거나 심하면 systemic steroid
  - 기타 면역조절치료 ; leukotriene modifier, monoclonal Ab to IL-5
  - esophageal dilation ; stricture 환자에서 조심해서 시행 (∵ 식도 천공 위험)

기타 식도질환

1. 식도 게실/곁주머니(diverticulum)

- true diverticulum : wall이 전층으로 다 구성 - traction type
- false diverticulum : wall이 일부의 층으로 구성 - pulsion type

* 위치에 따른 분류
- 경부 게실 (Zenker 게실) : 70% (m/c)
- 흉부 게실 : 22%
- 횡격막 상부 게실 : 8%

(1) hypopharyngeal (Zenker's) diverticulum

- UES 바로 위 post. hypopharyngeal wall의 약한 부위(killian's triangle)에서, 인두 점막층이 근육층 사이로 밀려나온 것 (false, pulsion type), 주로 고령에서 발생
- 병인 : UES elasticity↓ (cricopharyngeus muscle tone↓) → 인두의 연동운동과 UES의 부조화
- Sx ; 구취(halitosis), regurgitation (며칠 전에 먹은 소화되지 않은 음식), 목의 이물감 (throat discomfort), dysphagia, aspiration (→ 기침, 폐렴) ...
- Dx : 식도조영술(barium esophagogram)
  - stage Ⅰ : 점막의 작은 돌출 (간과되기 쉬움)
  - stage Ⅱ : 돌출이 깊어져 false lumen 형성 (false lumen 축은 식도축에 직각)
  - stage Ⅲ : 게실(false lumen)의 축이 하강하여 식도축을 대체 (→ 식도축은 전방으로 밀려남), 음식물이 들어있을 수도 있음
- endoscopy : double lumen 소견, 천공을 일으킬 수 있으므로 매우 조심해야
- Cx ; aspiration pneumonia, bronchiectasis, lung abscess
- Tx : 수술(diverticulectomy + crycopharyngeal myotomy) or 내시경 조대술(marsupialization ; stapling diverticulotomy, flexible endoscopy 등 … 크기 5cm 미만인 경우)

(2) midesophageal diverticulum

- traction type (true) : 주위 조직의 염증에 의한 유착으로 발생 (많다)
- pulsion type : motor disorders와 관련
- 대부분 작고 무증상 → 치료 불필요

(3) epiphrenic diverticulum (횡격막 상부 게실)

- pulsion type (false), 대부분 작고 무증상 (→ 치료 불필요)
- achalasia와 동반될 수 → manometry 필요 → 게실제거술(diverticulectomy) + 식도근절개술

(4) diffuse intramural pseudodiverticulosis

- 수많은 작은 플라스크 모양의 outpouching을 보이는 것, 드묾
- 식도 염증 or 폐쇄 → 점막하 점액선 분비관의 확장
- 무증상 or dysphagia, 치료는 원인 질환의 교정

2. 막과 고리 (Web & rings)

(1) Plummer-Vinson syndrome

- hypopharyngeal web (dysphagia) + IDA
- glossitis, angular stomatitis, achlorohydria
- 중년 여성에서 호발
- 예후 나쁨, spure와 인두/식도의 암(SCC) 발생 위험 증가

(2) lower esophageal mucosal ring (Schatzki ring)

- 위식도 경계부의 squamocolumnar juction에 위치한 thin (2 mm), web-like constriction (원주상의 띠모양 구조)
- 정상인의 약 10%에서도 무증상의 ring이 발견됨

• Sx. (식도 내경 <1.3 cm) ; intermittent solid dysphagia (not progressive)
• 항상 hiatal hernia 동반, 60%에서 위산 역류 발생 → 산 억제 치료
• Tx. ; bougie dilatation (but, 재발 흔함)

(3) lower esophageal muscular ring (contractile ring)

• mucosal ring의 근위부에 위치하며, LES의 비정상적인 최상부를 이룸
• 모양과 크기가 변함, dysphagia를 일으킬 수 있음
• D/Dx ; peptic structure, achalasia, musocal ring
• dilatation 치료에 잘 반응 안 한다

3. 틈새탈장/열공헤르니아 (Hiatal hernia)

위의 일부가 횡격막의 식도 열공을 통하여 thoracic cavity로 탈장된 것
일반인의 10~20%, GERD 환자의 50~94%에서 발견됨

(1) sliding hiatal hernia (95%)

• GEJ 및 gastric fundus가 upward sliding 된 것
• 나이가 들수록 증가 (50대에선 60%)
• 크기 작으면 대부분 무증상이지만, reflux esophagitis를 일으킬 수는 있음
• Tx. ; 대개 내과적 치료 (반응 없으면 수술)

(2) paraesophageal hiatal hernia (5%)

• GEJ의 위치는 정상이고, 위의 일부가 GEJ 옆의 틈을 통해 탈장된 것
• Sx. ; 식사후 불쾌감, 통증, N/V ...
• 합병증
  - 위의 염전/천공, 위염/미란/궤양(→ bleeding, IDA)
  - incaceration & strangulation (→ acute chest pain, dysphagia)
  - mediastinal mass (→ 폐 압박 → 호흡기 합병증)
• 크기가 큰 경우는 반드시 수술로 치료

4. 기계적외상 (Mechanical trauma)

(1) 식도 천공(esophageal perforation)

• 원인 (손상부위 - GEJ 상부)
  ① iatrogenic (e.g., 내시경조작, 외상 등) : m/c
  ② 심한 N/V과 관련된 식도내압의 증가 (spontaneous rupture or "Boerhaave's syndrome")
  ③ 식도질환 ; corrosive esophagitis, esophageal ulcer, neoplasm
• 임상양상 ; severe retrosternal chest pain, dyspnea, fever ...
  - 목에서 피하기종(subcutaneous emphysema)이 만져짐 (1/2에서)
  - 심박동에 일치하는 mediastinal crackling sounds (Hamman's sign)
  - pneumothorax
  - Cx. ; acute mediastinitis, mediastinal abscess

- 진단
  - ① chest X-ray (90%에서 진단 가능) ; pneumomediastinum, emphysema, pneumothroax 등을 봄 (좌측에서 더 흔함)
  - ② CT ; mediastinal air 발견에 가장 민감함
  - ③ pleural effusion (3/4에서 발생) ; exudate (PMN↑, salivary amylase↑)
    → 나중에는 구강 상재균이 증식, pH 6.0까지 감소
  - ④ esophagography (확진) ; gastrografin (수용성 방사선 비투과물) 이용
    → 발견 안 되면 소량의 thin barium 이용
- 치료
  - ① NG suction, 광범위 항생제 IV, 가능한 빨리 수술 → 90% 이상 생존 가능
  - ② 보존적 치료 ; mediastinal & pleural drainage, 광범위 항생제 IV, parenteral nutrition 등
    → 증상이 경미한 수용성천공(contained perforation)이 빨리 진단되었을 때 시도
  - ③ 내시경 치료(clipping or stenting) ; 수술 불가능하거나(e.g., 종양 천공) 작은 천공에서 고려

(2) mucosal tear (Mallory-Weiss syndrome)

- 유발인자 : 심한 구토, 구역질, 기침, 딸꾹질 등 (약 1/4에서는 유발인자가 없음)
- 과음후 및 알코올중독자에서 흔함, 중년 남성에서 호발
- 손상부위 (longitudinal mucosal ulceration)
  - 위식도접합부(GEJ, z-line) 바로 아래의 위 점막 (90%)
  - 하부 식도 (10%)
- Dx. : endoscopy (0.5~4 cm 길이의 linear mucosal tearing, superficial, 80%가 single)
- 식도염이나 hiatal hernia가 동반되는 경우 많다
- Tx. : conservative (대부분 저절로 지혈됨!)
  - 출혈 지속시엔 → 내시경적 지혈술 (m/g), vasopressin therapy, angiographic embolization, balloon tamponade
  - 수술은 거의 필요 없다 (5~10% 미만에서만 시행)
- 전체 사망률 3~8%, 출혈이 재발하는 경우는 거의 없음!

(3) intramural hematoma

- mucosa와 muscle layer 사이의 bleeding
- 특히 출혈경향 환자에서 N/V에 의한 손상시 발생
- Sx. ; 갑자기 dysphagia가 발생
- Dx. : barium swallow, CT
- 대개 자연 치유됨

5. 이물(foreign bodies) 및 음식박힘(food impaction)

- 이물이 잘 걸리는 부위 ; cervical esophagus (UES 바로 아래 aortic arch 부근), LES 위
- 갑자기 걸린 경우에는 연하불능 및 심한 흉통 발생
- Tx. : 내시경으로 제거, 재발 방지를 위해 esophageal dilatation 시행
  - 고기가 걸렸을 때는 smooth m. relaxant (glucagon IV)가 도움이 될 수 있음
  - 고기 연화제 사용은 식도파열 및 흡인성폐렴 위험으로 권장 안 됨

MEMO

5 소화성궤양 및 위염

해부학

: 위 점막은 기능적으로 2가지 영역으로 구분됨

(1) oxyntic gland area (OGA) : 위의 약 85% 차지
- 분문부(cardia), 위저부(fundus), 체부(body)로 구성
- parietal cell (oxyntic cell) : **위산(HCl)**과 intrinsic factor (IF) 분비
  - 위산(H^+)은 proton pump (H^+, K^+-ATPase)에 의한 능동수송으로 분비됨
- chief cell (주로 fundus에 존재) : **pepsinogen** 분비
  → 위산에 의해 pepsin으로 활성화됨 (→ 단백 분해)
  - pepsin의 활성도는 pH 4에서 크게 감소하고, pH 7 이상이면 완전 비활성화됨
- epithelial cell (mucous cell) : 점액과 bicarbonate 분비
- enterochromaffin cell : histamine (→ 위산 분비 자극), serotonin 분비

(2) pyloric gland area (PGA) : 위의 약 15% 차지
- 전정부/날문방(antrum), 유문/날문(pylorus)으로 구성
- gastrin cell (G cell) : gastrin 생산 → 위산 분비 자극
- D cell : somatostatin 생산 → 위산 분비 억제

생리학

1. 악화 인자 : acid & pepsin

(1) 위산 분비의 자극

① gastrin … 가장 강력!
- gastric glands 증식↑ (위와 소장 점막의 성장을 촉진)
- 위산(HCl), pepsin, intrinsic factor 등의 분비를 촉진
- pancreatic secretion↑
- LES tone↑

② acetylcholine : vagal (parasympathetic) stimulation
- cholinergic stimulation에 의해 parietal cell의 분비 촉진
- G cells에서 gastrin 분비 촉진
- 혈중 gastrin 농도에 대한 parietal cell의 threshold ↓

③ histamine ; gastrin과 cholinergic stimulation (acetylcholine)의 작용에 의해 enterochromaffin-like (ECL) cell에서 분비됨

④ physiologic stimuli : ingestion of food
* 3 phases
- cephalic : 시각/후각/미각 → vagal stimulation
- gastric : 음식(주로 protein) → gastrin 분비 촉진 (fat은 아님)
- intestinal : 소량의 gastrin 등의 분비 유발

⑤ coffee (caffeine이 있거나 없거나), beer, white wine, calcium (IV) → gastrin ↑ & acid ↑
* ethanol, oral calcium → gastrin 증가 없이 acid ↑

(2) 위산 분비의 억제

① 위/십이지장 내의 acid (∵ feedback)

② somatostatin
* 기전
- G cell에서 gastrin 분비 & ECL cell에서 histamine 분비 억제
- 직접 parietal cell의 위산 분비 억제

③ secretin (pepsinogen의 분비는 증가 시킴)

④ PG, GIP, VIP, EGF

⑤ hyperglycemia, intraduodenal hyperosmolality

⑥ anticholinergic agents

2. 점막의 방어 기능

(1) preepithelial barrier (mucus-bicarbonate layer)

- mucus : protective coat (back diffusion 억제)
- bicarbonate : surface epithelial cell에서 분비, H^+를 중화하여 pH gradient 형성 (luminal surface pH 1~2 ↔ epithelial cell surface pH 6~7)
  - calcium, PG, cholinergics, acid 등이 분비를 촉진

(2) epithelial barrier

- mucus 생산, epithelial cell ionic transporters (intracellular pH 유지, HCO_3^- 생산), intracellular tight junction (bile acid, salicylate, ethanol, weak organic acid 등에 의해 파괴)
- epithelial cell restitution ; EGF, TGF-α, FGF
- epithelial cell regeneration ; PG, EGF, TGF-α
- angiogenesis ; FGF, VEGF

(3) subepithelial barrier

- microvascular system (m/i) ; HCO_3^- 제공, 영양분과 산소 공급, 독성 산물 제거
- mucosal blood flow (blood flow ↓ → back diffusion ↑)

* **prostaglandin** (특히 PGE) : epithelial defense/repair에 매우 중요!
- 위점액 & 위·십이지장 bicarbonate 분비 자극
- parietal cells의 위산 분비 억제 (basal, stimulated 모두)
- 위점막 barrier 유지, epithelial cell 재생을 촉진
- 위점막 blood flow 증가

* cyclooxygenase (COX) : PG 합성의 rate-limiting enzyme
① COX-1 : 위, 혈소판, 신장, 내피세포 등에 존재
→ GI mucosal integrity, renal function, platelet aggregation 유지에 중요
② COX-2 : macrophage, leukocyte, fibroblast, synovial cell 등에 존재
→ 염증 자극에 의해 유도되어 inflammation을 매개
★ NSAIDs의 항염증 효과는 COX-2의 억제, 독성은 COX-1의 억제 때문!

* nitric oxide (NO)도 위점막 integrity 유지에 중요함!
; 점액 분비 촉진, 점막 혈류 증가, epithelial cell barrier function 유지

3. 위산 분비의 측정

- BAO (basal acid output) : circadian pattern (밤에 최고, 아침에 최저)
- MAO (maximal acid output) : gastrin 투여 후 측정 (parietal cells 수에 비례)
- indication ; Z-E syndrome (gastrinoma) 의심시, achlorhydria, 궤양 수술 이후 궤양의 재발시, hypergastrinemia 등

원인

소화성 궤양(PUD)의 원인
■ **흔한 원인** 1. *H. pylori* (m/c) 2. NSAIDs
■ **기타 원인 (non-*Hp*, non-NSAID)** 1. Acid hypersecretion : Gastrinoma (ZES ; MEN I, sporadic), Mast cells/basophils 증가 (Mastocytosis, Basophilic leukemia/MPD), Antral G cell hyperfunction/hyperplasia 2. Stress 3. Other infections : HSV type I, CMV, *Helicobacter heilmanni* 4. Duodenal obstruction/disruption (congenital bands, annular pancreas) 5. Vascular insufficiency : Crack cocaine-associated perforations 6. Radiation therapy, Chemotherapy, Drugs (→ 뒷부분 참조) 7. 기타 ; CD, sarcoidosis, infiltratory dz., ischemia ...
■ **PUD를 일으킬 수 있는 질환들** 1. 많이 관련 ; 만성폐질환, 간경변, 만성신부전, 신석증(nephrolithiasis), 신장이식, systemic mastocytosis, α_1-antitrypsin deficiency 2. 약간 관련 ; hyperparathyroidism, PV, 만성췌장염, 관상동맥질환

- *H. pylori*와 NSAIDs가 m/c 원인이지만, 그 외의 원인들이 점점 증가하는 추세임
- 위산은 mucosal injury를 일으키기는 하지만, 가장 중요한 원인은 아니다
- 특정 음식이나 alcohol, caffeine 함유 음료도 PUD 발생과 관련이 있다는 확실한 증거는 없다
- 유전적 요인 ; 직계가족에서 DU 발생 3배 증가, O형 혈액형 및 nonsecretor에서 PUD 발생 증가
  (→ 모두 *H. pylori*가 관여하므로, 일반적인 PUD에서 유전적 요인의 역할은 확실하지 않음)
- 정신적 요인 ; 논란, 신경질적 성격(neuroticism)이 PUD와 관련 있지만
  NUD 및 다른 위장관질환과도 관련

Helicobacter pylori

(1) 개요

- short, spiral-shaped, microaerophilic G(−) bacilli with multiple flagella
- 위상피세포 표면과 점액층의 밑부분 사이에 존재 (점막은 침범 안 함!)
- gastric mucosa (antrum에 m/c) or duodenum의 gastric metaplasia 부위에 잘 분포
  (감염 초기에는 antrum에 있다가 시간이 지나면서 proximal로도 이동)
- 균수가 많을수록 조직학적 변화 (gastritis 정도)가 심하다

(2) 병태생리

1) *Bacterial factors*

① virulence factor (genome) ; pathogenicity island (Cag A, pic B), Vac A
  * Cag-PAI의 31개 genes 중 6개가 type 4 secretory system (T4SS)을 발현 → 이를 통해 숙주세포 내로 Cag A 단백 주입됨 → 세포 분열/증식, cytokines 생산에 영향

② urease ; urea를 분해해 ammonia (NH_3) 생성 → 상피세포 손상

③ surface factor ; chemotactic for neutrophils & monocytes → 상피세포 손상

④ protease & phospholipase ; mucous gel의 glycoprotein lipid complex를 분해
  * 점액의 생산/분비는 증가하나, protease 때문에 두께/점도는 오히려 감소됨

⑤ adhesins ; 균이 위상피세포에 부착하는 것을 촉진

⑥ LPS ; 다른 G(−) 세균과 달리 immunologic activity는 낮다

2) *Host factors*

① 염증반응 ; neutrophil, lymphocyte, macrophage, plasma cell 등을 동원

② 위상피세포의 class II MHC 분자와 결합 → apoptosis (local injury) 유도

③ Cag A의 세포내 주입 → cell injury & cytokines 생산↑

④ cytokines↑ ; IL-1α/β, IL-2/6/8, TNF-α, IFN-γ

⑤ mucosal & systemic humoral response

⑥ reactive oxygen/nitrogen 생산↑, epithelial cell turnover & apoptosis↑

* *H. pylori*가 DU를 일으키는 기전 (아직 불확실)

① 위 전정부의 *H. pylori* 감염(gastritis) → somatostatin-producing D cell 감소
  → somatostatin↓ → gastrin 분비 증가, 위산 분비 증가! → 십이지장 점막 손상

② 십이지장의 bicarbonate 분비 감소

③ 십이지장의 gastric metaplasia (∵ 위산 노출↑) → *H. pylori* 부착 → duodenitis or DU

④ *H. pylori*의 virulent factor : DU-promoting gene A (*dupA*)

(3) 역학

- 전파 : fecal-oral, oral-oral route를 통한 사람간의 직접 접촉으로
- 감염률 : 우리나라 약 60% (최근에 감소 추세), 남>여
  - 선진국 : 감염률 낮고(미국 ~30%), 남=여, 나이가 들수록 증가, 크게 감소되는 추세임
  - *H. pylori* 감염률 감소로 인해 향후 PUD는 감소되고, GERD는 증가될 것으로 예상됨
- 대부분의 감염은 소아때 발생 → 가족내 감염이 중요한 원인
- 감염 획득 연령에 따른 감염 형태
  - 소아 초기 → GU, gastric ca.
  - 소아 후기 → type B gastritis, DU

(4) 감염의 위험인자

- 낮은 경제사회적 지위 및 교육수준
- 개발도상국, 군집된 생활
- 비위생적인 생활환경, 불결한 음식 및 음료
- 감염된 사람의 위 내용물에 노출

(5) 상부위장관 질환과의 관련성

- acute *H. pylori* gastritis (소아 때 감염, 보통 무증상) → 대부분 chronic gastritis로 진행
- chronic active gastritis (거의 100% 관련) → but, 감염자의 10~15%에서만 소화성 궤양 발생
  - antral-dominant gastritis (위산↑) → DU↑
  - body-dominant atrophic gastritis (위산↓) → GU, intestinal metaplasia (→gastric adenoca.)↑
  - nonatrophic pangastritis → MALT lymphoma
- duodenal ulcer >80%, gastric ulcer >60%에서 *H. pylori* colonization과 관련
- *H. pylori* 제균치료시 궤양 재발률 10~20% 이하로 크게 감소 (치료 안하면 재발률 GU 59%, DU 67%), recurrent ulcer bleeding도 감소, ulcer perforation은 불확실
- 위암의 원인 인자 ; (B-cell) MALT lymphoma, (non-cardia) adenocarcinoma
  - *H. pylori* (+)시 위선암 발생률 약 2배 증가 (but, 제균치료로 위암 발생률이 의미있게 감소×)
  - 위암의 예방 목적으로 *H. pylori* 제균치료를 권장할 지는 연구가 더 필요함
  - MALT lymphoma는 *H. pylori* 제균치료시 약 75% 관해됨
    (c.f., high-grade aggressive lymphoma는 반응하지 않음)

* GERD (reflux esophagitis), Barrett's esophagus, esophageal adenoca. 등은 발생 예방 효과! ★

(6) 진단

① non-invasive

- 요소호기검사 (^{13}C- or ^{14}C-urea breath test, UBT) : sensitive & specific
  - radiorabelled urea → urease에 의해 분해 → $^{13}CO_2$ or $^{14}CO_2$ 측정
  - 치료 후 경과 파악에 가장 좋음!
- 대변 *H. pylori* Ag 검사 (EIA) : UBT 다음으로 유용하지만, 환자가 대변 채집을 싫어할 수
- 혈청학적 검사 : *H. pylori*에 대한 antibody (IgG, IgM)
  - ELISA (m/c), immunoblotting, IFA, RIA
  - 단점 : 한번 감염되면 계속 (+), 치료 경과 파악에 쓸 수 없다!
- 효소호기검사와 대변항원검사는 PPI or 항생제 사용시 false (-) 가능

② invasive : 내시경을 이용하여 위 조직 biopsy (→ 육안으로 정상적인 점막에서 시행해야 됨!)
- 전정부에서 2 표본 이상, 체부에서 2 표본 이상 조직을 채취하는 것이 권장됨
- rapid urease test (CLO test) : 신속, 간편, 저렴 → 내시경 가능 병원에서 1차 검사로 m/c
  - PPI, 항생제, bismuth 복용시 false (-) 가능
- 조직검사 : H&E 염색, Giemsa 염색, Warthin-Starry silver 염색
- 배양 : sensitivity 낮고, 복잡하고 시간 오래 걸림 (임상에선 필요×)
  - 치료에 실패한 경우 항생제 감수성검사 때나 이용
- 분자유전검사 : 민감도/특이도가 매우 높음 (위조직, 위액, 대변, 타액, 소변으로도 검사 가능)
  ⇨ 역학연구, 재감염과 재발 구별, 약제내성 돌연변이 검출 등에 이용됨
  (e.g., clarithromycin 내성 돌연변이 검출 PCR or sequencing - 보험 적용됨)

(7) 치료

H. pylori 제균 치료의 적응증	
Definite Ix	*H. pylori*에 감염된 모든 소화성 궤양 환자 (반흔 포함) MALT (mucosa-associated lymphoid tissue) lymphoma 환자 (점막 or 점막하층에 국한된 경우) *H. pylori*에 감염된 조기 위암 환자의 내시경 절제술 후
Possible Ix	Chronic ITP (idiopathic thrombocytopenia purpura) 원인 불명의 IDA (iron deficiency anemia) 소화성 궤양 병력 환자에서 장기간 NSAIDs or low-dose aspirin 사용시 위암 환자의 직계 가족 위축성 위염/장상피 화생 UBT 검사 양성인 젊고 무증상의 소화불량증(NUD) 환자 [서양] - 우리나라는 NUD 환자에서 내시경 검사를 우선 권장 (저렴하므로) - NUD 환자의 제균 치료는 항생제 내성 등의 위험

- *H. pylori*는 한 번 감염되면 저절로 소실되는 일은 없음
- triple therapy (3제 요법) ; TOC (★clarithromycin 내성 ⇨ 4제요법 or 순차치료 or 동시치료)
  - **PPI (omeprazole) + clarithromycin + amoxicillin** (or metronidazole) 1~2주
  - 우리나라는 metronidazole 내성률이 높아 amoxicillin을 사용
  - 제균율 80~90% (우리나라는 서양보다 낮음, 약 70~80%)
- 3제 요법의 단점(실패 원인)
  ① 낮은 환자 순응도 → 병합약제 ; Prevpac (lansoprazole + clarithromycin + amoxicillin), Helidac (BSS + TC + metronidazole) with PPI 고려
  ② 약물 부작용 (20~30%)
    - bismuth ; 흑색변, 변비, 혀가 검어짐
    - amoxicillin ; 위막성결장염(<1~2%), 설사, N/V, 피부발진, 알레르기 반응
    - TC ; 발진, 매우 드물게 간독성, anaphylaxis
- 정상 순응도 환자에서 치료실패(제균율↓)의 원인 ; 내성균(m/c), 북동아시아 지역, 흡연
- 최근 1차 치료의 제균율이 낮아짐에 따라 고려되는 대안들
  - **순차치료** : PPI + amoxicillin 5일 [∵ amoxicillin이 이후 clarithromycin의 효과 증대 역할]
    ▶ PPI + tinidazole (nitromidazole) + clarithromycin (levofloxacin) 5일
  - **동시치료** (bismuth 비포함 4제 요법) : PPI + amoxicillin + clarithromycin (levofloxacin) + tinidazole (nitromidazole) 5일 (→ 국내 연구 결과로는 모두 큰 차이는 없음)

- 4제 요법 : PPI + bismuth + metronidazole + TC 1~2주
  - 3제 요법에 실패하거나 or clarithromycin 내성시 시행!
  - 3제 요법 때 사용했던 항생제는 가능하면 사용하지 않음
- 4제 요법도 실패시 ⇨ 배양 & 감수성검사 실시
  - clarithromycin, quinolone, metronidazole에 대한 내성이 흔함 (특히 clarithromycin)
  - but, in vitro 감수성검사와 실제 환자의 제균 효과는 일치하지 않음
- 3제 & 4제 요법 실패시의 3rd-line therapy (확립된 지침은 없음)
  - pantoprazole + amoxicillin + rifabutin (10일) ; rifabutin의 BM 억제, 결핵균 내성↑, 고비용 문제
  - PPI + amoxicillin + levofloxacin (10일) ; 국내에서는 quinolone 내성률이 높아 제한적임
  - PPI + amoxicillin + furazolidone (14일)
- *H. pylori* 제균 후 위 염증은 정상화되나, atrophy나 intestinal metaplasia는 정상화되지 않음
- 치료 6개월 내 재발생은 대부분 이전 균의 재발, 성공적인 치료 이후 재감염(reinfection)은 드묾

* *H. pylori* 제균 치료 이후 궤양 재발의 원인
① *H. pylori* 감염 재발
② aspirin, NSAIDs
③ 과도한 반흔으로 인한 점막의 질 저하 및 미세순환 장애
④ 다른 질환 ; gastrinoma, Crohn's disease

(8) 추적검사

- urea breath test (UBT)가 가장 좋음 (불가능한 경우 stool Ag, rapid urease 검사)
  - 검사 최소 1주전부터 PPI는 끊어야 하나, H_2-RA는 계속 사용 가능
    (∵ PPI는 *H. pylori* 성장을 억제하여 위음성↑)
  - 시기 : 치료 종료 후 **4주** 뒤에 시행
  - 내시경 F/U을 해야 하는 경우에는 biopsy & rapid urease (CLO) test로
- 내시경 추적검사의 Ix ; 모든 GU, 합병증을 동반한 DU, 치료 후 증상이 재발된 DU,
  조기위암의 내시경적 절제술 후, MALT lymphoma
- 합병증이 동반되지 않은 DU의 경우 추적검사를 꼭 할 필요는 없음

■ Smoking

- 영향 ; 궤양발생↑, 치유속도↓, 치료에 대한 반응↓, 합병증(천공) 및 재발↑
- 기전 (아직 불확실)
  ① gastric emptying time 감소 (→ 십이지장의 위산 노출↑)
  ② 췌장(십이지장 근위부)의 bicarbonate 분비 감소
  ③ *H. pylori* 감염 증가
  ④ 독성 mucosal free radicals 생성, 점막하 혈류 장애, PG 생산↓
- 위산 분비의 이상은 없다!

■ Hypersecretory syndromes

(1) Gastrinoma (Zollinger-Ellison syndrome)

→ II-13장 참조

(2) Antral G cell hyperfunction

- DU의 드문 원인
- fasting serum gastrin level이 중등도로 증가
- meal stimulation test에서 serum gastrin level 크게 증가
- secretin injection test에는 반응 없음 (↔ gastrinoma (ZES)와의 차이)

십이지장 궤양 (Duodenal ulcer, DU)

1. 해부학

- 1st portion (bulb, 구부) : 유문부(pylorus)에서 시작
- 2nd portion (하행부), 3rd portion (수평부) : 후복막에 위치 (→ superior mesenteric artery 뒤에 위치)
- 4th portion (상행부) : Treitz ligament 까지

- DU의 95%는 1st portion (bulb)에서 발생 (이중 90%는 pylorus에서 3 cm 이내에 발생)
- 크기는 대개 1 cm 이하지만 3~6 cm도 가능

2. 병태생리

■ relative gastric acid hypersecretion

- GU에 비해 위산 분비가 증가되어 있는 경우가 많다
  (MAO : DU 환자의 1/3에서 증가, 2/3는 high-normal)
- fasting gastrin level은 대개 정상 (protein에 대한 gastrin 분비는 증가)
- gastrin에 대한 위산 분비 반응↑
- 십이지장의 HCO_3^- 분비 감소

■ liquid gastric emptying time 감소 (위배출 속도 증가) : 일부에서

- 십이지장의 위산에의 노출 (acid load) 증가

3. 임상양상

(1) 명치/상복부 통증(epigastric pain)

- 쓰리거나 에는 듯한 통증, 둔하게 쑤시는 느낌 or 배고픈 듯한 통증
- 전형적 증상 ; 공복시 통증/불편감, 식후 2~3시간 뒤 발생, 음식이나 제산제에 의해 완화
- nocturnal pain (약 2/3에서) : "아파서 자다가 깬다" (but, NUD 환자의 1/3에서도 나타남)

- 복통의 발생 기전
  ① 위산에 의한 십이지장의 chemical receptors 활성화
  ② bile acids와 pepsin에 대한 십이지장의 감수성 증가
  ③ gastroduodenal motility 변화

(2) changes in pain character
- penetration : 음식이나 제산제로 호전 안 됨 or 등으로 radiation
- perforation : abrupt, severe, generalized abdominal pain/tenderness
- gastric outlet obstruction : 음식 섭취시 통증 악화, N/V (소화 안 된 음식), succussion splash (GU의 경우는 obstruction 없이도 N/V이 발생 가능)

(3) epigastric tenderness
(4) postbulbar ulcer (5%) : RUQ pain, 등으로 radiation
(5) bleeding (ulcer Sx. 없이도 발생 가능) : tarry stools or coffee ground emesis

4. 진단

(1) 상부위장관 조영술(barium study)
- sensitivity ; single-contrast 80%, double-contrast 90%
  (전벽에서 50% 발생 → 정면에서 압박하였을 때 잘 보임)
- 작은 궤양(<0.5 cm), 과거의 궤양에 의한 반흔, 수술 후 환자 등에서는 sensitivity가 떨어짐
- barium study로 궤양이 진단된 경우, *H. pylori*에 대한 non-invasive test도 시행
  (e.g., urea breath test, serology, fecal Ag)

(2) 내시경
- 가장 sensitive & specific
- 궤양 병변의 조직검사(biopsy)는 필요 없다!! (∵ never malignant)
- 위점막(antrum) biopsy를 통한 *H. pylori* 검사는 시행 (e.g., rapid urease test)

* D/Dx (peptic ulcer-like epigastic pain을 일으킬 수 있는 질환)
; NUD (non-ulcer dyspepsia), GERD, AMI, pleurisy, pericarditis, esophagitis, cholecystitis, pancreatitis, IBS, gastroduodenal Crohn's dz., proximal GI tumor

* ulcer-like Sx.을 가진 환자의 많은 경우는 NUD임
→ 45세 미만이면서 건강한 환자는 empirical Tx.를 먼저 시도해보는 것이 합리적

위궤양 (Gastric ulcer, GU)

- 발생부위 ; lesser curvature (60%), antrum (35%) [fundus와 greater curvature는 드묾]
  → 뒤의 수술방법 부분 참조

- *H. pylori*에 의한 GU - 대부분 antral gastritis를 동반
- NSAIDs에 의한 GU - chronic gastritis를 동반 안함

- GU의 약 10%는 DU도 동반

1. 원인 및 병인

- DU처럼 *H. pylori* 감염이나 NSAIDs에 의한 점막 손상이 m/i
  (어린 나이에 감염될수록 GU 및 위암 발생 위험 증가)
- 위점막 방어능력의 결함
- 위산 분비는 정상 or 감소 (→ serum gastrin level ↑)
- solid gastric emptying time 연장 (위배출 지연) … 일부에서
- duodenal contents (e.g., bile acids, lysolecithin, pancreatic enzymes)의 역류
  (→ 위점막 손상을 일으킬 수) … GU 발생의 역할은 확실치 않음

2. 임상 양상

- 증상만으로는 DU 및 functional dyspepsia와 구별 안 됨
- 전형적 증상 ; 식사 직후(30분 이내) 통증/불편감, 음식에 의해 덜 완화됨 or 악화
- DU보다 nausea와 체중감소가 더 흔하다
- hemorrhage : 25%에서 (DU는 15%)

3. 경과

- DU보다 치유속도 느리다 (2~4주, 최대 3개월)
- 궤양의 크기가 클수록 치유기간이 오래 걸린다
- benign ulcer (<3 cm)는 치료시작 4주 후엔 반드시 크기가 50% 이하로 감소
- malignant ulcer의 70%도 PUD 치료로 healing 됨 (대개 불완전하게)
- complete healing이 꼭 benign임을 보장하지는 못한다 (malignant 배제 못함)
- 진단시 반드시 multiple biopsy를 시행하고, 조직검사에서 benign이라도 반드시 치료 8~12주 뒤에 F/U 내시경 검사 시행! (c.f., DU는 악성화하지 않으므로 F/U 내시경 필요 없음)

	십이지장 궤양	위 궤양
연령, 성비	평균 40세, 남>여	평균 60세, 남>여
전형적 통증 양상	공복시, 식후 2~3시간, 야간	식후 30분 이내
위 산도(acidity)	↑	정상~↓ (다양)
H. pylori 감염률	70~90%	50~70%
병인	위산분비 증가 위산분비 자극에 대한 과민	위산분비 증가 (type Ⅱ, Ⅲ) 점막 방어능력 결함 ?
예후	좋음	나쁨
악성화 위험	× (→ 조직검사 필요 없음!)	△ (→ 조직검사 필요)

4. 양성 vs 악성 위궤양의 비교

	양성 위궤양	악성 위궤양
1. 조영술 소견		
Shape	sharp, round, ovoid	irregular, uneven
Site	antrum, lesser curvature	body, fundus, greater curvature
Depth	깊다	넓다
2. 내시경 소견		
Base	clear, blood clot	necrotic, hemorrhagic
Border	hyperemic	nodular
Fold	radiating to edge (cart-wheel appearance)	clubbing, fusion interruption, tapering

★ 육안으로는 양성과 악성을 완벽하게 구분할 수 없다! ▶ 반드시 위내시경하 조직검사 시행!

PUD의 내과적 치료

* 목적 ; 증상(통증 or 소화불량)의 완화, 궤양의 치유 촉진, 궤양의 합병증과 재발 방지

1. *H. pylori* 제균 치료 → 앞부분 참조

2. 위산 중화/억제제

(1) 제산제(antacids)

• 1차 치료제로 쓰이는 경우는 드물고, dyspepsia의 증상 완화를 위해 사용
- aluminum hydroxide (Cx ; constipation, hypophosphatemia)
- magnesium hydroxide (Cx ; loose stool, diarrhea)

• aluminum + magnesium (m/g) ; Maalox, Mylanta 등
  * CKD 환자
    - magnesium 금기 (∵ hypermagnesemia)
    - aluminum → neurotoxicity 일으킬 수

• calcium carbonate (Cx ; acid rebound, Milk-alkali syndrome [hypercalcemia, hyperphosphatemia, renal calcinosis와 신부전의 발생 위험])

• sodium bicarbonate (Cx ; systemic alkalosis)

(2) H_2-receptor antagonists (H_2-RA)

• cimetidine … 1st H_2-blocker
  - Cx.
    - 일시적인 serum aminotransferase, creatinine, prolactin level 증가
    - CNS Sx ; headache, confusion, lethargy
    - cytochrome P450 억제 (cimetidine과 ranitidine 만)
      → warfarin, theophylline, lidocaine, phenytoin, diazepam, atazanavir 등 약물농도↑
    - 장기 복용시 impotence, gynecomastia (∵ antiandrogenic effect)

  c.f.) cytochrome P450은 간에서 약물 대사에 관여하는 중요한 효소계임

• ranitidine, famotidine, nizatidine … cimetidine보다 강력하고 부작용이 적어 선호됨
• 드물게 reversible cytopenia도 일으킬 수 있음 (0.01~0.2%)
  ; pancytopenia, neutropenia, anemia, thrombocytopenia

(3) proton pump (H^+,K^+-ATPase) inhibitors (PPI)

• 약제 ; omeprazole, lansoprazole, rabeprazole, pantoprazole, esomeprazole
  (esomeprazole이 최신 약제로 가장 강력)
• 위산 분비를 완전히 억제 (모든 단계를 억제), 가장 강력
• 투여 2~6시간 뒤에 최대 효과, 3~4일간 효과 지속
• 식사 직전에 투여해야 가장 효과적 (∵ proton pump 활성화 필요) → 아침 첫 식사 전 또는 식사와 함께 투여하는 것이 원칙, 한번보다는 하루 2회 투여해야 더 효과적
• Cx.
  - fasting serum gastrin ↑ (∵ 위산분비 저하에 따른 feedback으로)
  - vitamin B_{12}, iron, Ca^{2+}, ketoconazole, ampicillin, digoxin 등의 흡수 방해 (∵ 위산↓)
  - 장기간 복용시.. 지역획득폐렴 (특히 노인), *C. difficile*-관련 질환, 소장 세균 과다증식, microscopic colitis, interstitial nephritis, hypomagnesemia, 골다공증/고관절골절(女)...
  - 약물상호작용 : cytochrome P450 system에 의해 대사 (e.g., omeprazole, lansoprazole)
    - P450 억제 → theophylline, warfarin, diazepam, atazanavir, phenytoin 등 제거 감소 (병용시 주의를 요하지만, 임상적 의미는 미미함)
    - rabeprazole, pantoprazole, esomeprazole은 P450 대사약물들과 상호작용 크지 않음
    - clopidogrel과 PPI는 P450 (CYP2C19)에 의해 서로 경쟁적으로 대사
      → clopidogrel의 활성화 감소 → 항혈소판 효과 사라짐 (병용 금기)
• carcinoid tumor or gastrinoma 발생 위험은 증가하지 않음!
• 새로운 PPIs
  - tenatoprazole : proton pump를 비가역적으로 억제하여 반감기가 매우 긺 (7~8시간)
    → 야간 위산분비 억제에 유리 (GERD에 매우 효과적)
  - ilaprazole : 반감기가 길고, omeprazole보다 효과 좋음
  - dexlansoprazole : pH 5.5와 6.8에서 이중지연방출(dual delayed-release) 작용
    → 식사와 관계없이 약효 지속 가능이 가장 큰 장점, 주로 GERD의 치료에 사용됨

* potassium-competitive acid pump blocker (P-CAB) ; revaprazan
  - 새로운 세대의 위산분비 억제제, acid pump antagonist, 위산분비를 빠르게 억제 & 오래 지속
  - PPI와 달리 식전에 복용해도 됨 (but, 대부분의 연구에서 기존 PPI보다 효과적이진 않음)

3. 점막보호/증강제

(1) sucralfate (e.g., Ulcermin®)

• 작용기전 ; 물리화학적 장벽, 성장인자(e.g., EGF)와 결합하여 성장 촉진, PG 합성↑, 점액하 bicarbonate 분비↑, 점막 방어/복구↑
• H_2-RA 보다 치유속도와 통증감소 빠르다
• Cx (드묾) ; constipation (2~3%), 드물게 hypophosphatemia와 gastric bezoar도 발생 가능
  - CKD 환자에서는 금기 (∵ aluminum에 의한 neurotoxicity)

(2) Bismuth 함유제

- 약제 ; colloidal bismuth subcitrate (CBS), bismuth subsalicylate (BSS)
- H. pylori를 죽이는 효과도 있음 (*H. pylori* 제균요법에도 포함됨)
- Cx ; 단기간 사용시 검은변, 변비, 혀의 색소침착 등
  - 장기간 사용시 neurotoxicity 일으킬 수 있음 (특히 CBS)

(3) prostaglandin (E_1) analogs (Misoprostol)

- 작용기전 : mucosal defense & repair 향상
- active ulcer의 치료에는 다른 약제들보다 덜 효과적
- NSAID-induced ulcer의 예방에만 쓰임
- Cx. ; 설사(10~30%에서, 용량과 비례), 자궁 출혈/수축, 유산

(4) 기타 방어인자 증강제

- rebamipide (Mucosta® 등) ; 위점막 보호, PG↑, 산소자유유리기 제거
- ecabet sodium (Gastrex®) ; 손상된 점막 피복, 항 pepsin 작용, PG↑, *H. pylori* (urease) 저해
- teprenone (Selbex® 등) ; 위점액↑
- cetraxate (Neuer® 등) ; 점막 혈류↑
- safalcone (Solong®) ; PG 대사 효소 억제

4. 식이요법 및 생활습관

- balanced, regular meals
- 무자극(bland) or 유동식(soft diet), 과일주스 등 효과 없다! → 음식물에 특별한 제한은 없음 (먹어서 통증 or 소화불량을 유발하는 음식은 피하는 것이 좋음)
- high-fiber : ulcer 발생/재발 ↓
- 우유와 아이스크림 : 효과 없다, 오히려 Milk-Alkali syndrome, atherogenesis를 일으킬 수 있음 (milk → gastrin 분비↑)
- 피해야 할 것들 ; aspirin, NSAIDs, caffeine 함유 음료 (콜라, 박카스), 커피(무카페인도 포함), 포도주, 맥주 등 (alcohol : 조금은 먹어도 괜찮지만, 피하는 것이 좋다)
- 금연 (∵ smoking → ulcer 발생위험↑, ulcer 치유 지연, 재발 증가)

5. 일반적 치료원칙

- *H. pylori* 양성인 경우의 conventional therapy
  - *H. pylori* 제균요법 (triple therapy) : 2주
  - acid-suppressing drugs (H_2-RA or PPI) : total 4~6주
  - 작용 기전이 다른 여러 약제의 병합요법이 더 좋다는 증거는 없다!
  - NSAIDs 사용과 관계없이 시행
- 대부분(>90%)의 DU & GU는 위의 치료로 치유됨
- refractory ulcer : DU 8주 (GU 12주) 치료 뒤에도 치유되지 않을 때
  ① 치료제를 충실히 복용했는지 확인 (poor compliance)
  ② *H. pylori* 감염 지속 (∵ 내성균) R/O

③ NSAIDs 및 aspirin 복용 R/O
④ 금연 (∵ 흡연 - 궤양 재발의 위험인자)
⑤ GU의 경우 반드시 malignancy를 R/O (→ multiple biopsy)
⑥ 위산 과다 분비 상태를 R/O (e.g., ZES, G cell hyperfunction)
⑦ 기타 ; 드문 원인들을 R/O (e.g., CD)

- high-dose PPI 8주 치료 → refractory ulcer (DU, GU)의 대부분(>90%)이 치유됨
  - 유지요법에도 효과적
  - 여기에도 반응 없으면 수술적 치료를 고려!
- 수술 전에는 반드시 조직검사를 통해 refractory ulcer의 드문 원인들을 R/O
  ; ischemia, Crohn's dz., amyloidosis, sarcoidosis, lymphoma, eosinophilic gastroenteritis, infections (CMV, TB, syphilis) ...

수술적 치료

1. 적응증 (소화성궤양의 합병증)

(1) 위장관 출혈 (~15–25%) : m/c PUD Cx.

- 약 20%는 선행 증상/징후 없이 출혈 발생, 약 95%는 저절로 지혈됨
- emergent endoscopy (Dx. & Tx.)
- GU > DU, DU에서는 재발 잘함(40%)
- 나이가 많을수록(>60세) 출혈 및 천공의 빈도 증가 (∵ NSAIDs 복용 증가)
- 예후가 나쁜 경우 ; 60세 이상, hematemesis, shock, multiple transfusion, 동반질환(특히 CKD, 심혈관, 간, 호흡기 질환, 악성 종양)
- 궤양 출혈의 내시경 치료 (Ix. : 출혈이 지속 or 노출된 혈관이 보일 때) → I-3장도 참조
  ① injection method ; epinephrine, ethanol, sclerosing agents
  ② thermal method ; laser, electrocoagulation, heater probe
  ③ 기타 ; fibrin glue, hemoclip
- 수혈이 필요한 환자의 약 ~5%는 내시경치료에 반응이 없고 수술 필요
- 수술의 적응 ; 내시경 치료 실패, 혈역학적 불안정, 심한 출혈 지속

(2) 천공 (perforation, 2~3%) : 2nd m/c

- 발생부위 ; duodenum (60%), antrum (20%), body (20%)
  - 호발부위 ; DU - bulb의 앞쪽, GU - lesser curvature의 앞쪽
  - GU에서 발생시 DU보다 사망률 3배 높음
- Sx : sudden, severe generalized abdominal pain, N/V
  (약 10%는 선행 증상이 없고, 10%에서는 출혈도 같이 발생)
- P/Ex : rigid, quiet abdomen, rebound tenderness
- Dx : chest or abdominal X-ray (free air 봄)
- Tx : 응급 수술

* 관통(penetration) : 인접 장기와 터널을 형성한 형태의 천공
- DU : 뒤쪽으로 췌장와 관통 경향 / GU : 간좌엽으로 관통 경향
- pain이 더 심해지고, 지속적이며, 등으로 방사, 제산제로 호전×

(3) 위날문막힘/유문부협착증 (gastric outlet obstruction, 1~2%)

- 주로 duodenal ulcer에서 발생 (peripyloric region에서)
- 원인 ; chronic scarring, 염증에 의한 motility 장애, edema, pylorospasm
- Sx ; early satiety, N/V, weight loss

┌ functional obstruction : 궤양 치유되면 호전! → 내과적 치료(NG suction, hydration ...)
└ fixed, mechanical obstruction → 내시경 치료(balloon dilatation) → 실패하면 수술

■ 위날문막힘(gastric outlet obstruction, GOO)
- 원인
  (1) 악성종양 (50~80%) ; 췌장암(m/c), 위암 .. (기타 전이 가능한 모든 암)
  (2) 양성질환 ; PUD (5%), CD (5%), 췌장염(1~5%), 췌장 가성낭종, 위 용종, 수술 합병증, 부식제 섭취, congenital duodenal web, bezoars, 담석(Bouveret syndrome) 등
- 증상 ; 구토(nonbilious, 소화 안된 음식 포함), early satiety, epigastric fullness, 체중감소(악성종양 같이 만성적인 원인일 때 특히 현저) ...
- 진찰소견 ; 탈수, 영양실조, 상복부의 tympanic mass (∵ 팽창된 위), visible peristalsis, 진탕음(succussion splash) ...

(4) Refractory ulcer (매우 드묾), (5) 악성 병변의 우려가 있는 경우

2. 수술 방법

(1) 십이지장 궤양

- highly selective vagotomy (= parietal cell vagotomy or proximal gastric vagotomy)
  - 위전정부의 innervation은 보존되므로 drainage 수술이 필요 없음
  - postop. Cx 가장 적음 / 재발률 가장 높음(10~15%) … elective surgery 때 선호
- vagotomy + drainage (pyloroplasty, gastroduodenostomy, gastrojejunostomy) ; postop. Cx과 재발률 중간 정도 (약 10%)
- vagotomy + antrectomy (40% distal gastrectomy) + reconstruction (Billroth I or II)
  - postop. Cx 가장 많음 / 재발률 가장 적음(0~2%)
  - Billroth I (gastroduodenostomy) ; Billroth II보다 선호되지만, 십이지장 염증/반흔 Cx 발생 문제
  - Billroth II (gastrojejunostomy)
  - partial gastrectomy + Roux-en-Y reconstruction ; Billroth II보다 결과 좋음

(2) 위 궤양

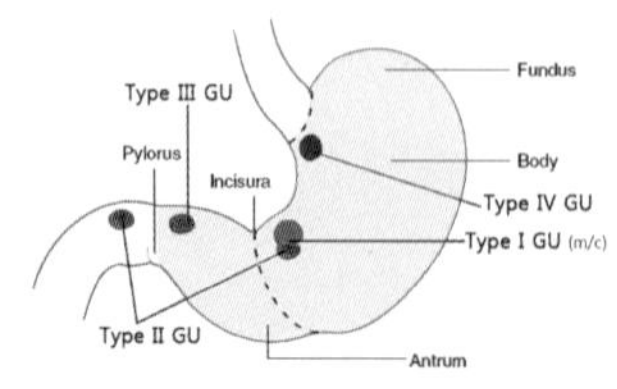

Modified Johnson classification of gastric ulcers

Type	부위	빈도	위산분비	수술 방법
I	소만 (incisura 부근)	60%	↓~N	Vagotomy + antrectomy + Billroth I
II	소만 + 십이지장	~15%	↑	Vagotomy + distal gastrectomy + Billroth I (Billroth I 어려우면 Billroth II or Roux-en-Y)
III	Prepyloric antrum	20%	↑	
IV	상부 소만 (GEJ 부근)	<10%	N	가능하다면 ulcer만 resection Subtotal gastrectomy + Roux-en-Y esophagogastrojejunostomy (Csende's procedure) 등
V	Anywhere NSAID-induced	<5%	N	NSAID가 주요 원인이므로 대부분 수술은 필요 없음 필요한 경우엔 anterior gastrectomy (실패시 total gastrectomy)

3. 수술 후의 합병증

(1) Recurrent ulceration

- 주로 anastomosis 부위에 발생 (stomal or marginal ulcer)
- 통증(epigastric pain)의 강도/기간은 수술전의 DU보다 크다
- evaluation
  ① 우선 *H. pylori* 및 NSAIDs를 R/O
  ② ZES, retained gastric antrum, incomplete vagotomy 등을 R/O
  (vagotomy 평가 → sham feeding + gastric acid analysis)
- 치료 : 대부분(70~90%) 내과적 치료로 호전됨
  ① 내과적 치료 ; H_2-RA or PPI
  ② 재수술 ; 강력한 내과적 치료에도 반응이 없는 소수에서만

(2) Retained antrum에 의한 궤양 재발

- antrectomy & Billroth II anastomosis 수술 이후에 발생 가능
- fasting gastrin level ↑ (∵ 남아있는 antrum이 위산과 접촉하지 못해 feedback으로)
- D/Dx : gastrinoma (ZES)
  ① acid secretory analysis
  ② gastrin 유발 검사 (secretin stimulation test)
  ┌ retained antrum ; serum gastrin 증가 안 함
  └ gastrinoma ; 15분 이내에 gastrin 증가
- Tx : resection of retained antrum

(3) Afferent loop syndrome (수입각 증후군)

- 기전에 따라 2가지 형태의 임상양상
  ① afferent loop의 bacterial overgrowth (더 흔함)
  ; 식후 복통, 복부 팽만감, 설사, fat & vitamin B_{12} 흡수장애
  ② 담즙/췌장액의 배출 장애
  - 식후 (20~60분 뒤) 심한 복통과 복부 팽만감 발생
  - 복통 → N/V (bile-containing vomitus) → 복통 호전
- Tx ; 항생제나 식이요법으로 호전이 없으면, surgical revision 시행

(4) Dumping syndrome

- **early dumping syndrome**
  - 식후 30분 이내에 발생
  - 증상 ; 경련성 복통, 오심, 설사, 트림, vasomotor Sx (빈백, 발한, 어지러움 등)
  - 50% glucose로 유발 가능
  - 기전 : 고삼투성 위내용물(hyperosmolar gastric content)의 소장으로의 빠른 배출
    ⇨ ① 소장의 distension → autonomic reflex (motility) 자극
    ② osmotic shift of fluid → relative hypovolemia
    ③ vasoactive GI hormones (VIP, neurotensin, motilin) 분비
- late dumping
  - 식후 90분~3시간에 발생
  - vasomotor Sx (빈백, 발한, 어지러움 등)이 주
  - 기전 : 당을 함유한 음식이 근위부 소장으로 rapid emptying → 혈중 glucose level이 급격히 상승 → insulin의 과다 분비 → rebound hypoglycemia
  - vagotomy & drainage 환자의 50%에서까지 나타날 수 있으나, 약 1%만 심하게 지속됨
- 치료
  - 대부분 시간이 흐르면 증상 호전됨
  - 식이조절 (frequent, small meals) : m/i
    ① 단당류 섭취 제한 (탄수화물을 줄이고 단백질과 지방을 늘림)
    ② 식사시 수분량 제한
    ③ 식사 후 잠시 누워 있는다
    ④ 지사제, anticholinergics ; 식이요법에 보조적으로 사용
  - somatostatin analogue (octreotide)
    ① vasoactive substance, insulin 분비 억제 → late dumping 예방
    ② 식이조절로 호전 안 되는 경우에 유용
  - guar & pectin : 장내용물의 점도를 높임, 증상이 심한 환자에서 도움될 수 있음
  - acarbose (α-glucosidase inhibitor) : 탄수화물의 흡수를 느리게 함, late dumping에 효과적
  - 수술은 대부분 도움 안 된다!

(5) Alkaline (bile) reflux gastropathy/gastritis

- 대부분 위절제술 + Billroth reconstruction (anastomosis)를 받은 환자에서 발생
- Sx ; 조기 포만감, 심한 복통, 담즙성 구토, 체중감소
  → 음식, 제산제, 구토 등으로 증상(복통)이 호전 안됨!
- Dx (reflux 확인) ; ^{99m}Tc-HIDA scan, alkaline challenge test (0.1N NaOH)
- Tx ; 식사조절, 항경련제, cholestyramine, Foipan (camostat mesilate) 등
  - 심한 경우에는 수술 : Billroth anastomosis를 Roux-en-Y gastrojejunostomy로 전환 (Roux limb의 길이는 50~60 cm으로 늘림)

(6) Post-vagotomy diarrhea

- 약 10%에서 발생하며 truncal vagotomy 후 가장 호발
- 전형적으로 식후 1~2시간 뒤 설사 발생

- Tx ; diphenoxylate or loperamide
  - 심한 경우 bile salt-binding agent (cholestyramine)가 도움

(7) Maldigestion & malabsorption

- 체중감소 (~60%) : 대개 경구 섭취 감소 때문
- IDA ; 빈혈 중 m/c, dietary iron 흡수↓ 때문, iron salts 흡수는 정상(→ 철분제제에 잘 반응)
- vitamin B_{12} 결핍 ; bacterial overgrowth or 위산저하에 의한 vitamin-protein 분리 장애 때문, IF는 거의 정상임! (∵ antrectomy 때 IF의 근원인 parietal cells은 거의 제거 안됨)
- folate deficiency ; 흡수장애 or 섭취감소 때문
- vitamin D & calcium 흡수장애 → osteoporosis, osteomalacia

(8) Gastric adenocarcinoma

- 수술 15년 뒤부터 gastric stump에서의 adenocarcinoma 발생 위험 증가 (20~25년 뒤 4~5배↑)
- 발생기전 (잘 모름) ; alkaline reflux, bacterial proliferation, hypochlorhydria
- 내시경 추적검사가 도움이 되는지는 불확실

약물에 의한 궤양/미란

1. NSAID & aspirin

(1) 개요

- NSAID 복용 환자는 serious GI Cx 발생 위험이 2.5~5배 높음
- 기전(병태생리)
  - ① local injury (aspirin과 많은 NSAIDs는 acidic 특성을 가짐)
    - direct (복용 수분 내) ; 위의 산성 환경에서 점막으로 침투 → 점막 상피세포 손상, H^+ & pepsin의 back diffusion↑ → 상피세포 더욱 손상
    - indirect ; enterohepatic circulation (담즙과 함께 위 내로 역류)
  - ② systemic injury : cyclooxygenase (COX)-1, COX-2, thromboxane A_2 등 억제
    - COX-1 억제 (m/i) → PG 합성 억제 → 위점막 보호기능 장애 → 위점막 손상
      ↳ 5-lipoxygenase (LOX) 같은 염증매개물질 생산↑ → 위점막 손상
    - thromboxane A_2 억제 → 혈소판 기능 억제 → 출혈 위험↑
    - angiogenesis 억제 → 궤양의 치유 방해

    * topical NSAID도 전신적으로 흡수된 뒤 upper GI injury를 일으킬 수 있음
- fundus에는 주로 표재성 점막 손상 / ulcer는 주로 antrum에 발생
- *H. pylori* 감염 : 독립적인 위험인자로 NSAID-induced GI Cx 발생 위험을 더욱 증가시킴
  → 장기간 NSAID 사용이 필요한 환자는 반드시 *H. pylori* 검사 시행!

(2) NSAID-induced upper GI toxicity

- mild Sx (무증상 점막손상, mild dyspepsia, N/V, 복통) ~ peptic ulcer, bleeding까지 다양
- NSAID-induced gastropathy : 복용 첫 3개월 내 40~60%에서 발생
  - multiple acute erosion & subepithelial hemorrhage (매우 뚜렷이 관찰됨)

- 조직검사에서 염증세포의 침윤은 없음
- dyspepsia : 10~20%에서 발생하지만, NSAID-induced pathology와의 관련성은 없음
  (심각한 GI Cx 발생 환자의 80% 이상은 dyspepsia의 선행이 없음!)
- NSAID 장기 복용자의 10~20%에서 GU, 2~5%에서 DU 발생, deep punched-out ulcer가 흔함
  ; 대부분은 무증상임 → 첫 증상이 출혈이나 천공으로 나타날 수 있음 (~10%)
- symptomatic ulcer : 2~5%/year에서 발생 (내시경 상에서는 10~25%에서 발견됨)
  → 0.2~1.9%/year에서 심각한 합병증(입원, 출혈, 천공) 발생
- NSAID-related GI toxicity의 위험인자

1. PUD (peptic ulcer dz.)의 과거력 (m/i)
2. 고령(>65세)
3. 고용량 NSAID
4. 두 가지 이상의 NSAIDs 사용 (COX-2 inhibitors 포함)
5. 만성적인 NSAID 복용
6. Aspirin (저용량 포함), glucocorticoids, 항응고제/항혈소판제 등의 병용
7. 심한 전신 질환 (특히 심혈관질환), rheumatoid arthritis

* Possible : *H. pylori* 감염 동반, 흡연, 음주, 카페인

- NSAID와 aspirin의 relative ulcerogenic risk

Very low	COX-2 inhibitors
Low	Diflunisal, Diclofenac, Aceclofenac, Ibuprofen, Salsalate
Medium	Fenoprofen, Ketoprofen, Naproxen, Aspirin
High	Azapropazone, Meclofenamate, Indomethacin, Piroxicam, Tolmetin

(3) NSAID-induced lower GI toxicity

- 점막염증, 설사, 궤양, 협착, 출혈, 천공, IBD의 악화 등
- 증가 추세, upper GI Cx보다 사망률 높고 입원기간 길

(4) NSAID-induced ulcer의 치료 ★

① NSAID를 끊을 수 있을 때 → PPI (or H_2-RA) (and/or misoprostol)
② NSAID를 끊을 수 없을 때 → **PPI** (유일하게 NSAID에 관계없이 효과!) (+ misoprostol)
③ *H. pylori* 양성이면 제균요법 시행!

(5) 예방 ★

① **misoprostol** (PGE_1 analogue) ; 임산부엔 금기 (∵ 태반/자궁 수축)
  - full dose (800 mcg/day)는 매우 효과적이지만 설사(13%)와 복통(7%)의 부작용으로 제한
  - lower dose (400~600 mcg/day)는 PPI와 효과 및 부작용 비슷함
② **PPI** : NSAID (or COX-2 inhibitor)-induced ulcer의 예방에 효과적
  - 부작용 ; *C. difficile*-관련 설사, 고관절 골절, 지역획득폐렴(CAP) 등 (→ 앞부분 참조)
  - omeprazole, esomeprazole 등은 clopidogrel과 병용시 clopidogrel의 항혈소판 효과가 감소됨
    ; pantoprazole은 예외, H_2-RA와 제산제는 clopidogrel과 상호작용 없음
③ **high-dose H_2-RA** : PPI보다는 효과 많이 떨어짐

④ **selective COX-2 inhibitor** (e.g., celecoxib, polmacoxib)로 대치
- nonselective (conventional) NSAID에 비해 심각한 GI Cx 발생 위험이 매우 낮음
- 문제점
  - low-dose aspirin과 병용시 GI Cx 예방효과가 사라짐!
    → 심혈관질환 (aspirin 복용) 환자는 "naproxen + PPI" or NSAID 이외의 약물로 대치
  - 심혈관계 thrombosis (MI) 촉진 위험 → rofecoxib과 valdecoxib는 퇴출되었음
    (nonselective NSAID도 심혈관계 thrombosis 위험을 증가시킴, "naproxen"은 예외!)

2. 기타 약물/독소

; CTx., steroid (NSAIDs와 병용시), bisphosphonates, clopidogrel, MMF (mycophenolate mofetil), alcohol, colchicine, phenylbutazone, tolbutamide, crack cocaine, KCl ...

* 5~10 mg/day의 prednisone은 궤양 치유를 저해하지 않으면서 계속 투여 가능

스트레스에 의한 점막손상 (stress ulcer)

1. 개요

- 원인(event) ; shock, sepsis, burn, trauma, head injury ...
- 발생기전
  ① mucosal ischemia (m/i)
  ② 위산에 의한 조직 손상
  - 대부분 위산분비 증가는 없다
  - Curling's & Cushing's ulcers에서는 위산분비 증가
    - Curling's ulcer : severe burn
    - Cushing's ulcer : intracranial injury, IICP (뇌종양, SDH)
- 조직검사에서 염증 또는 *H. pylori* 감염 소견은 없음(→ gastritis가 아님)
- 중환자 치료의 발전으로 최근에는 크게 감소

2. 임상양상

- painless UGI bleeding (m/c) ; 주로 위의 위산 생산부위(body, fundus)에서 발생, 대개 소량
  - erosion : event 24시간 후에 발생
  - massive hemorrhage : 대개 2~3일 이후에 발생
- 출혈 위험인자 ; mechanical ventilation (m/i), coagulopathy (platelet <5만/μL or INR >1.5), multiorgan failure, severe burn, vasopressor, steroid, prior PUD/GI bleeding ...
  ⇨ 사망률 높으므로(>40%) stress ulcer에 대한 예방조치 필요 (c.f., 사망은 대개 기저질환 때문)

3. 치료/예방

- 예방 (위 pH를 3.5 이상으로 유지) ; PPI (TOC), H_2-RA, antacids, sucralfate
- 출혈 발생시 ; 내시경적 치료, intraarterial vasopressin, embolization
- 위 치료에 모두 실패시 ; 수술 (total gastrectomy가 좋음)

위염 (Gastritis)

1. 정의

- 위염 : 조직학적으로 위점막의 염증 소견이 증명된 것
  (단순히 내시경상의 mucosal erythema 소견이나 dyspepsia가 아님)
- 조직학적 소견, 내시경 소견, 임상양상(증상) 사이의 관련성은 부족함
  → 전형적인 증상이 없고, 위염 환자의 대부분은 무증상임

2. Acute gastritis (= acute hemorrhagic or erosive gastritis)

(1) 정의 … erosion : mucosa에 국한된 점막 손상 (muscularis mucosa를 넘지 않음)

(2) 원인
- acute *H. pylori* gastritis (→ 치료 안하면 만성위염으로 진행)
- 기타 acute infectious gastritis
  - bacterial (*H. pylori* 이외의) ; *Streptococcus, Staphylococcus, Proteus, E. coli, Haemophilus*
  - *Helicobacter helmanni*
  - mycobacterial, syphilitic, viral, parasitic, fungal
- NSAIDs, aspirin, alcohol, bile acids, pancreatic enzymes
- severe trauma, major surgery, hepatic/renal/respiratory failure, shock, massive burns, severe infection, sepsis ...

(3) 증상
- 보통 asymptomatic
- bleeding (소량), epigastric pain, N/V
  (peptic ulcer에 비해 pain은 훨씬 드물다 → painless bleeding)

(4) 진단
- endoscopy
- biopsy ; neutrophil 침윤, edema, hyperemia 등

(5) 치료
- 보통 특별한 치료는 필요없다. (예방이 중요)
- PPI or H_2-RA, antacid, sucralfate, ecabet sodium 등 → 예방 & 치료
  (gastric pH를 반드시 4 이상으로 유지)
- 치료하면 내시경으로나 조직학적으로 완전히 회복됨

3. Chronic gastritis

(1) type A (body-predominant, autoimmune) gastritis

- body & fundus (proximal acid-secreting portion)를 침범, type B보다 드묾
- pernicious anemia (PA)와 관련 (PA는 A형 만성위염의 가장 심한 최종 단계라 할 수 있음)
- autoimmune pathogenesis
  ① parietal cell Ab : type A gastritis 환자의 ~50%에서 발견 (but, 60세 이상 정상인의 ~20%에서도 발견), pernicious anemia (PA) 환자는 90% 이상에서 발견
  ② anti-IF (intrinsic factor) Ab : 더 specific하나, PA 환자의 40%에서만 발견
  ③ HLA-B8, -DR3과 관련
- parietal cells의 파괴 (atrophy)
  ┌ 위산 분비 저하 (완전히) : achlorhydria (→ gastrin ↑ ↑)
  └ intrinsic factor ↓ → vitamin B_{12} 흡수 ↓ → pernicious anemia (megaloblastic anemia)
- serum gastrin level ↑ ↑ (∵ antral mucosa는 보존)
  → ECL cell hyperplasia와 gastric carcinoid tumor도 발생 가능
- PA와 관련 없는 type A gastritis에서도 hypergastrinemia와 achlorhydria가 관찰될 수 있음
- 우리나라에서는 매우 드물다

(2) type B (antral-predominant, *H. pylori*-related) gastritis

- 전정부(antrum)를 주로 침범하지만, 진행되면 body와 fundus도 침범 가능(pan-gastritis)
- 발생률은 나이가 들수록 증가 (70세 이상에선 거의 100%)
- *H. pylori* 감염이 원인 (chronic superficial gastritis의 거의 모든 예에서 *H. pylori* 발견됨)
- *H. pylori* 수는 조직학적으로 염증 정도와 관련
- antral-predominant gastritis (*H. pylori*의 수 최대) → multifocal atrophic gastritis
  → gastric atrophy (*H. pylori*의 수 크게 감소) → intestinal metaplasia → adenocarcinoma
  - *H. pylori* sero(+)면 위암 발생 위험 3~6배 증가
  - *H. plyori* 감염은 low-grade B-cell lymphoma, gastric MALT lymphoma 발생과도 관련
- atrophic gastritis로 진행되면 somatostatin 및 gastrin 분비↓, 위산 분비↓
- type A보다 위암 발생률은 높지만, 특별한 치료는 필요 없다

(3) 진단

- 내시경하 조직검사
- 조직학적 소견에 따른 분류
  - 특징 : 염증세포의 침윤 (주로 lymphocyte, plasma cells)
  ① superficial gastritis : 염증성 변화가 점막의 고유층(lamina propria)까지만 국한됨, 인접 정상 gastric glands와 경계 뚜렷
  ② atrophic gastritis : 염증성 변화가 점막보다 깊이 발생, glands의 점진적인 변형 및 파괴
  ③ gastric atrophy : glands 구조의 소실, 염증세포 침윤은 사라짐
  (내시경 상으론 점막이 매우 얇아져 하층의 혈관이 보임)
  ④ intestinal metaplasia : gastric glands가 small-bowel mucosal glands (goblet cells 포함)로 변화된 것 (→ 위선암의 선행 요인)

(4) 치료

- type A나 B 모두 특별한 치료는 필요 없다 / 염증의 후유증만 치료
- pernicious anemia → parenteral vitamin B_{12} administration
- *H. pylori* 제균 치료 권장 (PUD나 low-grade MALT lymphoma가 동반되지 않아도)
  - *H. pylori* 제균 치료 후 조직학적 소견이 atrophic gastritis는 대부분 호전되나, intestinal metaplasia는 호전되지 않는 경우가 많음
  - 우리나라는 위암 예방 목적의 *H. pylori* 제균 치료는 권고 등급이 낮음! (더 연구 필요)

Ménétrier's Disease (Hypertrophic gastropathy)

- 위점막 주름이 크고 구불구불해지는 드문 질환 (body와 fundus), 40~60세, 남:여=3:1
- 원인 ; 소아는 CMV가 흔하지만, 성인은 모름
  (기전 ; TGF-α overexpression → EGFR pathway overstimulation → foveolar hyperplasia)
- 증상 ; epigastric pain (m/c), N/V, anorexia, 체중감소, occult blood (+)
  - protein-loosing gastropathy 동반 흔함 (→ hypoalbuminemia, edema)
  - 위산 분비는 크게 감소됨, 드물게 GU or 위암 발생 가능
- 진단 : endoscopic deep mucosal biopsy (올가미법을 이용한 전층 조직검사)

■ 내시경상 위점막 주름(gastric folds)이 두꺼워진 경우의 원인

Ménétrier's disease
Malignancy ; lymphoma, infiltrating carcinoma
ZES (gastrinoma)
Infiltrative disorders ; amyloidosis, sarcoidosis
Infections ; TB, CMV, histoplasmosis, syphilis
Eosinophilic gastritis, hypertrophic gastritis, gastric varices ...

  - Large or multiple gastric (fundic gland) polyps (장기간 PPI 사용과 관련) 및 polyposis syndrome과 m/c 혼동됨
  - GIST는 아님

- 치료
  ① anti-EGFR Ab (cetuximab) [TOC] ; 조직소견이 거의 정상화 되고, 증상도 개선됨
  ② 단백 소실이 심한 경우엔 total gastrectomy
  ③ 기타 ; ulcer 존재 시엔 GU와 동일하게 치료, anticholinergics (→ protein loss 감소), 고단백 식이 (→ protein loss 보충), PG, PPI, prednisone, somatostatin analogue (octreotide)

c.f.) Dieulafoy's lesion (= persistent caliber artery)

- 정의 : 위점막 바로 아래에 위치한 large-caliber arteriole이 작은(<3 mm) 점막결손(erosion) 부위를 통해 출혈을 일으키는 것 (주위에 뚜렷한 궤양은 없음)
- 호발부위 : proximal stomach (GEJ에서 6 cm 이내)의 lesser curvature
- 평균 50~60대에 발병, 남>여
- 임상양상 : 심한 arterial bleeding (→ 진단이 어렵다)
  - 전구증상 없이 갑자기 토혈, 혈변을 보이는 경우가 많다
  - 대량 출혈로 인한 severe anemia, volume depletion 위험
  - 일시적으로 출혈이 중단되었다가 다시 출혈이 반복됨 (간헐적)
- 치료 : 내시경적 지혈술로 80~90% 치료됨
  (심한 경우 angiographic embolization이나 수술이 필요할 수 있음)

6
식도 및 위 종양

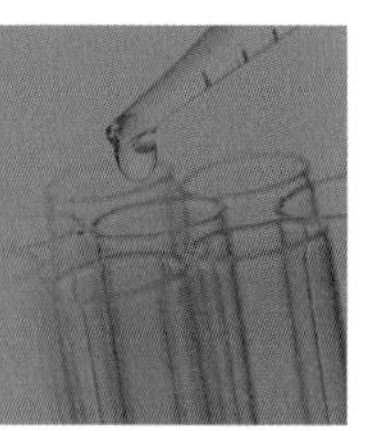

식도암

1. 병리

- 조직학적 형태
  ① squamous cell carcinoma (SCC) : middle 1/3에 호발
    - 미국에서는 감소 추세, 흑인 및 사회경제적지위가 낮은 계층에서 호발
    - 우리나라는 아직 adenocarcinoma보다 SCC가 훨씬 흔함!
  ② adenocarcinoma (미국에서는 75% 이상) : 증가 추세, 남:여 = 6:1
    - Barrett's esophagus (chronic GERD)와 관련 → 대부분 lower 1/3에 발생
    - 식도암보다는 위암과 비슷한 생물학적 특성을 보임
- 해부학적 분포

위치	서양	한국
Upper 1/3	5%	15%
Middle 1/3	20%	47%
Lower 1/3	75%	38%

* 우리나라는 서양보다 SCC이 많으므로, 아직 middle 1/3에서 m/c

2. 원인/위험인자

(1) 편평상피암(SCC)

- 흡연, 음주 : 양에 비례하며 서로 상승작용 (독한 술이 더 위험함)
- 발암물질 ; 질소화합물(nitrates), 아편, 절인 채소의 fungal toxins 등
- 물리적 요인에 의한 점막 손상 ; 뜨거운 음료, 부식식도염(lye ingestion), ionizing radiation, long-standing achalasia 등
- Plummer-Vinson (or Paterson-Kelly) syndrome
  (esophageal web with glossitis, IDA, epithelial lesions)
- familial keratosis palmaris et plantaris (tylosis)
- human papilloma virus 감염 (특히 HPV-16, HPV-18, HPV-33)
- molybdenum, zinc, selenium, β-carotene, folate, vitamin A, C, E, B_{12} 등의 결핍
- 낮은 사회경제적 지위, 흑인
- 기타 ; 두경부 SCC (HNSCC), esophageal diverticula, celiac sprue, partial gastrectomy

(2) 선암(adenocarcinoma)

- 위식도역류 ; Barrett's esophagus (m/i, bisphosphonates 복용시 위험↑),
  LES를 이완시키는 약물/음식, bile reflux 등
- hiatal hernia, esophagitis, esophageal ulcer
- (중심성) 비만, 과도한 열량 및 지방 섭취 (흡연, 음주 … SCC보다는 관련성 약함)

3. 임상 양상

- 50~70대에 호발, 남:여 = 3:1
- progressive **dysphagia** (solid → liquid) : 식도 둘레의 60% 이상이 침범되면 발생
  - 기간도 중요 (2개월이면 cancer 가능하나, 2년이라면 motor dz.)
  - odynophagia를 동시에 호소하면 다른 motor disorder는 R/O 가능
- rapid **weight loss** (영양실조), chest pain, regurgitation, vomiting ...
- esophagorespiratory fistula (e.g., tracheoesophageal fistula) : 5~10%에서 발생
  - chronic cough, aspiration pneumonia (기침은 특히 음식을 삼킬 때 악화됨)
  - direct tumor invasion 또는 치료(chemoradiation)의 합병증으로 발생
- hoarseness (recurrent laryngeal nerve 침범시)
- hypercalcemia (∵ SCC에서 PTH-rP)

4. 진단

- barium esophagography : ragged, ulcerating mucosal changes ("apple core" 모양)
  - 장점 : 종양의 위치 및 협착의 정도를 정확히 파악 가능, tracheoesophageal fistula도 진단 가능
  - 단점 : 작은 병변은 발견하기 어렵다
- upper endoscopy with biopsy (or brush cytology) : 확진!
  - barium esophagography는 정상이라도 내시경에서 식도암 발견 흔함
  - 융기되지 않은 병변, 색조변화만 있는 병변들도 발견 가능함
- 식도 SCC 위험 환자는 폐/두경부암 가능성도 높으므로 larynx, trachea, bronchi 내시경도 시행
- chest & abdominal CT : 종격동과 대동맥 LN 전이 파악
- endoscopic ultrasonography (EUS)
  - 종양의 침범 깊이, local LN 전이 보는 데는 CT보다 좋다 (T, N 결정)
  - 간 전이를 보는데는 CT가 더 좋음
- PET : 정확한 LN 전이 파악 가능 → resectability 평가에 유용

5. 치료

(1) curable disease

① surgical resection (esophagectomy) : 약 45%의 환자에서만 시행 가능
- 수술 후 부작용에 의한 사망률은 약 5%, 생존시 5YSR 약 20%
- SCC에 대한 primary RTx.와 수술의 치료 성적은 비슷함
  (↳ 수술관련 morbidity는 피할 수 있지만, 폐쇄 증상의 완화에는 덜 효과적임)

- 수술전 neoadjuvant Tx (CTx + RTx) 후 수술 시행시 생존율 더 증가
  (but, CTx + RTx로 이미 종양 크기가 크게 줄었다면 수술은 별 효과가 없기도 함)

Resectable esophageal cancer
Cricopharyngeous에서 5 cm 이상 떨어져있는 식도암에서 T1a (mucosa에만 국한된 종양) → "EMR + ablation" or 수술 T1b (submucosa까지 침범) → 수술 T2 (muscularis propria) & T3 (adventitia) with regional LN(+) → 상대적 금기 (환자 상태 고려해서 수술 가능!) T4a (pericardium, pleura, diaphragm 등 침범) → 수술

Unesectable esophageal cancer
Cricopharyngeous에서 5 cm 이내 떨어져있는 식도암 T4 종양이 heart, great vessels, trachea, liver, pancreas, lung, spleen 등을 침범한 경우 대부분의 multi-station, bulky lymphadenopathy 환자 (일부는 환자 상태에 따라 가능할 수) EGJ, supraclavicular LN 침범시 원격전이 ; M1, nonregional LN 포함

② CTx (cisplatin, 5-FU, paclitaxel 등), RTx. : 수술이 불가능한 경우
- combination CTx.로 30~60%에서 종양의 크기가 크게 감소됨
- 단독 RTx.보다는 CTx. + RTx.가 생존율 더 높음

③ 조기 식도암에 대한 내시경적 치료
- 적응 ; Tis (high-grade dysplasia), well~moderately differentiated T1a (mucosa에 국한) & lymphovascular invasion or LN 전이 없는 경우 → EMR이 실패한 경우만 수술 고려
- 방법 ; EMR + ablation (e.g., RFA, photodynamic therapy, cryoablation)

(2) incurable dz. – palliative therapy

[extensive local spread (T4) or 원격전이 (M1) 시에
[목적 : 증상(e.g., dysphagia, pain) 감소, 영양실조 개선

① surgical resection : 6~12개월 이상의 수명이 예상될 때

② radiotherapy : upper~middle ca.의 경우
- unresectable dz. or 수술 불가능한 상태일 때 / SCC가 adenoca.보다 더 radiosensitive
- RTx + CTx의 병합요법시 2/3에서 증상 개선

③ local tumor therapy
- endoscopic dilatation ; metal stent (m/g), guide wire, silastic tube
  (esophagorespiratory fistula → stent insertion이 m/g)
- endoscopic fulguration (laser therapy) : 성공률 70% 이상
- gastrostomy or jejunostomy (영양공급)

6. 예후

- 예후 아주 나쁘다 (5YSR 약 10%)
  - 이유 ① 증상이 늦게 나타남
    ② 주위 조직으로의 침윤이 조기에 일어남 (∵ serosa가 없어서)
    ③ 주위에 lymphatics가 풍부하여 전이가 쉽다
- poor Px factor ; 원격전이, LN 침범, 인접 mediastinum 침범시

위암

1. 위선암 (Gastric adenocarcinoma)

(1) 개요

- 위암의 대부분(90~95%) 차지
- 우리나라 전체 암중 발생빈도 1위, 사망원인 2위
- 40세 이후부터 증가하기 시작, 65~74세에 peak, 남>여
- 건강에 대한 관심과 기술의 발달로 조기 발견 빈도가 높아지고 있음

(2) 원인/위험인자

: 유전적 요인보다는 환경 요인이 더 큰 역할

1) 음식

위암을 일으킬 수 있는 음식	위암 예방에 좋은 음식
소금에 절인 고기/야채	과일 (감귤, 레몬, 오렌지)
소금을 많이 포함한 음식	과즙
훈제 고기	야채, 가지, 상추, 미나리
녹말(전분)이 많은 음식	우유
양배추, 감자, 조리한 곡물	고기 (근육 부위)
햄, 베이컨, 동물성 지방	

- 염분의 과다 섭취
- 질산염 또는 아질산염과 관련된 질소 화합물
  - 특히 훈제, 건조, 절인 음식 내에 많다
  - dietary nitrate —(bacteria)→ nitrite —(nitrosation 반응)→ nitrosamine (carcinogen)
  - 위산분비 감소시 bacteria 증식, nitrosation 반응 촉진
  - vitamin C : nitrosation 반응을 억제 (→ 위암 발생↓)
- nitrate-converting bacteria의 증식 기전
  - nitrate-converting bacteria의 외부 source
    - 오래된 음식 (위생과 냉장의 개선시 위암 발생 감소)
    - *Helicobacter pylori* 감염 (→ 만성 위염 → 위내 산도↓)
  - nitrate-converting bacteria의 위내 증식↑ : gastric acidity 감소
    - 이전의 gastric surgery (antrectomy) (15~20년의 잠복기)
    - atrophic atrophic gastritis and/or pernicious anemia (autoimmune gastritis)
    - histamine, H_2-RA, PPI 등의 장기 복용
- 알코올 : 논란 (위험인자라는 연구도 많지만, 위암과 직접적인 관련은 없다는 연구도 있음)
  - 지역, 술의 종류 및 양에 따라 연구결과가 다양함 (e.g., 보드카는 위험↑, 와인은 위험↓)
  - 잦은 음주는 다른 위험인자도 동반하고 있을 가능성이 높으므로 위암 발생을 증가시킴
  - 국내의 연구들도 대개 음주량이 많으면 위암 발생 위험은 증가하는 것으로 나옴!

* vitamin A 및 β-carotene : 항산화 촉진 (→ 위암 발생↓)

2) *H. pylori* 감염

- 보조발암인자 : 만성위염 → 위내 산도 감소 → nitrate-converting 세균 증식
- 위점막 atrophy, intestinal metaplasia → 위암

• *H. pylori* 양성인 사람이 위암에 걸릴 상대위험도는 2~6배
• intestinal-type 및 diffuse-type 위암 모두의 위험인자 (특히 intestinal-type과 밀접한 관계)
• 주로 distal에 발생, distal gastric ca.의 35~89%가 *H. pylori*와 관련
• 감염 기간이 길수록 위암 발생 위험도 증가
• but, *H. pylori* (+) DU 환자는 위암 발생 위험이 낮음

3) **기타 환경요인**
• 흡연 (위암 발생의 상대위험도 2~3배)
• 낮은 사회경제적 지위 (∵ 오래된 음식 및 염분 섭취 많음)
• 직업 ; rubber, coal workers

4) Personal or Genetic risk factors
• 노인, 남성 (20대에서는 여>남, 20대 이후부터는 남>여)
• A형 혈액형
• 가족력 (10~15%) ; 형제중 위암이 있으면 위암 발생률 2~3배 증가
• familial adenomatous polyposis (FAP) ; *APC* gene mutation, AD 유전
• hereditary non-polyposis colorectal cancer (HNPCC) ; *MSH2, MLH1* 등의 mutation
• hereditary diffuse gastric cancer ; germline E-cadherin gene (*CDH1*) mutation, AD 유전
• proinflammatory cytokine gene polymorphisms
• 기타 ; Li-Fraumeni syndrome (*TP53* germline mutation), Peutz-Jeghers syndrome (*STK11*), Juvenile polyposis (*BMPR1A, SMAD4*), *PSCA, MUC1* ...

* microsatellite instability (MSI) : HNPCC의 발현에도 중요하지만, sporadic gastric cancer 환자의 15~50%에서도 관찰됨 (주로 mismatch repair genes [특히 *MSH1*]의 변화 때문)

5) Predisposing conditions
① achlorhydria ; pernicious anemia (autoimmune gastritis), chronic atrophic gastritis (but, atrophic gastritis는 매우 흔하므로, 대부분의 환자에서는 위암이 발생하지 않음)
② chronic mucosal changes ; high-grade dysplasia, intestinal metaplasia, Barrett esophagus
③ 위의 adenomatous polyp (특히 2 cm 이상인 경우)
  * polyp의 대부분인 hyperplastic polyp은 악성 위험 낮음 (약 2%)
④ 이전의 gastric surgery (15~20년 후 위암 발생 증가) : 특히 Billoth II 수술 후
⑤ Ménétrier's disease (hypertrophic gastropathy)

★ DU (duodenal ulcer)는 위암으로 진행하지 않음!
* GU는 연관이 있다고도 하나 인과관계는 증명되지 않았음 (아마 benign GU와 작은 위암을 감별하기 어려웠기 때문 or *H. pylori* 감염이 위암 발생에 기여 or PPI의 장기 복용? 때문)

(3) 병리/분류

1) **조직학적 분류** (Lauren's classification)
① intestinal type (90%) ; antrum과 lesser curvature를 주로 침범

- 비교적 예후 좋다 (분화도 좋은 편), 궤양 형성이 흔함
- 40대 이후 고령층과 남자에 많음, 주로 음식/환경/*H. pylori* 감염과 관련
- 장기간의 전암성 병변(e.g., intestinal metaplasia, atrophic gastritis)이 선행하는 경우가 많음

② diffuse type (linitis plastica) ; 위 전체를 다 침범
- 저분화형, 침윤 多, 위벽 운동성 상실 → 예후 훨씬 나쁨
- 20~30대 젊은층과 여자에 많음, 주로 유전적인 원인이 관여
- A형 혈액형에 흔함

③ mixed type

2) **조기위암(early gastric cancer, EGC)**
- 정의 : LN 전이 여부와 관계없이, 암세포가 mucosa나 submucosa에 국한된 암 (T1)
- Dx : endoscopy with biopsy
- classification
  - ① type Ⅰ : protruded type (점막 두께의 2배 이상) ; Ip (pedunculated), Is (sessile)
  - ② type Ⅱ : superficial type
    - Ⅱa : elevated (점막 두께의 2배 이하)
    - Ⅱb : flat - 가장 드물다
    - Ⅱc : depressed - 가장 흔하다!
  - ③ type Ⅲ (궤양형) : excavated or concave type
  - ④ mixed : Ⅱc + Ⅲ
- EGC의 15% 내외 (6~22%)에서 LN 전이 (+) → 예후에 가장 중요
  - mucosa에 국한된 암 : 5%에서 LN 전이
  - submucosa까지 침범한 암 : 20%에서 LN 전이
- 우리나라 : 전체 위암의 50% 이상이 EGC임

3) **진행위암(AGC : advanced gastric ca.)의 분류** : Bormann's classification

① type Ⅰ : 융기형(polypoid or fungating)
② type Ⅱ : 궤양-융기형(ulcerofungating) ; 경계 분명
③ type Ⅲ : 궤양-침윤형(ulceroinfiltrative) ; 경계 불분명 … 우리나라 AGC 중 m/c
④ type Ⅳ : 미만형(diffuse infiltrative, linitis plastica)
⑤ type Ⅴ : 분류 불능(unclassified)

(4) 임상양상

1) **증상**
- EGC는 대부분(>80%) 증상이 없음
- nonspecific Sx : weight loss, anorexia, weakness
- abdominal discomfort/pain - AGC의 첫 번째 증상
- early satiety, bloating, dysphagia, N/V, hematemesis : 말기에

2) **원격전이** (→ 완전 절제 불가능)
- Lt. supraclavicular LN (Virchow's node)
- peritoneal cul-de-sac (Blumer's rectal shelf) : nodular peritoneal wall → 직장수지검사 시행
- periumbilical nodule (Sister Mary-Joseph's node)

- ovarian metastasis (Krukenberg's tumor) … 폐경전의 여성에 많다
- Lt. ant. axillary area의 LN (Irish's node)
- malignant ascites, hepatomegaly (간 전이 : m/c 혈행성 전이)

3) 검사소견
- IDA, stool occult blood (+) ...
- CA19-9 : 위암 환자의 15~50%에서 상승
- CEA ; AGC의 19~35% (EGC의 4.5%)에서 상승

4) 기타 드문 소견들

; migratory thrombophlebitis, microangiopathic hemolytic anemia, diffuse seborrheic keratoses (Leser-Trélat sign), acanthosis nigricans ...

(5) 진단

① 위장조영술(double-contrast barium UGI series)
- 궤양을 발견하는 것은 쉽지만, 양성과 악성의 감별은 어렵다
- 작은 병변은 발견 어려움 (EGC의 경우는 sensitivity가 60%에 불과)
- 확진(조직검사)을 위해서는 내시경검사 필요
- 내시경을 불편해하는 환자에서 screening 용도로만 이용됨

② endoscopy with biopsy (m/g) : 95~99% 진단
- 크기가 5 mm 이하인 미세 위암도 진단 가능
- 색소내시경검사(e.g., mythylene blue, Indigo-carmine)에 의해 위암의 범위도 알 수 있음
- Borrmann type II (궤양융기형) 및 EGC type III (궤양형)의 경우는 궤양의 변연이 불규칙한 것 등의 특징은 있지만, 양성 위궤양과의 감별이 어려우므로 주의 필요
- 조직검사는 가능한 깊이 시행하는 것이 좋다 (∵ submucosa에도 종양 있을 수)

③ endoscopic ultrasonography (EUS) : T (위벽 침범 정도), N 병기결정과 범위결정에 유용 (단점 : LN 종대가 암전이인지 reactive hyperplasia인지 감별 못함)

④ CT : 주위 림프절, 인접장기(e.g., 간), 원격 전이 진단에 유용

⑤ laparoscopy : 5 mm 이하의 간 또는 복막 전이 진단에 유용

(6) Staging : AJCC TNM system (8th edition, 2016)

Stage	TNM (pathological)	빈도(%)	5YSR (%)
0	TisN0M0	1	90
IA	T1N0M0	7	70
IB	T1N1M0, T2N0M0	9	58
IIA	T1N2M0, T2N1M0, T3N0M0	13	46
IIB	T1N3aM0, T2N2M0, T3N1M0, T4aN0M0	12	33
IIIA	T2N3aM0, T3N2M0, T4aN1~2M0, T4bN0M0	13	20
IIIB	T1~2N3bM0, T3~4aN3aM0, T4bN1~2M0	19	14
IIIC	T3~4bN3bM0, T4bN3aM0	13	9
IV	anyT-anyN-M1	13	3

		M0					M1
	T \ N	N0	N1	N2	N3a	N3b	
M0	T1	ⅠA	ⅠB	ⅡA	ⅡB	ⅢB	Ⅳ
	T2	ⅠB	ⅡA	ⅡB	ⅢA	ⅢB	
	T3	ⅡA	ⅡB	ⅢA	ⅢB	ⅢC	
	T4a	ⅡB	ⅢA	ⅢA	ⅢB	ⅢC	
	T4b	ⅢA	ⅢB	ⅢB	ⅢC	ⅢC	
M1		Ⅳ					

원발 종양 primary tumor(T)	
Tx	위벽의 침투 정도가 평가 안된 것
T0	원발 종양의 증거가 없는 것
Tis	Carcinoma in situ, 고유판(lamina propria)를 침범하지 않은 상피내암종
T1	종양이 고유판/점막(mucosa, T1a) or 점막하층(submucosa, T1b)에만 국한된 것 ⇨ EGC
T2	종양이 고유근층(muscularis propria)까지 침범한 것
T3	종양이 장막하층(subserosa)까지 침범한 것
T4a	종양이 장막(serosa, visceral peritoneum)까지 침범한 것
T4b	종양이 장막을 뚫고 인접 장기까지 침범한 것
림프절전이 nodal involvement (N)	
Nx	복강내 림프절 전이가 평가 안된 것
N0	주위 림프절(regional LN)에 전이가 없는 것
N1	1~2개의 주위 림프절 전이
N2	3~6개의 주위 림프절 전이
N3	7개 이상의 주위 림프절 전이 (N3a 7~15개, N3b 16개 이상)
원격전이 distant metastasis (M)	
M0	원격전이가 없는 것
M1	원격전이가 있는 것

* 인접 장기 ; spleen, transverse colon, liver, diaphragm, pancreas, abdominal wall, adrenal gland, kidney, small intestine, retroperitoneum
* 주위 림프절 ; perigastric LN (lesser & greater curvatures를 따라 있는 것), left gastric, common hepatic, splenic, celiac arteries를 따라 있는 LNs
* hepatoduodenal, retropancreatic, mesenteric, para-aortic LNs 등은 원격전이로 분류됨!

(7) 치료

조기위암(EGC)	EMR/ESD Surgical resection
진행위암(AGC)	Curative Radical surgical resection: D1 or D2 LN resection ± adjuvant, neoadjuvant CTx-RTx Palliative Debulking (reduction) surgery 위출구폐쇄에 대한 bypass surgery Debuking endoscopic Tx (laser or alcohol injection) 연하곤란에 대한 GEJ stenting

1) **수술** – 유일한 완치법 (대개 원격전이가 없으면 시행함)
- distal subtotal gastrectomy (위아전절제술/대부분위절제술)
  - distal 2/3 위암에서 시행 (intestinal type일 때), 수술 원칙은 EGC나 AGC나 비슷
  - 내시경절제술하기에는 크고 수술하기에는 작은 EGC는 laparoscopic gastrectomy를 선호
  - 내시경절제술(EMR/ESD) 적응증이 되나 기술적으로 불가능한 경우 laparoscopic wedge resection (LWR) or laparoscopic intragastric mucosal resection (IGMR) 고려
- total gastrectomy (위전절제술/전체위절제술)
  - proximal 1/3 위암 or diffuse type (linitis plastica)에서 시행
  - 대개 distal pancreatectomy와 splenectomy도 시행함
- LN dissection : curative resection의 경우 모두 시행 (∵ 재발↓)
  - limited (D1) : perigastric (위에서 3 cm 이내) LNs만 절제
    (D1+ : D1 + celiac artery LNs, anterosuperior LNs along the common hepatic artery)
  - extended (perigastric & regional) : 부작용 위험은 조금 증가하지만 survival↑
    - D2 : D1 + celiac axis & its branches의 LNs 절제
    - D3 : D2 + paraaortic, portal, retropancreatic LNs 절제
  - 우리나라/일본은 EGC에서는 D1 or D1+, AGC에서는 D2 LN dissection이 표준 술식임
- 비근치적(non-curative) 수술 : 수술로 완치가 불가능한 경우 (→ 1차 치료는 CTx)
  (비치유 인자 ; 간 전이, 복막 전이, 16a1/b2 대동맥LN 전이)
  - 완화/고식절제술(palliative resection) ; 출혈, 폐쇄, 천공 등의 증상 감소 목적으로 시행,
    ⇨ quality of life 향상 목적 (완화절제술이 어려우면 bypass surgery 고려)
  - debulking (reduction) surgery ; CTx/RTx의 효과를 향상시키기 위해, 종양의 일부만 제거 (volume 감소) ⇨ survival 향상 없음, 권장 안됨!

  c.f.) conversion surgery : 전이 위암에서 CTx로 전이 암이 관해된 후, 완전 절제를 목적으로 위절제술을 시행하는 것 → survival↑ (특히 전이 암이 한 곳에 국한된 경우 예후 더 좋음)

* 초진 당시 약 1/3에서 근치적 절제 가능 → 22~45%에서 재발
(LN 전이 없는 경우 50%, 있는 경우 80%에서 재발)

2) **내시경점막절제술(endoscopic mucosal resection, EMR)**
- absolute Ix : LN 전이 위험이 거의 없고, 완전 절제가 가능한 병변
  ⇨ 세포의 분화도가 좋고, 점막층(mucosa)에 국한되어 있으면서 (EGC, T1a)
    - 융기형(I or IIa)은 크기가 2 cm 이하 (미분화암은 1 cm 이하)
    - 비융기형(IIb/c or III)은 1 cm 이하이며, 궤양(scar)이 없을 때
- expanded/relative Ix : absolute Ix을 벗어나지만 수술이 어렵거나 거부할 때
- 완전 절제율 : 80~90%
- Cx ; perforation, bleeding
- F/U ; 처음 1년간은 3~6개월마다, 이후에는 1년에 1~2회 내시경검사 시행
- **내시경점막하박리술(endoscopic submucosal dissection, ESD)** … EMR보다 많이 이용됨
  - 일괄절제율(en bloc resection)이 높고, resection margin을 충분히 확보할 수 있는 장점
  - 병변이 더 크거나(>2 cm), EMR을 시행하기 어려운 부위(e.g., 체부, 후벽)에서 선호됨
- laser therapy : EMR의 relative Ix.이면서 EMR을 할 수 없을 때 고려

■ 내시경국소치료술(EMR/ESD)의 Indication, Curability (JGES-JGCA 2016)

깊이 / 크기 / 조직형	점막암(mucosal ca): T1a				점막하암(submucosal ca): T1b	
	궤양(-)		궤양(+)		SM1(<500 μm)	SM2(≥500 μm)
	≤2 cm	>2 cm	≤3 cm	>3 cm	≤3 cm	Any size
분화형	A	B	B	C	C*	C
미분화형	B	C	C	C	C	C

A : 절대 적응(absolute Ix) [→ EMR (or ESD)], Curative Resection
B : 확대 적응(expanded Ix) [→ ESD], Expanded Curative Resection
C : 수술 고려

* **분화형 점막하암(SM1: <500 μm)** : 치료 전 submucosal invasion의 내시경 진단은 정확도가 떨어지므로 indication은 아니지만, 치료 후 평가에서 SM1이면 curative resection의 확대 적응에 해당됨(수술×)

■ **EMR 이후 수술의 적응** ; horizontal resection margin (+), lymphovascular invasion (+), deep invasion (≥500 μm), undifferentiated histology
c.f.) lateral resection margin (+)는 LN 전이 드물므로 수술 대신 추가 ESD or 소작술

3) radiotherapy
- 위장관은 방사선에 매우 민감하여 쉽게 손상받기 때문에 주로 암에 의한 bleeding, obstruction (dysphagia), pain 등의 증상 완화(palliative) 목적으로 시행
- 수술 후 단독 RTx로는 survival 향상 효과 없음
- 수술 후 CTx에 RTx를 추가하는 것은 survival 향상 효과 있음 (but, D_1 LN dissection이 주인 서양의 연구 결과로, D_2 LN dissection이 주인 우리나라/일본에는 적용 어렵다)
- 국소적으로 진행된 위암에서 수술전(neoadjuvant) RTx는 제한적으로 시행 가능

4) chemotherapy & targeted therapy
- fluoropyrimidine (5-FU, capecitamine, S-1), platinum (cisplatin, oxaliplatin), irinotecan, taxane (docetaxel, paclitaxel), epirubicin 등을 조합하여(or 단독으로) 사용함
- neoadjuvant/adjuvant CTx ± RTx : 재발↓ & survival↑ (stage II 이상부터 권장)
- 우리나라는 stage Ⅱ~Ⅲ에서 수술 후 **adjuvant CTx.** 사용 ; capecitabine + oxaliplatin 또는 S-1 (tegafur + gimeracil + oteracil postassium, Teysuno®, TS-1®) 단독요법

■ **표적치료제** : 진행성 위암의 2~3차 치료제로 사용 고려
(1) HER2 (+) 환자는 anti-HER2 Ab (trastuzumab, Herceptin®)에 반응 좋음 (→ 1차 치료제로 사용)
(2) anti-VEGFR-2 (ramucirumab, Cyramza®)는 효과적임 (→ 2차 치료제로 사용)
(3) anti-EGFR Ab (cetuximab, Erbitux®)와 anti-VEGF-A Ab (bevacizumab, Avastin®)는 기대에 못 미침
(4) small-molecule inhibitor of VEGFR-2 (apatinib mesylate) : 효과 좋을 것으로 기대되나 더 연구가 필요
(5) immune checkpoint inhibitor (anti-PD-1 mAb) ; nivolumab (Opdivo®), pembrolizumab (Keytruda®)
- nivolumab : PD-L1 여부에 관계없이 효과적 (survival↑)
- pembrolizumab : 특히 PD-L1 (+)면 더 효과적
(6) trifluridine/tipiracil (Lonsurf®)도 효과적일 것으로 기대됨

- 수술 불가능한 진행/재발(locally advanced unresectable or metastatic) 위암의 **palliative CTx.**
  - 30~50%에서 PR (tumor mass 50% 이상 감소)를 보이지만 일시적이며 CR은 드묾
  - survival은 supportive care에 비해 6개월 연장됨 (→ survival 연장 목적으로 시행)
  - fluoropyrimidine + platinum 병합요법이 권장됨 (e.g., capecitabine/S-1 + oxaliplatin)
  - HER2 (+) 환자는 trastuzumab + cisplatin + capecitabine (or 5-FU) 병합요법 권장

5) peritoneal CTx
- extensive serosal involvement (T4)로 수술후 복강내 재발의 가능성이 높은 경우 시행 가능
- Cx ; chemical peritonitis, catheter infection, peritoneal adhesion

(8) 예후 ★
- LN metastasis가 제일 중요 (예후결정에는 T와 N이 매우 중요하다)
  - regional LN 전이 숫자가 많을수록 예후 나쁨
  - hepatoduodenal, retropancreatic, mesenteric, para-aortic, supraclavicular LNs → 원격전이로 간주 (stage IV : 5YSR 3%)
- 우리나라 위암의 전체적인 5YSR 약 75%
- EGC의 5YSR >90% (LN 전이가 없으면 97~100%, LN 전이가 있으면 80~85%)
- Borrmann type IV (미만침윤형, linitis plastica) : 예후 매우 나쁨
- 젊은 연령에서 발생시 고령에서보다 예후 나쁨
- distal tumor보다 proximal (fundus, cardia) or diffuse tumor가 예후 나쁨

* 수술 후 예후가 나쁜 경우 ; 위벽 침범 깊이↑, 많은 LN 전이, 혈관 침범, abnormal DNA content (i.e., aneuploidy)

(9) 예방
- 아직까지 위암 발생을 확실하게 막을 수 있는 방법은 없다
- 일반적 방법
  ① 균형 잡힌 영양가 있는 식사
  ② 맵고 짠 음식, 태운 음식, 훈증한 음식 등은 피할 것
  ③ 신선한 과일이나 야채를 충분히 섭취
  ④ 충분한 양의 우유나 유제품을 섭취
  ⑤ 과음과 흡연을 피할 것
  ⑥ 스트레스 해소에 노력
- *H. pylori* : 제균 치료의 위암 발생 예방 효과는 거의 없음 (연구중)
- 최선의 방법은 증상이 없더라도 정기적인 내시경검사를 받는 것 (40세 이상에서 매년 시행 권장)

2. 원발성 위 림프종 (primary gastric lymphoma)

(1) 개요
- 위암의 약 5~15% 차지 (2nd m/c), 전체 lymphoma의 약 10% 차지
  (위 : non-Hodgkin's lymphoma의 m/c extranodal site, 전체 GI lymphoma의 60~75% 차지)
- 95% 이상이 B-cell lymphoma
  ① MALT lymphoma (~50%) ; 진행이 매우 느림, 매우 드물게 DLBCL로 전환 가능
  ② DLBCL (~45%) ; MALT를 동반하기도 함
  ③ 기타 다른 조직형의 lymphoma도 매우 드물게 발생
- *H. pylori*와의 관련성
  - 감염시 gastric lymphoma 발생위험 7배 증가
  - *H. pylori*의 만성 감염 → T cell 자극, cytokine 생성 → B cell lymphoma↑

- 특히 MALT (mucosa-associated lymphoid tissue) lymphoma의 발생 증가
  (저등급 MALT는 90% 이상 *H. pylori* 양성, 고등급 MALT는 27%에서 *H. pylori* 양성)

(2) 임상양상/진단 [MALT lymphoma]

- 남:여 = 2:1, adenocarcinoma보다 호발 연령 어림 (40~50대)
- 임상양상 및 내시경 소견으로는 adenocarcinoma와 비슷하고 비특이적이라 진단 어려움
- Dx/staging ; endoscopic biopsy, EUS (staging과 F/U에 유용), CT, BM study 등
- 대개 limited stage → adenoca.보다 예후 좋다 (5YSR 약 75%)

┌ t(11;18)(q21;q21) : MALT의 13~35%에서 발견, 유전적으로 안정, DLBCL로 진행 드묾!
└ t(11;18)-negative MALT : 다른 세포유전이상 발생↑, high-grade lymphoma로 진행 위험↑

(3) 치료 [MALT lymphoma]

: *H. pylori* 양성이면 반드시 제균치료를 먼저 시행!

- *H. pylori* 제균치료 … 적응 : 점막/점막하층에만 국한된 경우
  - gastric MALT lymphoma의 경우 제균치료로 약 80%에서 완전관해됨(regression)
  - 완치된 환자는 2~3개월마다 정기적으로 내시경(EUS) F/U
  - 제균치료에 반응이 없는 경우의 원인 ; 점막하층 이상 침범, LN 침범, 고악성도 성분 포함, t(11;18)(q21;q21);*API2/MALT1* (→ 10%만 제균치료에 반응)
- *H. pylori* 음성이거나 제균치료에 실패한 경우
  - local RTx (반응 좋음) and/or CTx (e.g., cyclophosphamide or chlorambucil ± rituximab)
    * t(11;18) 양성 환자는 alkylating agent 단독 CTx에는 반응 안 좋음
  - 수술 : 최근에는 거의 시행 안함(∵ multifocal), 심한 위벽 침범, 출혈, 천공, 협착 등 때 고려
- high-grade MALT lymphoma → CTx (e.g., R-CHOP) ± RTx

3. 위장관 중간엽종양 (mesenchymal tumors, sarcomas)

GI mesenchymal tumor의 분류
1. Gastrointestinal stromal tumor (GIST)
2. Smooth muscle tumors ; leiomyoma, leiomyosarcoma
3. Neurogenic tumors ; schwannoma, neurofibroma, granular cell tumor, ganglioneuroma, MPNST
4. Vascular tumors ; hemangioma, lymphangioma, glumus tumor, angkosarcoma, Kaposi sarcoma
5. Lipomatous tumors ; lipoma, liposarcoma

■ GIST (gastrointestinal stromal tumor)

- 개요/정의
  - 위장관 중간엽종양의 대부분을 차지, 위암의 약 1~3% 차지 (위의 SMT 중 m/c)
  - 과거에는 leiomyoma, leiomyosarcoma 등으로 분류되었었음
    (true leiomyosarcoma는 위장관에서는 매우 드묾)
  - 위장관운동(peristalsis)을 조절하는 interstitial cell of Cajal (ICC)에서 기원

- *KIT* gene mutation (95%) → Kit (CD117) receptor tyrosine kinase의 ligand-independent activation → 종양 발생
- *KIT* (-)인 5%는 *PDGFRA* gene mutation을 보임

• 발생부위 : 위(fundus의 전벽과 후벽에서 호발)와 소장에서 주로 발생

위 (m/c)	50~70%
소장	30~35%
대장	5~10%
식도, mesentery ...	5%

• 임상양상 ; 50세 이후에 호발 (평균 63세), 남≒여, 대부분 sporadic, 70% 이상이 benign
- 점막하 종양(submucosal tumor) ; large (smooth) intramural mass with central ulceration
- Sx ; abdominal discomfort/pain, mass, GI bleeding, anemia ...
- 주위 장기 침범은 드문 편이고, LN 전이는 거의 없음!
  (but, 간, 폐 등에는 혈행성 전이 가능 : 15~50%에서)

• 진단
- EUS : submucosal lesion 확인에 유용, hypoechoic mass, 4th (muscularis propria) or 2nd (muscularis mucosae) layer
- CT/MRI : 종양 크기, staging (전이여부) 확인에 유용
- 조직검사 : endoscopic biopsy or EUS-guided FNAB (FNA biopsy)
  (c.f., percutaneous FNA는 종양 파열에 의한 복강내 종양세포 유출 위험)

⇨ C-kit (CD117), CD34, SMA, S-100 등에 대한 면역조직화학(IHC) 염색

	C-kit	CD34	SMA	Desmin	S-100
GIST	+(95%)	+(70~90%)	30~40%	-	5%
Smooth muslce tumor	-	10~15%	+	+	rare
Schwannoma	-	+	-	-	+
Fibromatosis	-	rare	+	rare	-

• 예후인자(악성도) ; 종양의 크기, 세포분열지수(mitosis index), 림프절 침범 or 원격전이

• 치료
① 1 cm 이하의 아주 작은 SMT (GIST)는 추적관찰(EUS or CT)!
② surgical resection : 유일한 근치적 치료법

치료(수술)의 적응증
(1) 증상이 있거나 조직검사에서 GIST로 진단된 경우 (2) 무증상이거나 조직검사상 GIST는 아니지만 종양 크기가 5 cm 이상 (3) 2~5 cm인 종양에서 CT/EUS에서 악성화 소견(궤양, 불규칙한 경계, 급속한 성장) or CT에서 궤사, 출혈, 풍부한 혈액공급 소견 or EUS에서 불균일한 초음파 소견을 보이는 경우 or 악성화 소견은 없지만 1년에 1~2회 관찰하다가 종양이 커지는 경우

[전벽/대만/소만에 위치한 5 cm 이하 종양은 laparoscopic wedge resection (LWR)
  매우 크거나 유문부에 가까운 경우는 (sub)total gastrectomy

- 침윤을 잘 하므로 종양 주위 위벽을 2~3 cm 포함하여 절제, LN dissection은 필요 없음!
- 재발이 흔함(40~80%), 5YSR 약 50%

* 내시경절제술(ESD) : 종양이 작고, 돌출 형태이고, 고유근층 내층에 존재할 때

③ imatinib mesylate (Gleevec®) : KIT receptor tyrosine kinase inhibitor
(→ KIT receptor, PDGF receptor, BCR-ABL tyrosine kinases를 선택적으로 억제)
- 절제 불가능하거나 advanced GIST에 사용 → 약 50%에서 반응(CR & PR)
- 수술 전/후의 adjuvant therapy로도 효과적임 (survival ↑)
- 반응 없거나 부작용으로 투여 불가능하면 sunitinib (Sutent®) 사용

양성 위 종양

1. 위 용종 (Gastric polyps)

┌ 대개 우연히 내시경검사 중 3% 이내에서 발견됨
└ 발견된 용종은 반드시 조직검사 또는 제거해야 됨

(1) 위저선 용종(fundic gland polyps, FGP)

- small (<1 cm), smooth, single or multiple, fundus/body에 발생 (서양은 m/c 위 용종; 50%)
- 장기간 PPI 사용과 관련, 대부분 *H. pylori* 감염이 없는 사람에서 발생
- 대부분 sporadic FGP : 출혈 거의 없고 악성화 거의 안함
- 드물게 familial adenomatous polyposis (FAP)의 일부일 수도 있으므로 1 cm 이상이면 제거

(2) 과형성/증식성 용종 (hyperplastic polyp)

- 위 용종의 약 60% 차지 (m/c), 위의 모든 부위에서 발생 가능 (antrum에 m/c)
- small (대개 <1.5 cm), single or multiple (20~25%), 무경성(sessile) or 유경성(pedunculated)
- 전형적으로 만성염증(e.g., chronic gastritis) 동반, ulcer/erosion 주변에서 발견됨
- 크기가 큰 경우 erosion으로 인한 출혈 발생 가능
- 약 2%는 악성화 가능 (∵ 숨어있던 dysplasia 부위에서 발생) : 2 cm 이상인 경우 증가
- polypectomy Ix ; 2 cm 이상의 유경성 용종, 증상이 있는 경우, 조직검사에서 dysplasia (+)
  (큰 무경성 용종의 경우는 ESD or 수술 고려)
- hyperplastic or adenomatous polyps은 *H. pylori* 존재시 제균치료도 시행해야 됨

(3) 선종성 용종 (선종/샘종, adenomatous polyp)

- 이형성(dysplasia)이 있는 원주상피가 증식하여 육안적으로 보이는 용종을 형성한 것
- 위 용종의 6~10% 차지, 대개 <2 cm, 보통 solitary (82%), 주로 antrum에 발생

┌ intestinal-type adenoma (대부분) : chronic atrophic gastritis (atrophy), intestinal metaplasia 동반
└ gastric-type adenoma ; pyloric gland adenoma, foveolar adenoma, fundic gland adenoma

- 대개는 무증상, 드물게 궤양이 발생하여 만성 출혈을 일으킬 수 있음
- premalignant lesion이므로 발견시 모두 제거해야 하고 (endoscopic polypectomy, EMR, ESD), 매년 내시경으로 F/U
- 수술적 치료의 적응
  ① 2 cm 이상의 sessile polyps
  ② 내시경적 절제가 불가능한 경우 (e.g., multiple polyps)

③ 내시경으로 절제한 조직에서 invasive tumor 발견시
④ 증상을 동반한 경우 (e.g., pain, bleeding)

2. Submucosal gastric polypoid lesions

(1) 유암종(carcinoid tumor)

- 전체 위 용종의 1~2% 차지
- 보통 크기가 작고, 무경성, ECL cells로 구성

(2) 평활근종(leiomyoma)

- 약 1/2에서 central ulceration 존재 (→ bleeding)
- 증상이 있으면 수술

(3) 염증성섬유양용종(inflammatory fibroid polyp) (inflammatory pseudopolyp)

- 드묾, 40~60세에 호발, 위 전정부에 m/c (기타 소장, 대장, 담낭, 식도 등 GI 모든 부위 가능)
  - 위 ; 대개 <3 cm, 위축성 위염 및 궤양과 관련, 무증상일 때 내시경으로 발견되는 경우 흔함
  - 소장 ; 대개 >3 cm, intussusception을 일으킬 수 있음
- 조직검사 ; fibrosis와 eosinophil 침윤, CD34(+), CD117(−), S−100(−), SMA(−), vimentin(+)
- 악성화 안하고, 크기 변화도 거의 없어 절제술만으로 충분(e.g., EMR)

(4) 이소췌장(pancreatic rest, ectopic/heterotopic pancreas)

- 췌장 이외의 부위에 췌장 조직이 발생한 것, 부검시 0.6~13.7%에서 발견됨
- 위(m/c), 십이지장, 근위공장부 등에 호발 / 위에서는 원위부(greater curvature)에서 주로 발생
- 대부분은 무증상 / 크기가 크면(>1.5 cm) 췌장염(복통 등), 궤양, 출혈 등의 증상 발생 가능
- 1/2 이상에서 중앙부에 췌관 구멍이 보임(central umbilication)
- 진단 ; 내시경, EUS → 3rd (submucosa) ~ 4th (m.p.) layer의 intermediate~hypoechoic lesion
- 치료 ; 증상이 있거나 진단이 불확실할 때 endoscopic resection

7
염증창자병/염증성장질환 (IBD)

개요

1. 정의/역학

- inflammatory bowel disease (IBD) : immune-mediated chronic intestinal inflammation, 일반적으로 UC와 CD를 지칭
- 지역/인종적 영향이 큼 : 유태인, 북유럽/북미의 백인에서 흔함 (동양인은 드묾)
- 우리나라 통계 (최근에 증가 추세)
  - UC가 CD보다 약 2~3배 많지만, CD가 더 빠른 속도로 증가
  - UC ; 평균 35~40세에 발생, 남:여 = 1:1.1~1.3 (여자가 약간 많음)
  - CD ; 평균 20~25세에 발생, 남:여 = 1.8~2.5:1 (남자에서 호발)
- 호발연령(서양은 bimodial) : 15~30세, 60~80세 (UC, CD 모두)

2. 병인

- 아직 확실히 모름 : 장내세균(multiple pathogens)에 대한 부적절한 면역반응 (± 자가면역)
- 면역조절의 결함
  - lamina propria의 activated CD4+ T cells이 관여
    - T_H1 cells → IFN-γ (→ CD 비슷한 염증 유발) / IL-12에 의해 유도됨
    - T_H2 cells → IL-4/5/13 (→ UC 비슷한 염증 유발) / IL-4/23에 의해 유도됨
    - T_H1 cells → IL-17 (→ neutrophils 모집) / IL-6와 TGF-β에 의해 유도됨
  - activated macrophages → TNF-α, IL-6 분비 (→ 염증반응↑)

3. 유전적 요인

(1) **가족력** (서양 : 약 10~20%에서 가짐) : CD가 더 뚜렷함
- IBD 환자의 직계가족에서 IBD 발생률 ~10% (일반인의 30~100배)
- 두 부모가 모두 IBD 환자일 때 자식에서 발생 위험률 36%

	CD	UC
일란성 쌍생아의 동시 발생	38~58%	6~18%
이란성 쌍생아의 동시 발생	4%	0~2%

- CD의 경우 가족간의 발생부위 및 임상형태도 동일

(2) **일부 유전질환과 관련**
- Turner's syndrome ; UC, CD
- Hermansky-Pudlak syndrome ; granulomatous colitis
- glycogen storage dz. type 1b ; Crohn's-like lesions
- 기타 면역결핍성 질환 (e.g., hypogammaglobulinemia, selective Ig A deficiency, hereditary angioedema)도 IBD와 관련

(3) **염색체/유전자**
- 염색체 1, 3, 5, 6 (HLA), 12, 16 (*NOD2/CARD15*) 등이 IBD와 관련
- innate immunity & autophagy 관련 유전자 ; *NOD2, ATG16L1, IRGM, JAK2, STAT3*
  *<u>*NOD2 (CARD15)*</u> gene : 세균의 인식과 염증반응(특히 NF-κB 활성화)에 관여, 대식세포의 apoptosis를 유도하는 역할, 결함시 <u>CD</u> 발생위험↑(특히 ileal fibrostenosing CD와 관련)
- endoplasmic reticulum (ER) & metabolic stress 관련 유전자 ; *XBP1, ORMDL3, OCTN*
- adaptive immunity 관련 유전자 ; *IL23R, IL13B, IL10, PTPN2*
- inflammation 관련 유전자 ; *MST1, CCR6, TNFAIP3, PTGER4*
- IBD의 genetic risk factors (일부)를 공유하는 질환 ; RA, psoriasis, ankylosing spondylitis, type 1 DM, asthma, SLE ...

4. 환경적 요인

- <u>흡연</u> (백인): **UC**에 대해서는 <u>예방</u> 효과를 보이지만 (흡연자의 UC 발생 위험도는 비흡연자의 40%), former smoker는 반대로 비흡연자보다 위험도 1.7배 높음 / **CD** 발생위험은 2배 증가!
- 경구피임약, HRT : CD 발생위험 증가 (UC는 흡연력 있는 여성에서만 발생위험 증가)
- prior appendectomy : UC 예방 효과 (발생 및 증상 감소, 특히 젊은 층에서), CD 발생위험은 증가
- 감염성 위장관염(e.g., *Salmonella, Shigella, Campylobacter, C. difficile*) : IBD 발생위험 2~3배
- 출생 1년 이내의 항생제 사용 → childhood IBD 발생위험 2.9배 (모유수유는 예방 효과)
- 동물성 단백질, 설탕, 과자, 오일, 어패류, 식이지방(특히 ↑오메가-6, ↓오메가-3 FA) → IBD↑
- 정신사회적 요인, NSAIDs, CMV, *C. difficile* 등 → 증상 악화에 기여

병리/임상양상

1. 궤양 대장염/결장염/잘록창자염 (Ulcerative colitis, UC)

- <u>mucosa에만 국한</u>된 염증 : 붉어짐(발적), 거칠어짐(granularity, 사포 모양), bleeding friability (쉽게 출혈하는 경향), 부종, 궤양/미란
- 침범 범위 ; 대부분 <u>rectum</u>을 침범, <u>proximal spread</u>
  ① proctitis (25~30%) : 직장(rectum)에만 국한된 IBD
  ② distal colitis (약 40%) : proctosigmoiditis (rectum & sigmoid colon에만 국한된 IBD), left-sided colitis (sigmoid 위로 하행결장[~splenic flexure]까지 침범한 IBD)

③ extensive colitis (약 30%) : splenic flexure를 넘어 상부까지 침범한 IBD
(pancolitis : rectum~cecum까지 전체 대장을 다 침범한 IBD, pan-UC)
* backwash ileitis : 염증성 대장염 환자에서 terminal ileum을 1~2 cm 침범한 것
(pan-UC 환자의 약 10~20%에서 발생 / CD의 특징인 thickening, narrowing은 없음)
★ <u>continuous spread</u> : skip area가 없음
(정상처럼 보이는 점막도 조직소견은 비정상 → multiple biopsy 필요)

- chronic UC를 시사하는 특징적 병리소견
  ① crypt 구조 이상 (irregularity, atrophy), crypt abscess
  ② basal lymphoplasmacytosis
- **"bloody diarrhea"** (혈변, 설사)와 경미한 복통이 대표적 증상
  - rectum에만 국한된 경우 복통은 드물고, 변비가 흔함 (∵ proximal transit 느려져)
  - diarrhea는 종종 야간 또는 식후에 발생
  - 기타 ; 점액변, 후중(뒤무직, tenesmus), 긴급배변, 변실금 ...
  - 전신증상 ; 식욕부진, 구토, 피로감, 체중감소, 발열 ...
- <u>dz. activity</u>와 관련 있는 검사 ; CRP↑, ESR↑, platelet↑, Hb↓, albumin↓
  - leukocytosis도 나타날 수 있지만, dz. activity와의 관련성은 적음
  - 대변 표지자(fecal biomarker) ; fecal <u>calprotectin</u>, fecal <u>lactoferrin</u>, S100A12 (calgranulin C)
    - neutrophil에서 분비됨, 장 염증 정도를 잘 반영, dz. activity 및 endoscopic activity과 관련
    - IBD와 IBS의 감별에 유용, 치료에 대한 반응 평가 및 재발 예측에도 유용
    - 세균/바이러스성 장염, 악성종양 등에서도 증가할 수 있으므로 해석에 유의
  - p-ANCA (+) → pancolitis, early surgery, pouchitis, PSC

2. 크론병 (Crohn's disease, CD)

- transmural inflammation : <u>longitudinal ulcer</u>, cobble stone appearance, fistula, stricture, 장관벽이 두꺼워지고 좁아짐 (→ 장폐쇄)
- 침범 범위 ; GI tract <u>전체</u>를 침범 가능 (입~항문), 간과 비장도 침범 가능
  - 30~40% : 소장만 침범 (주로 terminal ileum : ileitis) (2~4%는 위/십이지장도 침범 가능)
  - 40~55% : 소장과 대장 침범 (terminal ileum 및 인접한 colon : ileocolitis)
  - 15~25% : 대장만 침범 (주로 우측 대장)
  - <u>discontinuous (segmental)</u> spread : "<u>skip area</u> (궤양 사이의 정상 점막)" 존재!
  - terminal ileum이 m/c (UC와 달리 rectum은 정상인 경우가 흔함)
  - regional enteritis : 소장의 Crohn's dz.
  - **perianal diseases** (약 1/3에서) ; anal fissure/stricture, perianal fistula, perianal abscess, large hemorrhoidal tags, incontinence
    (UC에서도 드물게 나타날 수 있지만, 심한 경우는 대부분 CD임)
- 조직검사상 <u>non-caseating granuloma</u> ··· CD의 특징! (aphthous ulcer처럼 초기 소견)
  - 점막 생검에서는 거의 발견 안 되고(약 15%), 수술로 절제시엔 50~70%에서 발견됨
  - 소장~대장 전체에서 비슷하게 발견됨, 점막 전 층에서 발생 가능하지만 submucosa에서 m/c
  - 장결핵에서도 관찰될 수 있음 (차이: CD에서는 central necrosis가 없거나 미미함)

- Sx. & sign이 다양
  - **복통**(보통 RLQ, colicky, 배변후 호전), **설사**, **체중감소**, 영양실조, 미열 ...
  - RLQ mass ; 두꺼워진 bowel loops, 두꺼워진 mesentery, abscess 등
  - 장폐쇄 ; 초기에는 장벽의 부종/경련에 의한 간헐적 폐쇄 → 나중에는 fibrostenotic narrowing & stricture로 진행
  - 소장을 침범한 경우 malabsorption, protein-loosing enteropathy의 소견 보임 (→ steatorrhea, protein↓, albumin↓, 다양한 영양소 결핍에 의한 증상들)
- dz. activity와 관련 있는 검사 ; CRP↑, ESR↑, Hb↓, leukocytosis, albumin↓

■ Serologic markers

- p-ANCA & ASCA : UC와 CD의 감별진단, 경과예측(F/U)에 도움 (dz. activity와는 관련×) (OmpC, CBir1 Ab까지 포함하면 UC vs CD 감별력 더 향상)
- p-ANCA 양성
  - UC (60~70%) : pancolitis, pouchitis, PSC, 조기 수술 등과 관련
  - CD (5~10%) : colon 침범과 관련
  - UC 환자 직계가족의 5~15%에서도 양성임 (정상인의 2~3%도 양성)
- ASCA (anti-*Saccharomyces cerevisiae* Ab.) 양성 (정상인의 ~5%도 양성)
  - UC (10~15%)
  - CD (60~70%) : small-bowel CD, early CD Cx. 등과 관련
- 기타 CD의 serologic markers
  - Ab to *E. coli* OmpC (outer membrane protein C) : CD 환자의 55%에서 양성, internal perforating dz.와 관련
  - Ab to I_2 protein : CD 환자의 50~54%에서 양성, fibrostenosing dz.와 관련 (ASCA, I_2, OmpC 모두 양성이면 small bowel surgery 가능성 높음)
  - antiflagellin (anti-CBir1) : CD 환자의 약 50%에서 양성, small-bowel dz., fibrostenosing, internal penetrating dz. 등과 관련
- but, serologic markers의 실제 임상에서의 유용성은 아직은 제한적임
- CD의 자연경과 예측에는 serologic markers보다는 clinical factors가 더 유용함 ; 40세 이전 진단, 처음부터 steroid 사용, 진단시 perianal dz. 존재 → 5년 내 심한 CD로 진행

진단

1. 대장조영술 (barium enema)

- 장점 ; 장관 단축, 장관 수축성, haustral fold, 협착, 누공 등 평가에 유용
- 단점 ; 초기에는 정상으로 판정할 우려가 있고, 병변의 범위를 실제보다 좁게 평가할 수도 있음

- UC (acute attack 시엔 금기)
  - fine mucosal granularity, superficial ulcer, mucosal stippling (점막반점)
  - haustral folds 소실, skip lesion 없음 → "lead pipe" 모양

- CD : "cobble-stone", skip lesion, longitudinal ulcer (장의 장축과 평행), stricture, fistula, "string sign" (내강이 길게 가늘어진 부분) ...

* 장축에 직각 ; UC, 결핵성 장염

특징	Ulcerative colitis	Crohn's disease
임상양상		
성비	남≤여	남>여
흡연	비흡연자에서 호발	흡연자에서 호발
전신증상	+/−	++
직장출혈, 점액변	++	+
설사	소량의 빈번한 설사	가볍거나 없음
복통/압통	+	++
복부 종괴, perianal dz.	−	++
장폐쇄, 담석, 신결석	−	+
Toxic megacolon, 악성화	+	+/−
항생제에 반응	−	+
수술 후 재발	−	++
검사 소견		
p-ANCA	60~70%	5~10%
ASCA	10~15%	60~70%
내시경 소견		
직장 침범	++ (95%)	+ (50%)
점막변화(발적, granularity, friability)	++	+
Aphthous or linear ulcers	−	++
Cobble-stone appearance	±	++
Pseudopolyps (inflammatory polyps)	++	+
방사선(or 내시경) 소견		
분포	연속적	비연속적(skip area 존재)
소장(ileum) 침범	− (+;backwash ileitis)	++
Segmental colitis, Asymmetric colitis	−	++
협착(stricture)	+	++
누공(fistula)	−	++
CT; Mural thickening	<1.5 cm	>2 cm
Wall density	Inhomogeneous	Homogeneous
Small-bowel thickening	−	+
병리 소견		
Transmural 침범, Lymphoid aggregates, Sinus tract/fistula	−	++
Crypt abscess	±	+
Noncaseating granulomas	−	+
위의 focally enhanced gastritis	−	+

2. 내시경 (sigmoidoscopy or colonoscopy)

- barium enema보다 더 정확함 (점막 표면의 변화 평가 및 조직검사 가능)
- severe UC에서는 천공의 위험이 있으므로 금기

- UC의 소견 : 염증/궤양이 직장에서 시작하여 skip lesion 없이 연속적으로 근위부로 진행
  - 초기 소견 ; 점막의 염증/부종 → 점막 혈관상이 불분명 or 소실
  - 점막의 변화 ; 발적(∵ 모세혈관 확장), 과립상(∵ 점막 표면 불규칙), 점액농성 삼출물 흔함
  - 점막의 취약성(friability) → 약한 자극에도 쉽게 출혈됨(touch bleeding), 자연 출혈도 가능
  - 궤양 ; 대개 미세, 표층에 국한, 주위 점막의 발적/취약성이 현저함
  - pseudopolyps (inflammatory polyps) ; 궤양 발생/치유가 반복되면서 vascular granulation tissue 돌출 & 상피조직이 재생되어 발생, long-standing UC의 특징이지만 acute 때도 가능 (→ 심하면 영상검사에서 cobble-stone처럼 보일 수도 있음)
- CD의 소견 : 비연속적, 비대칭적 병변, 소장도 침범, 협착 및 누공이 흔함
  - 궤양 ; 초기 aphthous ulcer → 크고 깊은 궤양으로 진행 (→ 서로 합쳐져 별, 뱀, 선 모양), 장의 장축과 평행 (종주 궤양, longitudinal ulcer)
  - 궤양 주위(사이)의 점막은 비교적 정상임!
  - "cobble-stoning" (궤양들이 연결되어 사이사이의 정상 점막이 돌출된 모양) … CD의 특징! (but, 다른 염증성 장질환에서도 나타날 수는 있음)
  - 내시경상 severity는 임상적 severity (CDAI)와 잘 일치하지 않음!
- capsule endoscopy : 소장의 CD 진단에 유용 (CT enterography or small-bowel series보다 우수!)

3. CT/MRI

- UC의 진단에는 대장내시경 만큼은 도움 안 됨
- 소장 CD의 진단 및 평가에는 CT/MR enterography (or enteroclysis)가 유용
  (간편하고 빨라 CT enterography가 선호되며, 소아 등 방사선 노출이 문제되면 MR enterography)
  [참고: enterography; 경구로 조영제를 섭취한 뒤 촬영, enteroclysis; nosojejunal catheter로 조영제를 주입한 뒤 촬영]
- pelvic MRI : 골반 병변 (e.g., ischiorectal abscess) 발견에 CT보다 유용

IBD의 합병증

1. UC의 합병증

(1) 심한 출혈 : 1%

- UC를 치료하면 대부분 멈춤
- 1~2일에 6~8 unit 이상의 수혈이 필요하면 colectomy

(2) strictures : 5~10%

(3) perianal diseases

- anal fissure, perianal abscess, hemorrhoids ...
- 심한 경우에는 CD를 의심해야 함

(4) perforation (→ peritonitis) : 3%

; toxic megacolon 없이 toxic colitis (severe ulcer)에 의해서도 발생 가능 (사망률 >50%)

(5) 독성 거대결장 (toxic megacolon) : 5%

- Sx ; 발열, 심한 복통, 설사, 탈수, 의식저하
- Sign ; 복부팽만, 압통, 빈맥, 저혈압 등의 toxic sign, 장음 소실, leukocytosis, anemia

• 호발부위 : transverse colon

• 유발인자

1. Hypomotility agents (codeine, diphenoxylate, loperamide, paregoric, anticholinergics 등의 지사제)
2. Hypokalemia (∵ severe diarrhea)
3. Bowel preparation (e.g., barium enema, colonoscopy)
4. Severe UC
5. 치료제의 불규칙한 복용 6. CMV 감염

• Dx – simple abdomen (단순복부촬영)
  ; colonic dilatation (>6 cm), 대장 벽에 air shadow, haustration 소실

• Tx … medical emergency (드물지만 perforation 합병시 사망률 15%)
  – intensive medical therapy (약 50%는 내과적 치료만으로 호전됨)
    : NPO, IV fluid, 전해질이상 교정, 광범위 항생제 + IV steroid
    (perforation 위험이 있으므로 감압 목적의 colonoscopy는 금기!)
  – 수술(colectomy) : 24~48시간이 지나도 호전이 없거나, perforation의 위험이 있을 때
  – 치료 후 호전되는 것을 간접적으로 알 수 있는 징후 ; 복부 둘레의 감소, 장음 회복

(6) 대장암(colorectal carcinoma, CRC)

Risk factors ★
  대장의 침범 정도 (pancolitis가 가장 위험) – m/i
  유병 기간 (8~10년 이상)
  대장암의 가족력
  PSC (primary sclerosing cholangitis)
  심한 염증 ; 대장협착, 내시경상 Pseudopolyps, High histologic score 등

Surveillance
  발병 8~10년 이후 시작
  발병 기간이 길수록 surveillance 횟수 증가

Warning
  Indefinite dysplasia : 3~6개월 뒤 F/U
  경험 있는 병리학자에 의해 confirm

Surgical indication (prophylactic colectomy)
  Confirmed Dysplasia, or Dysplasia-Associated Lesion/Mass (DALM)

• extensive UC 진단 8~10년 뒤부터 매년 0.5~1%씩 대장암(CRC) 발생 위험 증가, 20년 뒤 7~10%, 30년 뒤 18%의 환자에서 CRC 발생

• 침범 범위에 따른 risk : pancolitis > left-sided colitis > proctitis (직장염, CRC risk는 논란!)

• 소아는 extensive colitis의 빈도가 더 높음 & 긴 유병 기간 → CRC 위험↑

• CRC surveillance (colonoscopy & multiple biopsy)
  - pancolitis ⇨ 진단 후 8~10년 뒤부터, 1~2년마다 시행
  - left-sided colitis ⇨ 12~15년 뒤부터, 1~2년마다 시행
  – PSC 병력, 심한 염증, 이형성/협착의 과거력, 뚜렷한 소화기암 가족력 등은 1년 마다
  – proctitis or proctosigmoiditis만 있는 경우는 일반인과 같은 수준으로 CRC surveillance

• IBD에서 발생한 대장암의 특징 ; 진단이 어렵다, 전 colon에 걸쳐 uniform distribution, multiple, highly malignant
• UC에서 5-ASA (e.g., mesalazine) 유지요법은 대장암/이형성 발생 위험을 약 50% 감소시킴

2. CD의 합병증

• stricture → intestinal obstruction (m/c, 40%)
• fistula (→ free perforation 감소) ; 주변 피부, 장관, 방광 등과
• abscess (10~30%) → rupture시 peritonitis
• free perforation (1~2%, UC보다 드묾) ; 주로 ileum에서 발생
• toxic megacolon (드묾) ; 심한 염증 및 짧은 이환기간과 관련
• rectal bleeding (대개는 occult blood 정도)
• malabsorption (ileum 침범시) ; vitamin B_{12}, folate, bile acid
• 대장암 (UC보다는 약간 드묾) ; 위험인자는 UC와 비슷
  - 침범 정도와 유병기간이 비슷한 CD와 UC의 대장암 발생 위험은 비슷함!
  - chronic colon CD 환자는 UC와 동일한 대장암 surveillance가 권장됨
• 기타 악성종양 ; NHL, leukemia, MDS ...
  - severe chronic complicated perianal dz. → 직장 하부와 항문의 SCC
  - chronic extensive small-bowel dz. → small-bowel cancer

3. 장관외 증상 (Extraintestinal manifestations)

; 환자의 약 1/3에서 한 가지 이상은 발생, 대부분 CD에서 흔함 (perianal CD 환자에서 m/c)

Dz. activity와 관련 있는 것 ★ ▶ IBD 치료로 호전됨!	Dz. activity와 관련 없는 것 ▶ IBD 치료해도 호전 안 됨! ★
Peripheral arthritis Erythema nodosum, Pyoderma gangrenosum 눈증상 ; iritis, uveitis, episcleritis, conjunctivitis Anemia, Thromboembolic Cx (hypercoagulability) Osteoporotic fracture, Enterocutaneous fistula	Central arthritis Ankylosing spondylitis Sacroiliitis Primary sclerosing cholangitis (PSC) Psoriasis

1. 영양 및 대사 합병증

Weight loss, muscle mass 감소, 성장 지연 (소아), Electrolyte deficiency (K^+, Ca^{2+}, Mg^{2+}, zinc)
Hypoalbuminemia (inadequate nutrition, protein-losing enteropathy 때문)
Anemia : IDA (m/c), ACD, CD에서는 드물게 folate나 vitamin B12 deficiency
Bile salt deficiency with ileal disease (주로 CD에서)

2. 근골격계 증상 (m/c)

Peripheral arthritis (15~20%, CD에서 더 흔함)
: 상하지의 큰 관절을 주로 침범, asymmetric, polyarticular, migratory
Ankylosing spondylitis (10%, CD에서 더 흔함, HLA-B27과 관련)
Sacroiliitis, hypertrophic osteoarthropathy, relapsing polychondritis ...
Osteoporosis & 골밀도 감소 (3~30%) : 골절 발생 증가 (CD 36%, UC 45%, 절대위험 1%/yr),
IBD의 dz. activity가 높을수록 골절 위험 증가, 골밀도 감소시 serum osteoprotegerin (OPG) ↑
Osteomalacia (CD 환자의 1~5%, 대개 vitamin D 결핍 때문)
Osteonecrosis (고관절에서 m/c, steroid 때문)

3. 간담도계 증상
LFT 이상 (비교적 흔함) : 특히 ALP↑
Hepatosteatosis (fatty liver), chronic active hepatitis, cirrhosis
Gallstone (CD에서 더 흔함, ileum 침범/절제 환자의 10~35%에서 발생)
Primary sclerosing cholangitis (IBD의 2~7%에서 발생, UC에서 약간 더 흔함) : 간내 & 간외 담관 모두.
Pericholangitis : PSC의 일종으로 예후 좋다 (UC에서 흔함)
Bile duct carcinoma

4. 피부 증상
Erythema nodosum (CD의 15%, UC의 10%에서) : peripheral arthritis와 동반 흔함
Pyoderma gangrenosum (UC의 1~5%, CD는 덜 흔함) : PG 환자의 36~50%는 IBD, 발등과 다리에 호발, 대부분 acute colitis 때 발생, IBD의 dz. activity와는 관련 있거나 없거나 함, 보통 severe IBD를 시사
Psoriasis (5~10%)
Aphthous stomatitis 등의 구강 병변 (CD에서 흔함)
Buccal mucosa, gingiva, vagina의 CD (아프타 궤양 등)
Perianal skin tags (CD의 75~80%에서 발견)

5. 눈 증상 (1~10%) ; uveitis (iritis), episcleritis (3~4%, CD에서 더 흔함), conjunctivitis

6. 혈전색전증/응고항진성 (1~2%, 정맥 & 동맥) ; DVT or pulmonary embolism (m/c, 정상인보다 3~4배↑)
renal artery thrombosis, CVA, coronary artery thrombosis, arterial emboli ...

7. 심폐 증상 ; endocarditis, myocarditis, pleuropericarditis, ILD ...

8. Amyloidosis : 오래된 IBD (특히 CD) 환자에서 발생 가능

치료

UC의 Disease Activity 분류 ★

	Mild	Moderate	Severe
배변 횟수(회/day)	<4	4~6	>6
직장 출혈	+/-	+	Continuous & severe
발열	정상	평균 <37.5℃	평균 >37.5℃
맥박수	정상	평균 <90회/분	평균 >90회/분
Hemoglobin	정상	>75%	≤75% (수혈 필요)
ESR (mm/hr)	<30		>30
Albumin	정상	정상	감소
복부단순촬영		Colonic edema Thumbprinting Air-fluid levels	Dilated colon or small bowel (Toxic megacolon)
내시경소견	Erythema Vascular pattern↓ Fine granularity	Marked erythema Coarse granularity Vascular marking 소실 Contact bleeding	Spontaneous bleeding Ulcer 존재
진찰소견		Abdominal tenderness	Rebound tenderness Distention, 장음 감소

CD Activity Index (CDAI) score

변수	기술	점수	가중치(×)
묽은 변	7일 동안	횟수	2
복통	7일 동안	0 = 없음, 1 = 경증, 2 = 중등증, 3 = 중증	5
전신 안녕감	7일 동안	0 = 좋음, 1 = 약간 안좋음, 2 = 나쁨, 3 = 매우 나쁨, 4 = 극도로 나쁨	7
장관외 합병증	존재 개수	관절염/관절통, 홍채염/포도막염, 결절홍반, 괴저농피증, 아프타구내염, anal fissure/fistula/abscess, 발열(>37.8℃)	20
지사제 복용	7일 동안	0 = 복용 안함, 1 = 복용	30
복부 종괴		0 = 없음, 2 = 의심됨, 5 = 확실히 존재	10
Hematocrit	예측치-측정치	남: 47 - 측정치, 여: 42 - 측정치	6
체중	미달률(%)	[1 - (ideal/observed)] × 100	1

* 비활동(remission) <150, Mildly active 150~220, Moderately active 220~450, Severely active >450

1. 치료 약제

(1) 5-ASA (aminosalicylate) 제제

- mild~moderate UC의 induction & maintenance의 주 치료제 (dose-dependent)
- CD : induction therapy에는 UC보다 효과 적음, maintenance에는 효과 없음
  (c.f., CD에서 효과는 적지만, 친숙하고 안전하기 때문에 임상에서는 아직 널리 쓰고 있음)

- **sulfasalazine** (salicylazosulfapyridine)
  - 구조
    - sulfapyridine ; 운반체, 대장 세균에 의해 분리되어 흡수됨
    - 5-ASA (aminosalicylic acid) : 치료 효과제, 대장에서 흡수 안 되어 국소 항염증 (anti-inflammatory) 효과를 나타냄
  - 부작용이 많음(약 20%) ; 두통, anorexia, N/V, hypersensitivity, (가역적) 정자 수/운동↓ 등
  - folate의 흡수도 방해하므로 folic acid도 보충해야 됨
- sulfa-free 5-ASA (**mesalamine**) 제제 : sulfasalazine과 효과는 비슷하지만, 부작용이 적음
- topical mesalamine (suppository, enema)
  - "distal colitis"때 DOC (topical steroid 보다 더 효과적)
  - oral agent보다 distal colon에 5-ASA를 더 고농도로 줄 수 있음

5-ASA 약제	작용 부위				
	소장	회장말단	우측대장	좌측대장	직장
Moisture-release 5-ASA (Pentasa)	→	→	→	→	→
pH-release 5-ASA (Asacol, Claversal, Delzicol, Lialda, Apriso)		→	→	→	→
Sulfasalazine (Azulfidine) Balsalazide (Colazal) Olsalazine (Dipentum)			→	→	→
5-ASA enema (Rowasa)				←	←
5-ASA suppository (Canasa)					←

* sulfasalazine (Azulfidine)을 제외하면 대부분 mesalamine 계열 제제임

(2) steroids

- active (moderate~severe) UC/CD의 관해 유도에 효과적
- UC/CD의 유지요법(관해유지, 재발감소)에는 효과 없음!★
- severe (fulminant) UC/CD 때는 가장 먼저 사용 (IV)
- enteric-coated budesonide (oral) : pH-dependent ileal release formulation, terminal ileum ~ Rt. colon에 작용, systemic bioavailability는 10% 뿐으로 steroid의 부작용 감소 장점
- topical steroid (e.g., enema) : distal colitis 때 유용
- abscess, stricture, fibrosis 등에 의한 증상이 있을 때는 금기

(3) 면역조절제(immunomodulators)

- thiopurines ; **azathioprine (AZA) or 6-mercaptopurine (6-MP)**
  - azathioprine은 체내에서 빨리 흡수되어 6-MP로 전환됨, 효과 발생에 1~6개월 필요
  - 효과(적응증)
    - ① steroid에 반응이 없거나 의존성을 보이는 UC/CD 환자 (steroid-sparing effect)
    - ② CD/UC의 관해 유지(maintenance) (± anti-TNF와 병용)
    - ③ anti-TNF에 추가하여 moderate~severe CD의 관해 유도(induction)
    - ④ CD : active perianal dz., fistula, 수술 후 예방요법
  - 부작용 ; pancreatitis (3~4%, 대개 1주 이내 발생, 투여 중단시 완전 회복됨), nausea, fever, rash, hepatitis, lymphoma, BM 억제 (주로 leukopenia, 늦게 발생 → CBC F/U 필요!)
- **methotrexate (MTX)**
  - 기전 ; DNA 합성 억제, IL-1 생산 감소를 통한 항염증 효과
  - IM or SC : active CD의 관해 유도/유지에 효과적 (UC에는 효과 없다!)
  - azathioprine/6-MP에 반응이 없거나 사용하지 못하는 경우 적응
  - 부작용 ; leukopenia, hepatic fibrosis (→ CBC, LFT F/U)
- **cyclosporine (CSA)**
  - 기전 (cellular & humoral immune 모두 억제) ; helper T cells에서 IL-2 생산 억제, calcineurin (T cells 활성화에 관여) 억제, 간접적으로 B cells 기능도 억제
  - IV steroid에 반응하지 않는 severe UC 환자에서 수술 대신 고려
  - 부작용이 심하고(e.g., 신독성, 감염) 효과가 부족하므로 유지요법에는 사용안함!
- **tacrolimus** (macrolide계 항생제지만, CSA와 비슷한 효과를 가짐)
  - CSA보다 100배 강력하며, 소장 침범이 있어도 흡수가 잘 됨
  - refractory IBD 소아와 광범위한 소장 침범을 가진 성인에서 효과적이라는 연구도 있지만, 연구가 부족하고 CSA처럼 부작용이 심하므로, 현재 표준 요법에서는 쓰이지 않음

(4) anti-TNFα Ab

- moderate~severe CD 및 fistulizing CD 환자에서 induction therapy 초치료 약물로 권장됨! (∵ 과거의 step-up 방식보다는 초기부터 강력한 anti-TNF + AZA/6-MP 치료가 효과적)
- 일반적인 약물치료(5-ASA, steroid, AZA/6-MP 등)에 반응 없는 moderate~severe UC 환자에도 적응 → 50~65%에서 반응, 20~35%에서 관해됨 (CD에서보다 약간 낮음)
- 대개 관해 유지를 위한 유지요법도 필요 (8주마다 IV)
- 모든 anti-TNF Ab에 반응 없으면 → anti-integrin or 수술 or new therapies

- **infliximab** (IV) ; 최초의 anti-TNF, chimeric IgG1 Ab to TNF-α
  - 부작용 ; acute infusion reactions, serum sickness, lymphoma, leukemia, psoriasis, 감염 (특히 잠복결핵의 재활성화, 진균 감염) ⇨ 사용 전 IGRA 등으로 잠복결핵 R/O!
  - ATI (Ab to infliximab) 발생 문제 ; 주기적(8주 마다) 투여 환자보다 간헐적 투여 환자에서 호발 ⇨ 예방 ; 다른 면역조절제 병용, 주사 전 hydrocortisone으로 전처치
- **adalimumab** (SC) ; recombinant human monoclonal IgG1 Ab to TNF-α, 과민반응 적음
- **certolizumab pegol** (SC) ; pegylated Fab fragment Ab to TNF-α, 태반통과 힘듦
- **golimumab** (SC) ; recombinant human monoclonal IgG1 Ab to TNF-α 신약

(5) anti-integrin (anti-adhesion, leukocyte trafficking inhibitor)

- anti-TNF Ab에 반응 없거나 부작용으로 투여할 수 없는 IBD 환자에 효과적!
- **natalizumab** ; recombinant humanized monoclonal IgG4 Ab to α_4 integrin
  - WBC (neutrophil 제외) 표면의 α_4 integrins과 장 점막의 adhesion molecules의 결합 억제
  - * progressive multifocal leukoencephalopathy (PML) 발생 위험 (약 0.1%/yr)
    - JC polyomavirus 재활성화 때문 → 사용 전 anti-JC viral Ab 검사 권장
    - 기타 위험인자 ; 긴 치료기간(2년 이상), 이전의 면역억제제 치료
- **vedolizumab** ; humanized IgG_1 monoclonal Ab to $\alpha_4\beta_7$ integrin, BBB를 넘지 않고 창자에만 선택적으로 작용 → PML 발생 위험 없음

(6) antibiotics

- metronidazole or ciprofloxacin
- CD : perianal dz., fistulas, abscess, active colonic dz. 등에 효과적 (→ perianal fistula에서는 1차 치료제), 수술 후 CD의 재발도 예방 가능
- UC에는 효과 없음 (예외; colectomy & IPAA 후 발생한 pouchitis에는 효과적)

(7) probiotics, prebiotics, synbiotics

- probiotics : 비병원성 장내 유익균, *Lactobacillus* or *Bifidobacterium* species를 가장 흔히 사용
- prebiotics : 장내 유익균의 성장/활성화를 촉진하는 식품성분(e.g., 올리고당, 식이섬유, inulin)
- symbiotics = probiotics + prebiotics
- IPAA 이후 발생한 pouchitis의 재발 예방에는 효과적이지만, 일반적인 UC나 CD의 치료에도 효과 있다는 근거는 아직 없음 (연구 중)

IBD의 내과적 치료 (간략 정리)	
Mild~Moderate UC	5-ASA (oral and/or rectal) ▶ Glucocorticoid (rectal → oral) ▶ 6-MP/azathioprine ▶ Anti-TNF (infliximab/adalimumab/golimumab)
Moderate~Severe UC	Glucocorticoid (oral → IV) ▶ 6-MP/azathioprine + infliximab ▶ Anti-TNF (adalimumab/golimumab) ▶ Cyclosporine IV/vedolizumab
Mild~Moderate CD	Budesonide (ileum & right colon), Sulfasalazine (colon) ▶ Prednisone ▶ 6-MP/azathioprine/methotrexate ▶ Anti-TNF (infliximab/adalimumab/certolizumab pegol)
Moderate~Severe CD	6-MP/azathioprine/methotrexate + Anti-TNF (infliximab/adalimumab/certolizumab pegol) ▶ Anti-integrin (Natalizumab/vedolizumab) ▶ Glucocorticoid IV ▶ TPN
Fistulizing CD	배농 및 항생제 ▶ Anti-TNF (infliximab/adalimumab/certolizumab pegol) ± 6-MP//azathioprine/methotrexate ▶ Anti-integrin (Natalizumab/vedolizumab) ▶ TPN

IBD의 치료 약물 (간략 정리)

약물	투여, 작용부위	흔한 부작용	임신 안전성 (FDA)
Aminosalicylates (5-ASA)	Oral (서방정 → colon이 타겟) Topical (enema, suppository → distal colon, rectum이 타겟)	구역, 두통, 탈모, 복통, 가역적 남성 불임 (Sulfasalazine)	B (C; Asacol, olsalazine)
Budesonide (enteric-coated)	ileal release (topical effects) → ileum 말단~우측 대장이 타겟	부신 부전, 골다공증, HTN, 고혈당, 백내장, 감염	C
Systemic corticosteroids	oral, IV, rectal enema, suppositories, or foam	고혈당, HTN, 골다공증, skin fragility	C (임신 초기에 드물게 cleft palate 유발 위험)
Thiopurines ; azathioprine, 6-MP	oral	구역, 두통, body aches, 췌장염, 간독성, BM 억제	D
Methotrexate (MTX)	IM, SC	구역/구토, 간독성, 감염	X
Anti-TNF	Infliximab : IV / adalimumab, certolizumab pegol ; SC	Infusion or injection-site reactions, 건선, 감염	B (certolizumab pegol은 태반 통과가 적음)
Anti-integrin	Natalizumab, Vedolizumab ; IV	감염, 알레르기 반응	C

2. UC의 치료

: 내과적 치료가 원칙 (대부분 control 됨), 병변의 범위와 activity가 치료방침 결정에 중요

(1) mild~moderate UC

① proctitis ⇨ topical 5-ASA [mesalamine suppository] (topical steroid보다 효과적)
± oral 5-ASA [mesalamine] (효과 증대)
(알레르기/부작용으로 mesalamine을 사용 못하면 topical steroid)

② proctosigmoiditis ⇨ topical 5-ASA [mesalamine retention enemas, foams, gels]
± oral 5-ASA [mesalamine] (효과 증대)

③ left-sided UC ⇨ topical 5-ASA [mesalamine enema] + oral 5-ASA [mesalamine]

④ extensive colitits ⇨ oral 5-ASA [mesalamine] + topical 5-ASA

- 반응 좋으면 (관해되면) 5-ASA로 maintenance (유지요법)
- 반응 없으면 topical and/or oral steroid (prednisone) 추가
  - 반응 좋으면 steroid tapering → 5-ASA or azathioprine/6-MP로 maintenance
  - 반응 없으면 azathioprine/6-MP, IV steroid, anti-TNF, anti-integrin 등 고려!

*oral steroid (prednisone)

(a) 5-ASA에 반응이 없거나 악화되면
(b) more active dz. (e.g., 배변 횟수 >5~6/day)
(c) 보다 빠른 치료반응을 원하면

(2) severe (fulminant) UC

• IV steroid (hydrocortisone or methylprednisolone) : 대개 5일 동안 투여 (7~10일 이후엔 효과×)

- 호전되면 → oral steroid로 전환 후 감량
- 3~5일 이내에 반응 없으면 → anti-TNF (e.g., infliximab IV) or cyclosporine IV 추가
  → 4~7일 이내에 반응 없으면 수술 (cyclosporine ↔ anti-TNF 대치는 권장 안 됨)

• 일반적 치료원칙
  - 입원, 수분/전해질 이상 교정 (특히 hypokalemia 주의), 빈혈 교정(>10 g/dL로)
  - colon dilatation을 유발할 수 있는 opiate, anticholinergic, 지사제 등은 금지
  - colon dilatation 발생하나 주의 깊게 관찰 (P/Ex, X-ray or CT)
  - 금식 및 TPN : 효과 없고 오히려 안 좋을 수 있음 (영양실조시 or 입원 초기 1~2일은 도움)

(3) 관해의 유지(maintenance)

• 대부분의 환자에서 재발 방지를 위해 유지요법이 필요!
• oral 5-ASA : 대부분의 환자에서 이용 (병변의 범위가 좁았던 환자는 topical 5-ASA도 가능)
• azathioprine/6-MP and/or anti-TNF : 5-ASA로 조절되지 않는 환자에서 이용
• 재발 유발인자 ; stress, 다른 질환, 임신, 감염성 설사, NSAIDs, 약물치료의 부적합 또는 중단

(4) 수술

• curative, 약 20%의 환자에서 필요 (extensive chronic UC 환자는 거의 50%에서)
• 적응증
  ① 강력한 약물 치료에도 반응이 없거나, 부작용을 견딜 수 없을 때
  ② 증상 조절을 위해 계속 steroid가 필요할 때 (chronic active UC)
  ③ 합병증 발생시 ; massive/recurrent hemorrhage, perforation, obstruction, 소아의 성장지연 ...
  ④ fulminant colitis, toxic megacolon이 1~2일 내에 호전되지 않을 때
  ⑤ colon dysplasia or cancer, colon ca.의 예방
• 수술 방법 : total proctocolectomy +
  ① ileostomy : 삶의 질 저하 때문에 잘 안씀
  ② continence-preserving op. : 항문괄약근 보존, IPAA (ileal pouch-anal anastomosis)가 m/c
    * 주머니염(pouchitis) ; m/c Cx (약 1/3에서 발생)
      - Sx ; 배변횟수↑, 수양성 설사, 복통, 대변절막, 야간배변, 관절염, 권태감, 발열
      - Tx ; 항생제 / 반응 없는 3~5%는 steroid, 면역조절제, anti-TNF, 수술 등 고려
      - 고농도유산균/정장제(probiotics) 매일 복용시 pouchitis의 재발 예방 가능
• 수술 후 재발은 드묾 (curative!, 완전히 치유됨)

3. CD의 치료

: 평생 호전과 악화를 반복, 완치는 불가능하며 증상 위주로 치료 (주로 내과적)

(1) mild~moderate CD

① colitis (colonic CD)
  • oral 5-ASA (sulfasalazine) : mild CD에서 우선 시도 가능 (소장 질환만 있을 때는 효과 적음)
  • 항생제 (metronidazole and/or ciprofloxacin) : 5-ASA에 반응 없으면 고려 가능
  • systemic steroid : 5-ASA (or 항생제)에 반응이 없으면 시도
② **ileitis or ileocolitis** (Rt. colon에 국한된) ⇨ local steroid (budesonide)가 DOC!
  • prednisone보다 효과는 약간 떨어지지만 부작용이 적어서 선호됨
  • budesonide에 반응 없거나, 원위부 대장을 침범한 경우 systemic steroid (e.g., prednisolone)
③ upper GI CD (esophagus ~ jejunum) : 면역조절제 or anti-TNFα

(2) moderate~severe CD

- anti-TNF + azathioprine/6-MP (± steroid)이 1차 induction therapy로 권장됨
  → 반응 없으면 anti-integrin 고려
- 매우 심한 경우(fulminant CD) ⇨ IV steroid
  - 호전되면 → oral steroid로 전환 후 감량 (→ 재발되면 azathioprine/6-MP 추가)
  - 1주일 이내에 반응 없으면 → anti-TNF or anti-integrin → 반응 없거나 악화되면 수술
- steroid 사용 전에 감염/농양 등은 먼저 치료
- 입원, NPO, IV fluids, TPN (adjuvant therapy로 유용) 등

* steroid refractory/dependent CD
- 면역조절제(azathioprine/6-MP) ; 효과가 나타나는 3~4개월까지는 steroid를 병용, 이후 steroid 감량 (→ 환자의 약 60%가 반응)
- 면역조절제에도 반응이 없거나 악화되면 → MTX, anti-TNF, anti-integrin 등

(3) 관해의 유지(maintenance)

- maintenance therapy 안 하면 induction therapy에 반응한 환자의 80% 이상은 1년 이내에 재발
- anti-TNF (± azathioprine/6MP) ; infliximab IV (8주마다), adalimumab SC (2주마다), certolizumab SC (4주마다) → 약 2/3는 관해 유지되고, 약 ~1/2은 완전 관해됨
- 5-ASA는 관해유지에 효과 없고, steroid는 관해유지에(장기적으로) 사용하면 안 됨!
- azathioprine/6-MP (or MTX) : steroid or azathioprine/6-MP (or MTX)로 관해를 이룬 경우

(4) 영양요법

- 종류 ; bowel rest + TPN, elemental diet
- active CD의 관해 유도시 steroid 만큼 효과적 (유지요법에는 효과 없음)
  (c.f., UC는 영양요법이 효과 없고, high fiber는 증상을 악화시킴)

(5) fistulizing CD

- fistula : CD 환자의 약 1/3에서 발생, perianal fistula가 m/c
- perianal fistula (치루) ⇨ 항생제(metronidazole + ciprofloxacin) / steroid는 안 씀!
  → 반응 없거나 심하면 anti-TNF ± azathioprine/6-MP/MTX
  → 반응 없으면 수술 (직장 점막에 CD 침범이 없으면 누공절개술[fistulotomy], 있으면 seton placement)
  - complex fistula는 대개 약물치료 + 수술 필요
  - intractable fistula → colonic or ileal diversion, 심한 경우 proctocolectomy도 필요
- enterocutaneous fistula : 피부 누공을 통한 유출로 volume loss 위험
  - low-output fistula → azathioprine/6-MP, MTX, anti-TNF
  - high-output fistula (≥500 mL/day) → 수술
- rectovaginal fistula → 약물(면역조절제 or anti-TNF) 이후에 수술(fistulotomy, mucosal flap)
- enterovesicular or colovesicular fistulas → 면역조절제 and/or anti-TNF
  (recurrent UTI시엔 수술)
- 증상이 없는 internal fistula (e.g., enteroenteric fistula)는 수술 필요 없음 (면역조절제 고려可)

(6) 기타 합병증의 치료

- abscess → 항생제, 배농, 수술

- obstruction → IV fluids, NG suction, IV steroid → 실패하면 수술
- perianal dz. → 항생제, 면역조절제, anti-TNF, 수술(광범위는 권장 안 됨, 가능하면 보존적으로)

(7) 수술

- 1/2 이상의 환자에서 평생 적어도 한번 이상의 수술이 필요
- 적응증
  ① 강력한 약물 치료에도 반응이 없을 때
  ② perforation, massive hemorrhage, abscess (소장)
  ③ refractory obstruction (m/c), stricture, fistula, perianal dz.
  ④ fulminant colitis
  ⑤ colon dysplasia or cancer, colon ca.의 예방
- UC와 달리 수술해도 완치는 안 되고 재발이 흔함 (50~75%)
  → 재수술을 고려하여 가능한 절제 범위를 최소한으로 줄임
- 수술방법 ; segmental resection, strictureplasty ... (IPAA는 pouch failure가 많으므로 금기)

임신과 IBD

- inactive or mild IBD에서는 수정률(fertility rate)과 태아의 예후는 거의 정상임
  - UC로 colectomy + IPAA 수술을 받은 환자는 infertility 증가
  - CD에서는 terminal ileum과 인접한 우측 나팔관에 반흔 형성 가능
  - sulfasalazine은 남성에서 불임을 일으킬 수 있으나, 중단하면 회복됨
  - methotrexate는 oligospermia를 일으켜 남성 불임을 유발할 수 있음
- active IBD에서는 치료약물보다는 dz. activity에 의해 수정률과 태아의 예후가 조금 나빠짐
  ; 자연유산, 사산, 미숙아, 기형 등 증가 (일부 연구에서는 dz. activity와는 관계없다고도 함)
- 임신이 여성 환자의 IBD의 flare risk를 증가시키지는 않음 (비임신 여성과 비슷함)
- 임신 중 IBD의 경과는 임신 시점의 dz. activity와 관련 ⇨ 임신 6개월 전부터 관해 상태에 있어야!
- 치료는 비임신 때의 치료원칙과 크게 다르지 않다!
- sulfasalazine (5-ASA, class B)과 steroid (class C)는 비임신 때와 동일하게 사용 가능!
  - 엄마나 아기 모두 괜찮음 (사산/조산 증가×)
  - 5-ASA 사용시 folate가 결핍될 수 있으므로 반드시 folate를 공급
  - 일부 mesalamine (e.g., Asacol, olsalazine)은 class C이므로 권장 안 됨
  - steroid는 드물게 임신 초기에 cleft lip, PROM을 일으킬 수 있음
- 임신시 안전한 항생제 ; ampicillin, cephalosporin, metronidazole (class B, 임신 초기에는 cleft lip/palate 위험 증가) / ciprofloxacin (class C)은 연골 손상의 우려가 있으므로 금기
- 면역조절제/표적치료제
  - azathioprine/6-MP (class D) : 용량이 높은 이식환자 대상 연구이고 IBD 대상의 연구는 부족, 위험성은 매우 낮을 것으로 추정되므로 계속 사용하던 경우에는 사용하고, 신규 투여는 피함
  - CSA (class C) : 자료가 부족하므로 수술 대신이 아니라면 임신 중 권장 안 됨
  - anti-TNF α : 안전(class B), 모유로 거의 분비되지 않으므로 수유에도 비교적 안전

(c.f., 다른 약제들은 태반 통과 가능하지만, certolizumab pegol은 태반 통과 거의 없음)
- natalizumab : 자료 부족(class C) / vedolizumab (class B)
- methotrexate과 thalidomide는 금기 (∵ teratogenic effect) : class X
- 임신 중의 수술은 자연유산의 위험도를 높이므로, 응급상황에서만 시행
(e.g., 심한 출혈, 천공, 내과적 치료에 반응하지 않는 toxic megacolon 등)
- 분만은 대부분 자연분만 (anorectal/perirectal abscess or fistula의 경우는 C/S을 선호)

IBD의 감별진단

1. Indeterminate colitis (IBD-unclassified, IBD-U)

- IBD로 진단은 됐지만, UC인지 CD인지 구별이 안 되는 경우 (5~10%)
- multistage IPAA와 조직검사를 통해 CD를 R/O 가능
- UC/CD와 비슷하게 내과적 치료 (5-ASA, steroid, 면역조절제)

2. Infectious colitis

(1) mycobacterial ; *M. tuberculous, M. avium*
(2) bacterial ; *Shigella, Salmonella, E. coli* O157, *Yersinia, Campylobacter, C. difficile,* gonorrhea, *Chlamydia trachomatis* ...
(3) viral ; CMV, HSV, HIV
(4) fungal ; Histoplasmosis, *Candida, Aspergillus*
(5) parasitic ; amebiasis, *Isospora, T. trichura, Strongyloides*, hookworm ...

3. Noninfectious dz.

- appendicitis, mesenteric adenitis, ischemic bowel dz. → acute CD와 감별해야
- irritable bowel syndrome
- Behçet's dz. (CD와 아주 비슷)
- diverticulitis (CD와 혼동 가능)
  - CD를 더 시사하는 소견
    ① perianal dz., small bowel series에서 ileitis
    ② 내시경상 significant mucosal abnormalities
    ③ segmental resection 뒤에도 내시경적/임상적 재발
  - 게실관련 대장염 → 점막 이상이 sigmoid와 descending colon에 국한
- radiation enterocolitis
- hemorrhoids, vasculitis, endometriosis, eosinophilic gastroenteritis
- 종양 ; intestinal lymphoma, metastatic ca., ileal/colonic carcinoma, carcinoid tumor, familial polyposis
- 약물 ; NSAIDs, phosphosoda, cathartic colon, gold, cocaine, 경구피임약, ipilimumab, MMF

- NSAID-related colitis ; de nove colitis, IBD reactivation, 좌약에 의한 proctitis
  - Sx ; diarrhea, abdominal pain
  - Cx ; stricture, bleeding, obstruction, perforation, fistula

■ Behçet's disease

- 임상적으로 진단 (구강/생식기 궤양, 피부/눈 병변, pathergy test 등)
- intestinal Behçet (전체 Behçet의 1~5%에서, 동아시아는 10~30%)
  - 주로 ileocecal area를 침범 ; RLQ 복통(m/c)/종괴, 혈변, 설사 등이 주증상 (→ CD와 비슷)
  - 내시경 소견 : 주위와 경계가 뚜렷한 궤양 (CD와 같이 전층을 침범하는 심재성 궤양임)
    ① volcano type (m/c) : 깊은 원형 궤양, 가장자리는 결절성 점막으로 융기됨, 바닥에 백태
    ② geographic type : 다양한 형태의 얕은 궤양
    ③ aphthous type : 원형/난원형의 얕은 궤양 (punched-out)
  - 조직 소견 : 일부에서 vasculitis 관찰됨
  - 치료 : steroid (steroid sparing; AZA/6-MP ± anti-TNF), interferon-α, 심하면 수술

	Behçet dz.	CD
Intestinal perforation	++	-
Stricture, Fistula, Perianal dz.	-/+	++
궤양의 개수, 분포	적다 focal single or multiple	다발성 segmental, diffuse
궤양의 형태	원형, 좀 더 크고 깊음 경계가 뚜렷함	아프타성, 선형 종주성(longitudinal)
조직검사; 육아종	-	+

결핵성장염/장결핵 (Intestinal tuberculosis)

1. 개요

- 전체 결핵의 1~3% 차지
- 우리나라에서 비교적 흔한 소장 염증성 질환 (but, 최근엔 CD가 더 많아졌음)
- 20~30대에 호발, 남:여 = 1:1.6~2
- 호발부위 : 약 90%가 ileocecal area (terminal ileum)에서 발생
  → 특히 CD와 감별이 어려움 (CD로 오인하고 steroid를 쓰지 않도록 주의!!)
- 발생기전
  ① 활동성 폐결핵 때 결핵균에 오염된 객담을 삼켜서 (m/c)
  ② 활동성 폐결핵 병소에서의 혈행성 전파
  ③ 결핵에 감염된 주변 복부장기로부터의 직접적 파급
  ④ 결핵균에 감염된 우유를 마셔서 (가능성 희박)
- 약 20%는 활동성 폐결핵을 동반 (폐결핵이 심할수록 동반 증가)

2. 임상양상

- Sx : 비특이적 만성 복통, 설사, 혈변, 미열, 식욕부진, 전신쇠약감, 피로, 체중감소 ...
  (25~50%에서는 복부 RLQ 종괴가 만져짐)
- Lab : WBC (대개 normal), mild anemia, ESR↑
- Cx : obstruction (m/c), hemorrhage, perforation, adhesion, intussusception,
  bacterial overgrowth (→ malabsortion)

3. 진단

(1) tuberculin skin test (TST), IGRA ⇨ 잠복결핵과 현재 활동 결핵을 구별할 수는 없음
(2) 대변검사 ; AFB 염색 (폐결핵 환자가 가래를 삼킨 경우가 많으므로 권장 안 됨), PCR?
(3) 복수검사 ; 담황색, protein >3 g/dL, total cells 150~4000/μL (주로 lymphocyte >70%)
(4) 방사선(barium enema) 및 내시경 소견
- 회맹부의 위축, 비후, 협착, 점막궤양, skip lesion
- 장의 장축에 직각인 "전주성(윤상, circular)" 궤양 … UC와 유사
- filling defect, persistent narrowing of barium

(5) endoscopic/surgical biopsy ; caseating granuloma (necrosis), AFB 염색, 배양, PCR
⇨ 진단 민감도는 50~70% 정도 뿐 (∵ 폐결핵과 달리 균의 절대 수가 적음)
(6) therapeutic trial ; 항결핵제 투여 후 증상, APR (e.g., CRP), 빈혈 등의 호전 (1주~1개월)
→ 대장내시경 F/U은 항결핵제 투여 후 2~3개월에 시행하는 것이 권장됨

* D/Dx - 회맹부(terminal ileum)의 병변시 감별해야할 질환
; Crohn's disease, TB, Behçet's disease, carcinoma, lymphoma, amebiasis, actinomycosis, *Yersinia enterocolitica*, periappendiceal abscess (UC는 아님!)

4. 치료

(1) 항결핵 화학요법 (폐결핵과 동일) - 대부분 잘 반응
(2) 수술 ; 장폐쇄, 천공, 누공 등의 합병증이 있을 때 (수술 전 최소한 2주간 항결핵제 치료 필요)

특징	Tuberculosis	Crohn's disease
Macroscopic		
Anal lesions	드묾	흔함
Miliary nodules on serosa	conspicuous & 흔하다	드묾
Stricture의 길이	대개 3 cm 미만	대개 long
Internal fistulas	매우 드묾	흔함
Perforation	드묾	드묾
Ulcers		
위치/모양	윤상(circumferential)	선형, 장간막 부착부위를 따라 더욱 현저
장의 장축에 따른 방향	대개 직각(transverse)	평행: 종주성(longitudinal)
Microscopic		
Granulomas		
존재	항상 존재 (LN에)	약 50%에서 존재
크기	흔히 large	대개 small
caseation (건락육아종)	대개 존재 (50~80%)	없음
모양	흔히 confluent	대개 discrete
주위의 fibrosis	흔함	드묾
hyalinization	흔함	드묾
염증세포의 peripheral collar	대개 존재	대개 없다
Associated paramyloid	존재할 수도	없다
조직검체 TB-PCR, 배양	50~60%에서 양성	음성
기타 특징		
Submucosal widening	대개 없다	대개 존재
Fissures	대개 없다	흔하다, 깊게 penetration
Transmural follicular hyperplasia	없다	대개 존재
Fibrosis or muscularis propria	현저	드묾
Pyloric gland metaplasia	흔함, extensive	드묾, patchy
Epithelial regeneration	흔함	드묾
ASCA	(−)	(+)

8
소장 및 대장 질환

과민대장증후군 (Irritable bowel syndrome, IBS)

- 기질적인 원인 없이 복통과 함께 배변습관의 변화가 오는 기능성 대장 질환
- 임상에서 가장 흔한 소화기 질환 (유병률 10~20%)
- 청소년~젊은 성인에서 호발, 남:**여** = 1:2~3 (severe IBS에서는 1:4)

1. 병태생리

(1) 위장관 운동 이상

- 식후 (3시간까지) rectosigmoid motor activity 증가 (무자극 상태에서는 운동성 이상 없음)
- 설사형 IBS에서는 motility index와 HAPCs (high-amplitude propagating contractions)↑↑
- colonic transit time 빠름 → 복통 증상과 밀접한 관련

(2) 내장과민성(hypersensitivity) : sensation threshold ⬇

① end organ sensitivity↑ (silent nociceptors 동원)
② spinal hyperexcitability (NO 등의 신경전달물질 활성화)
③ caudal nociceptive transmition의 조정 (CNS에서)
④ neuroplasticity에 의한 만성 내장 통각과민(visceral hyperalgesia) 발생
  (c.f., somatic pain에 대한 threshold는 정상/증가)

- gastrocolic reflex↑
  - 식이 중에는 지방에 의해 주로 유발됨 (→ gas/discomfort/pain thresholds를 낮춤)
    ↳ CCK 분비↑ → 콜린성 신경 자극 → 대장근육 수축 (c.f., 단백질은 억제)
  - cephalic phase에 일어나는 예기성이기 때문에 stress를 받을 생각만 해도 증가됨
- 위장관 이외에서는 hypersensitivity를 보이지 않음

(3) 중추신경의 조절곤란(dysregulation)

- 정서장애 및 stress와 IBS의 증상 악화 및 치료반응은 관련성이 높음
- functional brain MRI에서 mid-cingulate cortex의 활동성 크게 증가
- 여러 뇌 기능장애에 의해 visceral pain 인지가 증가됨

(4) 정신적 이상 : 환자의 ~80%에서 존재

- stress에 민감하게 반응하고, pain sensation thresholds가 낮음
- CNS-enteric nervous system dysregulation 때문 (→ 정신과적 치료도 도움이 됨)

(5) **위장관 감염(post-infectious IBS)**
- 세균성 위장관염 환자의 약 1/4에서 IBS 발생, IBS 환자의 약 1/3에서 위장관염 비슷한 병력
- risk factor ; 위장관염 기간↑, 세균의 독성↑, 흡연, 점막의 염증 지표, 여성, young age, 우울증, 건강염려증, 3개월 이내의 심각한 사건(스트레스)
  (60세 이상은 post-infectious IBS 위험이 낮지만, 항생제 치료시에는 위험 증가)
- *Campylobacter, Salmonella, Shigella* 등이 관련!

(6) **면역활성화 및 점막염증**
- 일부 IBS 환자에서 저등급 점막염증, activated lymphocytes, mast cells, 염증성 cytokines↑
- epithelial secretion↑, visceral hypersensitivity에 기여, 설사형 IBS는 intestinal permeability↑
- 정신적 스트레스나 불안도 염증성 cytokines의 분비 촉진 가능

(7) **장내 세균총의 변화** : 불확실

(8) **serotonin (5HT) pathway 이상**
- 설사형 IBS 환자 ; 대장의 5HT-containing enterochromaffin cells↑, 식후 혈중 5HT 농도↑↑
- 설사형 IBS에서는 5HT가 식후증상에 기여할 수 (→ 5HT antagonist를 치료에 이용)

(9) **diet** ; food intolerance (food allergy는 드묾)
- lactase deficiency가 공존하면 증상을 더욱 악화시킬 수 있음
- 밀, 효모, 콩, 견과류, 계란, 유제품(지방) 등이 중요

2. 임상양상

(1) **복통** (위치와 정도 다양) : episodic & crampy
- 배변/방귀에 의해 완화, emotional stress나 식사에 의해 악화
- 복통(→ 식사량 감소)에 의한 영양결핍 or 수면장애는 극히 드묾
- severe IBS에서는 복통 때문에 잠자다 깨는 경우는 흔함
- 여성은 생리 때 증상이 심해지는 경우가 많음

(2) **배변습관의 변화**
- 변비와 설사가 교대로 나타나는 양상이 m/c
- 대부분 배변 후 불만족스러운 느낌을 가짐 → 자주 배변을 시도하게 됨
- 설사 ; 소량의(대부분 200 mL 미만) 묽은 변, emotional stress나 식사에 의해 악화, 수면 중에는 발생하지 않음!

(3) 복부 팽만감 & gas
- 복부 불쾌감이나 트림 등을 호소 (∵ 장의 근위부로 gas 역류 경향)
- 대부분 장내 gas 생산량은 정상임 (gas load에 대한 운반장애 및 내성 감소)

(4) 상부 위장관 증상 (25~50%) ; dyspepsia, heartburn, N/V
- functional dyspepsia와 IBD는 중복되어 있는 경우가 흔함!
  (정상인에 비해 functional dyspepsia 환자에서의 IBD 유병률은 약 4배)
- 기능성장질환시 주 증상으로써 functional dyspepsia와 IBD는 서로 간에 바뀔 수 있음

3. 진단

(1) Rome III Criteria

- 진단기준 (아래의 증상이 6개월 이전에 시작되고, 지난 3개월간 지속되었을 때) ★
  : **복부불쾌감/복통**이 지난 3개월 동안 3일/月 이상 발생되고, 아래 중 2가지 이상에 해당
  ① 배변에 의해 증상 완화
  ② 증상의 시작과 더불어 배변의 횟수가 변화
  ③ 증상의 시작과 더불어 분변의 형태가 변화
- 대변 양상에 따른 IBS 아형(subtype)
  ① IBS-C (IBS with constipation)
  ② IBS-D (IBS with diarrhea)
  ③ IBS-M (mixed IBS)
  ④ IBS-U (unsubtyped IBS)
  * IBS-A (alternating IBS) : 대변 양상의 변화가 흔한 경우 (m/c, 약 75%)

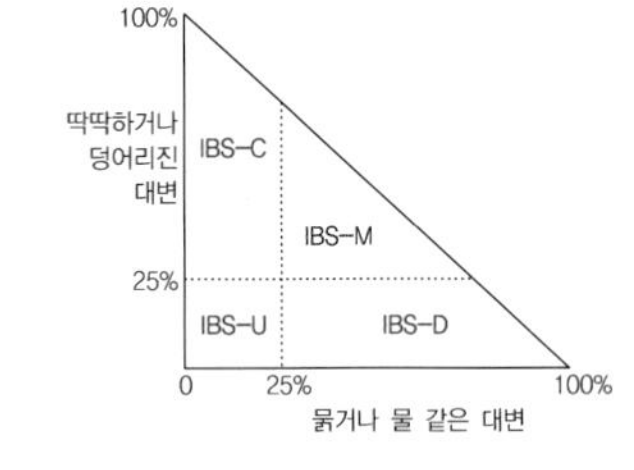

c.f.) IBS를 시사하는 보조적 증상들
① 비정상적인 배변 횟수(1일 4회 이상 or 1주 3회 미만)
② 비정상적인 배변 형태(배변곤란, 배변급박, 잔변감)
③ 비정상적인 대변 형태(덩어리지고/딱딱함 or 묽거나/무름)
④ 점액의 배출 (inflammation 없이)
⑤ 복부팽만감 또는 팽창

(2) 다른 질환의 R/O 위한 검사 : 정상

- CBC, ESR, 일반생화학검사, 대변검사; 잠혈 (IBS 환자의 20% 정도는 양성반응), 기생충/충란
- sigmoidoscopy (40세 이상의 환자는 colonoscopy) with biopsy ; microscopic colitis 등 R/O
- 설사와 gas 증가가 주증상인 경우 → lactase deficiency, 흡수장애 등 R/O ; stool fat, hydrogen breath test, 3주간 lactose-free diet, intestinal biopsy, proximal jejunal fluid 배양 (celiac sprue 유병률이 높은 지역에서는 IgA tissue transglutaminase [IgA tTG] Ab 검사도)
- 변비가 주증상인 경우 → X-ray, colonic transit time, colonic manometry, 풍선 배출 검사 ...
- dyspepsia 동반시 → 상부위장관 내시경 or 조영 검사
- RUQ 복통 → 담도계에 대한 초음파검사
- 갑상선기능검사 (∵ hyperthyroidism → 설사, hypothyroidism → 변비)

IBS가 아님을 시사하는 소견 (Alarm features, "red flags") ★
50세 이후에 처음 증상 발생 대장암, IBD, celiac dz. 등의 가족력 야간 증상 (증상 때문에 흔히 잠에서 깸) 2일 이상 금식 후에도 지속되는 설사 반복적 구토, 심해지는 연하곤란 증상이 계속 심해지거나, 오랜 기간 경과 후에 새로운 증상 발생 발열, 체중감소, 탈수, 흡수장애(지방변), 복부 종괴, 관절염(active) Fissure나 hemorrhoid 이외의 원인에 의한 혈변 or 잠혈 양성 대변내 blood, pus, fat (steatorrhea), 대변 volume >200~300 mL/day ESR↑, leukocytosis, anemia, hypokalemia Manometry상 rectal distention에 대하여 spastic response를 보이지 않음

4. 치료

(1) 환자 상담 (m/i)

- 충분히 설명하고 안심시킴, 증상에 적응해서 살아가도록 격려
- 신뢰적인 의사-환자 관계 성립이 중요

(2) 식이 요법

- 증상을 유발하는 식품의 제거 (elimination diet)
- 증상을 유발할만한 식품들 ; lactose, fructose, sorbitol or mannitol을 함유한 약/음식/음료수, fatty acids, alcohol, caffeine (커피), 자극성 음식, 유제품, 기타 장내 gas를 많이 만드는 음식 (예; 콩류, 양배추, 브로콜리, 바나나, 껌, 탄산음료) ...
- FODMAP (서양에서는 low-FODMAP diet에 관심이 많지만, 우리나라는 식품에 표시가 없고 연구도 부족함)
  - 장내에서 쉽게 흡수되지 않아 삼투압을 증가시키고 (→ 장내 수분 분비 → 묽은 변, 설사)
  - 장내세균에 의해 쉽게 발효되어 가스를 발생시킴 (→ 대장 팽창, 복통, 팽만감, 더부룩함)

FODMAPs (fermentable, oligo-, di-, mono-saccharides, and polyols)	
Fermentable (발효되기 쉬운)	
Oligosaccharides (올리고당류)	3~10개의 단당 결합체 (1) galactan ; 콩류 (2) fructan ; 생마늘, 생양파, 양배추, 브로콜리, 돼지감자, 호밀, 보리 등
Disaccharides (이당류)	주로 유당(젖당, lactose) ; 우유, 요거트, 치즈, 아이스크림 등 대부분의 유제품
Monosaccharides (단당류)	주로 과당(fructose) ; 사과, 포도, 수박, 배, 복숭아 등의 단 과일, 양파, 꿀, 코코아, 인스턴트 커피, 음료수(사이다, 콜라 등)에 사용되는 액상과당
And Polyols (당알콜류)	Sorbitol, mannitol, xylitol, maltitol 등 주로 감미료에 많이 포함되어 단 맛을 냄 다수의 탄산음료와 과일주스, 사탕, 껌, 합성 감미료 등
Low-FODMAP diet **▶가스팽만 or IBS-D에 권장**	곡류 ; 쌀, 글루텐 프리 제품, 두부, 오트밀 채소 ; 당근, 고구마, 감자, 가지, 호박, 시금치, 죽순, 토마토 과일 ; 바나나, 포도, 오렌지, 딸기, 귤, 블루베리, 키위, 멜론, 딸기 유당제거 우유, 버터, 올리브 오일, 메이플시럽, 소금, 설탕, 육류, 계란, 어패류

- 심한 가스-팽만을 동반한 IBS-D 환자에게 low-FODMAP diet시 70~80%에서 증상 호전
- 가스-팽만(bloating)이 주증상인 IBS의 경우 low-FODMAP diet가 권장됨!
- 일반적으로 high-FODMAP 식품은 식이섬유도 풍부한 편 → 변비 환자에게는 도움이 됨
- 증상이 없는 일반인은 FODMAP에 관계없이 식품을 골고루 적당량 섭취하는 것이 중요함

- 식이섬유(dietary fiber/bulking agents) → 논란은 있지만, 변비가 주 증상인 IBS-C 환자에 권장!

IBS 증상	권장 Fiber products
상복부 통증	Oatmeal, Oat bran, Psyllium
하복부 통증 변비, 배변 장애	Methylcellulose, Psyllium
설사	Psyllium, Oligofructose

차전자피(Psyllium, Ispaghula)가 가장 좋은 편이고, 밀기울(wheat bran)은 도움 안 됨

저용량으로 시작해서 몇 주간에 걸쳐 서서히 증량
→ 목표 20~30 g/day (dietary & supplementary fiber)

- 대개 colonic transit time을 빠르게 함 → 변비 증상 호전에 효과적!
- 일부 설사형 IBS 환자에서는 설사 증상도 호전됨 (∵ 빠른 colonic transit time을 느리게 함, 수분과 결합하여 대변의 hydration & dehydration을 모두 예방)
- 일부에서는 복부팽만감, 가스, 설사, 변비 등을 유발할 수 있으므로 주의

- 변비가 주 증상인 경우 규칙적인 운동과 충분한 수분섭취도 권장됨
  (↳ 장 통과시간 단축, 배변운동 향상, 스트레스 감소 등의 효과)

(3) 약물 치료

- 보존적 치료에 반응이 없고 증상이 지속될 때
- **설사**가 주증상일 때
  - opiates (e.g., loperamide), dioctahedral smectite (Smecta), cholestyramine (bile acid binder)
  - serotonin ($5HT_3$) antagonist ; alosetron … 심한 변비와 ischemic colitis (0.2%) 부작용 위험
    → 통상적인 치료에 반응이 없는 심한 IBS-D 환자에서만 제한적으로 사용
    (ramosetron : 심각한 부작용이 없이 IBS-D 환자의 전반적인 증상 호전에 도움)
  - TCA 항우울제 ; 일부 심한 환자에서 도움
- **변비**가 주증상일 때
  - fiber/bulking agents (e.g., psyllium, methylcellulose, calcium polycarbophil)
  - osmotic laxatives (e.g., lactulose, sorbitol, PEG, magnesium)
  - serotonin ($5HT_4$) agonist ; prucalopride [Resolor®] → 다양한 아형의 만성 변비에 효과적
    (c.f., cisapride와 tegaserod는 치명적인 심혈관계 부작용으로 퇴출되었음)
  - chloride channel (ClC-2) activator ; lubiprostone [Amitiza®] → 만성 변비 (± IBS)에 효과적, 대변을 무르게 하고 장운동↑, 복통 완화에도 도움
  - guanylate cyclase-C (GC-C) agonist ; linaclotide [Linzess®], plecanatide
    → 상행결장 통과시간↓, 복통/불편감/팽만감/과도한힘주기 등의 증상 개선 및 배변횟수↑
  - 항우울제 ; 일부 심한 IBS 환자에서 전반적인 증상 호전에 도움 (SSRI는 장운동 촉진 효과도)
  - 계면활성제 성분의 변비약을 장기간 투약하는 것은 안 좋다
- **복통/복부불편감**이 주증상일 때
  - 진경제(antispasmodics)
    ① anticholinergics (gastrocolic reflex 억제 → 식전 30분에 투여하면 식후 통증에 효과적)
    ; cimetropium bromide, hyoscine, hyoscyamine ...
    ② smooth muscle relaxant (SMR) : 평활근세포내 칼슘통로 차단
    ; mebeverine, pinaverium (anticholinergic effects도 있음)
    ③ trimebutine (antimuscarinic & weak mu opioid agonist)
  - 항우울제(TCA, SSRI) ; 일부 환자에서 전반적인 증상 호전 효과 (부작용에 대한 주의 필요), 일반적으로 SSRI가 부작용이 적어 IBS에서 많이 사용됨 (설사는 유발 가능)
- **가스/팽만감**이 주증상일 때 ⇨ low-FODMAP diet, probiotics, rifaximin
  - 비흡수성 경구 항생제(e.g., rifaximin, neomycin) : 일부 IBS 환자에서 전반적인 증상 호전 및 복부팽만감(bloating) 호전에 유용함
  - 정장제(probiotics) : *Bifidobacterium* 등, 복통 및 가스-팽만감 호전에 도움

(4) 정신신경학적 치료

- 정서적인 배설, 지속적인 관심, 휴식, 운동 등
- 인지-행동요법, 이완요법(relaxation therapy), 최면요법 및 정신치료가 도움이 됨
- 증상이 심하면 항우울제, 항불안제 등도 사용

	Mild (70%)	Moderate (25%)	Severe (5%)
증상의 지속성	–	+	+++
정신사회적 문제	–	+	+++
장 생리와의 상관성	+++	++	+
치료	설명, 안심, 식이요법 생활습관개선	장에 작용하는 약물 Serotonin 조절제	항우울제 정신과적 치료

게실/곁주머니 질환 (Diverticular diseases)

- 대부분 acquired, pseudodiverticula (mucosa, submucosa만 herniation)
- 대부분 무증상 → 증상 발생시엔 다른 원인들을 먼저 고려

1. 소장 게실증 (Small-intestinal diverticulosis)

- duodenum, jejunum에 호발 (duodenum : 2nd portion의 medial surface)
- Meckel's diverticulum은 terminal ileum

2. 대장 게실증 (Colonic diverticulosis)

- 나이가 들수록 증가, 서양에서 흔함(60세 이상의 약 1/2에서 발견), 남:여 = 2~3:1
- intraluminal pr. 증가가 원인 (low dietary fiber와 관련)
- 호발부위 : sigmoid colon (서양), Rt. colon (동양/우리나라)
- 대부분 무증상, 내시경 or barium enema에서 우연히 발견
- Dx
  - 대장조영술(barium enema) : m/g
  - 대장내시경 : 대장암 R/O에 유용
- Cx (1/3) ; lower GI bleeding (m/c), diverticulitis, perforation, fistula
- Tx : 증상이 없으면 observation이 원칙
  - dietary fiber (>30 g/day) : 합병증 발생을 감소시킴
  - 견과류와 팝콘은 금기 (∵ 게실 내강을 막을 수)

3. 게실 출혈 (Diverticular bleeding)

- 60세 이상에서 hematochezia (severe lower GI bleeding)의 m/c 원인(30~66%)
- diverticulosis 환자의 약 20% (15~40%)에서 발생, 3~5%에서는 심한 출혈 발생
- 출혈 위험인자 ; 고혈압, 동맥경화, NSAIDs 복용
- 대개 선행 증상/징후 없이 painless bleeding이 갑자기 발생 (moderate~large amount)
- Rt. ascending colon에서 호발
- 대부분(70~90%) 금식 및 보존적 치료로 자연적으로 멈춤(self-limited)!
- 평생 동안 재출혈 위험은 25% (대량 출혈이 2번 이상 재발한 경우에는 수술이 권장됨)

• 진단(localization) 및 치료
① mesenteric angiography : active bleeding시 (0.5 mL/min 이상의) 출혈 확인 가능, 특이적
- highly-selective embolization으로 안전하게 지혈 가능
- 내시경적 지혈술이 불가능한 경우 choice!
② colonoscopy : 출혈이 느릴 때는 유용, 병변이 발견되면 내시경적 지혈술 시행
③ 동위원소 scan (^{99m}TC-sulfur colloid or ^{99m}Tc-RBC) : 출혈 발견에는 더 민감하지만, 특이도가 낮고, 출혈의 원인을 알 수 없고, 치료는 불가능 (→ angiography/수술 전 단계로 하는 경향)
④ 수술 : 보통 angiography/내시경으로 지혈이 실패한 경우에만 시행
- Ix ; 지속/반복 출혈로 unstable하거나, 24시간 이내에 6 unit 이상의 수혈 필요한데 다른 치료방법이 불가능하거나 반응이 없을 때
- 수술 전 출혈 부위가 확인되었으면 선택적 절제술(segmental resection)
- 출혈 부위를 찾지 못하고 위독하면 subtotal or "blind" colectomy (사망률은 매우 높음)

4. 게실염/곁주머니염 (Diverticulitis)

• diverticulosis 환자의 10~25%에서 발생 (우리나라는 드문 편)
• 원인 : fecalith (소화 안된 음식 찌꺼기와 세균이 단단한 덩어리를 형성한 것)
→ diverticula 내에서 염증반응 유발
• Sx ; abdominal pain, fever, rectal bleeding (25%에서, 보통 microscopic)
• sign ; 하복부의 tenderness & mass, leukocytosis
(서양은 좌하복부의 압통이 흔하고, 동양은 우하복부의 압통이 흔함)
• Cx (25%) : abscess (m/c, 16%), perforation (→ peritonitis), stricture, fistula, obstruction
• 진단
① abdominal & pelvic CT (m/g) ; 대장벽의 비후(>4 mm), 주변의 농양
② barium enema or colonoscopy : perforation의 위험 때문에 급성 염증기엔 금기, 증상완화 후 6주 이후에 시행 (cancer, IBD 등도 R/O하기 위해)
• 치료
① 내과적 치료 ; NPO (bowel rest), IV fluid, 광범위 항생제 (7~10일)
- quinolone (e.g., ciprofloxacin) + metronidazole, TMP-SMX, piperacillin/tazobactam, ampicillin/sulbactam, imipenem/cilastatin 등
- 내과적 치료를 받은 환자의 약 3/4이 반응, 약 1/3은 재발
- 환자의 약 20~30%가 결국 수술을 받게됨
- 회복된 후에는 high-fiber diet를 권장
② 수술의 적응증
- complicated diverticulitis (<5 cm simple abscess는 내과적 치료 먼저 시도)
- 40세 이전에 발병한 경우 (∵ 재발 및 합병증 발생 위험 더 높음)
- 같은 위치에서 2번 이상 재발시 (면역저하, 면역억제제, 신부전, 교원혈관병 등은 재발하면 perforation 위험이 높으므로 처음 재발 시에 수술)

허혈성 장질환 (장간막/창자간막 허혈, mesenteric ischemia)

* 위장관의 혈액공급 (3 main visceral arteries)
- celiac axis (→ 위, 십이지장[근위부], 간담도, 비장, 췌장)
- superior mesenteric A. (→ 소장의 대부분 ~ 우측 대장) : 가장 잘 막힘
- inferior mesenteric A. (→ 횡행 결장 ~ 직장)

* 대장에서 허혈(ischemia)의 호발 부위 : "watershed" area (∵ anastomosis 부족)
- splenic flexure (Griffith's point)
- rectosigmoid colon (Sudeck's point)

	Acute mesenteric ischemia : 25%	Chronic mesenteric ischemia (intestinal angina) : 5%	Ischemic colitis (colon ischemia) : 75%
원인	좌심방/실에서 유래한 동맥 색전, 심한 동맥경화(thrombosis) 등	Celiac & superior mesenteric arteries의 점진적 동맥경화	Low-flow state (nonocclusive)
성비(남:여)	약 1:1	1:3	1:1.3
임상양상	급격하고 심한 중심부 복통, shock, peritonitis의 소견	만성적인 식후 복통, 체중감소	아급성 하복부 복통, 혈변, 대변을 참기 힘듦
치료	심하면 응급 개복술(embolectomy) Endovascular therapy	Angioplasty with stenting Surgical revascularization (bypass)	보존적 치료 Peritonitis 때만 수술

1. 급성 장간막/창자간막 허혈 (Acute mesenteric ischemia, AMI)

; surgical emergency! (진단 및 치료가 늦어지면 사망률 60~80%), 고령에서 호발

(1) 분류/원인 및 유발인자

① superior mesenteric artery (SMA) embolus (SMAE) : 26~32% (과거에 m/c, 감소 추세)
- 대개 심장(좌심방/실)에서 유래 ; AF, Af, tachycardia, HF, AMI, MS, cardiomyopathy, myxoma, bacterial endocarditis 등이 유발인자
- SMA 원위부가(좁아지는 부분) 주로 막힘 (대개 middle colic artery의 기시부)
  → upper jejunum을 제외한 소장 ~ 우측 대장에 ischemia 발생 / SMAT보다 심함
  (c.f., 보통 ileocolic artery 기시부 이전의(proximal) 폐쇄를 major emboli라 함)
- 이전의 peripheral artery emboli 병력 흔함, 약 20%는 현재도 동반

② acute superior mesenteric artery (SMA) thrombosis (SMAT) : m/c, 54~68%
- 심한 atherosclerosis가 원인, SMA 근위부(1~2 cm)가 주로 막힘, 다른 동맥 병변 동반 흔함
- chronic ischemia 동반 흔함 (20~50%는 최근에 intestinal angina 병력)
  → SMA와 다른 주요 내장혈관 사이의 collaterals이 현저하면 chronic SMAT를 시사함

③ (vasospastic or) nonocclusive mesenteric ischemia (NOMI) : 10% (감소 추세)
; AMI, HF, valvular heart dz., 부정맥, 탈수, shock, CKD, major Op. 등에 따른 low-flow states or splanchnic vasoconstriction에 의해 발생

④ acute mesenteric venous thrombosis (MVT) : 5~10% → 뒷부분 참조

⑤ 소장의 focal segmental ischemia : 5%

(2) 임상양상

- 대개 기저 심장질환이 있던 환자에서 갑자기 심한 복통이 발생하여 지속됨
- Sx ; 갑자기 발생한 심한 복통(periumbilical → diffuse, constant), N/V, 일시적인 설사, 혈변 ...
- P/Ex ; 초기엔 정상! (경미한 복부팽창, 장음감소 뿐), 장경색이 진행되면 압통/반발통, 복부강직, 심혈관계 허탈 등이 나타남
- Lab. ; 진행된 경우 leukocytosis (PMN↑), metabolic acidosis, serum phosphate, amylase, LD, CK, (intestinal) ALP 등의 증가가 나타남

(3) 진단

- EKG, 심장초음파 → emboli의 심장 유래 확인
- abdominal X-ray → 복통의 다른 원인(e.g., 장폐쇄, 염전, 천공) R/O이 목적
  - 대개는 정상 / thumbprinting (점막하 출혈에 의한 장벽 부종), ileus pattern 등이 나타날 수
  - 진행되면 ileus (air-fluid level, distention), 장벽과 문맥 내의 공기(전층의 괴사 or gangrene), 복강 내 유리 공기(장파열시) 등이 나타날 수 있음
- plain (standard) CT → plain X-ray처럼 복통의 다른 원인 R/O이 주 목적
  - 초기 소견은 비특이적, 말기 소견은 장 괴사 (→ 초기의 진단적 검사로는 권장 안 됨)
  - 장벽비후/부종(m/c), 장벽기종(pneumatosis), 문맥내 공기, 경색 ...
- biphasic contrast-enhanced (CE) CT : 정확하면서도, 빠르고 간편하고 안전하여 선호됨
  - with mesenteric CT angiography (CTA) : 95~100% 정확도, AMI 진단의 gold standard!
  - mesenteric artery & vein 뿐 아니라 AMI의 원인/2차 소견 및 다른 질환 여부도 확인 가능 (c.f., 심각한 소견 ; pneumatosis, free intraabdominal air, portal venous air)
- MR angiograpy (MRA) ; 방사선/조영제 사용 안 하는 장점 / CTA보다 시간 오래 걸리고, 해상도 낮고, stenosis를 과대평가할 수 있음 → CTA가 선호됨
- classic angiography (과거의 gold standard) : 정확한 병변의 파악 및 치료도 가능
  - 요즘에는 CT (or MR) angiography 이후에도 진단이 불명확하거나, revascularization 치료가 예정되었을 때 시행(e.g., intraarterial vasodilation, thrombolysis, angioplasty ± stenting)
  - 복막징후가 있고 acute major emboli 의심시는 응급 개복술하면서 수술 중 시행
- 도플러 초음파(mesenteric duplex sono/scanning) : AMI에서는 유용성 거의 없음

(4) 치료

- 증상 기간은 사망률과 비례함 → 빠른 진단 및 적극적인 치료가 예후에 가장 중요
- 소생술(resuscitation) : 기저 심질환의 응급처치, 수분/전해질 교정, hemodynamic monitoring
- 개복술(laparotomy) : embolectomy + 괴사된 장 절제 … major emboli에서 진단/치료의 표준
  - 응급 개복술의 적응 ; acute occlusion이 강력히 의심되고 환자 상태가 급격히 나빠질 때, frank peritonitis 발생시 (bowel necrosis or perforation 의심)
  - longitudinal arteriotomy로 emboli를 제거하여 혈관 재개통 및 bowel viability 확인
  - embolectomy 실패하면 arterial bypass 수술 or local intraarterial thrombolytics
- endovascular therapy/intervention/revascularization/reconstruction … 점점 많이 사용 추세
  - transcatheter (aspiration) embolectomy/thrombectomy and/or angioplasty with stenting ± intraarterial thrombolytics (남아있는 혈전 제거)
  - frank peritonitis 없으면 우선 시도, 수술보다 bowel perfusion 빨리 회복 & 사망률 낮음

- 일부 partial/minor emboli는 수술 없이 endovascular therapy로 성공적으로 치료 가능
- 1차 수술(or 시술) 이후 bowel viability가 불확실하면 2차 확인 수술(개복술 or 복강경) 시행
- acute SMA thrombosis ; 가능하면 transcatheter thrombectomy & angioplasty with stent, 불가능하거나 실패하면 수술(bypass grafting ± bowel resection)
  * SMAE 때는 mesenteric artery가 대개 정상이지만, SMAT 때는 mesenteric artery 및 분지에 다발성 동맥경화가 흔함 → bypass 수술 (graft로는 saphenous vein이 choice)
- acute NOMI → 주로 intraarterial vasodilator (papaverine)로 치료, 항응고제는 대개 필요 없음
- intraarterial vasodilator (e.g., papaverine) continuous infusion : 혈관수축 완화 & 예방 (∵ AMI는 광범위한 reflex vasocontriction을 동반하므로 즉시 투여 → 예후↑, 사망률↓)
- 항응고제(anticoagulation) : IV heparin
  - AMI로 진단되면 즉시 투여, 수술 직전 중단, 보통 수술 1~2일 뒤 재투여
  - 대개 수술 직후에는 투여하면 안 됨 (∵ 출혈 위험), venous thrombosis는 수술 후 바로 투여
  - embolectomy/angioplasty 후 혈전이 존재하는 경우에도 투여
- 광범위 항생제 : AMI에서는 감염 위험이 높으므로(∵ 상피 투과성↑) 모든 환자에게 즉시 투여!
- 금식(NPO) : 식사는 intestinal ischemia를 악화시킴 (↔ chronic ischemia에서는 반드시 enteral [통증이 없는 한] or parenteral nutrition 고려 → 장 순환 향상 및 영양개선 효과)
- mortality : 45% (infarction 발생시는 70~90%)

	복막징후 有	복막징후 無
Major SMAE	응급 개복술: embolectomy (via arteriotomy) ± infarcted bowel resection (수술 전후로 heparin, papaverine 투여)	Endovascular therapy* ± thrombolysis 등 (이후 papaverine 투여하면서 경과관찰)
Major SMAT	Endovascular therapy* *or* 불가능/실패하면 수술(bypass graft ± bowel resection) (수술/시술 전후로 papaverine ± heparin 투여)	Collaterals 없고 SMA 안 보이면 좌측처럼 치료 Collaterals 있고 SMA 잘 보이면 chronic SMAT 이므로 papaverine ± heparin 투여, 경과관찰
Minor SMAE/T	개복술/복강경: segmental bowel resection (수술 전까지는 papaverine 투여)	Papaverine 투여 Thrombolysis or heparin, 경과관찰
acute MVT	수술(bowel resection or thrombectomy) *or* Endovascular therapy** (수술/시술 전후로 heparin ± papaverine 투여)	Heparin ± thrombolysis 반응 없으면 endovascular therapy**
NOMI	개복술/복강경 ± bowel resection (수술 전후로 papaverine 투여)	Papaverine 투여하면서 경과관찰

* Endovascular therapy/revascularization/reconstruction = percutaneous catheter embolectomy (or thrombectomy) and/or balloon angioplasty with stent placement

** catheter-direct thrombolytic therapy (transarterial, systemic or direct infusion) ± angioplasty with stenting

장간막 정맥 혈전증 (mesenteric venous thrombosis, MVT)

- 위험인자(선행요인) … SMA thrombi/emboli보다 훨씬 다양하고 많음
  ① hypercoagulability ; 이전의 DVT, PNH, protein C/S/AT-Ⅲ deficiency, factor V Leiden, anti-phospholipid Ab. syndrome, PV, thrombocytosis, 수술, 외상, 종양, 임신, 경구피임약
  ② portal HTN (e.g., LC, congestive splenomegaly), CHF
  ③ 염증(e.g., appendicitis, diverticulitis, 췌장염, 복막염, IBD), trauma 등

- 60%에서 peripheral vein thrombosis의 병력이 있음, portal vein thrombosis 동반도 흔함
- 50~60대에 호발(다른 acute mesenteric ischemia보다 낮음), 남≤여
- acute mesenteric venous thrombosis
  - 증상은 arterial ischemia와 비슷하나, 진행은 느리다
  - abdominal pain, N/V, LGI bleeding or hematemesis (15%)
  - P/Ex. ; 경미한 복부 압통, 복부 팽만, 장음 감소 (진찰소견에 비해 증상이 더 심한 것이 특징)
- 진단 : [portal venous phase] CE-CT (CT venography; CTV)가 choice!
  - 소장조영술 ; segmental bowel wall thickening, bowel loops separation, thumbprinting
  - barium enema는 도움 안 되고(∵ 대장 거의 침범×), angiography도 일반적으로 필요 없음
- 치료
  - 수분/전해질 교정, 광범위 항생제 IV, anticoagulation (heparin IV) … 대부분 잘 반응
  - 반응이 없는 경우에는 catheter-direct thrombectomy or thrombolytics
  - 심각한 경우에만(e.g., infarction 소견, 복막징후) 수술(괴사된 장 절제)
  - 동맥 폐쇄와는 달리 revascularization이 필수는 아니고, 정맥 thrombectomy는 효과 떨어짐
- 급성 허혈성 장질환 중 예후는 가장 좋음 (5YSR 약 70%)

* subacute mesenteric venous thrombosis
  - infarction 없이, 비특이적 복통이 수주~수개월 지속, 진찰 및 검사 소견은 정상
  - 대개 다른 질환을 위해 시행한 검사에서 우연히 진단됨

* chronic mesenteric venous thrombosis
  - 대부분 증상이 없으며, 증상이 없으면 치료 필요 없음!
  - 대개 esophageal varix에 의한 출혈을 치료하게 됨

2. 만성 장간막/창자간막 허혈 (Chronic mesenteric ischemia, intestinal angina)

(1) 개요

- progressive atherosclerotic dz.가 원인, 대부분 60세 이상, 남:여 = 1:3
- collateral flow 때문에, main visceral arteries의 2/3 이상이 심하게 막혀야 위/소장 허혈 발생
- 고령, DM, HTN, 흡연이 주 위험인자 (심혈관, 뇌혈관, 말초혈관 질환 등의 동반 흔함)

(2) 임상양상

- 복통 : 식후 10~30분에 발생되어 심해지다가, 1~3시간 뒤 감소 (∵ 음식 소화를 위해 위 혈류가 증가되면서 상대적으로 소장에 허혈 발생) → 복통이 있을 때 장음은 감소/소실, 압통은 없음
- 체중감소 : 복통에 대한 두려움으로 식사량을 줄여나가게 됨 ("small meal syndrome")
- 흡수장애, 만성 설사, abdominal bruit ...

(3) 진단

- 특이적인 진단법이 없기 때문에 여러 (영상)검사 및 임상양상을 종합하여 진단
- 다른 소화기 질환들을 R/O 한 뒤 진단 (∵ endoscopy, abdominal US, CT 등은 대개 정상)
- 도플러 초음파(duplex US) : screening에 유용 (celiac artery or SMA 협착 부위의 유속↑), 비만, 장내 가스, 혈관의 심한 석회화 등의 경우에는 적절한 영상을 얻기 어려움
- CT(or MR) angiography (m/g) : celiac artery or SMA에서 50% 이상의 협착

- 유발검사 : 식사/운동에 의해 위/소장 허혈 유발 → 장점막 산소화↓ & 내강으로 CO_2↑ → NG catheter를 이용해 intraluminal CO_2 측정 (tonometry), 내시경 가시광선 spectroscopy로 점막 산소화 측정, arterial catheter로 gastric-arterial pCO_2 측정 등 … 유용하지만, 드묾

(4) 치료

- endovascular therapy (percutaneous angioplasty & stenting) : 약 60~80%에서 장기간 성공
- surgical revascularization (mesenteric bypass)이 장기 예후 더 좋음
- anticoagulation, lipid-lowering agents, 운동, 금연 등

3. 허혈성 대장염 (Ischemic colitis, IC)

(1) 개요

- **m/c** 위장관 허혈성 질환, 대부분 급성(acute)~아급성(subacute)으로 발생
  (acute & chronic mesenteric ischemia와는 임상양상/치료가 많이 다르므로, 독립적으로 분류함)
- 주로 inferior mesenteric artery의 분포 영역에서 low flow rate (nonocclusive dz.)를 보임
  (collaterals이 발달되어 있어서 infarction은 드묾)
- 대부분 뚜렷한 원인이 발견 안 됨
- 유발인자 ; hypotension, vasopressors (항고혈압제), cardiac arrhythmia, prolonged HF, digitalis, dehydration, endotoxin, 대동맥 수술 ...
- 고령에서 호발 (90%가 60세 이상), 남<여, IBS/만성변비 환자에서 호발
- 호발부위 ; splenic flexure (비만곡), rectosigmoid area (하행결장, S상결장)

(2) 임상양상

- 복통(sudden, mild, crampy, LLQ), 대변을 참기 힘듦, 혈변, 침범된 부위의 경미한 압통
  (출혈량은 많지 않으며, 수혈이 필요한 정도면 다른 질환을 고려)
- D/Dx. ; infectious colitis, IBD, PMC, diverticulitis, vasculitis, cancer ...
- subacute ischemic colitis의 경우 rectum은 침범하지 않음 (∵ collateral blood flow 많기 때문)
  → acute IC와 차이

(3) 진단

- 특징적인 소견이 수일 내에 소실될 수 있기 때문에 초기 검사는 48시간 이내에 시행해야 됨
- colonoscopy (m/g) : IC 진단에 가장 정확

Grade	내시경소견	Reversibility
Mild	경미한 점막 발적	거의 100%
Moderate	궤양 (근육층까지 침범)	~50%
Severe	심한 궤양, 장벽의 괴사 (점막이 흑녹색으로 변색)	거의 0%

- barium enema : colonoscopy에 비해 민감도/특이도 떨어짐, 급성기에는 천공 위험 주의
  ; "thumbprinting" (∵ submucosal hemorrhage & edema 때문)
  → colonoscopy에서는 hemorrhagic nodules로 보임
- angiography는 진단에 도움 안 됨 (∵ nonocclusive dz.)

(4) 치료

- 경과관찰! (보존적 치료) ; IV fluid, NPO (bowel rest), 광범위 항생제
- 대부분 1~2주 내 호전되고, 재발은 드묾 (수술은 거의 필요 없음)
- 수술의 적응증 : 침범된 부분만 절제 (total colectomy는 거의 필요 없음)
  ① peritonitis의 징후 존재시
  ② 내시경 소견이 심할 때
  ③ 내과적 치료에도 불구하고 호전되지 않을 때

4. Angiodysplasia (혈관형성이상/혈관이형성) of the colon (= vascular ectasia, arteriovenous malformation)

- 대부분 degenerative dz., 고령에서 호발(대부분 70세 이상), 60세 이상 colonic bleeding의 1/4 차지
- acute/chronic lower GI bleeding
- 호발부위 : 우측(cecum, ascending colon)
- valvular heart dz. (특히 AS)와 관련이 큰 것이 특징
- 진단 : colonoscopy
- 치료
  ① AS 동반된 경우 → 우선 AS를 치료하고, angiodysplasia의 퇴행여부 확인
  ② 특징적 병변 → 내시경적 전기소작술
  ③ 내시경 치료가 불가능하거나 실패한 경우 → Rt. hemicolectomy

■ 위 창자간막동맥 증후군 (SMA syndrome, Vascular compression of duodenum)

- duodenum의 3rd portion이 SMA와 척추 사이에서 눌리는 현상
- 원인 ; 마른 사람, 체중감소, 빨리 자라는 아이, 척추의 수술/외상
- 증상 ; 식후 복통, 복부 팽만감, 구토 ...
  (똑바로 누우면 악화 / 좌측으로 눕거나 몸을 앞으로 구부리면 완화!)
- 진단 ; barium upper GI study, hypotonic duodenography, CT
  (→ 위부터 십이지장 1st~2nd portions의 확장, 3rd portion은 갑자기 cutoff 됨)
- 치료 : 대부분 내과적(보존적) 치료로 치유됨
  ① 보존적 요법 ; 적절한 영양공급 (적은 양을 자주 섭취), 식후 자세교정, GI decompression, tube feeding, TPN ...
  ② 수술 (보존적 치료에 반응이 없을 때) ; duodenojejunostomy

■ 방사선 장결장염 (Radiation enterocolitis)

1. 개요/임상양상

- 부인과/복강내 종양 등으로 pelvic irradiation 받은 환자에서 발생 가능

• risk factor ; radiation field (소장 포함 정도가 중요), dose (50 Gy 이상시 chronic Cx 발생↑), old age, previous abdominal surgery, previous CTx ...
• acute Sx (RTx 후 1~2주 동안에 발생) : self-limited (RTx 종료 수개월 이내에 호전됨)
① rectum & sigmoid 조사시 ; bloody mucoid diarrhea, tenesmus (→ distal UC와 비슷)
② small bowel 조사시 ; 복통, nausea, diarrhea
• late Cx (수개월~수년 후 발생) ; fibrosis & stricture (→ obstruction), fistula, ulceration, chronic GI bleeding, anemia (∵ vascular ectasia), bacterial overgrowth (→ diarrhea), malabsorption ...

2. 검사소견

(1) 복부 X선 ; 장 폐쇄, 점막 부종, 궤양 ...
(2) 내시경
- early : mucosal edema, granularity, friability, ulceration
- late : multiple mucosal telangiectasia, stricture

3. 치료

• 주로 보존적 치료 ; bowel rest & NG suction, 설사에 대한 치료 등
• 설사 ; 반드시 소장의 bacterial overgrowth 여부 검사
→ cholestyramine, loperamide, diphenoxylate-atropine, 심하면 strong opiates (e.g., codeine, morphine, tincture of opium)
• IDA (∵ vascular ectasia) → iron therapy, endoscopic therapy
• 수술 (obstruction, abscess, fistula) : 주위 장기에서 late Cx이 늦게 나타날 수도 있으므로, 꼭 필요한 때에만 수술

창자막힘/장폐쇄 (Intestinal obstruction)

1. 분류/원인

(1) Mechanical obstruction

• 소장(small bowel obstruction, SBO)
① 이전의 복부수술에 의한 유착(adhesion) - m/c (60~70%)
② 탈장 (10%) ; ventral or inguinal hernia가 m/c
③ 기타 ; volvulus, Crohn's disease, intestinal tuberculosis, radiation enteritis, intestinal wall hematoma, neoplasms (lymphoma, carcinomatosis)
• 대장(large bowel obstruction, LBO)
① 대장암 (m/c, 60~80%, Lt > Rt)
② volvulus (5~15%), diverticulitis, hernia ... (유착에 의한 폐쇄는 매우 드묾)

(2) Adynamic (paralytic) ileus

• peritonitis (위산, 장내용물, 췌장효소 등이 주요 자극 물질) ; 췌장염 등

- 복부수술 후, 후복막 출혈/염증, 척추 손상, 하엽 폐렴, 늑골 골절, 심근경색
- intestinal ischemia, sepsis, electrolyte imbalance (특히 hypokalemia)
- drugs ; opiates, anticholinergics, 정신과 약물 ...

(3) Spastic (dynamic) ileus

- heavy metal poisoning, uremia, porphyria, extensive intestinal ulceration
- 장의 수축이 심하게 오래 지속될 때 발생하며, 매우 드물다

2. 임상양상

(1) Mechanical obstruction

- 경련성 복통 : 주기적(보통 4~5분 간격, proximal obstruction 일수록 횟수↑)
  - proximal obstruction 일수록 통증 심함, 발작시 복명(borborygmi) 동반
  - 팽만이 진행될수록 통증은 덜 심해짐 (∵ motility↓)
- 구토 (대장 폐쇄에서는 잘 안 나타남)
  - 구토와 복통은 소장에서 폐쇠 부위가 높을수록 심하다
  - feculent vomitus : 회장(ileum) 하부의 폐쇄, 진행된 or 완전 폐쇄
- 완전 폐쇄시 변비(obstipation), 가스 배출(방귀) 없음, 딸꾹질 등도 흔함
- 수분 및 전해질 소실 - 소장 폐쇄시 더 심함!

(2) Adynamic ileus

- 복부 불쾌감/팽만, 구토 등이 주로 나타남 (경련성 복통은 없음)

(3) 진찰소견

- 복부 팽창 (대장 폐쇄시에 더 심함)
- visible peristalsis (초기에)
- 장음 : loud, high-pitched metallic sound (colicky pain과 동시에)
  (adynamic ileus 또는 폐쇄가 오래 지속된 경우엔 장음 감소/소실)
- 체온 : 감염이나 감돈(꼬임)이 없으면 37.8℃ (100˚F) 이상은 오르지 않는다
- 종괴/혈변(암, 장중첩, 경색 등) 확인을 위해 직장수지검사도 반드시 시행

소장 폐쇄	대장 폐쇄
원인 : previous abdominal Op., hernia 등 Peristaltic pain N/V, 수분과 전해질 소실 심함 Closed-loop strangulation시 복부종괴 만져짐 사망률 10%	원인 : colon ca., volvulus 등 Low. abdominal pain이 서서히 발생 복부팽만 - 가장 큰 특징 Sigmoidoscopy, barium enema가 도움 사망률 20%

3. 검사소견

(1) 단순복부촬영(X-ray)

- 완전 소장 폐쇄 ; 막힌 부분의 근위부는 bowel loop distention, air-fluid levels, stepladder pattern, 원위부의 소장/대장은 collapsed (공기음영 無)

- 부분 소장 폐쇄와 무력 장폐쇄(adynamic ileus)는 감별이 불가능 ; 소장 및 대장 모두에 gas 보임 (but, 보통 adynamic ileus에서 colonic distention이 더 현저)
  → barium study가 감별에 도움이 될 수 있음
- 대장 폐쇄
  ① ileocecal valve 정상시 : 주로 대장에만 국한된 gas distention (closed-loop 폐쇄처럼 작동)
    - 대장 >6 cm, 맹장(cecum) >8 cm 이상으로 확장
    - 맹장 >10 cm 이상이면 맹장괴저(gangrene)를 시사, 12 cm 이상이면 파열↑
  ② ileocecal valve 비정상시 : 부분 소장 폐쇄와 비슷한 소견
- sigmoid volvulus (closed-loop 폐쇄임) ; 매우 심하게 확장된 sigmoid colon (커피콩 모양)

(2) CT (m/g) : sensitivity 95%, specificity 96%, accuracy ≥95%

단순 소장 완전 폐쇄	Strangulated 폐쇄
근위부 소장의 확장 (소장 내경 >3 cm) 뚜렷한 transition point (폐쇄 부위) 원위부로 경구 조영제 통과× 원위부 소장 및 대장 collapse (gas or fluid 거의 無) Air-fluid levels **Closed-Loop 폐쇄** : 두 지점의 폐쇄 사이에 끼인 장 분절 U-(or C-)shaped, distended, fluid-filled bowel loop Whirl sign : collapsed bowel 주변의 장간막/혈관 꼬임 (Bird's) Beak sign : 폐쇄 부위에서 좁아지는 모양	장벽 비후 Unenhanced에서는 wall attenuation 증가 Arterial phase에서는 wall enhancement 감소/지연 (심하면 동맥혈류 감소로 wall thinning) Venous phase에서는 circumferential thickening, Target or halo sign (∵ 점막하 부종) Pneumatosis intestinalis linearis 폐쇄된 bowel loop가 톱니 형태로 beak 모양 장간막의 congestion, blurring, haziness 장간막 혈관의 소실, 미만성 충혈, 비정상 경로 Interloop fluid 대량의 복수

- 수용성 조영제 enema 이후 CT 검사는 원위부 대장 폐쇄와 ileus/pseudoobstruction 감별에 도움

(3) barium enema or colonoscopy : 대장 폐쇄의 원인 및 폐쇄의 정도 파악에 필요
- 장 폐쇄 의심 시에는 절대 입으로 barium을 주면 안 됨
- colonoscopy (or sigmoidoscopy) : sigmoid volvulus의 치료도 가능

4. 치료

(1) Mechanical obstruction

① 비수술적 치료
- 수분 및 전해질 보충 (특히 potassium)
- 감압(decompression)
  - 비위관(NG tube) 삽입을 통한 suction
  - long intestinal tube (Miller-Abbott tube)는 거의 사용하지 않음
  - 대장/직장 폐쇄 → 내시경을 이용하여 stent 삽입!
- 부분 폐쇄의 60~85%는 보존적 치료만으로 회복 가능
- 감돈(stragulation) 의심 시는 광범위 항생제 투여

② 수술
- 완전 폐쇄시는 반드시 수술
- 불완전(부분) 폐쇄시는 원인 질환에 따라 고려

- 대장/직장 폐쇄
  - 우측 대장 폐쇄 → 대개 single-stage segmental colectomy & anastomosis 수술 가능
  - 좌측 대장/직장 폐쇄 (폐쇄의 정도 더 심함, 대변 축적↑)
    → stent 삽입하여 먼저 감압하고, 전처치를 충분히 한 뒤에 수술하는 것이 예후 좋음
    (전통적으로 2- or 3-stage colectomy였으나, 가능하다면 single-stage가 더 좋음)
- sigmoid volvulus → colonoscopic detorsion & decompression 이후 수술
  (single-stage resection & anastomosis) / decompression만 시행하면 재발률 매우 높음

* 비수술적 치료만으로 충분한 불완전(부분) 폐쇄
  - 부분 폐쇄만 반복될 때
  - 최근의 수술 이후의 부분 폐쇄
  - 최근의 diffuse peritonitis 이후의 부분 폐쇄

(2) Adynamic ileus

- 대개 비수술적 치료와 원인질환 교정만으로도 회복됨, 예후 좋다
- decompression : NG tube (colonic ileus시는 colonoscopy도 효과적)
- neostigmine : 보존적 치료에 반응하지 않는 colonic ileus시 유용 → 뒷부분 참조

*** 응급수술의 적응**

① strangulated obstruction
② peritonitis의 징후 발생
③ incarcerated external hernia
④ midgut volvulus
⑤ 이전의 복부 수술의 병력이 없을 때

*** Delayed Op. 가능한 경우**

① pyloric obstruction
② 복부 수술 직후에 발생 (→ NG tube로 호전 가능)
③ 유아의 intussusception (→ hydrostatic reduction)
④ sigmoid volvulus (→ 내시경으로 decompensation)
⑤ Crohn's dz.의 급격한 악화, radiation enteritis
⑥ chronic partial obstruction
⑦ disseminated intraabdominal carcinomatosis

■ Strangulation (감돈, 꼬임)

- simple obstruction : 장벽의 viability 유지
- strangulated obstruction : 대개 closed-loop obstruction, 폐쇄부위의 혈류 장애로 장경색 발생
  (infarction → necrosis)

- 증상/징후

① pain ; continuous, noncramping, localized (국소화)
② peristalsis 감소 (→ 장음 감소/소실)

③ peritoneal irritation sign 증가 (localized & rebound tenderness, 근육경직)
④ SIRS 양상 ; fever (>38℃), tachycardia

- Lab ; leukocytosis (shift to left), serum amylase, LD, ALP, ammonia ↑
- X-ray ; generalized haze, "coffee bean"-shaped mass
  - 때때로 정상일 수도 있음 → 의심되면 CT 시행
  - but, CT는 late stage에만 유용 (sensitivity가 50% 정도로 낮음)
- 임상양상이나 검사소견으로는 strangulation을 정확히 진단할 수 없다!
- 진단이 늦어지면 심각한 합병증 발생 위험↑ (e.g., peritonitis, sepsis, MOF) → 진단되면 응급수술!

만성 가성장폐쇄 (chronic intestinal pseudo-obstruction, CIPO)

- 정의 : 장관내에 기계적인 폐쇄성 병변이 없는데도, 장폐쇄의 임상양상 및 검사소견을 보이는 것
- 조직학적 분류 (침범된 세포에 따라)
  ① neuropathic : enteric neurons 침범
  ② mesenchymopathic : interstitial cells of Cajal (ICC) 침범
  ③ myopathic : smooth muscle cells 침범
- 원인
  (1) primary or idiopathic (더 흔함) : 주로 소장을 침범
  (2) secondary
    ① intestinal smooth muscle disorders ; dermatomyositis, scleroderma, SLE, amyloidosis, muscular dystrophy, myasthenia gravis
    ② endocrine disorders ; hypothyroidism, hypoparathyroidism, DM, pheochromocytoma, porphyria, paraneoplastic syndrome (thymoma, SCLC) ...
    ③ neurologic disorders ; Parkinson's dz., multiple sclerosis, CVA
    ④ psychotic patients ; schizophrenia, depression
    ⑤ 기타 ; drugs, sepsis, virus (CMV, EBV)
- 임상양상 ; 복통, 복부팽만, 구토, 변비, bacterial overgrowth (→ 흡수장애, 설사)
- 진단
  ① 복부 X-ray ; 장관의 확장, air-fluid level 등의 장폐쇄 소견 (약 20%는 정상)
  ② 방사선조영술(e.g., enteroclysis) ; 장 배출 시간 지연 확인, 기계적 원인 R/O
  ③ colonoscopy : 대장 병변의 확인 및 감압(치료)도 가능
  ④ manometry
    ┌ neuropathic ; 비동조 수축, 진폭 N~↑
    └ myopathic ; 동조 수축, 이환된 분절의 진폭↓
- 치료 : 적절한 치료법이 없고, 예후도 나쁘다 (mortality 약 10%)
  - 소량의 경구 영양 + TPN (대부분 장기 TPN 필요 → 부작용 위험)
  - 위장관 운동성을 감소시키는 약물 사용 금지 (e.g., opioids, anticholinergics)

- bacterial overgrowth → 항생제
- 장운동촉진제(e.g., EM, metoclopramide, domperidone, octreotide) : 소장에는 별 효과 없음
- 내과적 치료에 반응이 없거나, 증상이 매우 심하면 수술적 치료 고려
  (e.g., venting enterostomy, subtotal enterectomy, GI electrical stimulation [GES], 소장이식)

■ 급성 가성대장폐쇄(Acute colonic pseudo-obstruction, ACPO, Ogilvie' s syndrome)

• 기계적인 원인 없이 대장의 급성 폐쇄를 보이는 것 (대장 자율신경계의 교란 → colonic atony)
• 원인 (심한 내외과적 기저질환, 주로 입원 환자에서 발생)
  ; 외상, 수술, 심장질환, 산부인과질환, 신경질환, 악성종양, 신부전, sepsis ...
• 임상양상
  - 주로 고령에서 발생, 남>여, 증상은 여러날에 거쳐 천천히 발생
  - 심한 복부 팽만, 복통/압통(심하지 않음!), N/V, 약 40%에서는 방귀/배변도 있음
  - 장음은 대개 정상 (∵ 소장의 운동은 정상)
  - 합병증(ischemia, perforation) 발생시 압통이 심해지고 fever, leukocytosis 동반
• 진단 ; 대장의 기계적 폐쇄를 R/O
  - abdominal X-ray/CT ; 심한 대장 확장 (소장의 air-fluid levels도 보일 수 있음)
  - 대장조영술(수용성 contrast enema)
  - 대장내시경 ; 진단 및 치료 가능
• 치료
  ① 보존적 치료 (TOC) … 약 80%에서 호전됨
    ; 금식, 수액/전해질 교정, NG tube suction, sepsis 의심되면 항생제, 하제의 사용은 피함
  ② IV neostigmine : reversible acetylcholinesterase inhibitor → colonic motor activity 촉진
    - Ix ; 72시간 이후에도 보존적 치료에 반응이 없거나 cecum 직경 >12 cm이면
      (약 80%에서 호전)
    - C/Ix ; 기계적 장폐쇄, 장 허혈 or 천공, 임신, 부정맥, 저혈압, 심한 기관지수축, 신부전
    * EM, metoclopramide 등은 효과 없음
      (opioid receptor antagonist alvimopan : postop. ileus에는 효과적이나 ACPO에는 연구 중)
  ③ endoscopic decompression : 70~80%에서 효과적
    - Ix ; IV neostigmine에 효과가 없거나 금기로 사용하지 못할 때
    - 합병증 발생 위험이 높으므로 숙련된 전문가가 조심스럽게 시행해야 됨
  ④ 수술적 치료 : 맹장조루술(cecostomy)
    - Ix ; 장 허혈이나 천공 의심시 or 약물/내시경 치료에 반응 없을 때
    - surgical cecostomy (or colostomy)
    - percutaneous endoscopic cecostomy : 수술 고위험군에서 고려
• 치료에도 불구하고 사망률이 15% 정도로 높으므로, 바른 진단 및 처치가 매우 중요함

Pneumatosis cystoides intestinalis (PCI, Pneumatosis coli)

- 정의 : 장의 submucosa와 subserosa에 multiple gas-filled **cysts**가 존재하는 것 (비눗방울 모양)
  c.f.) pneumatosis linearis (띠 모양)와는 다름 ; 괴사로 장벽에 gas 有, 허혈성 장질환 or 염증
- 대부분 jejunum과 ileum에 발생, 대장(좌측에 호발)에서 발생하는 것은 약 6% 뿐
- 관련질환 ; appendicitis, CD/UC, diverticular dz., necrotizing enterocolitis, PMC, ileus, sigmoid volvulus, emphysema (COPD), collagen vascular diseases (e.g., scleroderma), transplantation, AIDS, glucocorticoid, chemotherapy ...
- 50대에 호발, 남=여, 대부분 영상검사에서 우연히 발견됨
- 임상양상 ; 무증상이 흔함, 설사(68%), 점액변(68%), 직장 출혈(60%), 변비(48%) ...
  (파열되어 pneumoperitoneum이 발생할 수도 있지만 경미해서 대부분 잘 모름)
- 진단 ; 내시경 (다발성 점막하 낭종 → 터뜨리면 쪼그라듦), EUS, CT (장벽에 gas-filled cysts)
- 약 ~50%는 자연치유됨
- 치료 ; 증상 없으면 경과관찰, 증상 있으면 2일 이상 high-flow oxygen or hyperbaric oxygen
  (항생제는 효과 없고, 출혈/폐쇄 등의 증상이 심하면 수술 고려)

9
소장 및 대장 종양

대장의 용종 (polyps)

1. 개요

- 대장의 polyps은 rectosigmoid에 가장 흔함
- 대부분 무증상이며, 5% 이하에서만 stool occult blood (+)
- 용종의 진단
  ① 대장조영술(double-contrast barium enema) : filling defect로 나타남
    - 1 cm 미만의 작은 용종이나, 장이 겹쳐있는 경우에는 발견 어려움
    - 용종이 발견되어도 colonoscopic biopsy가 필요함
  ② virtual colonoscopy (CT or MRI 이용)
    - 대장 내강을 공기 또는 CO_2로 팽창시킨 후 촬영, 3D 영상을 얻음
    - 작은 용종도 발견할 수 있고, 비침습적인 것이 장점
  ③ colonoscopy (m/g)

대장 용종의 분류
종양성 점막 용종
1. 양성(adenoma) ; Tubular adenoma, Tubulovillous adenoma, Villous adenoma
2. 악성(carcinoma)
Noninvasive carcinoma ; Carcinoma in situ, Intramucosal carcinoma
Invasive carcinoma (muscularis mucosae 침범)
3. 톱니 용종(serrated polyps)
Sessile serrated polyp/adenoma (SSP/A)
Traditional serrated adenoma (TSA)
비종양성 점막 용종
Hyperplastic polyp (형태적으로는 serrated polyp에 해당함)
Juvenile polyp
Peutz-Jeghers polyp
Inflammatory polyp
점막하 병변
Colitis cystica profunda
Pneumatosis cystoides coli
Lymphoid polyps (benign and malignant)
Lipoma, Carcinoid, Metastatic neoplasms

2. 샘종폴립/선종성 용종/선종(Adenomatous polyp, AP)

- 전체 용종 중 m/c (2/3~3/4 차지), 중년의 ~30% 노인의 ~50%에서 발견됨
- 전체 adenoma에서 carcinoma로 진행하는 빈도는 1% 미만임

용종의 악성화 위험인자 ★
1. 크기 (2.5 cm 이상이면 악성 확률 10% 이상) 및 개수 2. 무경성(sessile) > 유경성(pedunculated) 3. 편평(flat), 톱니모양(serrated) 4. 궤양 동반 5. 조직학적 형태 : 융모상(villous) > 관상(tubular) 6. 이형성(dysplasia)의 정도 7. 조직검사상 aberrant crypt (→ 잠정적인 precancerous lesion)

- 발생 위치와는 관계없다!

- adenomatous polyp이면 전 colon을 colonoscopy나 barium enema로 검사해야 됨 (∵ 약 1/3에서 synchronous lesion 존재)
- 발견된 polyps은 모두 절제(resection)해야 됨!
  ① 3 cm 미만이면 내시경으로 절제
    - 용종절제술(snare polypectomy) : 직경 2 cm 이하의 유경성 용종
    - EMR (or ESD) : 2 cm 이상의 용종 or 무경성 용종
  ② 3 cm 이상이면 수술적 절제 (e.g., anterior resection)
- 용종 절제 이후엔 3~5년마다 colonoscopy로 F/U ★
  (adenomatous polyps은 임상적으로 의미 있게 성장하려면 5년 이상이 걸리므로 colonoscopy를 3년보다 더 자주 할 필요는 없다!)
  ① low-grade dysplasia의 tubular adenoma (<1 cm) 1~2개 → 5~10년 후 F/U
  ② 3~9개 *or* 1 cm 이상 *or* villous adenoma *or* high-grade dysplasia → 3년 후 F/U
  ③ 10개 이상의 다발성 용종 → 3년 이내에 F/U (FAP or HNPCC에 대한 검사 고려)
  ④ 여러 조각으로 절제된 무경성 용종 → 2~6개월 후 완전 절제 여부 F/U

* 악성 용종(malignant polyp) : 용종절제 후 조직검사에서 암세포가 발견된 것
  ① 비침습암(noninvasive carcinoma) ; 점막근층(muscularis mucosae)을 넘지 않은 경우
    - 림프절 침범 가능성 없음 → endoscopic polypectomy 만으로 충분
      (∵ 대장의 림프관은 점막근층 이상의 표면에는 분포 안함)
    - 주위 림프절이나 원격 전이 확인을 위한 CT 검사는 필수
  ② 침습암(invasive carcinoma) ; 점막근층을 넘어 점막하층(submucosa)을 침범한 경우
    → 점막하층을 1 mm (1000 μm) 미만 침범했으면 endoscopic polypectomy 만으로 충분

	양호 예후군 (모두 만족)	불량 예후군 (1개 이상 해당)
세포 분화도	고분화, 중등도 분화	저분화(poorly differentiated)
혈관/림프관 침범	×	○
절단면의 암세포	×	○
점막하층 침범 깊이	<1000 μ m (1 mm)	≥1000 μ m (1 mm)
치료	내시경 절제만으로 충분	추가 수술적 절제 ★

* 무경성(sessile) 용종은 점막하층을 1 mm 미만으로 침범했더라도 추가 수술

3. 톱니폴립/톱니모양 용종(Serrated polyps, SP)

- m/c non-adenomatous polyps, 종양세포의 톱니모양 증식 및 과도한 점액 생성이 특징
- serrated neoplasia pathway를 거쳐 대장암으로 진행함
  ① sessile serrated pathway ; *BRAF* mutation → *MLH1* methylation (MSI-high)
  → *TGFB2R, IGFR2, BAX* … MSI (microsatellite instability)
  ② traditional serrated pathway ; *KRAS* mutation → *MGMT* methylation (MSI-low)
  → *APC, PT53, p16* … CIN (chromosomal instability)
- 발생 risk factors는 adenoma 및 carcinoma와 비슷함
- 조직학적으로 3 types으로 분류 ; HP (m/c, 80%) > SSP/A (15~20%) > TSA (2~7%)

	Hyperplastic polyp (HP)	Sessile serrated polyp/adenoma (SSP/A)	Traditional serrated adenoma (TSA)
호발 부위	Distal (좌측대장, 직장, 구불결장)	Proximal (우측대장)	Distal (좌측대장, 직장, 구불결장)
내시경 소견	Small, pale	점액부착(mucous cap), 변연부의 잔여물 or 거품, 점막하층 혈관 소실, 경계가 모호하고 불분명	Lobular
모양	무경성(sessile, flat)	무경성(sessile, flat)	유경성(pedunculated)
크기	작음(<5 mm)	큼(>5 mm)	큼(>5 mm)
조직 소견 (Crypt 모양)	점막 표면부터 근육층까지 직선으로 길게 뻗음, Crypt 윗부분만 톱니모양 (base는 좁음)	아래쪽(base)에서 꺾여서 (anchor- or L-shaped) 가지 or 거품 모양을 이룸, Crypt base 확장/톱니모양	복잡한 villi 형태의 구조, 톱니모양 변화 매우 심함, Columnar cells이 길어짐, Ectopic crypts 존재
BRAF mutation	+/–	+	+/–
K-ras mutation	+/–	–	+/–
악성화	–	+/–	+

- polypectomy ; 아주 작으면 일반적인 방법으로도 가능하나(e.g., forceps, snare),
  크거나 flat하면 매우 어려움 → EMR (or ESD)
- serrated polyps의 치료 및 F/U은 일반적인 adenoma와 비슷함
  ① 구불결장과 직장의 작은(<1 cm) HP → 10년 후 colonoscopy F/U
  ② dysplasia가 없는 작은(<1 cm) SSP/A → 5년 후 colonoscopy F/U
  ③ 1 cm 이상 *or* 2개 이상 *or* dysplasia를 동반한 SSP/A → 3년 후 colonoscopy F/U
  ④ 불완전하게 제거된 1 cm 이상의 serrated polyp → 2~6개월 후 완전 절제 여부 F/U

■ Hyperplastic polyp (HP, 증식성 폴립/과형성 용종)

- 전체 대장 용종의 약 10% 차지, 대부분 (약 75%) 크기 5 mm 이하
  - 5 mm 이하 용종중 약 1/3~1/2은 adenomatous polyp
  - 1 cm 이상 용종은 97%가 adenomatous polyp
- 연령이 증가할수록 발생 증가 (성인의 11~34%는 적어도 한 개의 HP를 가짐)
- 대개 증상이 없고 대장암으로 발전하지는 않지만, SSP/A 및 flat adenoma와 내시경(육안적)으로 구별하기 거의 불가능하므로 제거함 (특히 우측 대장에 발생한 경우는 반드시 제거!)

■ **Sessile serrated polyp/adenoma (SSP/A, 무경성 톱니모양 폴립/샘종)**

- 대부분 우측 대장에서 발생, flat & mucous cap → 일반 colonoscopy에서 발견하기 어려움!
  → 색소내시경, 확대내시경, 영상증강내시경(NBI: narrow band imaging) 등으로 진단율↑
- 악성화 위험 높음 (5~16%에서 high-grade dysplasia 및 cancer 발생) → 모두 제거

■ **Traditional serrated adenoma (TSA, 전통 톱니모양 샘종)**

- 일반적인 adenoma와 비슷한 모양과 성질, adenomatous dysplasia 有, distal colon에 호발
- invasive carcinoma로 진행할 위험 매우 높음

4. 용종증후군(Polyposis syndrome)

(1) Familial adenomatous polyposis (FAP, Polyposis coli)

- 드물다, AD 유전, 약 20%는 가족력이 없음, 남=여
- colon에 수백~수천 개의 adenomatous polyps이 발생하는 것이 특징
- 10~35세 사이에 발생, 치료받지 않으면 대부분 40세 이전에 대장암 발생
- 종양억제유전자의 변이나 결손이 원인 (DNA 수복유전자 때문이 아님)
  : adenomatous polyposis coli (*APC*) gene의 germline mutations (chromosome 5q21)
- 용종이 완전히 나타나기 전까지는 증상(e.g., 복통, 설사, 혈변) 없음
- 용종이 나타나기 전 어릴 때 선천성 망막상피세포의 비후(congenital hypertrophy of retinal pigment epithelium, CHRPE)가 나타나서 조기 진단에 도움이 되기도 함 (90%에서 발견)
- 상부 위장관에도 polyps이 발생할 수 있음
  ① duodenum or periampullary area (>90%) : 5~8%에서 악성화
  → 5~12%에서 duodenal (대개 periampullary) cancer 발생 → 황달 등 담도폐쇄 소견
  ② gastric antrum & small bowel : 드물고, 악성화 위험↓
  ③ gastric fundus (>50%) : 악성화 안함
- 진단 및 선별검사
  - flexible sigmoidoscopy : 100개 이상의 용종이 있고 이것이 adenoma로 확인되면 진단 가능,
    (→ 모든 1차친족에서 10~12세부터 매년 시행, polyp이 발견되면 colonoscopy도 시행)
  - 유전자 검사 (*APC* gene mutation 검출)
  - FAP 진단되면 or 20~25세부터 upper endoscopy도 1~3년마다 시행
  - stool occult blood test는 부적당함
- Tx : total proctocolectomy + ileoanal (pouch) anastomosis
  - 나이에 관계없이 증상이 있고 용종이 5 cm 이상이면 즉시 수술
  - 증상이 없더라도 적어도 25세 이전에는 수술
  - NSAIDs (e.g., sulindac)와 COX-2 inhibitors (e.g., celecoxib)
    : polyps의 수와 크기를 일시적으로 감소시킬 수 있음,
    소장 adenomas or 수술 이후 남은 직장 adenomas 환자에서 고려 가능

(2) FAP의 variants

① Gardner's syndrome

- osteoma (특히 mandibule, skull, long bone 등에)

- soft tissue tumors (lipoma, sebaceous cyst, fibrosarcoma)
- duodenal periampullary cancer (10%)
- 기타 ; supernumerary teeth, desmoid tumor, mesenteric fibromatosis

② Turcot's syndrome : FAP + CNS tumors (medulloblastoma, glioblastoma, ependymoma)

③ attenuated familial polyposis syndrome (AFAP)
- classic FAP와 비슷하지만, polyps 수가 적고(<100, 평균 25개) 대장암 발병 연령도 늦음
- *APC* gene의 far proximal (5') & distal (3') end의 germline mutations

(3) *MUTYH*-associated polyposis (or *MYH*-associated polyposis)

- *MUTYH* gene의 germline biallelic mutation이 원인, AR 유전
  - *MUTYH* mutations → 대부분 *APC* mutations → multiple adenomas, CRC
    (일부는 *MLH1, KRAS* mutations을 유발 → Lynch syndrome, serrated polyposis 양상)
  - somatic mutation이나 monoallelic carriers에서는 대장암 위험 증가하지 않음
- 표현형은 AFAP 비슷 ; FAP보다 polyps 수 적고, 우측 대장에 호발하고, 대장암 발병 연령 늦음
- 대장암 이외에 위/십이지장의 용종/암, osteoma, CHRPE 등을 나타낼 수 있음
- colonic polyposis 환자가 FAP가 아니고 AR 유전 양상을 보이면 반드시 의심
- 진단/선별검사 ; 18~20세부터 1~2년 마다 colonoscopy (25~30세부터는 upper endoscopy도)
- Tx ; 용종 수 적으면 colonoscopy with polypectomy, 많으면 colectomy

(4) Familial hamartomatous polyposis syndrome

① 포이츠-예거 증후군(Peutz-Jegher's syndrome)
- AD 유전, serine threonine kinase (*STK*) 11 gene mutation
- 위장관 전체에 걸친 multiple hamartomatous polyps (주로 소장)
- 과오종(hamartoma)은 매우 커져서 소장폐쇄, 소장중첩, 만성출혈(→ IDA) 등을 유발 가능함
- 입술, 구강점막, 손발바닥 등의 색소침착(melatonic spots)
- polyps of gallbladder, ureter, nose
- 위장관과 신체 여러 부위에 암 발생 위험 높음 (평생 50% 이상) → 주요 사인
  ; 소장, 위, 췌장, 대장(m/c), 식도, 난소, 고환, 폐, 자궁, 유방
  (정상인 대비 상대위험도 순서, 절대빈도는 대장암이 m/c)

② 연소기 용종증(juvenile polyposis)
- AD 유전, *SMAD4* (*MADH4*) gene mutation (20~25%), *BMPR1A* (20%),
  ENG (endoglin, 매우 어린 발병 연령과 관련) ...
- 소아기에 직장출혈, 장중첩, 장폐쇄 등의 증상이 발생
- congenital abnormalities, pul. arteriovenous malformation 동반
- 종종 adenomatous polyp 성분 동반 (→ 9~23%에서 대장암 발생)
  (juvenile polyposis [hamartoma] 자체는 악성화 드물다!)
- 환자의 자녀는 12세부터 screening 시행 ; 매년 대변검사, 3~5년마다 내시경
- 치료 ; 용용종 수 적으면 colonoscopic polypectomy, 많으면 수술(subtotal colectomy + ileorectal anastomosis)

③ Cowden's syndrome (PTEN hamartoma tumor syndrome, PHTS)
- AD 유전, *PTEN* tumor suppressor gene mutation

- 위장관, 피부, 점막의 hamartomatous polyps (위장관 암의 위험도는 증가 안함!)
- 다발성 털종(trichilemmoma) ; 입, 코, 눈주위, 사지 등에 호발
- 갑상선종, 갑상선암, 유방암 등의 발생 위험 높음

(5) Noninherited polyposis syndorme

① Cronkite-Canada syndrome

- diffuse gastrointestinal polyposis, 평균 60세에 발생
- alopecia, dystrophy of the fingernails, cutaneous hyperpigmentation
- malabsorption ; watery diarrhea, protein-losing enteropathy
- adenoma 동반 가능 (→ 약 15%에서 대장암 발생)
- 빠르게 진행하여 사망률↑ or 저절로 소실되기도 함
- Tx (특별한 치료법 없음) ; steroid, 항생제, 수술, 영양요법 등

② serrated polyposis syndrome (SPS, 과거의 hyperplastic polyposis syndrome)

- 진단기준(WHO) : serrated polyps (HP, SSP/A, TSA 모두)
  (1) S상결장 근위부에 5개 이상의 serrated polyps 존재(이중 2개 이상은 직경 >10 mm)
  (2) 1차 친족 중 SPS 환자가 있으면서 S상결장 근위부에 serrated polyp(s) 존재
  (3) 대장 전체에 20개 이상의 serrated polyps 존재
- 약 1/2에서 대장암의 가족력이 있지만, 아직 명확한 유전자 이상은 모름
- 평균 44~62세에 진단됨, 남≒여, 약 25~50%에서 대장암 동반
- Tx ; 용종 수 적으면 colonoscopic polypectomy, 많으면 수술(subtotal colectomy + ileorectal anastomosis) → 수술 이후에도 잔여 대장 부위의 colonoscopy 감시
- SPS 환자의 1차 친족은 35~40세 (or 가장 젊은 환자보다 10년 어린 나이) 이후부터 1~2년마다 colonoscopy 선별검사

유전 비용종증 대장암 (HNPCC, Hereditary NonPolyposis Colon Cancer)

1. 개요/임상양상

- AD 유전, "Lynch syndrome"으로도 불림, 유전성 대장암 중 m/c (모든 대장암의 약 2% 차지)
- mismatch repair (MMR) genes의 "germline" mutations에 의해 발생
  ↳ *MLH1, MSH2, MSH6, PMS2, EpCAM* 등 (*MLH1*과 *MSH2*의 mutation이 90% 이상을 차지)
  - MMR mutations → 세포내 microsatellite instability (MSI) 축적 → 암 억제 유전자 등의 불활성화 → 유전체 안정성 붕괴 → 암 발생
  - 두 대립유전자에 모두 mutations이 발생해야 하는 sporadic CRC에 비해 이미 한 대립유전자에 MMR mutations을 가지고 있는 HNPCC에서 대장암이 쉽게 발생함

• 진단을 위한 유전자 검사
  ① MSI 검사 : microsatellite 부위 5개를 마커로 이용하여 PCR & sequencing (종양 조직에서)
    - D2S123, D17S250, D5S346, BAT25, BAT26, NR27, NR21, NR24 등의 loci가 사용됨
    - 2개 이상 이상시 MSI-H(high), 하나만 이상시 MSI-L(low), 이상 없으면 MSS(stable)
  ② MMR gene mutations 검사 : 말초혈액에서 sequencing or 종양 조직에서 IHC 염색
    - 대개 *MLH1*과 *MSH2*에서 먼저 시행하고, 이상(mutations)이 없으면 *MSH6* 등에서도 시행
• 임상적 진단기준 ⇨ 해당되면 유전자 검사 시행!

Modified Amsterdam criteria (아래 모두에 해당)
(1) 친척 3명 이상에서 HNPCC-관련 종양(대장암 등)* 진단 (한명은 나머지 두 명의 1차친족**) (2) 2세대 이상에서 대장암 발생 (3) 적어도 한명 이상은 50세 이전에 대장암 발생 * 모든 종양은 조직학적으로 확진되어야 하며, FAP는 아니어야 됨
Revised Bethesda guidelines
(1) 50세 이전에 대장암 진단 (2) 연령에 관계없이 대장암과 다른 Lynch syndrome-관련 종양*이 동시/이시에 존재 (3) 60세 이전에 MSI-H phenotype의 대장암 진단 (4) 대장암 환자의 1차친족에서 50세 이전에 Lynch syndrome-관련 종양* 발생 (5) 대장암 환자의 1/2차친족 2명 이상에서 연령에 관계없이 Lynch syndrome-관련 종양* 발생

* CRC 이외의 Lynch syndrome (HNPCC)-관련 종양 ; endometrial (39%), ovarian, renal pelvis, ureter/bladder, pancreas, hepatobiliary, gastric, small intestinal, brain cancers, Muir-Torre syndrome (variant)의 multiple sebaceous adenomas & carcinomas 및 keratoacanthoma 등

** 1차친족(1st degree relatives) : 유전자를 50% 이상 공유하는 부모, 형제, 자식 관계

• 조직학적으로는 adenoma / CRC (colorectal cancer) 발생 위험 매우 높음 (70~80%)
• FAP와의 차이점
  - proximal (splenic flexure의 근위부) large bowel에서 호발
  - adenoma의 수가 적고, flat한 경우가 많다
  - 조직학적으로 villous 또는 high-grade dysplasia가 더 흔하다
• sporadic colorectal ca.와의 차이점
  - 10~20년 더 젊은 나이에 발생 (평균 45세)
  - 처음 진단시 proximal large bowel에 호발 : 72% (↔ 35% sporadic CRC)
  - pathologic stage가 비슷하면 예후는 훨씬 더 좋다! (특히 MSI 존재시)

* Muir-Torre syndrome ; 드문 variant로, Lynch syndrome + multiple sebaceous gland neoplasms (colonic adenomas보다 선행할 수 있음)

3. 선별검사 및 치료

• 21세부터 2년마다 colonoscopy 시행 (40세 이후엔 매년), microsatellite instability 유전자 검사
• 요로계 종양에 대한 검사 : 30~35세부터 1~2년 마다 US 및 U/A 시행
• 여성 ; 25~35세부터 1~2년 마다 endometrial ca.에 대한 검사도 실시 (초음파, 자궁내막 생검)
• 암이 발견되면 abdominal colectomy + ileorectal anastomosis로 수술
  (→ 수술 후 rectum에서 재발할 수 있으므로 매년 proctoscopy 시행)

대장암 (Colorectal cancer, CRC)

1. 원인/위험인자

- 98%가 adenocarcinoma, 대부분 adenomatous polyps으로부터 진행
- 대장암과 관련된 유전자 이상
  - (1) tumor suppressor gene의 loss
    - *APC* (adenomatous polyposis coli) gene : 가장 초기에 작용
    - *DCC* (deleted in colorectal cancer) gene ┐→ <u>예후 나쁨</u> (원격전이↑)
    - *SMAD4* gene, *TP53* gene ┘
    - *nm23* (metastasis suppressor gene) → 암의 전이와 관련
  - (2) oncogene activation ; *K-ras* (proto-oncogene), *c-myc* overexpression
- Molecular pathogenesis ; 다양한 유전자 이상들이 축적되어 대장암 발생에 관여함, 아래 3 기전은 완전히 독립적인 것은 아니며 대개 여러 가지가 복합적으로 작용함

(1) CIN (chromosomal instability) pathway ; 대장암의 70~80% (distal좌측에 호발), FAP

Normal		Adenoma	Cancer
APC 종양억제유전자의 germline/somatic muations (불활성화) … 'First hit' (→ β-catenin 활성화 → 세포증식↑)	⇨	***KRAS*** (종양유전자) 활성화 및 ***TP53*, *DCC*, *SMAD4*, *SMAD2*** 등의 종양억제유전자 불활성화	

(2) MSI (microsatellite instability) pathway ; 대장암의 15~20%, HNPCC (Lynch syndrome)

Normal — Adenoma — Cancer

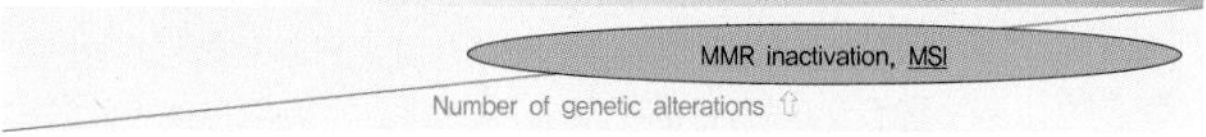

MMR inactivation, <u>MSI</u>

Number of genetic alterations ⇧

<u>MMR (mismatch repair) genes</u>의 mutations	<u>MSI가 유발하는 targe gene mutations</u>
(*MSH2, MSH6, MLH1, PMS2, EpCAM* 등) ⇨ microsatellite (짧은 염기서열이 반복되는 부분)에서 DNA 복제 오류가 호발함(**MSI**)	***TGFβ R2*** (TGF-β receptor 2, m/c), *IGF2R* (IGF2 receptor), *BAX* (Bcl associated X protein), *Caspase 5, β-catenin, APC, MSH3, MSH6* ...

* MSI-high tumors의 특징 ; 대부분이 <u>우측</u> 대장암, 미분화형 비율 높음, 림프구 침윤, 여성에서 호발, 동일한 병기면 CIN보다 <u>예후 좋음!</u> (5-FU 같은 일부 항암제에는 반응이 안 좋더라도)

(3) CIMP (CpG Island Methylator Phenotype) pathway ; sessile serrated pathway (SPs)

Normal	<u>Serrated</u> adenoma	Cancer

BRAF mutation ⇨ multiple <u>CpG island hypermethylation</u> (**CIMP**-high) ; *MLH1* methylation ⇨ **MSI** high
(CIMP-low tumors는 *BRAF*보다는 ***KRAS*** mutations을 가지는 경우가 많음: traditional serrated pathway)

<u>CpG islands</u> (다수의 CpG 서열을 포함한 짧은 DNA 분절)의 <u>hypermethylation</u> … "후성적(epigenetic) 변화"
(↳ DNA promoter의 50~60%에서 발견됨)
⇨ 해당 종양억제유전자의 발현 억제(e.g., *APC, MCC, MLH1, MGMT*)

* CIMP-high tumors의 특징 ; <u>우측</u> 대장에 호발, 미분화형 흔함, mucinous or signet ring morphology, MSI-high, <u>*BRAF*</u> mutation과 관련, 톱니모양(serrated)→상대적으로 대장내시경에서 놓치기 쉬움

■ 위험인자(risk factors)

1. 고령 : 50세 이상
2. 음식 : 고칼로리, 고지방, 붉은고기(소, 돼지, 양 등)
3. 비만 및 운동부족 : insulin resistance (IGF-I↑ → 장점막 증식↑)
   ; 장기간 insulin 치료중인 DM 환자, acromegaly ...
4. IBD : UC, CD (10년 이후) (isolated proctitis는 아님)
5. 유전성대장암*
   Familial polyposis syndromes (가장 위험)
   Hereditary nonpolyposis CRC (HNPCC, Lynch syndrome)
   MYH-assocated polyposis ...
6. 기타
   알코올(heavy alcoholics), 흡연
   CRC/adenoma의 과거력
   Sporadic CRC/adenoma의 가족력
   Streptococcus bovis (gallolyticus) 균혈증
   Ureterocolonostomy

Possible risk factors
   남성, calcium 결핍, folate 결핍, vitamin B_6 결핍, vitamin D 결핍,
   식이 섬유 부족, 식이 셀레늄 부족

- hyperplastic polyps은 악성화 안함
- diet
  - 고지방, 붉은고기(소, 돼지, 양 등), 알코올(과도한 섭취시) → risk 증가
  - 야채, 과일, fiber → risk 감소(?)
  - but, 고칼로리와 붉은고기만이 주로 관련! (생선 등 다른 동물성 지방은 관련 없음)
  - 식이섬유는 최근 연구결과 대장암의 예방 및 재발방지와 큰 연관성이 없음

*** 유전성 대장암**

	HNPCC	FAP	MYH-associated polyposis (MAP)	Peutz-Jeghers syndrome	Juvenile polyposis
관련 유전자 (염색체 위치)	Mismatch repair genes	*APC* (5q)	*MUTYH* (1p)	*STK11* (19p)	*SMAD4, BMPR1A*
유전 양상	AD	AD	AR	AD	AD
대장암중 빈도	2~5%	0.5~1%	0.4~0.7%	0.1%	0.1%
용종발생 빈도	20~40%	100%	100%	>90%	>90%
용종 수	1~10	>100-1000	5~100	10~100	50~200
조직형	Adenoma	Adenoma	Adenoma	Hamartoma	Hamartoma
대장암 발생 위험	80%	100%	20~50%	2~20%	10~20%
암발생 연령	40대	25세	40대	30대	30대
대장암 이외 발생 질환	자궁내막, 난소, 췌장, 위, 간 등의 암	Mandibular osteomas, 치아 이상, CHRPE*	위십이지장 용종/암, 유방암, 난소암, 방광암, 피부암, CHRPE*, osteoma	입술/구강/손발 피부의 색소침착 (melanotic spot), 위장관 등의 암	폐 AVM

*CHRPE = congenital hypertrophy of the retinal pigment epithelium

2. 역학 및 분포

- 국내 암중 발생률 2위 (남녀 각각은 3위), 45세 이후에 발생 증가
- 증가 추세 (우측 대장암은 증가, 직장암은 감소 추세)
- 분포 ; cecum & ascending colon (25%), transverse colon (15%), descending colon (5%), sigmoid colon (25%), rectosigmoid junction (10%), rectum (20%)
- 전이 : portal vein을 통한 간 전이가 m/c (수술 후 재발의 1/3도 간에서 발생)
  - distal rectal ca.는 paravertebral venous plexus를 통해 (portal vein을 통한 간 전이 없이) lung, supraclavicular LN, bone, brain 등으로 전이 가능
  - 대장암 환자의 15~25%는 진단 당시 이미 간 전이 有 (이 중 80~90%는 절제 불가능)

3. 임상양상

(1) Rt. colon ; "MAD" (mass, anemia, dyspepsia)

- 궤양이 흔함 → 만성 간헐적 소량 출혈 ; IDA 증상, stool OB (±)
  (성인에서 원인을 모르는 IDA가 지속되면 대장암을 꼭 한번 의심)
- palpable mass, abdominal pain, weight loss ...
- obstructive Sx.이나 배변습관의 변화는 적음!
  (∵ Rt. colon의 직경이 크고, 대변이 비교적 액체 상태이므로)

(2) Lt. colon ; "BOB" (bleeding, obstruction, bowel habit change)

- obstructive Sx. (∵ Lt. colon의 직경이 작고, 대변이 딱딱해지므로), 심하면 perforation도
- 식후의 abdominal cramping pain, constipation, 배변습관의 변화
- 혈변이 Rt. colon보다 흔하고, 대변 굵기도 감소됨

(3) rectosigmoid

- rectal bleeding (hematochezia) 흔함 (anemia는 흔하지 않음)
- 대변의 굵기 감소, 배변습관의 변화, tenesmus, urgency
- 주위 장기 침범에 따른 회음부 통증도 발생 가능

■ 참고: 우측과 좌측 대장암의 차이

RCC (right-sided colon ca.)	LCRC (left CRC)
최근 증가 추세, 남<여, 좌측보다 고령	대장암의 80~85% 차지, 남>여
Aspirin의 대장암 예방효과가 주로 나타남	육류에 의한 대장암 위험 증가가 주로 나타남
Gene mutations이 많음 ; MSI, CIMP, *BRAF* 등	염색체 불안전성(chromosomal instability)이 많음
Mucinous adenoca., sessile serrated adenomas	Tubular, villous adenoca.
전구병변이 편평하거나 작음 → 내시경에서 놓치는 경우가 많음	긴 전구병변 기간 & polypoid 형태 → 발견 쉬움, 진단시 병기가 우측보다 낮음*
좌측보다 모호한 증상이 흔함 / 흡연이 더 영향	과도한 음주가 더 영향
복강으로 주로 전이	간과 폐로 주로 전이
T cells 침윤 많음 → immunotherapy에 반응	CTx와 anti-EGFR에 반응 좋음

* 같은 병기일 경우 우측 대장암이 예후가 더 좋음 (발견이 늦어 전체적인 예후는 좌측과 비슷해짐)

4. 진단

(1) 진단 검사

① digital rectal examination (DRE)

② fecal occult blood test (FOBT) ; 면역화학법 권장, sensitivity 70~80%, PPV 매우 높음
(c.f., sensitivity를 더 높이는[cutoff↓] 경향도 있음 → NPV 높아짐 → 음성이면 대장암 R/O)

③ 대장조영술(barium enema) ; annular, constricting lesion → "apple-core" or "napkin-ring"

④ **대장내시경(colonoscopy)** : m/g, 작은 병소를 찾는데 더 정확하고 biopsy도 가능
- 악성을 시사하는 용종 소견 ; firm consistency, adherence, ulceration, friability
- but, 내시경 전문가도 무증상 환자의 2~6%에서는 대장암 진단을 놓침
  → 대부분 우측 결장암 (∵ 편평하거나 눈에 잘 안 띄는 경향)

⑤ 내시경 불가능하면 "barium enema + sigmoidoscopy" or CT virtual colonoscopy 시행

⑥ 병기 판정 및 수술 가능성 파악을 위한 검사 ; CXR, 복부/골반 CT, US, rectal EUS 등

(2) 병기 및 예후

Stage	TNM (AJCC 8th)			병리소견	5YSR (%)	Dukes	MAC**
	T	N	M				
0	Tis	N0	M0	Tis: carcinoma in situ; intraepithelial or mucosal lamina propria까지만 침범	>97	–	–
I	T1	N0	M0	T1: submucosa까지만 침범 [early CRC]	>97	A	A
I	T2	N0	M0	T2: 고유근층(muscularis propria)까지만 침범	96.8	A	B1
IIA	T3	N0	M0	T3: 고유근층(muscularis propria)을 통과하여 pericolorectal tissues 침범	87.5	B	B2
IIB	T4a	N0	M0	T4a: 장측복막(visceral peritoneum) 표면에 관통	79.6	B	B2
IIC	T4b	N0	M0	T4b: 다른 장기 침범 or 다른 장기/구조에 유착*	58.4	B	B3
IIIA	T1~2	N1/1c	M0	N1: Regional LN 1~3개 침범	83~90	C	C1
	T1	N2a		N1a: 1개, N1b: 2~3개 침범	79		
IIIB	T3~4a	N1/1c	M0	N1c: Regional LN 침범은 없이 종양이	54~74	C	C2
	T2~3	N2a		subserosa, mesentery, nonperitonealized	53~69		C1/C2
	T1~2	N2b		pericolic/perirectal tissues에 존재	62.4		C1
IIIC	T4a	N2a	M0	N2: Regional LN 4개 이상 침범	40.9	C	C2
	T3~4a	N2b		N2a: Regional LN 4~6개 침범	22~37		C2
	T4b	N1~2		N2b: Regional LN 7개 이상 침범	16~38		C3
IVA	any T	any N	M1a	M1a: 한 장기/장소에만 전이 (e.g., 간, 폐, 난소, nonregional LN)	8.1	–	–
IVB	any T	any N	M1b	M1b: 2개 이상의 장기/장소에만 전이	<5	–	–
IVC	any T	any N	M1c	M1c: 복막 전이 ± 다른 장기/장소에 전이	<5	–	–

* 장막(serosa)을 통과해 다른 장기 및 결장직장의 다른 segment를 침범한 것을 조직학적으로 확인(e.g., 맹장암이 S상결장을 침범) or 후복막에 위치한 경우는(e.g., 하행결장, 직장) 고유근층을 넘어 다른 장기를 직접 침범함 (e.g., 신장, 전립선, 자궁) / 육안적인 다른 장기 및 구조와의 유착은 (clinical) cT4b로 분류하며, 유착 부위에서 조직학적으로 암세포가 발견되지 않으면 벽 침범 깊이에 따라 (pathologic) pT1~4a로 분류함

** MAC : modified Astler-Coller classification

CRC의 나쁜 예후인자 ★	
병리소견	Regional LN 침범 및 침범된 regional LN의 수(≥4개) … m/i 저분화암(poorly differentiated), 점액성(mucinous/colloid) or signet ring cell 조직형 Ulcerating or infiltrating 형태 종양이 대장벽을 관통한 경우 (침윤 깊이↑) 종양이 주위 장기에 유착 정맥, 림프관, 신경조직 등 침범 수술 후 resection margin (+), residual tumor 有
유전이상	Aneuploidy (종양 세포내 DNA content 증가) Loss of heterozygosity (LOH) ; 18q (*DCC, DPC4*), 17p (*TP53*), 8p Gene mutations ; *BRAF, KRAS, NRAS*, *BAX* (↳ anti-EGFR에 대한 반응 안 좋음)
임상소견	30세 미만 대장 폐쇄 or 천공 수술 전 CEA titer 상승 (>5 ng/mL) 원격전이

- 수술 이후 pathologic (TNM) stage가 예후에 가장 중요함
- 대부분의 다른 암과 달리 tumor size는 예후와 관련 없다!
- microsatellite instability (MSI-H), 종양 주위의 심한 면역반응(e.g., 염증, lymphocyte 침윤)은 좋은 예후와 관련!
- 결장암(colon ca.)보다 직장암(rectal ca.)에서 국소재발 및 원격전이는 더 흔함

5. 치료

(1) 내시경절제술

- 조기대장암/점막하암(cT1N0M0) 일부에서 선택적으로 시행 (완절 절제가 용이한 경우)
- mucosa에만 국한 : regional LN 전이 없음
- submucosa까지 침범 : regional LN 전이 위험 약 10% (→ EUS/CT/MRI 등 참조해서 결정)
- 올가미절제술(polypectomy), EMR, ESD 등

내시경절제술 후 추가 수술이 필요 없는 조기 대장암	추가 수술이 필요한 조기 대장암
내시경전문의에 의해 종양이 완전 절제 & 병리전문의에 의해 절제된 종양 철저히 판독되었으며, 저분화/미분화 선암이 아니면서, 혈관 및 림프절 침범이 없고, 절단면에 암세포가 없는 경우	절단면 암세포 (+) 점막하 침범 깊이 1,000 μm 이상 저분화/미분화 선암 혈관 및 림프절 침범 (+)

(2) 외과수술

- 모든 stage Ⅰ~Ⅲ 대장암의 기본 치료원칙은 근치적 절제술임
- stage Ⅳ도 전이 부위가 수술 가능하면(e.g., 간, 폐) 근치적 절제술 시행 or
  수술로 obstruction이나 bleeding 감소 or ChemoRTx 이후 수술 가능
- **결장암(colon cancer)** : 종양의 위치에 따라.. (복강경 수술과 개복술의 성적은 비슷함)
  - cecum, ascending colon, hepatic flexure → Rt. hemicolectomy
  - descending colon → Lt. hemicolectomy
  - sigmoid colon → sigmoidectomy

- 직장암(rectal cancer) ; 결장보다 해부학적으로 복잡하고 림프조직이 많아 치료 어려움
  ① 경항문 국소절제술(transanal excision)
    - 직장을 전층(full layer)으로 일괄(en bloc) 완전 절제함
    - 적응 ; 크기 3 cm & 직장 내경 30% 미만의 분화도가 나쁘지 않은 가동성 종양이 항문연 (anal verge)에서 8 cm 이내에 위치한 경우 (일부 T1,N0 조기 암에서 선택적으로 시행)
    - 근치적 절제술보다는 국소 재발률 높고, 생존율 낮으므로 선택에 주의
  ② 근치적 절제술
    - 전직장간막절제술(total mesorectal excision) & autonomic nerve preservation (TME-ANP) 이 기본 원칙 ; 직장간막(mesorectum)까지 sharp하게 절제 (→ 국소 재발 크게 감소), 근막 사이를 정확하게 박리하여 주위 자율신경을 보존 (→ 배뇨 및 성기능 장애 감소)
    - 보통 항문연(anal verge)에서 5 cm 이상이면 (중/상부 직장암, rectosigmoid) → 저위전방절제술(low anterior resection) + primary colorectal anastomosis
    - 5 cm 이내면(하부 직장암) → 배샅/복회음절제술(abdominoperineal resection) + colostomy (or 종양 아래로 정상 직장을 2 cm 이상 절제 가능하면 괄약근보존술로 시행 가능)
- 수술시 병기 판정을 위해 최소 12개 이상의 LN 절제가 필요함
- 만약 수술 전에 완전한 colonoscopy를 시행하지 못했을 경우, 수술 후 수개월 이내에 반드시 colonoscopy를 시행해야 함 (∵ synchronous neoplasm and/or polyp의 유무를 확인하기 위해)

(3) 결장암의 adjuvant therapy

① stage Ⅰ : 5YSR가 높으므로 (90~100%) 필요 없음

② stage Ⅱ (LN-) : 수술 후 병리진단을 평가하여 고위험군에서는 adjuvant CTx 권장
- *FOLFOX*, 5-FU+LV, capecitabine (5-FU의 경구형), capecitabine/oxaliplatin 등
- 고위험군 ; pT4 종양, poorly differentiated, signet ring cell ca., lymphovascular invasion, perineural invasion, 장 폐색/천공, 절제연 근접, 부적절한 절제, CEA↑ 등

③ stage Ⅲ (LN+) : adjuvant (postop. 6개월) CTx. (*FOLFOX*)
- 5-FU + LV (leucovorin, folinic acid, levamisole) 병합요법 → 재발 40%↓, 생존율 30%↑ (5-FU는 일반적으로 IV로 투여하며, 경구형인 capecitabine도 효과는 비슷)
- 5-FU+LV에 oxaliplatin을 추가하면 (*FOLFOX*) 효과 더욱 증가됨
- irinotecan (*FOLFIRI*), anti-EGFR, anti-VEGF 등은 추가적인 효과 향상이 별로 없음

④ stage Ⅳ (metastatic dz.)

> FOLFOX = LV (folinic acid) + 5-FU (fluorouracil) + Oxaliplatin ; m/c, 평균 2년 생존
> FOLFIRI = LV (folinic acid) + 5-FU + Irinotecan ; 최근 1년 내 oxaliplatin 사용시 권장됨
> XELOX = Capecitabine (Xeloda®)경구제 + Oxaliplatin ; 편리하고 효과 비슷하지만 부작용↑
> S-1 (5-FU 제제) + Oxaliplatin ; 위 요법들 대신 1st or 2nd line으로 사용 가능
> FOLFOXIRI = FOLFOX + irinotecan ; 생존율 약간 더 좋아지지만 부작용↑ (젊은 환자에서 고려)

- monoclonal Ab ; CTx.에 추가시 반응 및 생존율을 더욱 향상시킴!!
  - anti-EGFR ; cetuximab (Erbitux), panitumumab (Vectibix) ⇨ **좌측** 대장암에 권장
  - anti-VEGF ; bevacizumab (Avastin) ⇨ **우측** 대장암에 더 효과적 (좌측에도 사용은 가능)

  (c.f., 2차 anti-VEGF ; aflibercept, ramucirumab, regorafenib 등도 고려 가능)

- anti-EGFR의 효과가 좋은 경우 ; EGFR copy↑, *BRAF* mutation(−), *RAS* mutation(−), acne-like rash↑ → *RAS/BRAF* wild-type 좌측대장암에 1st line으로 사용
  (c.f., bevacizumab에 금기인 *RAS/BRAF* wild-type 우측대장암은 CTx만으로 치료하는 것이 좋음)
- EGFR tyrosine kinase inhibitor인 erlotinib과 sunitinib은 대장암에는 효과 없음!

• trifluridine-tipiracil (TAS-102) ; 다른 치료에 모두 실패시 고려 가능, survival 2개월↑
• immune checkpoint inhibitor ; anti-PD-1 (nivolumab, pembrolizumab), ipilimumab
  - MSI-high/dMMR (deficiency in DNA mismatch repair enzymes) 대장암에서 고려 가능
  - 30~50%에서 반응 (일부는 장기간 반응 유지도)
• 완화 수술 : 장 폐색/출혈 등 증상이 있으면 CTx(±RTx) 이전에 먼저 수술 고려

c.f.) CTx의 주요 부작용
- irinotecan → diarrhea
- oxaliplatin → sensory neuropathy (누적용량에 비례, 중단해도 일부는 회복 안 됨)
- cetuximab, panitumumab → acne-like rash (anti-tumor efficacy와도 비례)
- bevacizumab → HTN, proteinuria, thromboembolism

■ Liver-isolated CRC

• isolated (1~4개) liver metastasis : 원발 CRC가 근치적 절제 가능하면 간 전이도 절제!
  - 간 전이 환자의 15~20%는 절제 가능 → 예후 좋아짐: 5YSR 24~58% (약 40%)
    (절제 가능성은 R0 절제가 가능하고 절제 후 간기능에 문제가 없으면 제한 없애는 경향)
  - adjuvant CTx. (FOLFIRI or FOLFOX) ± anti-EGFR (*RAS*와 *BRAF* 변이 없으면)
  - poor Px. factor ; >5 cm, 5개 이상, 원발 CRC의 LN 전이, CEA⇧
    ⇨ neoadjuvant CTx. 권장 → survival↑ (단점; 수술 지연, 수술 후 합병증↑ 위험)
• 수술 불가능시 간동맥으로 항암제 투여(5-FUdR, 5-FU) 등 (→ II-7장 간 종양 편 참조)

* 폐 전이도 간 전이와 마찬가지로 원발 CRC의 근치적 절제가 가능하면 폐 전이 절제 가능

(4) 직장암의 adjuvant therapy

• stage Ⅱ~Ⅲ : 수술 전/후 pelvic RTx + CTx (5-FU + LV 등)
  ⇨ survival 연장되고, local recurrence & metastasis도 감소
  - 5-FU는 radiosensitizer의 역할도 함
  - RTx. 단독은 local recurrence는 감소시키나, survival 연장은 없음!
• large, unresectable tumors에서는 preop. RTx가 종양의 크기를 줄여 수술하는데 도움

(5) 수술 이후의 follow-up

• Hx & P/Ex, fecal occult blood, LFT, CEA : 2년 동안 3~6개월마다, 이후 3년은 6개월마다
• colonoscopy : 수술 1년 후 → 비정상(e.g., polyp) 소견 있으면 1년 마다 시행,
  정상이면 3년 이후에 시행 & 이후엔 5년 마다 시행
  (c.f., 수술 전에 폐쇄 병변 등으로 colonoscopy를 시행 못했으면 수술 3~6개월 후 시행)
• CT (chest, abdomen, pelvis) : high-risk stage Ⅱ & stage Ⅲ 환자에서 5년까지 매년
• CEA는 상승했는데 CT 소견이 불확실하면 PET 시행 (occult metastasis 발견에 더 좋음)

■ CEA (carcinoembryonic antigen)

- 진단(screening)이나 stage 결정보다는, 경과관찰에 유용!
- 대장암의 70%에서 증가 (stage와 titer와는 관계없음)
- 수술 전의 CEA titer → 예후(암의 재발)와 관련
- 수술 후 CEA 측정의 의의
  ① 치료효과 판정 (residual tumor의 여부)
  ② 암의 재발여부 관찰
  ③ 전이의 조기 발견
  ④ 다른 부위에 새로운 암의 발생 여부 파악
- CEA가 증가되는 경우 (nonspecific!)
  ① 악성 종양 ; colon, stomach, pancreas, lung, breast
  ② 기타 ; 흡연, 만성 폐질환, alcoholic hepatitis or cirrhosis, inflammatory bowel disease ...

6. 예방

(1) primary prevention (NCI diet guideline)

- low fat (총 칼로리의 30%↓), high-fiber diet, 야채/과일/칼슘 섭취↑
- 비만 방지, 규칙적인 운동, 금연, 음주는 적절히 제한
- <u>chemopreventive agents</u> (→ 대장암 발생 감소)
  ; aspirin, NSAID (∵ COX-2 overexpression이 ca. 발생에 관여), folic acid, calcium,
  폐경 여성에서 estrogen + progestin 호르몬치료 (estrogen 단독은 효과×)
  - antioxidant vitamins (e.g., ascorbic acid, tocopherols, β-carotene)은 야채/과일에 풍부하지만, 대장암/선종 발생 예방 효과는 없음!
  - 대장암/이형성 예방을 위해 지속적 복용이 권장되는 경우
    ① FAP에서 직장 보존 수술 이후 aspirin, NSAIDs (e.g., sulindac, celecoxib) 복용
    ② UC에서 5-ASA (e.g., mesalazine) 유지요법

(2) secondary prevention (screening)

- 목적 ; premalignant lesion의 발견 및 제거, surgical cure 가능한 단계에서 발견 및 제거
- CRC 위험인자/가족력이 없는 일반인에서의 screening (미국 암학회) : <u>50세</u> 이상에서
  ① colonoscopy (m/g) : <u>10년</u>마다 (우측 대장암의 빈도가 높아지므로 권장됨)
    - 대신 <u>5년</u> 마다 flexible sigmoidoscopy *or* CT virtual colonoscopy *or* double-contrast barium enema 등도 가능 (barium enema는 위음성이 많아 권장 안 됨)
      → but, 이상이 발견되면 다시 colonoscopy를 시행해야 되는 단점
  ② 분변잠혈검사(fecal immunochemical test [FIT] or fecal occult blood test [FOBT]) : <u>매년</u>
    - 양성이면 colonoscopy 시행
    - FIT가 FOBT보다 specific하여 (위양성/위음성 적음) 선호됨, sensitivity는 비슷
    - 대장암 진단 sensitivity 약 70%, 분변잠혈 양성시 대장암은 10% 미만, polyps 20~30%
    - 대신 3년마다 fecal DNA test도 가능 : 대장암관련 multiple genes 검출,
      FIT보다 대장암 진단 sensitivity 1.25~1.5배 (약 90%), large adenoma 진단 sensitivity 1.8배 (약 40%), specificity는 약간 낮음 (87%, 위양성 많은 편)
  c.f.) 우리나라 권고안 ; 45~80세에서 1~2년 마다 분변잠혈검사 권장 (대장내시경은 선택적)

소장의 종양

1. 개요

- 소장 : 전체 장 길이의 75%, 점막 표면의 90%를 차지하지만, 전체 소화관 종양의 1~6%만이 발생
- 소장에 종양(특히 adenocarcinoma)이 적은 이유
  ① 통과 시간이 빠름 (→ carcinogen에 대한 노출 감소)
  ② 장내 세균의 수가 적다
  ③ 장내 수분 양이 많으므로 carcinogen이 희석
  ④ 내용물 : 알칼리 상태, hydroxylase, IgA 많다
  ⑤ 빠른 점막세포의 교체 주기 (소장 4~6일, 대장 305일)
- 소장의 종양을 의심해야 하는 경우
  ① 반복적인 경련성 복통의 원인이 불분명할 때
  ② IBD나 수술의 병력 없이 간헐적인 장폐쇄 발생시
  ③ 성인에서 intussusception 발생시
  ④ barium study 등 일반적인 방사선검사는 정상인데도
  만성적인 장출혈의 증거가 있을 때
- 진단 ; 세밀한 소장 조영술이 가장 우선
  - enteroclysis (경구로 십이지장 입구에 관을 삽입한 뒤 조영제를 주입)
  - 내시경 ; push enteroscopy, double-balloon enteroscopy, capsule endoscopy 등

2. Adenocarcinoma

- 소장의 원발성 악성종양 중 m/c (약 50%)
- distal duodenum과 proximal jejunum에서 호발
- 예후 안 좋다 (5YSR : 20~35%)

3. Lymphoma

- 소장의 lymphoma ; 소장 악성종양의 17~20%, 전체 lymphoma의 1~5% 차지
  (GI tract은 NHL의 m/c extranodal site)
- extranodal lymphomas는 cell lineage에 따라 분류함 (e.g., DLBCL, BL, FL, MALT ...)
  → B-cell lymphoma가 흔함 (T-cell lymphoma는 대개 celiac dz.와 관련)
- 임상양상에 따라 focal 경향의 primary small intestinal lymphoma (PSIL)와 diffuse 경향의 immunoproliferative small intestinal disease (IPSID)로 분류하기도 함
  ↳ MALT lymphoma의 드문 subtype임
- 진단
  - enteroclysis, CT/MR enterography, double-balloon enteroscopy, capsule endoscopy 등
  - barium 조영술 ; 소장 lymphomas는 형태가 다양하므로 비특이적임
  - overtube-assisted deep enteroscopy ; 조직검사 가능
  - 내시경 조직 검사가 정상이더라도 IPSID가 강력히 의심되면 진단적 개복술 시행

10
흡수장애

개요

1. 영양소의 주된 흡수 부위

Small intestine	Proximal	fat, iron, calcium	carbohydrate, folate, 기타 수용성 vitamins
	Middle	protein	
	Distal (ileum)	cobalamin (vitamin B_{12}), bile salts	
Colon		water & electrolytes (특히 cecum에서)	

2. 담즙산 (bile acid)

- 십이지장 내 bile salts (acid)의 감소 → 지방 및 지용성 비타민 (e.g., β-carotene, vitamin A, D, E, K) 흡수 감소, 지방변
- bile acid (salt) 순환의 장애 → II-9장 참조
  ① 합성↓ ; 간기능 감소 (e.g., LC)
  ② 담도 배설↓ ; 담도계 폐쇄 (e.g., PBC)
  ③ deconjugation↑ ; bacterial overgrowth (e.g., jejunal diverticulosis)
  ④ 재흡수↓ ; distal ileum의 병변/절제 (e.g., crohn's dz.)

■ Bile acid *vs* Fatty acid diarrhea

	Bile acid diarrhea	Fatty acid diarrhea
회장 질환/절제 정도	경미함	심함
대변 bile acid 소실에 대한 간의 합성↑ 보상	○	×
Bile acid pool	정상	↓
십이지장내 bile acid	정상	↓
지방변	No ~ mild	>20 g
Cholestyramine에 반응	○	×
저지방식이에 반응	×	○

- 회장(ileum) 질환/절제의 경우 모두 bile acid 재흡수 감소, 대변내 bile acid 배설 증가를 보이나, ileal dysfunction의 정도에 따라 경미하면 bile acid diarrhea (∵ bile acid가 대장 분비 자극), 심하면 지방흡수장애(steatorrhea)를 동반한 fatty acid diarrhea가 나타남
- cholestyramine (anion-binding resin)의 therapeutic trial로 감별 가능

3. 지질의 흡수 과정

① intraluminal (digestive) phase
- 췌장효소(lipase)에 의한 lipolysis ; TG를 fatty acids로 분해
- 담즙산과의 micelle 형성 ; 지용성인 fatty acids를 수용성으로 만들어 장 상피세포에서 흡수되도록 함 (conjugated bile acids는 간에서 합성됨)

② mucosal (absorptive) phase ; mucosal uptake, TG로의 reesterification

③ delivery (post-absorptive) phase ; chylomicron 합성, lymphatics를 통해 간으로 전달됨

	Long-chain FA (LCFA)	Medium-chain FA (MCFA)	Short-chain FA (SCFA)
Carbon chain 길이	>12	8~12	<8
음식내 존재	다량	소량	無
근원	식사(TG)	식사(TG), 소량	대장 세균이 흡수 안된 탄수화물을 분해
주요 흡수 부위	소장	소장	대장
Pancreatic lipolysis 필요	○	×	×
Micelle formation 필요	○	×	×
대변내 존재	소량	無	다량

* medium-chain TG (MCT) : 담즙산(micelle 형성)과 lipase 없이도 흡수되므로 지방흡수장애 환자에 유용 (but, 필수지방산이 없고, 위 배출을 지연시킬 수 있음)
- long-chain TG보다 더 잘 흡수되는 이유
  ① long-chain TG보다 흡수 속도 빠름
  ② medium-chain FA는 흡수된 뒤 re-esterification 안됨
  ③ MCT는 흡수 된 뒤 medium-chain FA로 분해됨
  ④ MCT는 intestinal epithelium을 빠져나가기 위해 chylomicron을 형성할 필요 없음
  ⑤ lymphatics를 통하지 않고 portal vein을 통해 운반됨
- lipase가 있어서 short-chain FA로 바뀌면 더 잘 흡수됨

4. 흡수장애의 원인

(1) 위에서의 부적절한 유화/혼합(mixing)

; 위절제, 위장간 누공, 위유문부 연동운동 장애, 위 bypass 수술

(2) 췌장분해효소의 결핍 (지방 분해 장애)

; 만성췌장염, 췌장암

(3) 장관내 불충분한 담즙염에 의한 micelle 형성 장애

; 심한 만성 간질환, 장기간의 담도폐쇄, 회장 말단부 절제/병변(e.g., CD), 체류성 장증후군 (bacterial overgrowth), gastrinoma (ZES), 약물(cholestyramine, neomycine, calcium carbonate)

(4) 소장 점막의 병변(흡수장애)

1) 염증/침윤 ; CD, TB, scleroderma, amyloidosis, lymphoma, AIDS, radiation ...
2) short-bowel syndrome (소장의 50% 이상 절제시)
3) celiac sprue (gluten hypersensitivity), topical sprue
4) bacterial overgrowth

(5) 영양소 운반 장애 (lymphatic drainage 장애)

; lymphoma, intestinal lymphansiectasia, whipple's dz., TB, 심한 CHF, constrictive pericarditis

(6) 미소융모막 효소의 이상

; hypogammaglobulinemia, disaccharidase deficiency

(7) 내분비/대사질환

; DM, hypoparathyroidism, adrenal insufficiency, hyperthyroidism, carcinoid syndrome

5. 흡수 안된 영양분에 따른 임상양상

영양분	대표적 임상양상
단백질	소모병, 부종
탄수화물 및 지방	설사, 복통, 더부룩함, 체중감소, 성장지연
수분 및 전해질	설사, 탈수
철	빈혈, 입술증 등
칼슘/비타민D	뼈 통증, 골절, 강직
마그네슘	감각이상, 강직
비타민B_{12}/엽산(folate)	빈혈, 설염, 감각이상 등
비타민E	감각이상, 조화운동불능, 망막병
비타민A	야맹증, 눈마름증, 각화과다증, 설사
비타민K	출혈반
Riboflavin	구각염(입꼬리염), 입술증
아연	피부염, 미각저하증, 설사
셀레니움	심근병증
Essential fatty acids	피부염

6. 임상양상에 따른 기전

임상양상		발생기전
위장관	영양실조 및 체중감소	식욕부진, 영양분의 흡수장애 → calories 상실
	설사	수분과 전해질의 흡수장애 또는 분비증가, 흡수 안된 bile acids & fatty acids에 의한 대장의 수분 분비
	방귀	흡수 안된 탄수화물을 세균이 발효
	Glossitis, cheilosis, stomatitis	Iron, vitamin B_{12}, folate, 기타 vitamins 등의 결핍
	복통	장의 염증/팽창, 췌장염
비뇨 생식	Nocturia	수분의 흡수 지연, hypokalemia
	요독증, 고혈압	수분과 전해질 고갈
	무월경, 성욕 감소	단백질 결핍과 "caloric starvation" → secondary hypopituitarism
혈액	빈혈	Iron, vitamin B_{12}, folic acid 등의 흡수장애
	출혈 경향	Vitamin K 흡수장애, hypoprothrombinemia
근골격	뼈 통증	단백질 결핍 → 뼈 형성 장애 → osteoporosis 칼슘 흡수장애 → 뼈의 demineralization → osteomalacia
	Osteoarthropathy	원인 잘 모름
	강직, 감각이상	칼슘 & 마그네슘 흡수장애
	쇠약	빈혈, 전해질 고갈(특히 hypokalemia)
신경	야맹증, 눈마름증	Vitamin A 결핍
	Peripheral neuropathy	Vitamin B_{12}, thiamine 결핍
피부	Eczema	원인 잘 모름
	Purpura	Vitamin K deficiency
	Follicular hyperkeratosis, 피부염	Vitamin A, zinc, essential fatty acids, 기타 vitamins 등의 결핍

진단

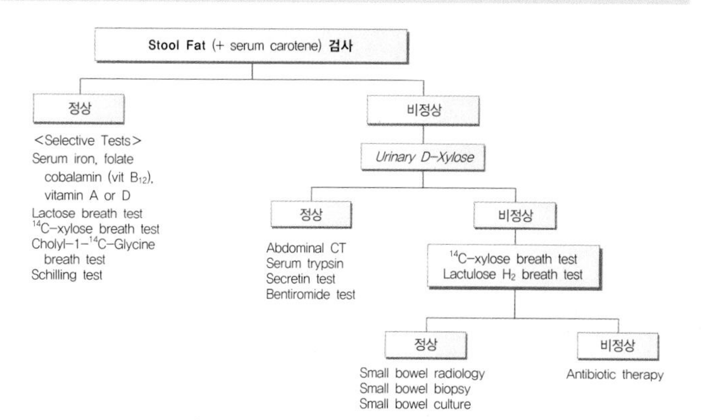

흡수장애의 evaluation

1. Screening tests (흡수장애 여부 평가)

(1) fecal fat analysis (qualitative/quantitative)

- 대변 sudan III 염색법 (정성검사) : orange globule 관찰, m/g screening test!
- acid steatocrit (AS) test : 반정량검사, 간편하고 stool fat 정량검사와 상관성 좋음
- 대변내 지방 정량검사 : steatorrhea 확인, 지방 흡수장애의 gold standard test (but, 불편함), 고지방식이를 하면서 3일간 대변 수집 (정상: 72hr collection에서 fat <6 g/day)
- near infrared reflectance analysis (NIRA) [~ spectroscopy (NIRS)] : 72hr collection 만큼 정확하면서 좀 더 빠르고 간편, 질소와 탄수화물도 동시 측정 가능
- 대변의 육안적 양상도 확인해야 됨

(2) breath (oral) test

- triolein breath test ; ^{14}C-triolein (중성지방) 섭취 후 호기에서 $^{14}CO_2$ 측정, 지방 흡수장애시 감소, 정확성이 떨어지고 radioactive ^{14}C를 사용해야 해서 거의 이용 안됨
- ^{13}C-mixed triglyceride (^{13}C-MTG) breath test ; ^{13}C-MTG 섭취 후 호기에서 $^{13}CO_2$ 측정 지방 흡수장애시(e.g., exocrine pancreatic insufficiency) 감소

(3) blood tests

- CBC, electrolytes, protein, albumin, LFT, cholesterol, PT, iron, folate, cobalamin, vitamin D...
- serum carotene (정상: >0.06 mg/dL) : 지용성 비타민의 흡수장애 or 식이결핍 시 감소

2. Additional tests (소장질환과 췌장질환의 감별)

(1) D-xylose absorption (urinary D-xylose excretion) test

- D-xylose는 소장(대부분 근위부)에서 passive diffusion으로 흡수되므로, 소장 면적이 정상이면 흡수는 정상임 (→ 신장을 통해 배설) : 소장 점막의 탄수화물 흡수(면적)의 적정 여부 평가
- 정상(25 g 복용 후 >4 g/5hr)이면 췌장질환을 의심하고 검사 시행
- 감소되는 경우
  ① small bowel disease (duodenal/jejunal mucosal dz.) → mucosal biopsy 시행
  ② bacterial overgrowth (정상일수도)
  ③ renal insufficiency
  ④ large 3rd space fluid (e.g., ascites, pleural fluid)
  ⑤ drugs (e.g., aspirin, indomethacin)
  ⑥ incomplete urine collection (m/c)
- 위음성이 많고 내시경검사(mucosal biopsy)의 증가로 이용 감소

(2) 영상검사

- barium-contrast small-bowel series, enteroclysis, CT/MR enterography
- capsule endoscopy, double-balloon enteroscopy

(3) 췌장 외분비기능의 평가

- stool elastase 1, chymotrypsin 등
- secretin test : IV secretin 투여뒤 duodenal content에서 HCO_3^- 측정

- secretin-CCK test → trypsin, amylase, lipase 등의 췌효소도 측정
- Lundh test : 음식을 주고 tube 통해 췌장분비물을 흡수하여 trypsin 측정
- NBT-PABA test (bentiromide test)

→ II-11장 만성 췌장염 편 참조

(4) Schilling test … vitamin B_{12} (cobalamin) 흡수장애 검사

- radioactive cobalamin 경구 투여 후 24hr urine 검사 (정상: >8%), 현재는 없어져서 이용 안함

(5) selenium-75-labeled homotaurocholic acid test (SeHCAT)

- selenium-75로 표지된 합성 담즙산을 경구로 투여 (→ enterohepatic circulation 거침)
- 0, 1, 3, 5, 7일째 gamma scintigraphy로 촬영, 잔류량이 투여량의 10~15% 미만이면
  → bile acid 흡수장애 ; terminal ileum 질환/절제 등
- but, 시간이 오래 걸려 잘 이용 안됨 → 대변 bile acids 정량검사 선호

3. 소장질환의 규명

(1) small intestinal mucosa biopsy

- 적응증 ; steatorrhea 또는 chronic (>3주) diarrhea, 소장 영상검사에서 이상 소견시
- 분류(category)
  ① diffuse, specific lesions ; Whipple's dz., abetalipoproteinemia, immune globulin deficiency
  ② patchy, specific lesions ; intestinal lymphoma, lymphangiectasia, eosinophilic gastroenteritis, Crohn's dz., amyloidosis, infections, mastocytosis
  ③ diffuse, nonspecific lesions ; celiac/tropical sprue, bacterial overgrowth, folate/vitamin B_{12} deficiency, ZES, protein-calorie malnutrition, radiation enteritis, drug-induced enteritis

(2) small intestinal culture

(3) breath test for bacterial overgrowth

① ^{14}C-D-xylose breath test
② lactulose-H_2 breath test
③ bile salt breath test (Cholyl-1-^{14}C-glycine)
→ 호기내 CO_2 증가하는 경우
- bacterial overgrowth
- bile acid malabsorption ; ileal resection, inflammatory dz.

	소장성 흡수장애	췌장성 흡수장애
D-xylose absorption test	↓	N
Secretin stimulation test	N	Abnormal
Bentiromide test	N	Abnormal
Urine 5-HIAA	↑	N

4. 췌장질환의 규명

; 복부 US, EUS, CT, ERCP, MRCP 등

5. Lactase deficiency

- 수소호기검사(lactose-H_2 breath test) : 장내세균에 의해 lactulose가 발효되어 H_2 생성
- lactose-free diet 섭취 (→ Sx. 호전되면 진단)

비열대스프루 (Celiac disease, Nontropical sprue)

- gluten-sensitive enteropathy로 자가면역질환의 일종임
  - gluten : 곡물(밀, 보리 등)의 단백질 성분 (쌀이나 옥수수, 콩, 감자에는 없음)
- 근위부 소장 점막의 diffuse damage로 인하여 대부분의 영양소에 대한 흡수장애가 발생함
- 주로 유럽 백인에서 발생 / 거의 모든 환자가 HLA-DQ2 (or DQ8) allele 표현
- 다른 질환과 동반될 수 있음
  ① 자가면역질환 ; Addison's dz., Graves' dz., type I DM, IgA deficiency, myasthenia gravis, scleroderma, Sjögren's syndrome, SLE, pancreatic insufficiency
  ② Down syndrome, Turner's syndrome
- 임상양상
  ① steatorrhea, weight loss, anemia (iron or folate deficiency), osteoporosis ...
  ② stools ; loose~soft, large, oily or greasy, 악취
  ③ dermatitis herpetiformis ; 특징적, 10% 미만에서만 발생
  ④ Cx. ; GI & non-GI malignancy ↑ (e.g., intestinal lymphoma), ulcer ...
- 진단
  ① malabsorption의 증거 ; stool fat 증가 (>7 g/day)
  ② serologic tests - screening & F/U
    - IgA anti-tTG (tissue transglutaminase) Ab : 95% sensitivity & 95% specificity
      → IgA anti-tTG가 음성이면 total IgA 측정 (∵ 환자의 ~3%는 IgA deficiency 동반)
      → IgA deficiency 환자는 IgG anti-deamidated gliadin peptide (anti-DGP) 측정
    - antigliadin Ab : sensitivity & specificity가 낮아 권장 안 됨
    - IgA antiendomysial Ab (EMA) : 검사실간 표준화 부족으로 권장 안 됨
  ③ small bowel (duodenal/jejunal) biopsy - 확진
    ; flattened villi, crypt hyperplasia, intraepithelial lymphocytes 증가 등
  ④ gluten-free diet 후 clinical, serologic, histologic improvement
- 치료 ; gluten-free diet (→ 90%가 2주 이내에 증상 호전됨)

젖당흡수장애 (Lactose intolerance, Lactase deficiency)

• 분류
1. **Primary** : 동양인에 많음(90~100%), premature 시 호발, 대부분 무증상
2. **Secondary** : CD, sprue, Whipple's disease, eosinophilic enteritis, viral/bacterial gastroenteritis, giardiasis, short bowel syndrome, malnutrition, AIDS enteropathy, radiation enteritis ...

• 기전
- lactose (우유의 이당류) —lactase→ glucose + galactose (단당류)
- 흡수 안된 lactose는 장내세균에 의해 분해되어 가스와 유기산을 생성
- 흡수 안된 lactose와 유기산(organic acid)에 의해 osmotic diarrhea 발생

• 일부에서 설사, 복통, 복부팽창, 방귀 등의 증상 발생 (IBS와 비슷)

• 증상 발생에 관여하는 요인
① 섭취한 lactose의 양↑ → 증상↑
② 위 내용물의 배출속도↑ → 증상↑
③ 소장 통과속도↑ (→ 대장의 처리 능력 초과) → 증상↑
④ 대장의 보상작용 (lactose로부터 SCFA 생성, SCFA는 수분 재흡수를 촉진)
; 대장세균이 감소하면 증상↑ (e.g., 항생제 사용)

• 진단
① hydrogen breath test : 장내세균의 lactose 분해에 의해 H_2 생성
② 3주간 lactose-free diet 시행

• 치료 : 우유/유제품 제한 (소량으로 나누어 섭취하면 lactase 보충 없이도 대부분 증상 발생 안함)

BACTERIAL OVERGROWTH (= Stagnant bowel syndrome, Blind loop syndrome)

1. 개요

• 정의 : 어떤 원인에 의해서건 소장 내에 세균이 과다 증식하여 흡수장애를 일으킨 것 (SIBO, small intestinal bacterial overgrowth)

• 유발인자(e.g., 장유착)를 가진 환자에서 지방흡수장애, 지방변, 설사, 체중감소, megaloblastic anemia (cobalamin↓) 등을 보이면 의심

2. 병태생리/임상양상

① colon-type bacteria가 소장에서 과다 증식 (e.g., *E. coli, Bacteroides*)
② 일부 세균(e.g., *Bacteroides*)이 conjugated bile acids를 deconjugation
→ conjugated bile acids 감소, unconjugated bile acids는 소장 근위부에서 흡수,
소장내 bile salts 농도 ↓ → micelle 형성 장애 → fat 흡수장애, steatorrhea

③ 세균이 IF와 vitamin B_{12}를 분리한 뒤 vitamin B_{12}를 섭취 → vitamin B_{12} 흡수장애 (결핍)
→ megaloblastic anemia

④ diarrhea (∵ steatorrhea, bacterial enterotoxin), 체중감소

* proximal small intestine에 세균이 적은 이유
① stomach의 acid milieu
② peristalsis
③ immunoglobulins의 분비

3. 원인

1. 장 내용물의 정체를 일으키는 해부학적 이상 (anatomic stasis)
Diverticula
Strictures ; CD, TB, Regional enteritis, Radiation enteritis, Vasculitis
Billroth II subtotal gastrectomy with afferent loop stasis
여러번의 개복술로 인해 adhesions과 partial small-bowel obstruction 발생시
Intestinal bypass (e.g., jejunoileal bypass for obesity)
Fistulas ; Gastrocolic, gastroileal, jejunoileal, jejunocolic

2. 장의 연동운동이 감소되는 기능장애 (functional stasis)
Scleroderma, Amyloidosis, DM, Hypothyroidism, Vagotomy, Intestinal pseudoobstruction

3. 소장과 대장의 direct connection
Ileocolonic resection, Enterocolic anastomosis, Short bowel syndrome

4. 기타
Hypogammaglobulinemia, Nodular lymphoid hyperplasia, Pancreatic insufficiency
Gastric hypochlorhydria/achlorhydira ; Subtotal gastrectomy, Pernicious anemia
H_2-blockers or PPI의 장기간 사용

4. 진단

① proximal jejunal fluid를 흡인하여 배양 → 10^5/mL 이상의 세균 증명
(원인균은 확진 가능하나, invasive하여 시행 어려움)
② Schilling test : 5일간 항생제 투여 후에만 정상으로 됨 (확진 가능)
③ ^{14}C-D-Xylose breath test : 장내세균이 xylose를 대사하여 $^{14}CO_2$ 생성
④ lactulose-H_2 breath test : 장내세균에 의해 lactulose가 발효되어 H_2 생성
⑤ serum vitamin B_{12}↓, folate↑ (∵ 장내세균이 folate를 생산)
* 보통은 임상적으로 의심하고 경험적 치료에 반응하는 것으로 진단함

5. 치료

① 해부학적 이상 (anatomical blind loop) → 수술로 교정
② functional stasis → 광범위 항생제
; metronidazole, amoxicillin/clavulante, rifaximin, cephalosporins 등
• 증상이 좋아질 때까지 or 3주간 치료
• 증상이 재발하기 전에는 예방적 치료를 할 필요는 없음
• 자주 재발하는 경우 → 매달 1주일 동안씩 항생제 투여

짧은창자증후군 (Short bowel syndrome)

- proximal duodenum, distal 1/2 ileum, ileocecal valve만 보존되면, small bowel의 40~50%를 resection해도 괜찮음
- ileum과 ileocecal valve를 절제하면, 소장의 30% 미만을 절제하더라도 심한 설사와 흡수장애 (vitamin B_{12}, bile salts)를 일으킬 수 있음
  - bile salts 흡수 감소 → 지방 및 지용성 비타민 흡수장애 (지방변)
  - 흡수 안된 bile salts → 대장 점막에 작용하여 수분/전해질 분비 촉진 (설사)
  - ileal dysfunction이 경미하면 bile acid diarrhea (∵ bile acid가 대장 분비 자극), 심하면 지방흡수장애(steatorrhea)를 동반한 fatty acid diarrhea가 나타남
- nonintestinal Sx.
  ① renal calcium oxalate stone (∵ colon에서 oxalate 흡수↑)
  ② cholesterol gallstone (∵ bile acid pool↓)
  ③ gastric acid hypersecretion (→ 설사/지방변 발생에도 기여)
- 치료
  ① intestinal motility를 감소시키는 drugs ; opiates (e.g., codeine)
  (→ mucosal contact time↑ → diarrhea 조절에 좋다)
  ② diet ; 저지방 고탄수화물, medium-chain TG (MCT), low-lactose, fiber
  ③ ileocecal valve가 없으면 bacterial overgrowth도 고려하여 치료
  ④ PPI : 위산과다분비가 원인인 경우
  ⑤ cholestyramine (bile salt-sequestrating agent)
  → bile salts가 대장에서 수분/전해질 분비를 촉진시키는 작용을 막음
  ⑥ vitamin과 mineral 보충 (특히 folate, cobalamin, Ca, iron, Mg, Zn)
  ⑦ home TPN
  ⑧ trophic hormones ; glucagon-like peptides 2 (GLP-2)
  ⑨ intestinal transplantation : 계속 TPN이 필요한 (intestinal failure) 환자에서 고려

단백소실장병증 (Protein-losing enteropathy)

1. 개요

- 정의 : 단백뇨 또는 단백합성장애(e.g., 만성질환) 없이 저단백혈증과 부종을 일으키는 증후군
- 위장관에서 protein loss의 발생기전
  ① mucosal ulceration → exudation으로 소실 (e.g., UC, GI cancer, PUD)
  ② mucosal damage → permeability 증가로 소실 (e.g., celiac sprue, Ménétrier's dz.)
  ③ lymphatic dysfunction : 일차적/이차적(e.g., 림프절비대, 심장질환) 원인으로 인한 림프관 폐쇄로 인한 림프액 소실
- 치료 → 원인 질환의 치료

2. 원인

Stomach	**Colon**
Peptic ulcer	Colonic neoplasm
Gastric carcinoma	Ulcerative colitis
Ménétrier's dz.	Granulomatous colitis
Atrophic gastritis	Megacolon
Eosinophilic gastritis	**Heart**
Postgastrectomy syndrome	Congestive heart failure
Small intestine	Constrictive pericarditis
Crohn's dz., Intestinal lymphangiectassia	Interatrial septal defect
Celiac sprue, Tropical sprue	Primary cardiomyopathy
Regional enteritis, Whipple's disease	**기타**
Lymphoma, Scleroderma	Esophageal carcinoma
Intestinal TB, Acute infectious enteritis	Gastrocolic fistula
Jejunal diverticulosis	Agammaglobulinemia
Allergic gastroenteropathy	Nephrosis
Eosinophilic gastroenteritis	
Bacterial overgrowth	

3. GI protein loss의 진단/검사소견

① radiolabeled macromolecules IV & 대변에서 정량 (일반적인 사용은 어려움)
 ; ^{125}I-labeled serum albumin, $^{51}CrCl_3$, ^{51}Cr-labeled albumin, indium-111

② α_1-antitrypsin (장내 proteolysis에 저항성을 보임) … screening test로 유용
 - random fecal α_1-antitrypsin (정상 <2.6 mg/g stool)
 - α_1-antitrypsin clearance test (정상 <13 mL/day)
 - 위산에 의해서는 파괴되므로 gastric protein loss는 발견 못함

③ serum protein (albumin & globulin ↓) → 간질환, 신증후군, 울혈성 심부전 등을 R/O 해야

④ lymphatic dysfunction에 의한 경우는 lymphocytes도 소실 → 말초혈액의 lymphopenia

■ 림프관확장증 (Intestinal lymphangiectasia)

- hypoplastic visceral lymphatic channels → lymph flow obstruction → intestinal lymphatic pr.↑ → rupture → 장내로 lymph 소실 → 장내로 protein과 fat 소실 → hypoproteinemia, steatorrhea
- Sx ; edema, chylous effusion, diarrhea, malabsorption
- albumin, IgA, IgG, IgM, transferrin, ceruloplasmin 등의 level 감소
- Tx
 ① low-fat diet (→ lymph flow↓ → protein, fat loss↓)
 ② MCT (medium-chain triglycerides) : 림프관을 통해서가 아니라 portal vein을 통해서 운반됨

■ 호산구성 위장염 (Eosinophilic gastroenteritis)

• 원인 ; 모름
  - 약 50%에서 allergic Hx.가 있고, 대부분 food Ag skin test 양성임 (anaphylaxis는 없이)
    → food hypersensitivity syndrome의 지연 반응이 의심됨
  - peripheral eosinophilia 동반 (50~75%)
• GI tract의 어느 곳이나 침범할 수 (antrum에 호발하며, 위점막주름이 두꺼워짐)
• 증상 ; 설사(30~60%), 복통, N/V, 체중감소, 지방변, protein-loosing enteropathy
• 침범하는 층에 따른 분류 (3 forms)
  ① mucosal form (m/c) ; N/V/D, 복통, protein-loosing enteropathy, GI blood loss (IDA)
  ② muscularis form ; GI obstruction (abdominal colic)
  ③ serosal form (가장 드묾) ; eosinophilic ascites, 복부팽만, 말초 eosinophilia 심함
• 진단 ; endoscopic biopsy (mucosal edema와 dense eosinophilic infiltration)
• 치료
  ① elimination diet (skin test or specific IgE 양성인 음식들)
  ② steroid (DOC, 재발은 흔함) : systemic/oral (저용량 2~6주) or local (budesonide tablet)
    - 반응이 없거나 steroid에 의존적인 심한 경우 (드묾) → azathioprine or 6-MP 고려
  ③ 내과적 치료에 반응 없고 폐쇄가 지속되면 침범된 부분의 resection

11 복막 질환

복수(Ascites)

- 정의 : 복강 내 fluid 증가 (>25 mL)
- 원인 ; 간경변이 m/c (84%, SAAG >1.1인 경우는 95% 이상)
- 임상양상 ; 복부팽만, 체중증가, 이동탁음(shifting dullness)

■ Diagnostic paracentesis

- 위치 : 좌하복부(anti-McBurney point)가 가장 안전
  ① Monro-Richers line (umbilicus와 ASIS를 연결하는 선)의 아래쪽 1/3
  ② umbilicus와 pubic bone의 정중선의 1/2이상 지점
- 육안 소견(gross appearance)
  ① turbid (cloudy) ; infection, tumor cells
  ② milky (white) ; TG >200 mg/dL (흔히 >1000) … chylous ascites
  ③ dark brown ; bilirubin↑ … biliary tract perforation
  ④ black ; hemorrhagic pancreatitis, pancreatic necrosis, metastatic melanoma
  ⑤ bloody ; 대부분 traumatic paracentesis (금방 응고됨), malignant ascites의 약 20%
- **필수 검사** ; total protein, albumin, cell count & diff., 감염 의심되면 Gram stain & culture
- 추가 검사 ; cytology (malignant ascites R/O), amylase (pancreatic ascites R/O), AFB stain & TB culture & ADA (peritoneal TB R/O), glucose & LD (secondary peritonitis R/O), TG (chylous ascites R/O) ...

* <u>SAAG</u> **(serum-ascites albumin gradient)** = serum albumin 농도 - ascites albumin 농도
- ascites 원인 분류의 첫 단계! (portal hypertensive ↔ non-portal hypertensive)
- hepatic sinusoids 내 압력을 반영하여 hepatic venous pr. gradient (HVPG)와 비례함 (대략 SAAG 1.1 g/dL = HVPG 11~12 mmHg)
- 정확도 95% 이상
- 정확도가 떨어지는 경우 ; 복수/혈액 검체를 동시에 채취하지 않았을 때, serum albumin이 매우 낮을 때, chylous ascites (SAAG falsely↑), serum hyperglobulinemia (>5 g/dL)
- 약 4%는 mixed ascites (e.g., LC with portal HTN + malignancy or TB 동반시)

c.f.) 과거에는 복수 단백질 농도(2.5 g/dL)에 따라 exudates와 transudates로 구분하기도 했으나, pleural fluid와는 달리 감염이 있어도 true exudate는 되지 않으므로 잘 안 씀

SAAG에 의한 Ascites의 분류 ★

Normal Peritoneum		
SAAG ≥ 1.1 g/dL (portal HTN)		**SAAG < 1.1 g/dL**
Ascitic protein < 2.5 g/dL	Ascitic protein ≥ 2.5 g/dL	Hypoalbuminemia Nephrotic syndrome (protein도 ↓) Protein-losing enteropathy Severe malnutrition with anasarca 기타 ; Chylous, Pancreatic, Bile, Urine ascites, Ovarian disease
Intrahepatic cause (hepatic sinusoids의 손상, 섬유화로 protein 통과 못함)	Post-hepatic cause (hepatic sinusoids는 정상이라 protein 통과 가능)	
Liver cirrhosis (m/c) Alcoholic hepatitis Fulminant hepatic failure Massive hepatic metastasis Hepatic fibrosis Acute fatty liver of pregnancy Late Budd-Chiari syndrome LC + SBP	Hepatic congestion Heart failure Constrictive pericarditis Tricuspid insufficiency Early Budd-Chiari syndrome IVC obstruction Veno-occlusive disease (sinusoidal obstruction synd.) 기타 Nephrogenic (dialysis) ascites Myxedema (기전은 모름) Mixed ascites LC + TB peritonitis 등	**Diseased Peritoneum** 감염 ; Bacterial, TB, Fungal, HIV-associated peritonitis 악성종양 Peritoneal carcinomatosis Primary mesothelioma Pseudomyxoma peritonei Massive hepatic metastases Hepatocellular carcinoma 기타 ; Vasculitis, Granulomatous peritonitis, Eosinophilic peritonitis

	Diagnosis	Ascitic WBCs (/mm³)	RBCs Count	Cytology (암세포%)	생화학 검사	SAAG (g/dl)	기타
Portal HTN	LC	<250 PMN	거의 없음	0	Protein ↓	>1.1	-
	SBP (primary peritonitis)	>250 PMN	거의 없음	0	Protein ↓, Glucose ↑, LD ↓	>1.1	-
	Cardiac ascites	<250 PMN	거의 없음	0	Protein ↑	>1.1	-
악성	Peritoneal carcinomatosis	>500 (70%) 대개 림프구	거의 없음	95~100	Protein ↑	<1.1	-
	Massive hepatic metastases (MHM)	대개 <500	거의 없음	0	Protein 다양	>1.1	Serum ALP ≥350 mU/ml
	Peritoneal carcinomatosis + MHM	다양 대개 증가	거의 없음	~80	Protein 다양	>1.1	Serum ALP ≥350 mU/ml
	Malignant chylous ascites	흔히 >300	거의 없음	0	TG >200 mg/dL	보통 <1.1	-
	Hepatoma + ascites	흔히 >500	흔히 증가	0		>1.1	Serum AFP 증가
감염	Tuberculous peritonitis	70%에서 >1000 대개 림프구	흔히 존재	0	ADA ≥32.3 U/L Protein ↑	<1.1	본문 참조
	Bacterial peritonitis (secondary peritonitis)	>250 PMN	거의 없음	0	Protein ↑, Glucose ↓, LD ↑	<1.1	의심되면 복부 CT 시행
기타	Pancreatic ascites	흔히 증가		0	Amylase ↑↑	다양	-

■ Chylous ascites

- 복강내로 lipid-rich lymph가 유출된 것
- 원인 (lymphatic obstruction or leakage) ; malignancy (lymphoma가 m/c), radiation, postop., trauma, TB, pancreatitis, LC, CHF, filariasis, congenital abnormalities ...
- 진단
  - ascites ; TG >200 mg/dL (대개 >1000), 암세포는 잘 발견 안 됨, SAAG falsely ↑ 가능
  - lymphangiography는 도움 안 됨
- 저염식과 이뇨제의 치료에 잘 반응하지 않음

■ Polymicrobial bacterascites

- ascitic fluid culture or Gram stain에서 multiple organism이 관찰되고 PMN은 250/mm^3 미만
- 대개 외상성 천자(traumatic tapping)가 원인 (∵ gut perforation)

급성 복막염 (acute peritonitis)

: 장내 성분 (위산, 담즙, 췌장액 등) 또는 세균에 의해 복막이나 복막액에 발생하는 급성 염증

1. 원인

① infectious (bacterial) peritonitis (*E. coli*가 m/c 원인균)

- secondary ; appendix rupture, ulcer perforation, diverticula rupture, ca., incarcerated hernia, gangrenous GB, intestinal obstruction, volvulus, bowel infarction, IBD, CAPD peritonitis
- primary (spontaneous) ; 대부분 LC & ascites 때 발생 (→ II-6장 참조)

② aseptic peritonitis

- physiologic fluids (chemical peritonitis) ; pancreatic enzymes, gastric acid, bile, blood, urine
- sterile foreign bodies ; 수술 도구 등
- systemic dz.의 Cx. ; SLE, porphyria, familial Mediterranean fever ...

2. 임상양상/진단

- 급성 복통 및 압통, 반동압통, 복부경직, 장음소실, 발열 등
  (움직이면 통증이 악화되므로, 환자는 대개 구부린 채 부동자세를 취함)
- 노인이나 면역저하자에서는 nonspecific Sx.을 보일 수 있음
- plain abdominal film ; free air (perforation), 소장/대장의 확장, 장벽의 부종
- US/CT (perforation 의심시 barium study는 금기)
- diagnostic paracentesis ; cell count, protein, LD, 배양검사 등을 시행

3. 치료

① 수액 및 전해질 공급
② 수술(laparotomy) ; 유발 원인 확인, pus 제거, 복강 세척
③ 광범위 항생제 투여 ; piperacillin/tazobactam, ampicillin/sulbactam, ciprofloxacin + metronidazole, cefepime + metronidazole, imipenem/cilastatin 등
④ 영양공급 : TPN보다는 enteral nutrition (e.g., NG tube, transgastric tube)이 좋다

4. 예후

- good ; appendix rupture, perforated peptic ulcer, perforation ...
- poor ; operation, trauma, pancreatitis ...

결핵성 복막염 (Tuberculous peritonitis)

1. 위험인자

HIV infection
면역저하 (e.g., 면역억제제, anti-TNF)
악성종양, 간경변, 알코올중독, DM,고령
IV drug use
유행지역으로 부터의 이민
빈곤(가난), 장기 입원 또는 감금
Peritoneal dialysis

- LC가 동반되어 있는 경우가 흔하다 (SAAG ≥1.1 g/dL)
- 병인 ; 폐에서 혈행성 전파 (m/c), LN 및 장기(e.g., TB salpingitis)에서의 직접 전파

2. 임상양상

- diffuse abdominal pain/tenderness/distention, ascites, diarrhea
- fever, fatigue, anorexia, weight loss, anemia, PPD test (+)
- 50~70%에서 활동성/비활동성 폐결핵 동반

3. 진단

(1) paracentesis (ascites)

- exudate ; SAAG <1.1 g/dL (LC 동반 안한 경우)
- protein ; 50%에서 >2.5 g/L
- WBC ; 70%에서 >1000/μL (대부분 lymphocyte)
- AFB smear ; 3% 미만에서만 양성
- culture ; 20~80%에서 양성 (but, 시간이 오래 걸림)

- ADA (≥32.3 U/L) ; highly sensitive & specific
  - ascitic protein이 낮은 경우(e.g., LC) false (−) 가능
- LDH >90 U/L

(2) laparoscopic peritoneal biopsy

: 가장 좋다, 100%까지 positive (확진)

* diagnostic laparotomy → laparoscopy가 불가능한 때만 고려

4. 치료

- 항결핵 화학요법 : 표준처방으로 9개월간 치료
- 결핵균이 검출되면 반드시 감수성검사를 실시

종양성 복막질환

1. 복막 암종증 (Peritoneal carcinomatosis)

- 원인
  - primary ; mesothelioma, sarcoma
  - secondary ; ovary (m/c), stomach, colon, breast, pancreas, lung 등에서 전이
- 증상 ; nonspecific abdominal discomfort, 복부팽만, 체중감소
- paracentesis ; low SAAG (< 1.1), WBC↑ (주로 lymphocyte), cytology는 50~60%에서 (+)
- tuberculous peritonitis를 R/O하기 위해 laparoscopy 필요할 수도 있음
- 치료
  ① diuretics는 대개 효과 없음 (예외 ; 간 전이는 spironolactone에 반응할 수)
  ② large-volume paracentesis
  ③ intraperitoneal CTx.
- 예후 ; 매우 나쁨 (6개월 뒤에 90% 사망), ovary or breast ca.는 예외

2. 복막 가성점액종 (Pseudomyxoma peritonei)

- 대부분 ovary와 appendix에서 전이
- 치료 : 수술로 제거/세척 (CTx는 거의 효과 없다)
- 예후 : 5YSR 50% (재발시 장폐쇄로 사망)

3. 원발성 중피종 (mesothelioma)

- 대부분 악성, 석면 노출후 35~40년 후에 발생
- 치료 : 수술, RTx, CTx (예후 나쁨, 2YSR 20%)

Part II

간 · 담 · 췌질환

1
서론

간의 해부학

- 신체에서 가장 큰 장기 (1~1.5 kg, lean body mass의 1.5~2.5%)
- dual blood supply (분당 약 1600 mL, CO의 약 30%를 차지)
  ① portal vein : 간혈류의 75% 담당, low O_2 (→ 산소의 50~70% 공급), nutrients 풍부,
    판막은 없음 (c.f., 간정맥에도 판막은 없음)
  ② hepatic artery : 간혈류의 25% 담당, high O_2 (→ 산소의 30~50% 공급),
    간문(hilum)에서 common hepatic A.가 Rt & Lt hepatic A.로 분지됨
  - portal V.의 혈류가 감소하면 hepatic A.의 혈류가 증가됨 (반대는 아님)
- portal triad ; arteriole, venule, bile duct … 혈액 들어오는 중심부
- 미세구조
  ① lobule : central V.을 중심으로 portal triad가 주위를 둘러쌈
  ② 소엽(acinus) : 간의 functional unit, physiologic concept
    - 3개의 zones으로 구분 (zones of Rappaport)
      (1) periportal (zone 1) : portal area (hepatic artery, portal vein, bile ducts), high O_2,
      (2) midzone (zone 2) : hepatocytes
      (3) perivenular (zone 3) : central vein (terminal hepatic vein; THV), low O_2 (hypoxic injury에 취약), alcoholic liver injury가 시작되는 부위
    - blood flow는 zone 1 → 3으로, bile flow는 zone 2 → 1로 흐름
  ③ sinusoid : fenestrated endothelial cells, Kupffer cells (macrophages), hepatic stellate cells (Ito cells, lipocytes) 등으로 구성
    - space of Disse (perisinusoidal space) : hepatocytes와 endothelial cells 사이의 공간
    - hepatic stellate cells은 Disse 강에 위치하며 간 섬유화에 중요한 역할을 함
  * 간내 줄기세포 ; hepatocytes, hepatic oval cells (hepatic progenitor cells)
    → 문맥역(portal tract) 주변의 담관과 담소관(Hering canal, bile ductule)에 위치

- 간세포(hepatocytes)
  - basolateral side : space of Disse로 굴모양혈관(sinusoid)과 접함, 혈액과 물질교환
  - apical side : 쓸개모세관/담세관(bile canaliculi)과 접함, 담즙 성분을 분비

간의 정상 기능

1. Metabolic function

(1) 탄수화물

- glucose 생산 : gluconeogenesis, glycogenolysis
- glucose를 glycogen, AA, fatty acids 등으로 전환 (excess glucose를 fatty acids로 전환 → 간에서 합성된 apolipoproteins과 결합되어 lipoproteins 형태로 혈중으로 분비됨)

(2) 단백질 : AA 및 ammonia 대사

(3) 지질 : FFA를 uptake하여 TG를 합성, cholesterol 생성, bile salts의 합성/분비

(4) 호르몬 대사

- insulin, thyroid hormones, cortisol, testosterone, vitamin D 등의 여러 호르몬을 분해
- IGF-1, angiotensinogen, erythropoietin, thrombopoietin 등을 합성

(5) 담즙(bile) 및 관련 성분의 합성 & 분비

2. Synthesis

- 거의 대부분의 plasma proteins을 합성 ; albumin, 운반단백, 응고인자, 호르몬, 성장인자 등
- 간에서만 합성되는 것 → albumin, prothrombin (II), fibrinogen (I) 등
- 대표적인 예외
  ① immunoglobulin (γ-globulin) → B lymphocyte
  ② vWF → endothelial cell & megakaryocyte

3. Detoxification & Excretion

(1) phase I (cytochrome P450 enzymes) : oxidation

- drugs의 독성을 더 강하게 만드는 경향
- P450 induction ; ethanol, barbiturate, haloperidol
- P450 inhibition ; cimetidine, chloramphenicol, disulfiram

(2) phase II : glutathione, glucuronate, sulfate, glycine, water 등과 conjugation

- 지용성 물질 → 수용성 → blood/bile로 운반
- phase I에서 생성된 P450 metabolites를 빠르게 detoxification

4. 기타

- reticuloendothelial function ; 장관에서 흡수된 Ag 제거, 혈액의 Ag-Ab complex 제거
- storage (fat-soluble vitamins, vitamin B_{12}, 금속 등)
- plasma volume과 electrolyte 유지, hematopoiesis

간질환의 검사실 검사 (간기능검사)

1. 물질의 제거 및 배설 능력에 대한 검사

(1) Bilirubin

- 정상치
  - total bilirubin <1.0~1.5 mg/dL
  - direct bilirubin <0.2 mg/dL (<25% of total) → 다음 장 참조
- conjugated (direct) hyperbilirubinemia는 거의 다 간담도계 질환이 원인이고, unconjugated (indirect) hyperbilirubinemia는 대부분 간 이외의 질환이 원인임(e.g., 용혈성 질환)

* urine bilirubin (+) → conjugated bilirubin 증가를 의미 (간담도계 질환)

(2) Ammonia

- 간세포가 파괴되면 ammonia를 urea로 전환시키는 간세포의 효소들도 고갈됨
- LC, fulminant hepatitis 등 심한 간기능 장애시 상승되며 hepatic encephalopathy를 유발 가능
- but, 간기능이나 encephalopathy와의 상관성은 떨어짐

(3) 색소배설검사

- 간의 이물질(xenobiotics) 배설기능을 관찰
- ICG (indocyanine green) : BSP보다 특이적이고 안전, 간수술 후 잔존 간기능 예측, 간혈류 연구
- BSP (Brom-Sulphalein) : 복잡, 비싸고, 가끔 부작용 있어 요즘 잘 안쓰임
  - ICG → lipoprotein과 결합 → 간에 운반되어 담즙으로 배설
  - BSP → albumin과 결합 → 간에 운반되어 담즙으로 배설
- 색소투여후 일정기간 뒤의 혈중에 잔존하는 색소 농도를 측정
  - ICG : 15분 후의 정체율 (R_{15}) : 정상 <10% (>20% → 수술 불가능)
  - BSP : 45분 후의 정체율 (R_{45}) : 정상 <5%
- Dubin-Johnson syndrome에서는 BSP 90분치에서 이차 상승을 보임
  : $R_{90} > R_{45}$ (abnormal BSP curve)

2. 간세포의 괴사 정도를 반영하는 혈청효소

: hepatocelluar injury 여부를 반영

(1) Aminotransferase (transaminase)

- AST : liver외에 heart, skeletal muscle, kidney, brain, pancreas, lung, WBC, RBC 등에도 존재
  → specificity ↓ (AMI, hemolysis, 근육질환에서도 ↑)
- ALT : liver에 주로 존재 → 간질환(간세포 손상)에 specific!

	참고치	반감기	간세포 내 농도 (혈장 대비)
AST (과거 SGOT)	5~35 U/L	17시간 (ASTm은 87시간)	7000배
ALT (과거 SGPT)	6~40 U/L	49시간	3000배

c.f.) 세포내 AST의 약 80%는 ASTm 임

- hepatocellular damage의 indicator, 가장 기본적인 간기능검사
  (but, 간손상의 정도 및 예후와는 연관성이 적다!)
- massive hepatic necrosis의 임상경과 중 활성도가 떨어지면 fulminant hepatic failure의 진행을 의심할 수 있음
- biliary tract obstruction시는 경미하게 or 일시적으로 증가
  (high level → 담석으로 CBD가 갑자기 막힌 초기, cholangitis, resultant hepatic cell necrosis)
- **AST** > ALT ; alcoholic liver disease (AST/ALT >2, ASTm↑때문),
  liver cirrhosis (∵ 남아있는 간세포가 적음), fulminant hepatitis, hepatocellular carcinoma
- AST < **ALT** ; acute hepatitis (∵ ALT의 반감기가 더 긺 / 초기에는 AST > ALT),
  chronic hepatitis의 일정 시기, 비만에 의한 fatty liver (대개 ALT만 약간 증가됨)
- 비알코올성 무증상 환자의 간질환 screening에는 ALT가 더 특이적이며, AST는 간독성 약물의 치료 감시에 이용됨 (AST가 참고치의 3배 이상으로 상승되면 치료 중단)
- 알코올 중독자는 pyridoxal phosphate (vitamin B_6) 결핍 때문에 AST-ALT가 실제보다 낮게 측정될 수 있음 (∵ AST-ALT의 검사 때 보조인자로써 pyridoxal phosphate가 필요)

	AST > ALT	AST < **ALT**
Chronic, mild **상승** (<150 U/L or 정상×5)	알코올성 간 손상 (AST/ALT>2:1, 500 U/L 미만!) 간경변 근육병증 심한 운동 Macro-AST Hypothyroidism	α_1-Antitrypsin deficiency 자가면역성 간염 만성 바이러스성 간염(B, C, D) 지방간/지방간염, 약물/독소 Hemochromatosis Wilson disease, Celiac disease Hyperthyroidism
Severe, acute **상승** (>1000 U/L or 정상×20~25)	기저 알코올성 간질환 환자에서 약물/독소 Ischemic hepatitis 급성 rhabdomyolysis	급성 바이러스성 간염(A, B) – C는 아님 약물/독소 급성 담도 폐쇄, Budd-Chiari syndrome Wilson disease (severe)

* 거의 모든 간 질환은 중등도의 aminotransferase 상승(정상의 5~15배)을 일으킬 수 있음

(2) LDH

- 비특이적이나 간손상, 간염, 간암 등 때 증가
- AST-ALT 같은 다른 간효소의 증가 없이, ALP의 높은 증가와 함께 LD가 증가되면 종양을 의심

3. 담즙정체(cholestasis, 간담도폐쇄)를 반영하는 혈청효소

: 쓸개모세관(bile canaliculi)의 손상을 반영

(1) Alkaline phosphatase (ALP)

- 담도폐쇄(cholestasis)와 가장 좋은 상관관계를 보임
- 정상치 (성인) : 남자 64~152 IU/L, 여자 57~125 IU/L (소아청소년기와 노인에서는 높음)
- 증가되는 경우
  ① 담즙정체성 간담도질환 및 침윤성 간질환 (e.g, cancer, amyloidosis)에서 현저하게 (4배 이상) 증가 → bilirubin의 증가와 비례하는 경향 / 다른 간질환에서도 3배 미만 정도 증가 가능
  ② 골생성 질환 ; 골절, Paget's dz, osteomalacia ...

③ 임신 말기 (출산 뒤 정상화), 소아 (성장속도와 비례), 노인
④ 간암, 간결핵, 간농양, 골전이, 간 이외의 악성종양
⑤ Hodgkin's dz., CHF, 복강내 감염증, 골수염 ...
⑥ O와 B형 혈액형에서 지방식 섭취후 일시적으로 상승 가능

- ALP의 단독 증가
  - 황달이나 aminotransferase의 증가없이 ALP만 증가된 경우
  - 감별진단을 위한 접근법
    ① ALP electrophoresis (→ isoenzymes 파악)
    ② heat-stability test (최근에는 거의 사용 안함)
      - stable → placenta, tumor 유래
      - unstable → intestine, liver, bone 유래
    ③ 5'-nucleotidase와 GGT 검사
  - 원인 ; early cholestasis (m/c), 종양/육아종의 간 침윤, HD, DM, hyperthyroidism, CHF, amyloidosis, IBD ...

(2) γ -glutamyl transpeptidase (GGT)

- 정상치 : 남자 <50 U/L, 여자 <40 U/L
- 반감기 : 7~10일 (알코올 중독자는 28일) ↔ ALP는 반감기 4~7일
- 증가되는 경우
  ① 담즙정체성 질환에서 현저하게 증가 (간담도계질환 때 ALP와 비례하여 상승 → 담즙정체성 질환의 가장 sensitive한 지표이나 ALP나 5'-NT보다는 specificity가 부족함!)
  ② alcohol (만성 과음자 : GGT/ALP >2.5) → 금주하면 감소
  ③ drugs ; phenytoin, barbiturate, warfarin, AAP, TCA, 진정제
  ④ DM, obesity, hyperthyroidism, RA, pancreatic/cardiac/renal/pulumonary d/o.
  ⑤ oxidative stress (e.g., CAD 환자에서 사망의 독립적인 위험인자)
- 500 U/L 이상이면 간의 악성종양을 의심해 보아야 됨

(3) 5'-nucleotidase (5'-NT)

- 간담도계 질환시 ALP와 비례하여 상승 (골 질환 때는 상승×)
- ALP의 증가가 hepatic origin인 것을 확인할 때 주로 측정하나, 모든 liver dz.에서 ALP의 증가와 동시에 증가하지는 않는다

4. 간의 합성 능력을 반영하는 검사

(1) Albumin

- 만성 간질환 시 : albumin↓ (severity를 잘 반영!), $\alpha_1, \alpha_2, \beta$-globulin↓, γ-globulin↑
  ⇨ A/G ratio ↓
- albumin의 감소는 acute or mild liver injury시에는 좋은 지표가 아니다!
  (∵ albumin의 반감기가 길고 hepatic albumin synthesis의 reserve가 큼)
- 다른 질환에서도 흔히 감소하므로 간질환에 대한 specificity는 떨어짐
  ; protein malnutrition, protein-losing enteropathy, NS, 만성 감염 ...

- immunogobulin ↑ ┌ G ; autoimmune hepatitis
  │ A ; alcoholic hepatitis
  └ M ; A형 간염, primary biliary cirrhosis

(2) Coagulation factors

- 간(hepatocytes)은 대부분의 응고인자, 항응고인자, 섬유소용해관련인자 합성의 major site 임
  - fibrinogen (I), prothrombin (II), factor V, VII, IX, X, XII, XIII 등
    (vitamin K 의존성 응고인자 : II, VII, IX, X, protein C, S)
  - antithrombin III, plasminogen, α_2-antiplasmin, TAFI 등
- 예외 ; vWF, tPA, thrombomodulin, TFPI 등 (→ endothelial cells에서 합성됨)
- factor VIII
  - 간(主), 신장, 림프절 등에서 합성됨 (비장은 저장만)
  - 간의 endothelial cells과 Kupffer cells에서 주로 합성되며, hepatocytes는 극소량만 합성
- prothrombin time (PT)이 연장되는 경우
  ⇨ severe liver dz.의 earlier sensitive indicator & prognostic factor!
  ① liver injury (∵ 간에서 응고인자들을 합성하지 못해서)
    - PT는 albumin보다 earlier indicator! (∵ 응고인자들의 반감기가 albumin보다 훨씬 짧음)
      c.f.) 반감기: factor VII 6시간 ~ fibrinogen 5일 (albumin 2~3주: 약 20일)
    - vitamin K 정주로 교정 안됨
  ② vitamin K의 결핍 or 흡수장애 → vitamin K 투여시 교정됨!
    ┌ 담도계 질환에 의한 cholestasis시
    │ fat malabsorption (e.g., pancreatic insufficiency)
    │ poor dietary intake
    └ warfarin-type anticoagulants

(3) Cholesterol

- 만성적인 간세포 장애에서는 cholesterol 합성장애와 LCAT 감소에 의해 (total 및 ester형) cholesterol의 저하가 초래됨
- 급성 간실질 병변시엔 cholesterol ester 감소, TG 증가
- cholestasis시에는 cholesterol의 담즙산으로의 이화가 억제되어 혈청 cholesterol 증가
- lipoprotein X : LC시 plasma unesterified cholesterol의 대부분 차지

5. 면역기능 검사

(1) globulins

┌ γ-globulin (immunoglobulin) : B lymphocytes에서 생성됨
└ α-, β-globulins : 주로 간세포에서 생성됨

- 만성 간질환시(e.g., LC, 만성 간염) γ-globulin은 증가됨
  (∵ 간에서 세균 항원을 제거하지 못해 B lymphocyte 자극↑)

- 일부 간질환에서는 특정 isotype의 γ-globulin 증가가 진단에 도움
  - autoimmune hepatitis ; IgG의 diffuse polyclonal ↑
  - primary biliary cirrhosis ; IgM↑
  - alcoholic liver dz. ; IgA↑

(2) autoantibody

Test	관련 질환
Antimitochondrial Ab (AMA)	Primary biliary cirrhosis (90%) Chronic active hepatitis (가끔)
Antinuclear Ab (ANA)	Autoimmune hepatitis (10%)
Anti-smooth muscle Ab (ASMA)	Autoimmune hepatitis
Anti-neutrophil cytoplasmic Ab (p-ANCA)	Primary sclerosing cholangitis
Anti-liver/kidney microsomal Ab (anti-LKM)	Autoimmune hepatitis, type II

■ 간질환의 severity를 반영하는 것

① bilirubin
② albumin - 만성 간염의 염증정도를 아는데 가장 유용
③ PT (m/i) - acute liver injury를 가장 잘 반영
④ cholesterol

■ 간기능검사의 진단적 접근

① 이상 소견이 실제로 간질환의 존재를 반영하는 것인지 확인
② 간세포성, 담즙정체성 등의 간질환 범주를 분류
③ 각각의 질환에 특이한 검사방법들을 이용하여 진단

간기능검사(LFT)의 특징적인 소견

	간질환의 분류		
	간세포손상형 (hepatocellular)	담즙정체성 (obstructive)	침윤형 (infiltrative)
AST & ALT	↑↑	N ~↑	N ~↑
ALP	N ~↑	↑↑ (대개 GGT, 5'-NT도 동반 상승)	↑↑
Bilirubin	N ~↑↑	↑~↑↑	N
Albumin	만성질환에서 ↓	N	N
Prothrombin time	↑~↑↑	N ~↑ (vitamin K에 반응)	N
Cholesterol	만성질환에서 ↓	↑	

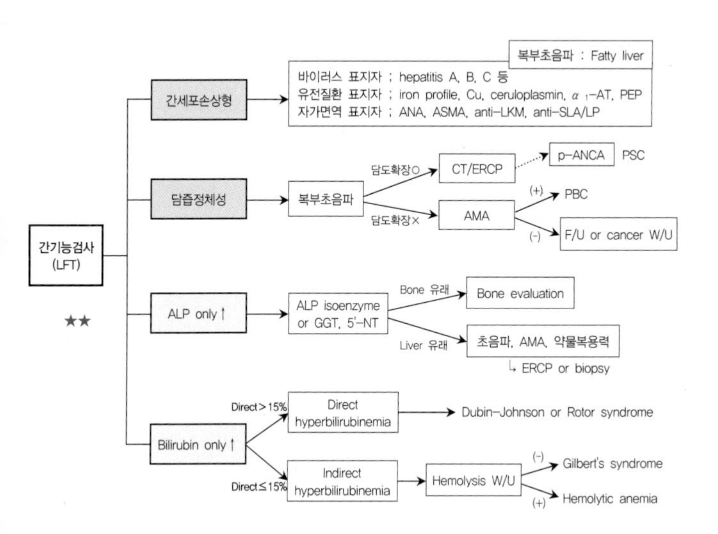

간담관계 영상검사

1. Ultrasonography

- 담즙정체(cholestasis) 의심시 (GB & biliary tree imaging) initial test
- 이용
  ① 간질환에 대한 primary screening 검사
    ; cholelithiasis, dilated biliary tract, fatty liver, focal hepatic mass
  ② 간 종양의 병기판정 및 수술전 평가
  ③ percutaneous needle biopsy 시 guidance
  ④ Doppler US ; portal vein, hepatic artery, hepatic vein의 혈류 파악 가능
- US elastrography (FibroScan®) : 간의 탄력도를 측정하여 fibrosis 정도를 평가
  - 만성 간질환의 staging 때 biopsy를 대치 (but, 초기 fibrosis의 진단에는 아직 부족함)
  - 만성 바이러스 간염에서의 fibrosis 평가는 정확한 편이지만, NAFLD에서는 덜 정확함

2. CT, MRI

3. Oral cholecystography

4. Cholangiography

(1) ERCP

- 담관, 췌관의 관찰 및 intraductal US, biopsy 등에 이용
- 치료에도 이용 가능 ; sphincterotomy, stone extraction, nasobiliary catheter or biliary stent placement
- ERCP의 금기
  ① 환자와 협조가 안 될 때 ② 임신 ③ acute pancreatitis의 급성기
  ④ 최근에 acute pancreatitis를 앓은 뒤 발생한 pseudocyst
  ⑤ 심한 심혈관계 질환 (e.g., CAD, AMI)
  ⑥ 조영제(요오드) 과민증
- 조영제 : 첫 옆가지가 보일 때까지만 주입 (overfilling은 피해야)
- ERCP의 합병증
  ① post-ERCP pancreatitis (m/c, 5~20%) : 대개 mild & self-limited → Ⅱ-10장 참조
  ② bleeding (1%) : 주로 sphincterotomy와 관련
  ③ infection ; ascending cholangitis, pseudocyst infection, 후복막 abscess ...
  ④ perforation ; 증상이 없는 free retroperitoneal air는 보존적 치료(e.g., drainage, 항생제), 보존적 치료에 반응이 없거나 심한 천공(e.g., peritoneal air, 십이지장 천공)은 수술
  ⑤ 기타 ; gallstone ileus, pneumothorax, subcutaneous emphysema ...
- 각 질환별 소견
  ① 총수담관암 ; 불규칙적인 담도의 국소적 협착, 근위부 담도의 확장
  ② 총수담관낭종 ; 간내 or 간외 담도의 낭성 확장
  ③ 총수담관결석 ; 담도내 원형 or 난원형의 음영 결손
  ④ 췌장암 ; 췌관의 국소적 협착

(2) PTC (percutaneous transhepatic cholangiography)

- intra-hepatic or proximal bile duct 관찰에 좋다
- proximal cholangiocarcinoma의 surgical resectability 평가
- external drainage (PTBD) 설치 (biliary decompression)
- ERCP의 금기나 실패시에도 이용됨 (e.g.. 과거에 담관계 수술을 받았던 환자)

(3) MRCP, EUS

- ERCP와 진단 민감도 비슷하거나 약간 부족
- 장점 ; noninvasive (췌장염 등의 합병증 없음), 조영제 사용 안함, 빠르고 재현성이 높음
- 노인 등의 고위험군에 유용

5. Radioisotope Scanning

(1) ^{99m}Tc-labeled sulfur colloid scanning

- 가장 많이 사용, reticuloendothelial (Kupffer) cell에 의해 uptake,
- cold area 보이는 것 ; primary & metastatic tumors, cyst, abscess, gumma
- decreased or patchy uptake 보이는 것 → diffuse hepatic dz. (hepatitis, cirrhosis)

(특히 portal HTN 존재시는 다른 reticuloendothelial system에서 uptake 증가
; spleen, bone marrow (spine))

- Budd-Chiari syndrome ; caudate lobe가 커지고 주로 uptake

(2) ^{111}In-labeled colloid scanning

: Kupffer cell에 의해 uptake, ^{99m}Tc보다 비싸고, radiation에 노출 더 많다

(3) ^{67}Gallium scanning

- 단백질 합성이 활발한 세포에 uptake
- tumor, abscess에서 "hot spot" 보임 예) HCC, HD, 일부 NHL, melanoma

(4) biliary scanning

- hepatocyte에 uptake되어 bile을 통해 배설
- ^{131}I-rose bengal, ^{99m}Tc-labeled HIDA · PIPIDA · DISIDA
- acute cholecystitis 진단시 가장 좋다 → nonvisualization of GB (∵ cystic duct 폐쇄 때문에)
- 기타 cholestasis, acute/chronic biliary obstruction, bile leaks, biliary-enteric fistula, choledochal cyst 등을 관찰 가능

간생검 (Percutaneous liver biopsy)

1. 적응증

① 만성 간질환의 진단, severity (grade) & stage, 예후 등의 평가
② 철저한 검사에도 불구하고 원인이 불확실한 간질환
(e.g., drug-induced liver dz., acute alcoholic hepatitis)
③ unexplained splenomegaly or hepatomegaly
④ 영상검사에서 hepatic lesions (e.g., filling defects, tumors)
⑤ FUO ⑥ malignant lymphoma의 staging

- liver biopsy가 진단에 중요한 만성 간질환 ; autoimmune hepatitis, primary biliary cirrhosis, nonalcoholic/alcoholic steatohepatitis, Wilson's dz. ...
- fibrosis의 정확한 평가를 위해서는 1.5~2 cm 길이의 간 조직이 필요함

2. 금기

① unexplained bleeding의 병력
② 출혈성 경향
- PT 연장(≥4초, INR≥1.5) or BT 연장(≥10분)
- thrombocytopenia : platelet <50,000/μL
- 최근 7~10일 내에 NSAIDs 복용

③ 출혈시 적합한 혈액형의 혈액이 준비되어 있지 않을 때
④ Rt. pleural space의 infection or septic cholangitis

⑤ tense ascites가 존재하여 ascitic fluid leakage 지속의 위험이 있을 때
⑥ high-grade biliary obstruction이 의심되고, bile peritonitis의 위험이 높을 때
⑦ hemangioma 등의 혈관성 종양 의심시
⑧ echinococcal cyst ⑨ biopsy에 적합한 곳을 찾지 못할 때, 환자와 협조가 안될 때

3. transvenous (transjugular) liver biopy의 적응증

① 심한 응고장애/출혈경향 ② massive ascites or obesity
③ vascular tumor or peliosis hepatitis 의심시
④ wedged hepatic venous pr. 측정 ⑤ percutaneous biopsy 실패시

만성 간염의 조직학적 소견	
Autoimmune hepatitis (AH)	뚜렷한 plasma cells 침윤
Primary biliary cirrhosis (PBC)	담관의 lymphocytic & granulomatous 침윤, ductopenia
Primary sclerosing cholangitis (PSC)	섬유성 폐색 담관염, ductopenia
Autoimmune cholangitis	담관의 lymphocytic & granulomatous 침윤, ductopenia
Chronic viral hepatitis	젖빛유리(ground-glass)모양 간세포 등
Chronic drug-induced hepatitis	특이한 소견 없음
α_1-antitrypsin deficiency	세포질 내 globules
Wilson's disease	심한 구리 침착
Granulomatous hepatitis	뚜렷한 granulomas가 흔함
Graft-versus-host disease (GVHD)	담관의 lymphocytic & granulomatous 침윤, ductopenia
Alcoholic steatohepatitis	지방증(steatosis), 중심성 염증 및 섬유화, Mallory bodies
Nonalcoholic steatohepatitis (NASH)	Glycogenated nuclei, 지방증, 중심성 염증 및 섬유화, Mallory bodies

간이식 (Liver transplantation)

1. 적응

; 거의 모든 종류의 말기 간질환이 간이식의 대상임, 적절한 수술 시기의 결정이 가장 중요

■ 이식 우선순위의 결정 ; MELD score (→ II-6장 참조)

- MELD score에 관계없이 0 순위 ; fulminant hepatic failure, primary graft nonfunction, 간이식 7일 이내의 hepatic artery thrombosis, acute decompensated Wilson's dz.
- MELD score에 가산점을 부여하는 경우 (∵ 간기능이 잘 보전, 이식의 효과↑) … 미국
  ; HCC, PSC, hepatopulmonary syndrome (HPS), portopulmonary HTN, hyperoxaluria, metabolic dz., hepatic artery thrombosis, familial amyloid polyneuropathy, cystic fibrosis, cholangiocarcinoma 등

소아
선천성 담도폐쇄증 (m/c) 신생아 간염, 선청성 간섬유화증 Alagille's syndrome, Byler's dz., α_1-Antitrypsin 결핍 선천성 대사장애 ; Wilson's dz., hemochromatosis*, tyrosinemia, glycogen storage dz., lysosomal storage dz., protoporphyria, Crigler-Najjar dz. type I, familial hypercholesterolemia, primary oxaluria, hemophilia 등
성인
간경변 (m/c) ; 바이러스성, 알코올성, NASH, 자가면역, 특발성 등 원발간종양(HCC, adenoma) 전격성 간염, 간정맥 혈전증(Budd-Chiari syndrome) 담즙성 간경변 (원발성[PBC], 2차성), 원발성 경화성 담관염(PSC) Caroli's dz., familial amyloid polyneuropathy Hepatopulmonary syndrome (HPS), Portopulmonary hypertension

*hemochromatosis는 이식 후 예후 나쁨 (∵ 심장 및 감염 합병증↑)

2. 금기 ★

Absolute C/Ix	Relative C/Ix
조절되지 않는 간담도계 이외의 감염질환 (e.g., sepsis) 치유 불가능한 시한부의 선천성 기형 약물 또는 알코올 중독 (장기간 끊으면 가능) 진행된 심폐질환으로 수술의 위험이 높은 경우 간전이암 간외 악성종양 (melanoma 이외의 피부암은 제외) Cholangiocarcinoma* Hemangiosarcoma Active HIV infection (AIDS) 기타 생명을 위협하는 질환	70세 이상 노인 광범위한/반복적인 간담도계 수술의 과거력 문맥혈전증(portal vein thrombosis) 간내/담도성 패혈증 간질환과 관련없는 신부전(serum Cr >2 mg/dL) 간외 악성종양의 과거력 (melanoma 이외의 피부암은 제외) 우-좌 폐내 단락에 의한 심한 hypoxemia (PO_2 <50 mmHg) 심한 폐고혈압 (평균 폐동맥압 >35 mmHg) 환자와 협조가 안될 때, 치료되지 않는 심한 정신질환 심한 비만 or 영양실조 HIV 양성 (viremia가 조절되지 않거나 CD4 <100/μL)

(*Cholangiocarcinoma는 이식 후 거의 다 재발해 금기지만, 적절한 다른 치료를 받은 perihilar 종양 일부는 시도 가능)

- 상대적 금기에 해당되는 경우는 이식 후 예후도 나쁨 (1YSR 60%, 5YSR 35%)
- 전체적인 간이식 후 예후 : 1YSR 85~90%, 5YSR >60%

3. 공여자의 선택

- 공여자 선택시 중요한 것
  ① ABO 적합성 (HLA matching은 필요 없다!)
  ② organ size (c.f., 응급 상황에서는 비적합 ABO, split/small liver도 이식 가능)
- 사체 간이식의 공여 기준 : 60세 이하의 뇌사자
  ① (기계호흡등을 이용한) 심폐기능의 안정적 유지
  ② 오랜 기간동안 저혈압/무산소 상태로 있으면 안 됨
  ③ 복부손상이 있으면 안됨 ④ hepatic dysfunction이 있으면 안됨
  ⑤ 세균/진균 감염증이 있으면 안됨
  ⑥ HBV, HCV, HIV 등은 음성이어야 함
  (때때로 B/C형 간염 뇌사자의 간은 각각 B/C형 간염 환자에게 이식 가능)

- 생체 부분 간이식
  - 공여자 선택 기준은 사체 간이식과 유사하지만, 보다 엄격한 검사 필요
  - 우리나라는 간이식의 약 85%가 생체 간이식으로 시행됨
  - 성인에게는 Rt. lobe, 소아에게는 Lt. lat. segment가 흔히 이식됨
  - 단점 ; 담도 및 혈관 합병증 증가, 공여자도 합병증 발생 위험

4. 이식 후 합병증

(1) 간외 합병증

- 감염(m/c)
  - 세균감염(이식 초기) ; 담관염, 복강내 농양, UTI, 폐렴 ...
  - 진균감염 ; candidiasis (초기), aspergillosis (후기) 등
  - 바이러스감염 (이식후 1~6개월에 호발) ; CMV , HSV ...
- 신기능 장애, 심혈관계 장애, 폐기능 장애, anemia, thrombocytopenia ...

(2) 간 합병증 (hepatic dysfunction)

- 혈관성 합병증 (대개 이식후 며칠 이내에 발생) ; hepatic artery thrombosis, portal vein obstruction, 복강내 출혈(leak) ...
- primary graft nonfunction (∵ 이식 간의 허혈성 손상) : 이식 초기 graft loss의 m/c 원인, 임상양상은 fulminant liver failure와 비슷함 → 재이식시 survival 약 50%
- 담도성 합병증(e.g., stenosis, obstruction, leak), 거부반응(rejection), 원발 간질환의 재발

5. 거부반응 및 면역억제치료

(1) acute (cellular) rejection

- 이식 후 첫 1주일 동안 간부전의 m/c 원인
- 환자의 약 1/2~2/3에서, 이식 후 5일~3주에 발생
  → 면역억제요법(triple therapy) 시행시 25~30%로 감소
- 증상 ; 발열, RUQ 복통, portal HTN에 의한 변화(e.g., 복수)
- m/g indicators ; serum bilirubin과 aminotransferase 상승
- 진단 ; 간생검, 담도의 영상검사
- 조직소견 ; portal or periportal infiltration, bile duct injury, endothelial inflammation (endothelialitis, m/i)
- 치료 ; steroid pulse, anti-lymphocyte Ab (OKT3, ALG) → 대부분 회복 가능
  c.f.) C형 간염 환자에서는 steroid 금기 (∵ 재발 위험↑)

(2) chronic (ductopenic) rejection

- 환자의 약 2~3%에서 발생하며, 이식 후 6주~6개월에 호발
- ALT, GGT 등이 지속적으로 상승하다가 황달 발생
- 조직소견 ; cholestasis, focal parenchymal necrosis, mononuclear infiltration, vascular lesions, fibrosis, bile ducts 소실("vanishing bile duct syndrome") → PBC와 거의 비슷
- 치료 ; tacrolimus (+ low dose steroid) → 잘 반응 안함, 10~20%는 재이식 시행

(3) maintenance (primary) immunosuppression

- 면역억제제들
  - CNI (calcineurin inhibitor) ; cyclosporine, tacrolimus (FK506)
    → 고형장기 이식의 주 면역억제제 (but, 장기간 사용시 CKD 발생 위험)
  - OKT3 (monoclonal T cell Ab) : 신부전 환자에서도 사용 가능
    → 기회감염(특히 CMV) 등의 부작용 때문에 최근에는 다른 면역억제제 (e.g., mycophenolate [MMF], rapamycin [Sirolimus®])를 더 선호
  - IL-2 receptor Ab (anti-IL-2R) ; basiliximab (Simulect®), daclizumab (Zenapax®)
    → induction therapy에 사용 (수술 전 ~ 수술 후 며칠), 부작용 적음
- 유지요법(triple therapy) : 효과↑, 각 약제의 용량(독성)↓
  - CNI (tacrolimus 선호) + MMF (or rapamycin) + steroid
  - 이식 3개월 뒤에는 steroid withdrawal
  - 나중에는 monotherapy로 전환 가능 (tacrolimus or MMF or rapamycin)

6. 간이식 후의 예후/재발

(1) 예후

- 1YSR 85~90%, 5YSR 60% 이상
- 이식 전 전신상태(compensation 정도)가 좋을수록 예후도 좋음
- MELD score 25점 이상시 예후 나쁨 (high dz. severity)
- high-risk categories ; cancer, fulminant hepatitis, 고령(>65세), 신부전, 인공호흡기 의존, portal vein thrombosis, portacaval shunt or RUQ의 반복 수술 병력 → 5YSR 35%
- 시기별 간이식 실패의 원인
  - 3개월 이내 ; 기술적 합병증, 수술관련 감염, 출혈
  - 3개월 이후 ; 감염, 거부반응, 원발 질환의 재발

(2) B형 간염

- decompensated LC 환자에게 경구항바이러스제(lamivudine, adefovir, entecavir, tenofovir 등) 투여시 일부에서는 간이식 시기를 늦출 수 있을 정도로 호전 가능
- 간이식후 HBV 재발 방지 : 장기간의 HBIg + 경구항바이러스제
- 예방조치시 간이식 후 예후는 다른 간질환들과 거의 동일, HBV 재발률(reactivation)은 약 6.6%
- 재발률이 낮은 경우
  ① fulminant hepatitis B (∵ hepatocyte 파괴 때 virus도 함께 소멸)
  ② HBV DNA (-)
  ③ HDV coinfection (∵ HDV가 HBV의 replication을 억제)
  ④ HBIg 장기간 투여, 경구항바이러스제 투여

(3) C형 간염

- 재발은 매우 흔하나 (거의 100%), 재발해도 대부분 경과는 양호한 편
  (5년 이내에 재이식이 필요한 경우는 극히 드묾 / 5~10년 뒤에는 예후 나빠짐)
- antiviral therapy (pegylated IFN + ribavirin) : 이식 직후부터 시행하나, 실제 간염이 발생했을 때 시행하나 별 차이 없음
- 이식 면역억제치료를 최소한으로 하는 것이 도움

(4 기타

- alcoholic cirrhosis ; 6개월 이상 금주하면 가능, 이식 성공률은 다른 간질환과 비슷
- autoimmune hepatitis, PSC, PBC 등은 재발시 이식거부반응과 구별 어려움
  - autoimmune hepatitis는 ~1/3에서 재발 가능하지만, graft survival에는 큰 영향 없음
  - PSC와 PBC는 이식 후 예후는 좋은 편이나, 10년 뒤 약 25%에서 재발함
- 유전성 간질환은 재발 안함 (e.g., Wilson's dz., α_1-AT deficiency)
- hepatic vein thrombosis (Budd-Chiari syndrome)는 재발 가능하지만 기저 질환 치료 및 anticoagualtion으로 예방 가능
- <u>cholangiocarcinoma</u>는 거의 다 재발 → 이식의 금기
  (적절한 다른 치료를 받은 stage Ⅰ/Ⅱ perihilar 종양은 일부 시도 가능)
- HCC는 환자 선택을 잘 하면 성공률 매우 좋음 (다른 양성질환들과 5YSR 비슷)
  - 일반적 기준(Milan criteria) ; <u>단일 병변 <5 cm</u> *or* <u>3개 이하 & 최대 병변 <3 cm</u>
  - 확대 기준(UCSF criteria) ; 단일 병변 ≤6.5 cm *or* 3개 이하 & 최대 병변 ≤4.5 cm
    or 전체 병변 직경의 합 ≤8 cm
  - 가장 큰 병변의 직경 or 전체 병변 직경의 합이 예후에 중요하고, 병변의 개수는 명확치 않음
- NASH는 재발이 흔함

2 빌리루빈 대사 및 황달

BILIRUBIN 대사

- bilirubin : heme (porphyrin ring)의 분해산물로서, 약 85%가 수명을 다한 RBC의 Hb 분해로 spleen에서 만들어짐(unconjugated bilirubin) → 지용성이므로 혈장 내의 albumin과 강하게 결합되어 간세포로 이동됨
  (c.f. Hb 이외의 heme 함유 단백 ; P450, tryptophan, pyrrolase, catalase, myoglobin 등)
- 간세포의 bilirubin 대사 과정 및 관련 장애

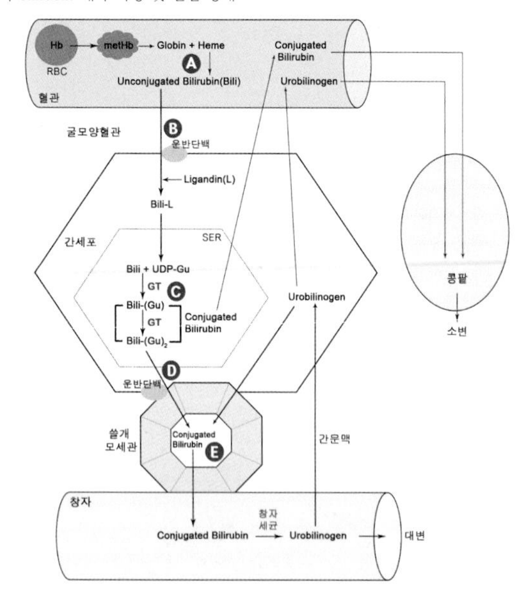

- 용혈빈혈 같은 과다생산 질환(A)에서는 unconjugated bilirubin 생산 속도가 간의 bilirubin 제거 속도를 초과하여 대개 일시적인 unconjugated hyperbilirubinemia를 보임
- UDP-GT를 코드화하는 *UGT1A1* 유전자의 돌연변이에 의한 Gilbert or Crigler-Najjar syndrome (C)에서는 unconjugated bilirubin이 간세포 내에 축적되고 결국엔 unconjugated hyperbilirubinemia을 일으키며, Gilbert syndrome에서는 또한 bilirubin의 운반단백 결함에 의한 섭취 장애(B)도 존재하는 것으로 추정됨
- MRP2/cMOAT/ABCC2 유전자의 돌연변이에 의한 Dubin-Johnson syndrome (D) 때는 bilirubin의 쓸개모세관으로의 배설 장애에 의해 conjugated bilirubin이 간세포 내에 축적되고 결국엔 conjugated hyperbilirubinemia가 발생됨
- 성인에서 conjugated hyperbilirubinemia의 가장 흔한 원인은 결석이나 종양 같은 공간점유병변에 의한 쓸개관(특히 온쓸개관) 폐쇄임(E)

1. 간에서의 대사

(1) hepatocellular uptake
- 기전; facilitated (receptor-mediated) endocytosis (主), simple (passive) diffusion
- 정상 상황일 때 혈중 bilirubin은 간세포에 의해 빠르게 섭취되어 혈중에서 제거됨

(2) intracellular binding
- 간세포내에서 ligandin (glutathione-S-transferase)에 결합되어, 혈장으로 다시 역확산되지 않음
- bilirubin-ligandin 결합체는 SER 내의 microsomes으로 전달됨

(3) conjugation
- 지용성 bilirubin이 glucuronic acid residues와 conjugation되어 수용성인 BMG or BDG가 됨
- bilirubin-UDP-glucuronosyltransferase (UGT)에 의해 매개됨 (*UGT1A1* gene)

(4) biliary excretion (canalicular secretion)
- rate-limiting step으로서 간세포 손상시 가장 손상되기 쉬운 단계임!
- conjugated bilirubin은 multidrug resistance-associated protein 2 (MRP2)라는 세포막의 transport 단백에 의해 담도(bile)로 직접 배설됨
- 정상 bile
  - unconjugated bilirubin (UCB) <5%
  - bilirubin monoglucuronide (BMG) : 7%
  - bilirubin diglucuronide (BDG) : 90%
- BMG가 혈장으로 더 쉽게 역류되므로, 혈장의 BMG:BDG 비율은 거의 1:1 임

(5) urobilinogen
- 장관 내로 배설된 담즙의 conjugated bilirubin의 상당량은 장내세균에 의해 대사되어 urobilinogen으로 됨 (주로 대장에서) → 80~90%는 대변으로 배설됨
  → 10~20%는 장관을 통해 재흡수됨 (enterohepatic circulation)
  → 재흡수된 urobilinogen의 대부분은 간에 의해 섭취되어 다시 대사되고, 일부는 신장을 통해 소변으로 배설됨
- 소변 내 urobilinogen은 간염의 severity에 따라 변동 (보다 충실하게 간기능을 반영)
  ① 정상 : 소량만 배설 (±, trace)
  ② 경도의 간장애 : 간에서 섭취하는데 장애가 있으므로 ↑
  ③ 간염의 절정기, 담즙정체 : 장내로 배설이 안 되어 못 만들어지므로 ↓
  (complete bile duct obstruction시엔 0)
- 장내 urobilinogen은 stercobilin 같은 대변 색소로 변환됨
  → 이것이 없으면 대변은 회색으로 됨 (gray-colored stool)

2. Conjugated와 unconjugated bilirubin의 비교

	Unconjugated	Conjugated
Van den Bergh 반응	Indirect (total－direct)	Direct
친화성	지용성	수용성
혈중 비율	＞70%	＜30%
소변(신장) or 담즙으로 배설	－	＋
혈중 albumin에 결합 (가역적)	아주 강함	약함
Bilirubin-albumin complex 형성 : δ －bilirubin (biliprotein)	－	비가역적 공유결합 (→ 반감기 길)

c.f.) unconjugated bilirubin은 신생아에서 BBB를 통과하여 핵황달을 유발 가능

황달 (Jaundice)

1. 정의

- 혈중 total bilirubin 치가 정상의 2배 (2.0~2.5 mg/dL) 이상이 되어야 황달 발생
  ; 초기에는 공막 황달과 소변색이 짙어짐 → bilirubin이 더 높아지면 피부도 노랗게 됨
  → 심하게 오래 지속되면 피부가 진한 녹색조로 됨 (∵ bilirubin이 biliverdin으로 산화)
- conjugated (direct) hyperbilirubinemia : direct bilirubin이 total bilirubin의 보통 50% 이상
  → 대부분 간담도계 질환이 원인
- unconjugated (indirect) hyperbilirubinemia : direct bilirubin이 15% 이하
  → 대부분 간 이외가 원인이며 (주로 hemolysis), 대개 경미함

2. 황달의 원인 감별

	Prehepatic	Hepatocellular	Obstructive
Serum unconjugated bilirubin	↑	↑	↑
Serum conjugated bilirubin (CB)	N	↑↑	↑↑
Urine bilirubin (CB)	－	↑	↑
Urine urobilinogen	↑	N~↑ or ↓	－
Fecal bilirubin	↑	↓	－
Fecal urobilinogen	↑	↓	－

- 순수한 unconjugated hyperbilirubinemia를 제외하고는, direct와 indirect를 구분하는 것은 황달의 원인 감별에 별 도움이 안됨
- 소변에서 검출되는 bilirubin은 항상 conjugated bilirubin이며, bilirubinuria의 존재는 간질환이 있음을 의미함 (unconjugated bilirubin은 혈중에서는 항상 albumin과 강하게 결합되어 있으므로 신사구체에서 여과 안됨)
- urine bilirubin (+) → "red urine"
- fecal urobilinogen (−) → light or gray colored stool

3. 황달 환자의 진단적 접근

(1) bilirubin 만 증가된 경우 (다른 간기능검사는 정상)

⇨ 용혈 또는 독립된(e.g., 선천성) bilirubin 대사장애 의심

(2) ALP and/or aminotransferase (AST, ALT)도 증가된 경우

⇨ 폐쇄성(cholestasis)과 간세포성 황달을 감별해야 함

	폐쇄성 황달	간세포성 황달
병력	복통, 발열, 오한 담도계 수술 병력 고령 무담즙변(회색변)	바이러스감염의 전구증상 ; 식욕부진, 권태감, 근육통 등 감염원에 노출 병력, 수혈 병력, IV drugs user 간독성 물질에 노출 병력, 황달의 가족력
진찰	고열 복부 압통 복부 종괴 복부 수술 흉터	복수 기타 만성간질환의 단서 ; 복부 정맥 확장, 여성형 유방, 거미혈관종(spider angioma), asterixis, 간성 뇌병증, Kayser-Fleischer rings 등
검사	주로 bilirubin과 ALP가 상승 PT 정상 or vitamin K로 정상화! Amylase 상승	주로 aminotransferases 상승 PT 연장이 vitamin K로 정상화 안됨 간세포 질환을 시사하는 다른 검사들...

(3) intrahepatic과 extrahepatic cholestasis의 감별

① Hx, P/Ex, laboratory tests ; 별로 도움 안됨

② US ; sensitivity & specificity 높다

- intrahepatic ; biliary dilatation 없음
- extrahepatic ; biliary dilatation 있음

- false (-) ; CBD의 partial obstruction, LC, primary sclerosing cholangitis

③ CT ; pancreatic head와 ductal dilatation이 없는 CBD stone 보는데 좋다

④ ERCP ; CBD stone (choledocholithiasis) 진단의 gold standard

⑤ MR cholangiopancreatography (MRCP) ; noninvasive, ERCP를 대체 가능

■ **담즙정체(cholestasis)의 원인**

Intrahepatic	Extrahepatic
바이러스성 간염 (A, B, C, EBV, CMV) 알코올성 간염 약물 ; imipramine, tolbutamide, sulindac, cimetidine, TMP-SMX, β -lactams Vanishing bile duct syndrome ; 간이식의 만성 거부반응, sarcoidosis, 약물 Intrahepatic cholestasis of pregnancy Benign postoperative cholestasis GVHD, TPN, Venoocclusive disease 간담계 이외의 원인에 의한 sepsis Paraneoplastic syndrome Primary sclerosing cholangitis (PSC) Primary biliary cirrhosis (PBC)	담관 결석 (m/c) 만성 췌장염 악성종양 ; 담관암, 췌장암, 담낭암, 유두부암, 간주위 LN의 전이 AIDS cholangiopathy Primary sclerosing cholangitis (PSC)

* 치료는 뒷부분 참조

빌리루빈 대사 이상에 의한 황달의 분류

■ *Unconjugated* Hyperbilirubinemia가 주인 경우

❶ 과다생산

1. Hemolysis (intra- & extravascular)
2. Ineffective erythropoiesis

❷ Hepatic uptake 감소

1. Prolonged fasting, sepsis
2. Gibert's syndrome
3. 간으로의 운반 감소 ; CHF, LC, portacaval shunt
4. Drugs ; isoniazid, α -methyldopa, phenothiazines, NSAIDs, thiazides, sulfonamides, rifampicin, ribavirin, probenecid, flavaspidic acid, novobiocin, 담낭조영제 등

❸ Bilrubin conjugation 감소 (hepatic glucuronosyl transferase activity 감소)

1. Neonatal jaundice (transient transferase deficiency, unconjugated bilirubin의 장흡수 증가)
   : 생리적 황달, 특히 미숙아
2. Acquired transferase deficiency
   Drug inhibition (예; chloramphenicol, pregnanediol, novobiocin, GM, vitamin K)
   Breast milk feeding (reversible transferase inhibition)
   Hepatocellular diseases (advanced hepatitis, cirrhosis)
   Hypothyroidism
3. Hereditary transferase deficiency
   Gilbert's syndrome (mild transferase deficiency)
   Crigler-Najjar type II (moderate transferase deficiency)
   Crigler-Najjar type I (absence of transferase)

■ *Conjugated* Hyperbilirubinemia가 주인 경우

❶ 간에서의 분비 장애 (intrahepatic defects)

1. Familial or hereditary disorders
   Dubin-Johnson syndrome
   Rotor syndrome
   Recurrent (benign) intrahepatic cholestasis
   Cholestatic jaundice of pregnancy
2. Acquired disorders
   Hepatocellular diseases (예; viral or drug-induced hepatitis, cirrhosis)
   Drug-induced cholestasis (예; oral contraceptives, androgens, chlorpromazine)
   Alcoholic liver disease
   Sepsis
   Postoperative state
   Parenteral nutrition
   Biliary cirrhosis (primary or secondary)

❷ 간외 담도 폐쇄

1. Intraductal obstruction
   Gallstone, CBD stone
   Biliary malfomation (예; stricture, atresia, choledochol cyst)
   Infection (예; Clonorchis, Ascaris, oriental cholangiohepatitis)
   Malignancy (cholangiocarcinoma, ampullary carcinoma)
   Hemobilia (trauma, tumor)
   Sclerosing cholangitis
2. Biliary ducts의 압박
   Malignancy (예; pancreatic carcinoma, lymphoma, portal LN의 전이)
   Inflammation (예; pancreatitis)

* hepatocellular dz. (hepatitis, cirrhosis)는 conjugated bilirubin이 주로 증가

UNCONJUGATED HYPERBILIRUBINEMIA

1. Bilirubin의 과다 생산

(1) **hemolysis** : unconjugated hyperbilirubinemia의 m/c 원인

- hemolysis 만 있는 경우에는 대개 4 mg/dL 이하로 증가됨
- 5 mg/dL 이상 증가시에는 hepatic dysfunction도 동반되었음을 시사

• 장기간의 hemolysis는 담낭/담도에 bilirubin salts 축적을 유발하여 gallstones이 형성될 수 있음

(2) ineffective erythropoiesis

: bone marrow 내에서 RBC나 RBC precursors의 파괴가 증가되는 현상

예) megaloblastic anemia, thalassemia, IDA, PV, aplastic anemia, lead poisoning ...

(3) 기타 ; massive tissue infarction, large hematoma

2. Bilirubin conjugation의 장애

* 기전 ; bilirubin-UDP glucuronosyltransferase (UGT1A1)의 활성도 감소

(1) Gilbert's syndrome (GS)

• 원인 ; *UGT1* gene의 promotor mutation 등 (but, 유전적 결합이 GS 발현에 충분조건은 아님)
  - glucuronosyl transferase (UGT1A1) activity 감소 (정상의 10~35%)
  - bilirubin uptake 장애도 관여함, 일부에서는 hemolysis도 동반

• mild unconjugated hyperbilirubinemia의 흔한 원인!
  - 유병률 3~10%, 남>여, 보통 10대 이후에 우연히 발견됨
  - total bilirubin : 1.2~3 mg/dL (5 mg/dL 이상은 넘지 않는다)
  - bilirubin 농도는 상당히 유동적이며, F/U 시 최소 25% 이상에서는 일시적으로 정상을 보임

• jaundice가 악화되는 경우 ; 금식, 스트레스, 피로, 수면 부족, 감염, 수술, 심한 운동, 과음, protease inhibitor indinavir & atazanavir (UGT1A1 억제)

• liver function test나 liver biopsy는 정상, splenomegaly 無

• 특징
  - 장시간(48 hr) 금식 or IV nicotinic acid → bilirubin 증가
  - 열량섭취 증가 or phenobarbital 투여 → bilirubin 정상으로 감소

• 치료 : 필요 없다! (수명은 정상)

• irinotecan (CPT-11), methanol, estradiol, benzoate, AAP, tolbutamide, rifamycin 등의 약물은 GS 환자에서 toxicity가 증가할 수 있으므로 주의! (e.g., irinotecan → 골수 억제, 심한 설사)

(2) Crigler-Najjar syndrome

❶ type I (severe form)

• *UGT1* gene의 다양한 mutations (AR 유전)
  - type IA (대부분) : *UGT1*의 common exon (2~5)의 mutations (→ bilirubin 외에도 다양한 drugs, xenobiotics의 포합 장애 발생)
  - type IB (일부) : *UGT1*의 bilirubin-specific exon A1의 mutations (→ bilirubin만 장애)

• glucuronosyltransferase (UGT1A1)가 완전히 결핍됨

- 영아기에 심한 unconjugated hyperbilirubinemia (20~45 mg/dL)가 발생하여, 평생 지속됨
  → 치료 안하면 핵황달(bilirubin encephalopathy)로 사망
- 다른 liver function test나 liver biopsy는 정상
- Tx (phenobarbital 및 enzyme inducers는 효과 없다)
  ① phototherapy (12 hr/day) : 출생시~소아기 (신생아 때 심한 경우엔 교환수혈도 시행)
  ② tin-protoporphyrin (heme oxygenase inhibitor)
  ③ calcium phosphate + calcium carbonate
  ④ 간이식 (m/g) : 뇌손상 발생 전에 시행

❷ type Ⅱ (moderate form)

- type Ⅰ과의 차이점
  ① glucuronosyl transferase (UGT1A1) activity 감소(<10%)
  ② 평균 bilirubin level은 type Ⅰ보다 낮다
  ③ bilirubin encephalopathy (kernicterus)는 드물다
  ④ 담즙내에 bilirubin glucuronides 존재(→ 유색), BMG 증가
  ⑤ 일부에서는 성인이 되어 발견되기도 함
  ⑥ phenobarbital에 반응 (→ bilirubin 25% 이상 감소, 정상으로는×)
- Tx : phenobarbital (single bedtime dose)

	Mild (Gilbert's syndrome)	Moderate (Crigler Najjar type II)	Severe (Crigler Najjar type I)
UGT1A1 activity (bilirubin conjugation)	↓	↓↓	없음
유전양상	다양*	주로 AR	AR
담즙의 특징; Color Bilirubin 구성	정상(흑색) BMG↑(평균 23%) 주로는 BDG	색소성 BMG↑↑(평균 57%)	무색 UCB이 대부분 (>90%)
혈청 Bilirubin (mg/dL)	1~4	5~20	20~45
Encephalopathy (kernicterus)	없음	드묾	흔함
Phenobarbital에 대한 반응	bilirubin 정상으로 감소	bilirubin 25% 이상 감소	×

(UCB: unconjugated bilirubin, BMG: bilirubin monoglucuronide, BDG: bilirubin diglucuronide)

* 많은 경우 가족력 없다, promotor mutation은 AR, missense mutation은 대부분 AD

CONJUGATED (or Mixed) HYPERBILIRUBINEMIA

1. 선천성 간배설(hepatic excretion) 이상

(1) Dubin-Johnson syndrome

- biliary excretion의 장애, MRP2 gene (*ABCC2*)의 mutations, AR 유전
- chronic idiopathic jaundice 이외에 대부분 무증상, 다른 간기능검사도 정상
- total bilirubin은 대개 2~5 mg/dL (심하면 ~20 mg/dL까지도 가능)

- 악화인자 ; 다른 동반 질환, 경구 피임약(estrogen), 임신 ..
- oral & IV cholecystography에서 GB & biliary tract이 보이지 않음
- BSP elimination curve에서 90분 후에 2ndary rise 보임 (ICG에서는 없음)
- 조직소견 : "black liver" (hepatocytes에 dark pigment 축적) → 유일하게 조직학적인 변화 있음!
- 예후는 양호하며, 특별한 치료는 필요없다 (estrogen은 복용 금지)

(2) Rotor syndrome

- AR 유전, Dubin-Johnson syndrome보다 더 드물다
- hepatic storage capacity의 장애 (excretion의 장애는 보이지 않음)
- cholecytography에서 GB & biliary tract이 보임
- BSP excretion에서 secondary rise 보이지 않음
- 조직소견은 정상 (hepatocytes에 pigment 축적 없음)

	Rotor	Dubin-Johnson
혈청 Bilirubin	3~7	2~5
BSP excretion에서 2nd rise (∵ reflux)	−	+
Cholecystography	GB 보임	GB 안보임
Total urinary coproporphyrin	↑	N
Coproporphyrin I isomer의 비율	<70%	≥80%
Liver biopsy	정상	Dark pigment

(3) Benign recurrent intrahepatic cholestasis (BRIC)

- 재발성 황달과 소양감, aminotransferase와 ALP도 상승
- 원인 : FIC1 (*ATP8B1*) gene의 mutation, AR 유전
- LC로의 진행은 없으며 대개 저절로 좋아짐

(4) Progressive familial intrahepatic cholestasis (PFIC)

- type Ⅰ (Byler dz.) : 영양실조, 성장지연, 말기 간질환으로 진행 (원인 : FIC1 gene mutation)
- type Ⅱ : BSEP (bile salt export pump) gene mutation
- type Ⅲ : MDR3 gene mutation, GGT 증가가 특징(다른 선천성 간배설이상 질환에서는 정상)

2. Hepatitis and cirrhosis

- jaundice의 m/c 원인
- bilirubin 대사의 3단계(uptake, conjugation, excretion)가 모두 장애를 받지만 excretion이 rate-limiting step으로 가장 많이 장애를 받으므로 주로 conjugated hyperbilirubinemia가 발생함

3. Benign postoperative intrahepatic cholestasis

- 원인 ; major & prolonged surgery (e.g., aortic aneurysm)에서 hypotension & hypoxemia, 과다 출혈, 대량 수혈 등이 있었던 경우

- 발생기전
  ① transfusion에 의한 pigment 과부하
  ② hypoxemia, hypotension에 의한 간세포 기능의 저하
  ③ shock의 결과로 tubular necrosis에 의한 renal bilirubin excretion의 저하
- 임상양상 (self-limited)
  ① 수술후 2~3일에 jaundice 나타나기 시작
  ② bilirubin은 8~10일 경에 peak (20~40 mg/dL)
  ③ ALP와 GGT도 몇 배 증가됨
  ④ AST : 정상 or 약간 증가 (특징적)

4. Intrahepatic cholestasis of pregnancy (= Recurrent jaundice of pregnancy)

- 원인 : estrogen/progesterone의 담즙정체 효과에 민감한 유전적 소인
  (MDR-associated canalicular transporter proteins의 결함)
- 임신 말기 3개월에 호발, 1% 미만에서 발생
- 임상양상
  ① 소양증 (m/c) ; 손바닥, 발바닥에 심함, 밤에 악화
  ② 황달 (약 10%에서), 간부전이나 간성뇌증은 없다
  ③ 요로감염이 호발하므로 주의
- 검사소견
  ① bile acids↑ (특히 cholic acid) - 가장 특징적
  ② ALP↑, AST/ALT ↑~↑↑
  ③ bilirubin N~↑ (total bilirubin은 5 mg/dL 이하)
  ④ liver biopsy : 다양한 정도의 cholestasis를 보이나, 실질세포의 파괴는 거의 없음
- 치료
  ① 소양증 → hydroxyzine, phenobarbital, cholestyramine
  ② 심한 환자 → UDCA (ursodeoxycholic acid), dexamethasone
  ③ 황달이 있거나 cholestyramine을 사용하는 환자 → vitamin K
- 예후
  ① 산모 ; 출산 후 수일 내에 호전(self-limited), 다음 임신시 45~75%에서 재발
  ② 태아 ; 나쁨 (조산, 사산, 미숙아 ↑) → 조기 분만이 안전

* **HELLP syndrome** : **H**emolysis, **E**levated **L**iver enzymes, **L**ow **P**latelets
- 고령, 다산부에서 발생 증가, AFLP와 증상 비슷(e.g., 복통)
- MAHA (microangiopathic hemolytic anemia) / PT, PTT, fibrinogen 등은 대개 정상!
  (c.f., aminotransferase level과 platelet count는 예후와는 관련 없음)
- 간생검 (권장되지는 않음) ; focal hepatocellular necrosis, sinusoids 내의 fibrin 침착
- Cx. ; sepsis, MODS (multiple-organ dysfunction syndrome), 간부전, 신부전, 간종양/파열 ...
- 치료 ; 즉시 분만!
- 재발률은 낮은 편 (3~25%)

임신시 발생하는 간질환

	빈도	발생시기 (trimester)	증상	검사소견	다음 임신시 재발률
Hyperemesis gravidarum	~2%	1	심한 N/V, 탈수, 영양결핍	AST/ALT 증가 (60~1000) 때때로 hyperbilirubinemia	흔함
Intrahepatic cholestasis	~1%	2<3	대부분 소양증만 일부 심한 경우 황달도 나타날 수	Bile acids >8 μM 심하면 AST/ALT 증가 Bilirubin은 대개 2~5 mg/dL	흔함
Acute fatty liver of pregnancy (AFLP)	드묾	3	N/V, 복통	AST/ALT 증가 (100~1000) Bilirubin >5 mg/dL, PT 연장 등의 간부전 양상	드묾
HELLP syndrome	심한 eclampsia, preeclampsia 환자의 2~12%	2, 3, or 분만후	복통, N/V	AST/ALT 증가 (60~1500) Microangiopathic anemia Platelet <100,000/μL LDH >600 U/L	3~25%

* AFLP (급성 임신성 지방간) → Ⅱ-5장 참조

■ 담즙정체(cholestasis)의 임상양상 및 치료

(1) 소양증(pruritus)

① 국소 치료 ; 낮은 온도의 물로 샤워, 옷/침구는 가능한 적게/얇게 사용, 보습 비누/로션 (e.g., Dove 비누, Eucerin 크림) 사용

② bile salt binders (anion-exchange resins) ; cholestyramine or colestipol

③ bile salts ; ursodeoxycholic acid (ursodiol)

④ doxepin

⑤ hepatic microsomal enzyme induction ; rifampin

⑥ opioid receptor antagonists ; naltrexone, naloxone, nalmefene

⑦ antihistamines

(2) Hypercholesterolemia

; bile salt binders (e.g., cholestyramine), statins (효과 별로)

(3) Malabsorption

; medium-chain TG, fat-soluble vitamins (A, D, E, K), essential fatty acids

(4) Osteopenia

; calcium, vitamin D, bisphosphonates

3
급성 간염

급성 바이러스성 간염

- A, E : 급성 간염만 일으킴, 대부분 fecal-oral route로 감염
- B, C, D : 급성 간염과 만성 간질환을 모두 일으킬 수 있음, 간암 유발 가능

1. 원인 (virology)

(1) hepatitis A

- picornavirus family의 *Hepatovirus* 속(genus) RNA virus, 간에서만 복제됨
- self-limited, 급성 간염만 일으킴 (만성 간염이나 보균자 없음!)
- 1분간 끓이거나 formaldehyde, chlorine, UV 등에 의해 불활성화됨
- anti-HAV
  - IgM : acute stage 때 (+), 대개 3~6개월 뒤 소실
  - IgG : protective antibody, 평생 지속
- 전염력은 임상증상(황달)이 나타나기 전이 가장 높고, 황달이 발생한 뒤에는 급격히 감소됨!
- 약 10%는 완전 회복 4~15주 후에 증상 재발, AST-ALT↑, 대변 HAV(+), 간혹 황달 발생 → 결국엔 예외 없이 회복됨

(2) hepatitis B

- hepadnavirus type 1, only DNA virus (다른 hepatitis는 모두 RNA virus!)
- DNA virus 인데도 reverse transcription이 일어남,
- 간세포의 핵 뿐 아니라 cytoplasm 내에서도 증식함
- 외피와 핵으로 구성된 2중 구조의 구형 입자
  - 외피(envelop) : HBsAg
  - 핵(core) : HBcAg, DNA, DNA polymerase
- HBV의 유전자(genes)
  - ① S gene (pre-S1, pre-S2 포함)
  - ② C gene (2개의 initiation codon을 가짐)
    - precore region에서 해독 시작 → HBeAg
    - core region에서 해독 시작 → HBcAg
  - ③ P gene → DNA polymerase (DNA-dependent DNA polymerase 및 RNA-dependent reverse transcriptase 활성을 모두 갖고 있음)

④ X gene → HBxAg ("transactivating" factor) ⇨ virus & 간세포 gene의 transcription 활성화
: p53 (암억제단백), NF-kB, RNA pol II, TBP, TFIIB 등과 interaction하여
- HBV replication ↑ (→ severe hepatitis, HCC)
- 다른 virus의 transcription ↑ (e.g., HIV)
- HLA class I gene activation (→ cytotoxic T cell에 민감)
- programmed cell death (apoptosis) 유도 (but, 억제하기도 함), p53도 관련

* 간암(HCC) 발생과 관련 ; pre-S2, X gene

- HBsAg (hepatitis B surface Ag)
  - 급성 간염 or 만성 보균자(carrier)에서 (+) [만성간염 : HBsAg (+) 6개월 이상]
  - titer는 질병의 severity나 간세포 파괴 정도와는 관련 없음 (∵ 환자의 면역반응이 더 관련)
  - 급성 간염 때 HBsAg titer가 빨리 감소하지 않으면 만성 간염으로 진행할 위험 높음
  - 열이나 소독제에 저항이 강하다
  - 4가지의 subtypes 가짐 ; *adr, adw, ayr, ayw* (*a* = common determinant)

  * 우리나라는 거의 대부분 genotype C2 (adr) 형임 (→ 다른 genotypes에 비해 예후 나쁨_
- HBcAg (hepatitis B core Ag)
  - HBsAg coat에 둘러싸여 있고, 혈액에서는 검출되지 않음
  - 간세포의 핵에서만 발견됨
- HBeAg
  - virus의 활발한 증식을 의미 (virion 농도 반영) → high infectivity!
    - 급성 간염에서도 일시적으로 (+) → 음전되면 임상적 호전 & 감염 해소
    - 3개월 이상 지속되면 만성 간염으로의 진행을 시사
  - vertical transmission 위험 증가 : 엄마가 (+)면 90% 이상, (-)면 10~15%
  - HBsAg (+) 시에만 발견 : HBeAg (+)면 → HBsAg도 (+)
- anti-HBs ; protective antibody! (중화항체)
  - HBsAg과 anti-HBs가 동시에 나타나는 경우
    ① heterotypic anti-HBs 생성 : low-level, low-affinity, non-neutralizing Ab
    - common *a* determinant에는 작용하지 않고 subtype determinant (*d/y, w/r*)에 작용함
    - 만성 B형 간염 환자의 10~20%에서 나타날 수 있음, 임상적인 의미는 없음
      (∵ high-affinity Ab 생산 B cells은 억제되고, 대신 low-affinity Ab 생산 B cells ↑)

    c.f.) heterotypic anti-HBs는 다른 HBV subtype의 중복감염에 의해 유도되지는 않음

    ② HBsAg escape mutants

    ③ seroconversion시 (HBsAg ↓ ⇨ anti-HBs ↑) : 매우 드묾 (∵ HBsAg에 결합되어 검출×)
  - hepatitis B vaccination (HBsAg으로만 구성) 뒤에는 혈중에 anti-HBs만이 나타남
- anti-HBc ; not protective, HBV가 들어왔던 흔적을 나타냄 (marker of HBV infection)

  * IgM anti-HBc : 급성과 만성 감염의 감별에 유용
  - (+)면 acute hepatitis B 진단!, 첫 6개월에 주로 나타난 뒤 감소됨
    (드물게 1~5%에서는 HBsAg (-) & IgM anti-HBc (+))
  - "window period"시에 HBV 감염의 증거 제공!
  - chronic hepatitis B의 재활성화시에도 (+)일 수 있음

* IgG anti-HBc : 6개월 후에 predominate (→ chronic hepatitis B)
  - B형 간염에서 완전히 회복된 경우 anti-HBs와 IgG anti-HBc가 평생 존재
  - only (+) ; remote past infection, low-level HBsAg carrier (드묾)

• anti-HBe ; not protective, 혈중 HBV 농도가 낮음을 의미 (low infectivity)

• HBV DNA 검사 ; HBV의 replication & liver injury 정도를 민감하게 반영 (quantitative)
  - 만성 간염에서 치료방침 결정 및 F/U시에 유용
  - HBV DNA 정량검사별 검출 민감도
    - hybrid capture signal amplification : 4700 copies/mL
    - bDNA signal amplification : 2000 copies/mL
    - quantitative RT-PCR : 200 copies/mL
    - real-time PCR : <50 copies/mL (10 IU/mL) → 가장 민감, 검출범위 넓음 (현재 주류)
  - 단위는 IU가 표준, 1 IU/mL ≒ 5 copies/mL (장비에 따라 차이)

* 나타나는 순서 : HBsAg → HBeAg → IgM anti-HBc → anti-HBe → anti-HBs
* 사라지는 순서 : HBeAg → HBsAg → IgM anti-HBc → anti-HBe (→ anti-HBs)
* window (or gap) period : HBsAg이 사라지고 anti-HBs가 아직 나타나지 않은 시기
  - IgM anti-HBc 만이 검출됨 (isolated anti-HBc) ; 수혈에 의한 감염의 경우
  - 최근엔 HBsAg과 anti-HBs의 검사법이 향상되어 실제 임상에서 window period를 보게 되는 경우는 매우 드물다

급성 B형 간염의 경과

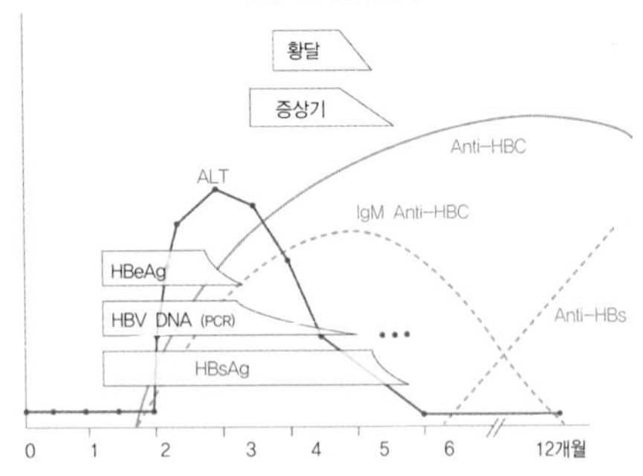

* HBV의 replication (→ high infectivity)을 나타내는 지표 ★
  ① HBeAg - qualitative marker
  ② HBV DNA - quantitative marker
  ③ HBV DNA polymerase
  ④ pre-S1 & pre-S2 protein (Ag)
  ⑤ Dane particle : intact virion (HBsAg + HBcAg)

* pathogenesis … 주로 cellular immune response가 중요함
- HBV는 대개 직접 세포독성 효과는 없고, 간질환의 severity는 숙주의 면역반응 정도와 관련
- innate/nonspecific response (e.g., NK cells, IFNs) → 초기의 virus 제거에 관여
- adaptive response ; viral Ag에 대한 Ab, HLA class II-restricted $CD4^+$ T cells, HLA class I-restricted $CD8^+$ cytotoxic T cells (CTLs) 등 → 간세포 표면에 소량 발현된 nucleocapsid proteins (HBcAg, HBeAg)을 CTLs이 인식하여 감염된 간세포를 제거함

■ HBV의 변이형(variant, mutation)

(1) HBsAg mutation (HBV/a mutant)

- 모든 HBsAg에 공통적인 immunodominant 'a' determiant (S gene)의 mutation
- AA 서열 121~149 사이에서 발생 (특히 141~145), 145번의 G145R이 m/c
- 발생원인 ; vaccination, HBIG 투여, 자연발생(숙주의 면역체계 이상으로) 등
  - 예 ; HBsAg (+) 산모에서 태어난 신생아에 HBIG & 백신 접종한 경우, 예방접종으로 anti-HBs를 가지고 있던 환자가 HBV에 감염됨, 고농도의 HBIG를 지속적으로 투여 받은 간이식 수혜자
- 방어항체인 anti-HBs를 회피할 수 있음 (→ "escape" mutant라고도 불림)
- anti-HBs (+)인 사람도 B형간염 발생 가능, HBsAg/anti-HBs 공존 가능
- monocloanl Ab를 이용하는 기존의 면역검사법에서는 검출되지 않을 수 있음
  → false (-) 문제 (c.f., 요즘 면역검사들은 HBV/a mutant까지 검출 가능)

(2) Precore (PC) or basal core promotor (BCP) mutation : HBeAg(–) mutant

- precore mutation : HBeAg 합성에 관여하는 C gene의 precore region의 변이
  - G1896A 변이가 m/c, TGG tryptophan codon이 TAG stop codon으로 바뀜
    → HBeAg translation 중단 (HBeAg 생산×) → HBeAg (-) & virus 복제는 지속
  - precore mutant는 정상(wild-type) HBV와 공존 or wild-type HBV 감염 도중에 발생
  - HBeAg seroconversion phase에 주로 나타남

  c.f.) 최근 연구 결과로는 HCC 발생 위험은 오히려 wild-type HBV 감염보다 낮음 (논란)
- BCP mutation : A1762T와 G1764A 변이 → HBeAg (precore mRNA) transcription 감소
  → HBeAg 생산 70% 감소 (∵ 대개 host immune response 증가 때문)
  - 간세포의 염증/괴사가 심하고 관해율이 낮으며, HCC 발생 위험 더욱 증가
  - HBV genotype C 감염 환자에서 많음, 대개 PC 변이보다 BCP 변이가 더 흔함
  - 아시아와 유럽 만성 B형간염 환자에서는 PC와 BCP 변이가 공존하는 경우도 많음
- 우리나라는 HBeAg(-) 만성 B형간염 환자의 대부분과, HBeAg(+) 만성 B형간염 환자의 약 20%에서 발견되며, inactive carrier에서도 많이 발견됨
  (유럽/지중해에서는 B형간염의 m/c 형태가 되었고, 미국도 증가하여 30~40% 차지)
- **HBeAg(-) 만성 B형간염** ⇨ HBeAg(+) 만성 B형간염보다 연령↑, 섬유화↑, 자연관해율↓, 심한 간질환(e.g., LC, HCC)↑ 및 치료반응↓과 관련, HBV DNA 및 ALT level의 기복 심함
- HBeAg(+) 환자에서의 precore/BCP 변이 존재는 IFN-associated HBeAg seroconversion 증가 (but, seroconversion 이후에는 higher viremia)와 관련

(3) Polymerase (pol) mutation

- polymerase (P) gene의 RT domain은 A~E 5개의 subdomain으로 구성됨
- 자연적으로는 극히 드물고, 만성 B형 간염의 항바이러스제 치료시 발생 가능
- lamivudine → C subdomain의 YMDD motif의 mutations 발생 → lamivudine 내성
- adefovir → B or D subdomain의 mutations 초래 → adefovir 내성

Hepatitis B의 serologic markers의 해석

상황	HBsAg	Anti-HBs	Anti-HBc	HBeAg	Anti-HBe	HBV-DNA
Acute HBV infection (infectivitly ↑)	+	–	IgM	+	–	+
Chronic HBV infection (infectivity ↑)	+	–	IgG/IgM	+	–	+
Chronic HBV infection (infectivity ↓)	+	–	IgG	–	+	–
Precore/BCP mutant HBV	+	–	IgG	–	+	+
Heterotypic anti-HBs, HBsAg (HBV/*a*) mutant, seroconversion 과정 (드묾)	+	+	+	+/–	+/–	+/–
Acute HBV infection, Anti-HBc window	–	–	IgM	+/–	+/–	+/–
Remote past infection, Low-level HBsAg carrier	–	–	IgG	–	+/–	–
HBV infection에서 완전히 회복	–	+	IgG	–	+/–	–
B형 간염 백신 접종 후, Remote past infection (?), False-positive	–	+	–	–	–	–

(4) hepatitis C

- Flaviviridae family의 *Hepacivirus* 속의 유일한 종인 RNA virus
- 급성 간염시기엔 대부분 증상이 없거나 경미함 (fulminant hepatitis는 거의 안 일으킴!)
- 거의 대부분이 만성화됨 (>85%)
- aminotransferase level의 변화가 많음 (최대 상승 정도는 A나 B보다는 낮음!)
- 일반적으로 HCV-RNA는 혈중 titer가 낮아 감염 위험도는 HBV보다 낮다
- 6가지의 genotype이 있음 (1~6), 우리나라는 1b (45~59%)와 2a (26~51%)가 대부분
- HCV는 한 환자 내에서도 다양한 염기서열을 가진 돌연변이 HCV가 발견됨 ("quasispecies")
  - 복제과정 ; polymerase의 높은 오류율, 교정능력(proofreading ability)이 없음
  - 매우 빠른 증식 속도(virion 생성) ; HIV의 약 100배

  ⇨ 면역반응을 피하는 주 기전 (quasispecies가 많을수록 자연회복↓ & 만성간염↑, 심한 질환↑)
- (만성 감염자에서) 중화항체가 생성되어도 HCV가 지속적으로 피해감 → 백신 개발 어려움
- pathogenesis
  - HBV에 비해 면역반응이 약하게 일어나 급성 감염시 바이러스 제거가 불완전하기 때문에 대부분 만성화되며, 강한 염증은 억제하여 심한 간질환으로의 진행은 느린 편임
  - HBV처럼 HLA class I-restricted $CD8^+$ cytotoxic T cells (CTLs)이 간세포 손상의 주원인

• anti-HCV
  - not protective (회복 후 재감염 가능!), short-lived
  - HCV 감염 후 7~10주 뒤에 나타남 → 감염 초기에는 (-) 가능
  - acute hepatitis C의 90~95%, chronic hepatitis C의 95% 이상에서 (+)
  - EIA로 검사 → 양성이면 HCV RNA (PCR) 검사로 확진
  - false (-) ; 신부전(혈액투석), 면역저하, hypo/agammaglobulinemia, mixed cryoglobulinemia
  - false (+) ; autoimmune hepatitis, alcoholic liver dz., hyperglobulinemia,
    RF ↑ (e.g, rheumatoid arthritis), 오래된 serum ...
    → false (+)는 유병률이 낮은 그룹은 (정상인) 약 50%,
    유병률이 높은 그룹은 (만성간질환) 약 5%에서 보임

• HCV RNA
  - HCV 감염의 most sensitive indicator … 확진
    (한번 음성으로 나오더라도 HCV 감염을 R/O할 수는 없으며, 추적 재검사가 필요)
  - HCV 노출 후 수일 이내에 가장 먼저 검출됨!
    (순서 ; HCV RNA → anti-NS5 → anti-C22/C33 → anti-C100)
  - AST, ALT가 정상화 되었을 때 serum HCV-RNA PCR은 (-)일 수 있음
    : inactive chronic hepatitis C → liver tissue HCV-RNA PCR은 (+)
  - HCV RNA level : 간염의 severity나 예후와는 유의한 상관관계가 없으나, antiviral therapy에 대한 반응 예측에는 도움 (HCV genotype도 마찬가지)
  - 검사법 ; PCR (m/c), TMA (transcription-mediated amplication), bDNA assay

Hepatitis C의 serologic markers의 해석

Anti-HCV (EIA)	Anti-HCV (RIBA)	HCV RNA (PCR)	ALT	해석
+	+	+	↑	Acute or chronic hepatitis C
+	+	+	N	Chronic hepatitis C
+	+	−	N	Resolved hepatitis C Inactive chronic hepatitis C
+	−	−	N	False-positive EIA assay

(5) hepatitis D (delta hepatitis)

• 스스로 증식할 수 없고, HBV (HBsAg)의 존재 하에서만 증식할 수 있음
  (→ HBV의 감염 기간 동안에만 HDV 감염이 유지됨, HBsAg으로 screening)

• 진단 ; IgM/IgG anti-HDV (not protective)
  - acute (self-limited) HDV infection : IgM, 일시적으로 양성 (low titer)
  - chronic HDV infection : IgM & IgG, 지속적으로 양성 (high titer)
  - false (+) ; lipemia, high titer of RF
  - 기타 ; HDAg, HDV-RNA level (→ replication 및 infectivity와 관련)

• acute HBV/HDV coinfection : 대부분 급성 간염을 앓고 회복됨, 단일 B형 간염보다는 증상이 더 심하고 fulminant hepatitis 발생 위험 높음(약 5%)

- chronic HBV infection에서 HDV superinfection (더 흔함) : 만성 간염의 급성 악화 양상으로 나타나고, 흔히 만성 D형 간염으로 진행, 약 20%에서 fulminant hepatitis 발생

(6) hepatitis E

- HAV와 같이 수인성으로 감염 (fecal-oral route), 오염된 음식/물 등이 원인 (다른 장관 감염원과는 달리 이차적인 사람간 전파는 드묾)
- HAV에 면역을 가진 젊은 성인에서 호발, 급성 간염만 일으킴 (genotype 3 감염은 면역저하자에서 만성 간염으로 진행할 수도 있음)
- 진단 ; anti-HEV Ab (IgM, IgG) → 모두 급성 간염 뒤에는 급격히 감소 9~12개월 내에 소실
- 1~2%에서 fulminant hepatitis로 진행 (임산부는 10~20%에서)
- 주로 인도, 중앙아시아, 멕시코, 아프리카 등에서 호발 → 이외에는 매우 드묾

(7) hepatitis G

- HCV와 구조 비슷, 아직 잘 모름 / C형 간염과 동시 감염이 많다
- 수혈을 통해 감염될 수 (혈액 공여자의 약 1.5%에서 HGV 양성)
- 급만성 간염의 원인인지는 아직 불확실
- 대부분의 isolated HGV는 급/만성 간염과 관련이 없다

	HAV	HEV	HBV (HDV)	HCV
잠복기(평균)	15~45일(25일)	14~60일(40일)	30~180일(75일)/30~180일	15~160일(50일)
감염원/전염	대변(fecal-oral)	대변(fecal-oral)	혈액/체액(parenteral)	혈액/체액(parenteral)
만성화	-	-/+*	1~2%(성인)~90%(신생아)	85~90%
HCC 발생	-	-	+	+

*면역저하자에서는 genotype 3가 만성화할 수 있음

2. 역학

(1) hepatitis A

- 최근 크게 증가하여 국내 급성 바이러스성 간염의 m/c 원인 (약 50~80%)
  (∵ 예전에는 대부분이 소아 때 불현성 감염을 앓은 뒤 IgG anti-HAV를 가지고 있었으나, 위생상태의 호전으로 A형 간염 발생이 둔화되어, 현재 20~40대는 항체 보유율이 매우 낮음 / 1997년부터 신생아 예방접종 시행)
- 감염경로
  ① 거의 다 fecal-oral route로 감염 ; 환자와의 접촉, 오염된 물/음식 등
  → 위생이 불량 or 밀집된 생활을 하는 경우 사람간 전파 증가
  ② 드물지만, 혈액제제의 수혈을 통해서도 감염 가능
- 현성 감염은 주로 20~30대에서 발생
- 소아보다 성인에서 발생한 경우 증상이 더 심함!

(2) hepatitis B

- 과거 급성 바이러스성 간염의 m/c 원인이었으나, 크게 감소 (약 10%)
- HAV보다 높은 연령에서 급성간염 발생 (∵ 예방접종)
- 우리나라의 HBV 감염률은 과거 8~10%로 매우 높았으나, 예방접종(1983년) 이후 현재 약 3% (but, 만성간염 및 LC의 약 70%, HCC의 약 65~75%에서 HBsAg 양성)

- HBsAg은 거의 모든 체액에 존재하지만 전염력이 있는 것은 혈액, 침, 정액, 질분비물 등임
- 감염경로
  ① percutaneous (약 1/3) ; 혈액제제의 수혈 등
  ② nonpercutaneous (약 2/3) ; 전염력이 있는 체액에 점막/피부 노출시
    (a) 긴밀한 신체접촉 (특히 성관계)
      - HBV는 HCV나 HIV보다 성관계를 통해 더 잘 전파됨
      - 일상적인 접촉(e.g., 뽀뽀)으로는 전파 안됨
    (b) 수직/주산기(perinatal) 감염 ; HBsAg carrier 산모나 임신3기/출산직후에 급성 B형 간염을 앓은 산모에서 태어난 아기에게 발생 → 90% 이상 만성 보균자/감염으로 진행
      - 우리나라는 HBV의 주 감염경로이지만, 서양에서는 드묾 (아기에게 예방조치를 시행해도 약 5%에서는 감염 발생)
      - 산모 HBeAg (+) → 예방조치 미시행시 영아 감염률 증가 (65~93%)
      - 자궁 수축 때 태반융모막 박리시 산모의 혈액이 아기에게 수혈되는 것이 원인으로 추정 (c.f., 양수에는 HBV 無, 모유에는 소량만 존재)
      - 출생 후 예방접종과 HBIG를 투여하였으면 모유 수유도 안전함
    (c) 경구감염 : 감염 가능성은 매우 낮음
- HBV 감염 뒤 경과/임상양상 ; 무증상 감염 (65%), 급성 B형간염 (35%), 전격성 간염 (<1%)

(3) hepatitis C

- 유병률 : anti-HCV(+) 1.6%, 중앙아시아, 중국, 파키스탄, 동남아시아, 북아프리카 등에서 높음 (우리나라 20세 이상 0.78%, 고령에서 높음, 남<여)
- 감염 경로 (비경구적) ; 주사약물남용(서구에서 m/c), 비위생적 의료시술(개발도상국에서 m/c), 수혈(1991년 이전에는 m/c이었으나 선별검사 도입 후 극히 낮아짐), 혈액투석, 문신, 침술 등
  - 30~40%는 감염 경로 불확실 (성접촉, 수직감염, 가족내 전파 등으로 추정)
  - sexual & perinatal transmission의 위험성은 매우 낮은 편 (2~4% 미만)
  - needle stick injury의 경우 감염 가능성은 1~2% 미만
- 국내 급성 바이러스성 간염의 약 10%, 만성 간질환의 15~20% 원인

(4) hepatitis D

- 우리나라의 D형 간염 유병률은 무시할 수 있을 정도로 매우 낮음
- 전파경로 (주산기 감염을 제외하고는 HBV와 비슷)
  - 유행지역 (지중해연안국) ; 주로 nonpercutaneous (특히 close contact)
  - 비유행지역 ; 주로 percutaneous (e.g., 혈액제제 수혈, IV drug use, hemophilia)
- HBV 감염의 감소에 따라 HDV 감염도 감소 추세임

3. 임상양상

(1) preicteric phase (전구기) ; 1~2주

- 전신증상 ; anorexia, N/V, fatigue, arthralgia, myalgia, headache ...
- low-grade fever (38~39℃) : hepatitis A, E에서 흔하다
- dark urine과 clay-colored stool이 황달 발생 1~5일 전에 나타날 수 있음

(2) icteric phase (황달기) ; 2~3주

- 비황달성(anicteric)이 더 흔함 (→ good Px) / 특히 소아에서
- 진한 갈색/적색 소변 (∵ conjugated bilirubin 때문)
- enlarged & tender liver → RUQ pain & discomfort (비교적 예리한 변연, 압통, 부드러운 경도)
- splenomegaly & cervical adenopathy (10~20%)
- 일부는 mild weight loss (2.5~5 kg ↓)

(3) recovery phase (회복기) ; 2~12주

┌ hepatitis A, E는 거의 다 1~2개월 내에 완전히 회복됨
└ hepatitis B, C의 약 3/4도 3~4개월 내에 완전히 회복됨

* HCV는 급성 간염 시기에 증상이 없거나 경미함 (anicteric)

4. 검사소견/진단

(1) liver function test (LFT)

- aminotransferase (AST, ALT) ↑↑ : 간 손상의 severity나 예후와는 무관한 편임!
- bilirubin (direct가 50%) ↑ : 2.5 mg/dL 이상 상승시 황달 발생
  - bilirubin >20 mg/dL → severe, poor Px.
- alkaline phosphatase (ALP) ; 정상 or 약간 증가
- PT 연장 (m/i) ; 심한 간세포 괴사(간의 합성기능 저하) → poor Px.
- albumin ; uncomplicated acute viral hepatitis에서는 대개 정상
- AFP ; 염증 뒤 regeneration시 상승 (trauma로 necrosis 됐다가 regeneration시는 상승×)

(2) 기타 검사소견

- 일과성 neutropenia & lymphopenia → relative lymphocytosis, atypical lymphocytes ↑
- γ-globulin ↑ (diffuse & mild)
- RF, ANA, heterophil Ab, anti-LKM (C와 D형 간염에서) 등도 양성일 수 있음

(3) acute hepatitis 환자에서 필수 검사 항목 (initial test) ★

; IgM anti-HAV, HBsAg, IgM anti-HBc, anti-HCV (HBeAg은 아님!)
(anti-HCV 음성이면 HCV-RNA PCR 검사 시행!)

	IgM anti-HAV	HBsAg	IgM anti-HBc	anti-HCV
Acute hepatitis B	−	+/−	+	−
Chronic hepatitis B	−	+	−	−
Acute hepatitis A + Chronic hepatitis B	+	+	−	−
Acute hepatitis A + Acute hepatitis B	+	+/−	+	−
Acute hepatitis A	+	−	−	−
Acute hepatitis C	−	−	−	+
Acute hepatitis C + Chronic hepatitis B	−	+	−	+

* HBsAg은 간혹 detection limit 이하로 존재하는 경우 (−)로 나타날 수 있음

(4) chronic hepatitis 환자에서 initial test

- HBsAg, anti-HCV (양성이면 HCV-RNA)
- chronic hepatitis B 진단시 → HBeAg, anti-HBe, HBV-DNA 등 검사
- HBeAg 음성 → inactive carrier와 HBeAg(-) chronic hepatitis B 감별을 위해 장기간 F/U 필요

B형간염 환자에서 anti-HDV를 검사해야 하는 경우
1. Severe & fulminant dz. 2. Severe chronic dz. 3. Chronic hepatitis B 환자에서 acute hepatitis-like exacerbation (→ anti-HAV, anti-HDV를 검사해야!) 4. Frequent percutaneous exposures 5. HDV 감염의 유행지역(endemic area)에 있었던 사람

5. 경과 및 합병증

★ 예후가 나쁜 경우

- 처음 발병시에 복수, 말초부종, 간성뇌증 증상 등을 동반, 고령, 심한 기저질환
- PT↑(m/i), albumin↓, hypoglycemia, bilirubin↑↑

(1) hepatitis A

- 건강한 성인은 대부분 합병증 없이 완전히 회복됨, 만성으로 진행하지 않음 (보균자도 없음)
- 소수에서 급성기 증상 호전 후 회복기에 재발성 간염도 발생 가능하지만, 결국에 회복됨 (재발된 간염은 대부분 선행 간염보다 경미함)
- 약 1%에서는 fulminant hepatitis 발생 가능 (주로 고령, 기저 만성간질환자)
- 드물게 autoimmune hepatitis, cholestatic hepatitis (소아에서는 무증상) 발생 가능
- 간 외 증상 (급성 B형 간염보다는 드묾) ; 일시적인 발진, 관절통, 혈관염, 관절염, GN 등

(2) hepatitis B

- 건강한 성인에서 발생한 급성 B형 간염의 95~99%는 완전히 회복됨

① fulminant hepatitis (약 1%) → 뒤에 설명

② chronic HBsAg carrier (<5%) - 될 가능성이 높아지는 경우
; 신생아, Down's syndrome, 혈액투석 환자, 면역저하자 (HIV 포함)

③ chronic hepatitis (1~2%)

* 만성 간염으로의 진행을 시사하는 소견 ★

- 증상이 완전히 회복되지 않고, hepatomegaly 지속시
- 간조직검사에서 bridging or multilobular hepatic necrosis 존재
- 6~12개월 뒤에도 aminotransferase, bilirubin, globulin level 등이 정상으로 안돌아옴
- HBsAg이 6개월 or HBeAg이 3개월 이상 계속 존재

④ HDV의 중복 감염

- acute hepatitis B의 chronicity 경향을 높이지는 않음
- chronic hepatitis B의 severity를 높임
(inactive/mild chronic hepatitis → severe progressive hepatitis, cirrhosis, fulminant hepatitis)

⑤ immune complex-mediated tissue damage
- serum sickness-like syndrome (5~10%)
  - jaundice 시작 전에 발생 (prodromal stage)
  - arthralgia/arthritis, rash, angioedema, fever, GN ...
- glomerulonephritis with NS, polyarteritis nodosa, EMC (C형 간염과 더 관련) ...

⑥ HCC : 특히 영유아기에 감염되고 HBeAg (+) and/or HBV-DNA↑ 때

(3) hepatitis C

① chronic hepatitis (85~90%)
② cirrhosis (chronic hepatitis C 환자의 20~50%)
③ HCC (LC를 동반한 만성 C형간염 환자의 1~4%에서 발생) : 대개 30년 이상의 HCV 감염자
④ essential mixed cryoglobulinemia (EMC) → 드물게 B cell lymphoma로 진행 가능
⑤ porphyria cutanea tarda, lichen planus

* 드물게 급성 A/B/C형 간염 뒤에 autoimmune hepatitis가 유발될 수도 있음

6. 치료

(1) 일반적인 치료 원칙

- 급성 간염은 대부분 특별한 치료 및 입원이 필요 없다
- 안정 및 충분한 영양공급(고단백, 고칼로리) 등의 <u>보존적 치료!</u>
- 신체활동 제한은 well-being sense는 주지만, 장기간의 bed rest는 필요 없다
- 간에서 대사되거나 cholestasis를 유발하는 약물은 금기
- severe pruritus → bile salt-sequestering resin (cholestyramine)
- glucocorticoid는 효과 없고 금기

(2) 입원 치료

- 입원이 필요한 경우
  ① 정확한 진단을 위하여
  ② 심한 황달이 있거나 자주 토하는 등의 중한 병증
  ③ 황달이 심한 수혈 후 간염
  ④ 고령
- 대부분 격리도 필요 없다
  - 예외 ; 대변실금을 가진 A와 E형 간염, 심한 출혈을 동반한 B와 C형 간염 등
  - A형 간염의 대부분은 바이러스 분비량이 매우 적어 입원 중 전파 가능성은 매우 낮으므로 장관방역(enteric precaution)는 권장되지 않음!!
- B와 C형 간염은 혈액 안전조치 필요 (장관방역은 필요 없음)
- 안정기간 (퇴원 기준)
  ① 증상이 많이 호전되었을 때
  ② bilirubin ≤ 2 mg/dL (aminotransferase는 약간 높아도 괜찮음)
  ③ normal PT

(3) antiviral therapy
- 일반적으로 회복 속도를 빠르게 하지는 않으므로 필요 없음!
- 일부 심각한 급성 B형간염 (fulminant hepatitis, 특히 HBV-DNA 높으면) → 경구 항바이러스제 (→ 급성 간부전 예방, 간이식률↓, 만성화↓, 생존율↑ / 가능한 초기에 시행해야 더 효과적)
- 급성 C형간염 : 만성 C형간염처럼 DAA로 치료 (95% 이상 완치됨) → 다음 장 참조
  - 대부분 만성화 되지만, 자연관해 가능성도 있으므로 12~16주 (최대 ~6개월) F/U 후 치료 권장 (∵ 대부분의 급성 C형간염은 임상적으로 심하지 않고, 빨리 진행하지 않음)
  - 유럽 ; sofosbuvir + NS5A inhibitor 8주
    (HIV 중복감염 or 치료전 HCV RNA >1,000,000 IU/mL이면 12주)
  - 미국 ; 6개월 F/U 이후 HCV RNA 검출시 치료 → DAA 6주 (HCV RNA 높으면 12주)
    c.f.) 6개월 이전에 치료를 고려하는 경우 ; 합병증 발생 위험이 높은 급성 C형간염 환자 (e.g., 기저 간 질환, 심한 임상양상), 전파 위험이 높은 환자(e.g., 동성연애, 주사마약)

7. 예방

(1) hepatitis A

① **예방접종**(vaccination)
- 접종 후 4주 뒤부터 약 30년간 예방 효과
- 4주 이내에 HAV 노출이 예상되면 Ig도 같이 투여!
- 우리나라 : 생후 12개월 이후에 6개월 간격으로 2회 접종이 권장됨
  (고위험군이 아니라도 30세 미만은 항체 검사 없이 권장, 30세 이상은 항체 음성이면 권장됨)

A형간염 예방접종의 적응 - 고위험군
1. HAV 상습 감염 지역으로의 여행자
2. HAV 노출 위험이 있는 실험실/의료기관 종사자
3. HAV 감염률이 높은 지역의 모든 소아
4. 보육시설 직원, 남자 동성연애자, 주사형 마약중독자, HIV(+) 환자, 군인
5. 만성간질환(e.g., 만성 B, C형 간염)
6. 혈액제제를 자주 투여 받는 응고인자결핍 환자(e.g., hemophilia)
7. 최근 2주 이내에 A형 간염 환자와 접촉한 사람

* 노인, 항암화학치료, steroid 치료, 면역저하자 등은 아님!

② **수동면역**(passive immunization) : immunoglobulin (Ig)
- 모든 통상적인 Ig은 HAV에 대한 중화항체를 다량 함유
- 노출 이전에 투여하면 3~6개월 정도 감염 예방효과
- postexposure prophylaxis (e.g., 가족, 긴밀한 접촉자) ; 노출 후 가능한 빨리 투여, (→ 노출 후 2주 이내까지는 효과적), 간질환이 없는 2~40세는 A형간염백신 + Ig 투여!
- casual contacts (사무실, 공장, 학교, 병원)나 노인에게는 필요 없다

(2) hepatitis B

① **노출전 예방**(preexposure prophylaxis) : **예방접종**(active immunization)
- HBsAg & anti-HBs가 음성인 경우 B형간염 예방접종을 권장함
- 3 IM (deltoid) injections at 0, 1, 6 months (소아는 넓적다리에)

- 방어항체 생성/보유율 ; 5년 후 80~90%, 10년 후 60~80%
  (→ 이후에 anti-HBs가 검출 안 되어도 방어능력은 유지됨)
  - 항체 생성률이 낮은 경우 ; 엉덩이에 주사, 비만, 흡연, 알코올중독, 고령(>50세), 면역저하자, 냉동 보관된 백신 (→ 백신의 용량과 접종 횟수를 증가시킴)
  - 항체 형성유무 검사의 적응 ; 의료종사자, 면역억제자, 혈액투석, HBV 보유자와 성접촉시 (→ 백신접종 1~2개월 후 항체검사)
- 추가접종(booster immunization)은 일반적으로 권장되지 않음
- 추가접종의 적응증 : undetectable anti-HBs level (≤10 mIU/L) &
  ⓐ 면역저하자
  ⓑ 정상인에서 HBsAg에 노출 지속시 (e.g., B형간염 환자와 동거, 혈액을 다루는 병원 직원)
  ⓒ hemodialysis 환자 (→ 매년 anti-HBs Ab titer 검사)
- 임신 or 수유는 예방접종의 금기가 아님!

② 노출후 예방(postexposure prophylaxis, PEP)
- 전제조건
  - 원인 사람/물질(예; 혈액)이 HBsAg을 가지고 있어야함
  - 노출된 사람이 실제로 감염의 위험을 가지고 있어야함 : HBsAg이나 anti-HBs가 없어야함 (이미 HBsAg (+) or anti-HBs (+)이면 다 소용없다)
- 원칙적으론 HBIG와 백신 투여 전에 donor와 recipient의 serologic status를 확인해야 하지만, 실제는 검사에 시간이 걸리므로, 우선 HBIG 투여 뒤, 검사결과가 나오자마자 백신을 접종함
- 노출된 사람이 vaccination을 완전히 받았고, anti-HBs Ab titer가 10 mIU/mL 이상 ("protective")이면, 추가 백신은 필요 없다
- HBIG와 백신은 동시에 다른 부위에 주사 가능 (IM)
- HBIG : 효과가 신속하나 (anti-HBs 농도를 빨리 높여줌), 예방효과는 3~6개월 정도만 지속됨

상황	HBIG	Vaccination
Perinatal exposure (HBsAg (+) 산모에서 태어난 아기)	출생 직후 0.5 mL	생후 12시간 이내
Percutaneous/transmucosal 노출 (needle stick injury)	가능한 빨리 0.06 mL/kg	1주일 이내
급성 B형 간염환자와 sexual or household contact	노출후 2주 이내 0.06 mL/kg	노출후 2주 이내

(3) hepatitis C
- Ig은 효과 없고, 백신 개발 전망도 불투명 (genomic variations 및 mutations이 많아 재감염에 대한 면역능력이 없고, 중화 항체를 계속 피하기 때문에 백신 개발이 어려움)
- 생활습관 변화와 일반적인 주의(예방조치) 뿐
  (예; 콘돔 사용, 면도기/칫솔/손톱깍이는 개별 사용, 상처 출혈 타인에 노출되지 않도록 주의)
- 지속적으로 한 명하고만 성관계시에는 특별한 예방조치 필요 없음!
- C형 간염 산모의 아이와 모유 수유에도 특별한 주의 필요 없음!
- needle stick injury → 즉시 anti-HCV와 ALT 검사 시행 (→ 양성이면 확진 검사)
  - anti-HCV 음성이면 4~6주 뒤에 HCV-RNA 검사 시행
  - 모두 음성이더라도 4~6개월 뒤에 anti-HCV와 ALT 추적검사 시행
  - DAA (direct-acting antivirals)의 발전으로 향후에는 바로 DAA를 투여하게 될 수도 있음

C형간염 선별검사의 적응 - 고위험군
1. 급성/만성 C형간염이 의심되는 경우
2. 선별검사 도입 전(1991년 이전) 혈액/혈액제제 또는 장기이식을 받은 사람
3. 주사용 약물 남용 과거력
4. 혈액투석 과거력
5. HIV 감염자
6. 혈우병, 한센병 환자
7. C형간염 환자와 현재 성적접촉중인 사람
8. C형간염 산모에서 태어난 아이**
9. Needle stick injury or HCV(+) 혈액에 점막노출된 의료기관 종사자

*우리나라에서는 HCV 유병률이 증가하는 40대 이상의 인구에서도 선별검사를 시행할 것을 고려

** 신생아의 anti-HCV 검사는 엄마의 항체가 전달될 수 있으므로 생후 18개월 이후에 시행을 권장
(조기 진단을 원하는 경우에는 생후 6개월 이후에 HCV RNA 검사)

약인성 간손상(Drug-induced liver injury, DILI /약물유발 간염, 독성간염)

1. 개요

• 간독성의 2가지 주요 유형

기전	Intrinsic (Direct toxic, Dose-dependent)	Idiosyncratic reactions (대부분)
특징	예측 가능, 용량에 비례 잠복기가 짧고 일정 (대개 몇 시간) 형태학적 변화가 특징적이고 재현성 있음 모든 사람에서 발생 가능 발생빈도가 비교적 높음 만성 간질환 환자에서 독성 더욱 증가	예측 불가능, 용량과 관계없음 잠복기가 일정하지 않음, adaptation 가능 감수성이 있는 소수의 사람에서만 발생 형태학적 변화가 다양함 약 1/4에서 간외 증상(e.g., allergic reaction) ; fever, rash, arthralgia, eosinophilia 재노출시 대개 잠복기가 짧고, 증상이 더 심함
약제 예	<u>acetaminophen</u>, <u>tetracycline</u>, alcohol, CCl_4, mercaptopurine, chloroform, yellow phosphorus, valproic acid, vitamin A, *Amanita phalloides*, 금속(특히 철, 구리, 수은) *요즘에는 acetaminophen을 제외하고는 드묾	<u>isoniazid</u>, NSAIDS, aspirin, amiodarone, dantrolene, chloramphenicol, chlorpromazine, <u>halothane</u>, ketoconazole, methyldopa, sulfonamide, phenylbutazone, phenytoin, pyrazinamide, quinidine, oxacillin

c.f.) 분류되지 않는 약물도 있음 (e.g., oral contraceptives)

• 전반적으로 남자보다는 여자에서 흔한 편임
• 약물의 대사 과정 ; phase I (P450), phase II (conjugation), phase III (간세포 밖으로 efflux)
• 대부분의 drug hepatotoxicity는 cytochrome P450 효소계에서 대사되어 생성된 phase I toxic metabolites가 원인
c.f) cytochrome P450 2D6 결핍 환자 (AR 유전) → desipramine, propranolol, quinidine 등의 간독성 위험 증가
• adaptation : 약물로 인한 AST/ALT 상승이 약물을 계속 투여해도 정상으로 회복되는 것
(→ idiosyncratic drugs의 예측 및 확인을 더욱 어렵게 함)
- 예 ; isoniazid, valproate, phenytoin, HMG-CoA reductase inhibitor (statin) ...

- 핵수용체(nuclear receptors)
  - cytochrome 효소와 운반단백의 발현을 증가시켜 독성물질을 간세포 밖으로 내보내는 역할
  - CAR (constitutive androstane receptor), PXR (pregnane X R.), AhR (arylhydrocarbon R.), FXR (farnesoid X R.), PPAR (peroxisome proliferator-activated R.), HNF4α 등

Drug-induced liver diseases의 조직학적 분류

조직학적 소견	원인 약물
Zonal necrosis	
Centrilobular (zone III)	Acetaminophen, halothane, CCl_4, trichloroethylene, toxic mushroom
Periportal (zone I)	Yellow phosphorus, allyl alcohol
Fatty liver (steatosis)	
Macrovesicular	Ethanol, corticosteroids, amiodarone, perhexilene maleate, PI (protease inhibitor), 4,4'-diethylaminoethoxyhexrestrol
Microvesicular	Tetracycline, valproic acid, dideoxyinosine, tolmetin, piroxicam, pirprofen, salicylate, fialuridine, NRTI (nucleoside analogue reverse transcriptase inhibitor)
Alcoholic-like liver disease	
Hepatitis with fibrosis/cirrhosis	Amiodarone, perhexilene maleate, 4,4'-diethylaminoethoxyhexrestrol
Quiescent fibrosis/cirrhosis	Methotrexate, vitamin A, arsenicals, vinyl chloride
Hepatitis	
Nonspecific hepatitis	Aspirin, oxacillin
Acute viral hepatitis-like	Isoniazid, rifampin, halothane, α-methyldopa, phenytoin, carbamazepine, diclofenac
Granulomatous hepatitis	Sulfonamieds, quinidine, allopurinol, phenylbutazone, sulfonylurea, procainamide
Chronic hepatitis (bridging necrosis)	Isoniazid, halothane, α-methyldopa, nitrofurantoin, oxyphenisatin, sulfonamides, aspirin, propythiouracil, perhexilene maleate, amiodarone, dantrolene, ethanol, diclofenac, trazodone, fenfibrate, acetaminophen (rare)
Autoimmune hepatitis-like	Minocycline
Cholestasis	
Bland (noninflammatory)	Estrogens, 17α-substituted androgen & anabolic sterodis, cyclosporine
Inflammatory	Phenothiazines, erythromycin estolate, oxacillin, chlorpropamide, amoxicillin/clavulanic acid, captopril, methimazole, sulindac
Sclerosing cholangitis	Floxunidine의 intrahepatic infusion
Ductopenic (bile duct가 사라짐)	Carbamazine, chlorpromazine, TCA (간이식 후의 chronic rejection에서도 비슷한 소견 보임)
Vascular lesions	
Hepatic vein thrombosis (Budd-Chiari syndrome)	Estrogens, cyclophosphamide, dacarbazine, doxorubicin, vincristine
Veno-occlusive disease	Aflatoxin, Carmustine (BCNU), 6-MP, 6-thioguanine, mitomycin C, doxorubicin, dacarbazine, azathioprine, pyrrolizidine alkaloids, busulfan, vincristine, cytarabine, cytoxan, vitamin A (mega-dose)
Noncirrhotic portal HTN	Vinyl chloride
Peliosis hepatis (blood cysts of the liver)	Anabolic steroids, androgens, oral contraceptives, tamoxifen, hydroxyurea, azathioprine,
Hepatic neoplasms	
Adenoma	Estrogens, androgens
Focal nodular hyperplasia	Estrogens
Hepatocellular carcinoma	Androgens, estrogens, thorium dioxide
Angiosarcoma	Vinyl chloride, anabolic steroids, androgens, thorium dioxide
Cholangiocarcinoma	Anabolic steroids, androgens, methyldopa, oral contraceoptives, thorium dioxide

2. 개별 약제의 간독성

(1) Acetaminophen (AAP) hepatotoxicity

- direct toxicity, centrilobular hepatic necrosis 유발
- 10~15 g 이상 섭취시 간손상 발생, 보통 25g 이상 섭취해야 fatal fulminant hepatitis (ALF) 발생 → ALT level 매우 높음 (2,000~10,000 U/L 흔함 → 알코올/바이러스 간염보다 높음)
- 4~12시간 뒤 N/V, 설사, 복통 등의 증상 발생 → 1~2일 뒤 증상이 사라지면서 간손상이 현저해짐 → 4~6일 이후에나 간부전 발생 (aminotransferase는 10,000 이상까지도 흔히 상승)
- 간손상의 severity는 혈중 AAP 농도와 비례 ··· 섭취 4시간 뒤 혈중 AAP level
  - >300 μg/mL → 심한 간 손상 발생 시사
  - <150 μg/mL → 간 손상 발생 가능성 거의 없음
- AAP의 일부가 phase Ⅰ reaction (cytochrome P450 CYP2E1)을 거쳐 toxic metabolite (*N*-acetyl-benzoquinone-imine, NAPQI)로 됨 (→ glutathione에 결합되어 해독됨)
- 간손상 촉진 인자 ; alcohol, drugs (e.g., phenobarbital, isoniazid), 금식 ...
  - alcohol 등은 CYP2E1 inducer, 금식은 glutathione을 고갈시킴 (alcohol도 glutathione 억제)
  - 알코올중독자에서는 AAP의 toxic dose가 2 g까지 낮아질 수 있음
  - cimetidine은 P450 효소를 억제하여 toxic metabolite의 생산을 감소시킴
- 치료
  ① 흡수방지 : gastric lavage, oral activated charcoal or cholestyramine
  (30분 이내에 시행해야 효과적)
  ② sulfhydryl compounds (e.g., cysteamine, cysteine, *N*-acetylcysteine)
  - 혈중 AAP level이 섭취 4시간 후 >200 μg/mL or 8시간 후 >100 μg/mL면 투여
  - 8시간 이내에 줘야하며 24~36시간까지도 효과 가능
  - 작용기전 (1) sulfhydryl group이 toxic metabolite와 결합
    (2) hepatic glutathione의 synthesis와 repletion 촉진
  - *N*-acetylcysteine의 사용으로 치명적인 간독성 발생은 많이 감소했음

  ③ 위의 치료에도 불구하고 간부전이 발생하면 방법은 간이식뿐 → 뒷부분 참조
  (초기 동맥혈 lactate level이 3.5 mmol/L 이상이면 간이식이 필요할 가능성이 높음)
- 일단 회복되면 간 후유증은 없음 (but, 지속적으로 복용하면 만성화로 진행 가능)
- FDA는 AAP의 1일 최대 복용 권장량을 3.25 g으로 낮추었음 (만성 음주자는 더 낮추어야 됨)
  (∵ 정상인에서 4 g/day 14일 투여시 31~44%에서 일시적인 aminotransferase 상승)

(2) Isoniazid (INH) hepatotoxicity

- toxic & idiosyncratic reaction, 우리나라에서 흔함 → 2권 결핵 편도 참조
- 첫 몇 주에 10~20%에서 subclinical liver injury 발생 : aminotransferase 상승 (보통 <200)
  → 대개 몇 주 지나면 정상화
- AST/ALT가 150 이상 증가하거나, 간염의 증상(e.g., jaundice)이 발생하면 약 중단!
- 약 1%에서는 심각한 간손상 발생
  - 임상적, 조직학적으로 viral hepatitis와 유사
  - 나이와 관련 (35세 이후 크게 증가, 50세 이상에서 m/c)
  - 대개 치료시작 2~3개월 내에 발생, 심하면 사망도 가능 (약 10%에서)

- 간독성 발생 위험인자 : alcohol, rifampin, pyrazinamide 병용, 비만, 고령, chronic hepatitis B
- drug allergy Sx (e.g., fever, rash, eosinophilia)은 드묾!

(3) Amiodarone hepatotoxicity

① direct hepatotoxicity ; 15~50%에서 발생, no clinical liver dz.

② idiosyncratic hepatotoxicity ; 1~3%에서 발생

- 반감기가 길므로 약물을 중단해도 간손상은 수개월간 지속될 수
- 지속적인 or 2배 이상의 aminotransferase 상승이 있거나 hepatotoxicity가 있으면 간 조직검사를 고려
- 조직검사 소견 : alcoholic liver dz.와 비슷
  - pseudoalcoholic liver injury ; steatosis, alcoholic hepatitis-like neutrophilic infiltration, Mallory's hyaline, cirrhosis
  - EM ; phospholipid-laden lysosomal lamellar body (차이점)
- 장기 복용시 micronodular cirrhosis로 진행 위험

(4) Noninflammatory cholestatic reaction

- 원인 : estrogens, 17α-substituted androgen & anabolic steroids (경구피임약이 m/c)
- recurrent idiopathic jaundice of pregnancy, severe pruritus of pregnancy, 이 질환들의 가족력이 있는 환자에서 호발 (→ 경구피임약 금기)
- Sx : pruritus, jaundice
- Lab : ALP 상승, aminotransferase는 약간 상승하거나 정상
- hepatocellular necrosis나 inflammation은 없다! (단순히 간세포에서 bile을 분비하는 것의 장애)
- 약물을 끊으면 빠르고 완전하게 회복됨

* 경구피임약(estrogen) → cholestasis, cholesterol gallstone, hepatic vein thrombosis, 종양(주로 양성) 등을 일으킴

(5) Cholestatic idiosyncratic reaction

- 원인 ; erythromycin, chlorpromazine
- acute cholecystitis와 유사한 증상 보임 ; fever, N/V, RUQ pain, jaundice, pruritus ...
- 약물을 끊으면 대개 완전히 회복됨

(6) TPN (total parenteral nutrition)

① 성인 : steatosis/steatohepatitis
  - TPN 내의 탄수화물 양이 많을 때 발생
  - Tx : TPN formula의 lipid 양을 늘림

② 유아 (특히 미숙아, 신생아) : cholestasis/cholelithiasis
  - 경구 섭취 중단에 의한 담즙 분비 자극의 결핍으로 발생
  - 기타 유발인자 ; stress, hypoxemia, hypotension
  - Tx : oral feeding 추가

(7) Highly-active antiretroviral therapy (HAART)

- 개개의 항바이러스제는 심각한 간독성이 없으나, 병합요법(HAART)시 약 ~10%에서 간독성 발생

┌ NRTI ; zidovudine, didanosine
│ NNRTI ; nevirapine
└ PI ; ritonavir, indinavir.. 등이 주로 일으킴

- 간독성 양상
  - hepatocellular injury (m/c)
  - cholestatic injury
  - NRTI를 장기간(>6개월) 사용하면 mitochondrial injury에 의한 steatosis (주로 microvesicular), lactic acidosis 등도 발생 가능

  c.f.) steatosis는 두가지 모두 나타날 수 있지만, PI는 주로 macrovesicular steatosis를, NRTI는 주로 microvesicular steatosis를 일으킴
- HIV와 HCV 동시 감염 환자에서는 HAART가 aminotransferase 및 HCV RNA level을 높임

(8) Herbal medicine (한약, 건강식품, 민간요법)

- 우리나라 성인 급성간염의 10~20% 차지 (약인성 간손상의 50~80% 차지)
- 기전 ; 약초 자체의 독성 (m/c), 값 싼 독성물질의 혼합, 간손상 물질의 오염, 약초의 오인, 부주의한 조제, 약물의 오용 및 남용
- 민간요법으로 자주 사용되는 인진쑥(Artemisia), 돌미나리, 버섯 등에 의한 급성 간손상이 흔함 (특히 기저 간 질환자에서)

급성 간부전 / 전격성 간염 (Acute liver failure, ALF / Fulminant hepatitis)

1. 개요

- 정의(ALF) : 기저 간질환이 없는 환자에서, 급성 간손상(간염)의 증상 발생 26주 (6개월) 이내에 간기능의 급격한 저하로 coagulopathy (INR >1.5)와 hepatic encephalopathy가 나타난 것
- hepatic encephalopathy 발생되기까지의 기간에 따라 fulminant (<8주)와 subfulminant (8~26주)로 분류를 하기도 했었지만, 예후와의 연관성이 없어 26주 (6개월) 이내를 모두 ALF로 정의하였음
- 간염의 가장 무서운 합병증으로, 비교적 드물다
- pathology ; massive hepatic necrosis, 간이 작고 부드러워짐

c.f.) ACLF (acute-on-chronic liver failure) : 유발인자에 대한 치료에도 불고하고 만성 간질환이 급격히 악화되어 4~6주 이내에 장기부전이 발생된 것

2. 원인

- hepatitis B가 m/c 원인

┌ acute fulminant hepatitis B : 1/3에서 HDV 동반
└ chronic hepatitis B의 급성악화로 발생한 fulminant hepatitis : 2/3에서 HDV 동반

- hemochromatosis는 fulminant hepatitis를 안 일으킴!

흔한 원인	Viral hepatitis (m/c) ; B (±D), E (C와 A는 드묾) Acetaminophen (미국/영국에서 m/c, 예후는 상대적으로 양호) Idiopathic (non-A, non-B, non-C)
드문 원인	Drugs (acetaminophen 이외의) Necrosis (e.g., halothane, isoniazid, methyldopa, rifampin, ketoconazole) Steatosis (e.g., tetracycline, valproate) Toxins (e.g., Amanita phalloides, chlorinated hydrocarbons, phosphorus) 우리나라는 한약, 생약제, 민간요법, 식물(버섯) 등이 흔한 원인 Autoimmune hepatitis Wilson's disease Acute fatty liver of pregnancy Reye's syndrome Ischemia, shock Hepatic vein의 occlusion (Budd-Chiari syndrome) Hyper/Hypothermia Malignant infiltration (e.g., lymphoma)

c.f.) 우리나라 ; 약물 > 바이러스 > 원인불명
- 단일 원인으로는 HBV (15~30%)와 한약/생약제/건강식품 (10~20%)이 흔한 원인임
- HBV는 감소 추세, HAV 등 다른 원인이 과거에 비해 증가

3. 임상양상

- 간성혼수(hepatic encephalopathy) … 뇌부종(IICP) 동반이 흔함
  - **퍼덕떨림(flapping tremor)**, somnolence, coma, confusion, disorientation ...
    (LC encephalopathy의 경우와 달리 convulsion과 delirium이 흔함)
  - 심한 경우 cerebral edema도 발생 (LC에서는 발생 안함) → 뇌압상승(IICP) : m/i 사망원인
  - ICP monitoring : Sx/sign/lab.은 부정확, ICP transducer가 좋지만 출혈의 위험
- 간 크기의 급격한 감소 (massive hepatic necrosis) - poor Px.
- PT의 심한 연장 (m/i) - 급성기의 예후 평가에 중요!
- coagulopathy (e.g., gum bleeding, purpura), ascites, edema
- 혈중 bilirubin level의 급격한 상승, hypoglycemia, cholesterol↓, albumin↓, ammonia↑ ...
- 합병증 ; GI bleeding, 심혈관 허탈, 호흡부전, 심부전, sepsis ...

* aminotransferase (AST, ALT)의 상승 정도는 severity와 관계없음

4. 치료

- 원칙 : 간의 자연 재생/회복까지 보존적 치료 및 합병증 관리/예방
- 수분과 전해질 균형 유지, 순환과 호흡 유지(e.g., endotracheal intubation)
- encephalopathy를 악화시킬 수 있는 GI bleeding, hypokalemia, sepsis 등을 찾아서 교정
- GI bleeding
  - 예방 → H_2-RA or PPI, antacids
  - bleeding시 → FFP (fresh frozen plasma)
- cerebral edema & IICP → 조용하고 안정된 환경, head elevation (30°), 진정제(profopol) 및 기계호흡, mannitol (신부전 때는 오히려 ICP↑ 위험), thiopental sodium (최후에)
  - lactulose enema는 효과 없음!

- DIC → heparin, FFP
- hypoglycemia → glucose IV
- diet ; 고칼로리, 고탄수화물, 적당량의 지방, branched chain amino acids, 단백 섭취는 제한
- 예방적 항생제 → survival 향상
- 적절한 시간 내에 공여자를 구할 수 있으면, 간이식이 치료 효과 가장 우수
  (INR 1.5 이상이면서 의식변화가 있으면 이식을 대비한 공여자 검색 시행)

* steroid, exchange transfusion, plasmapheresis, human cross-circulation, porcine liver cross-perfusion, hemoperfusion, extracorporeal liver-assist device 등은 survival 연장 효과 없다!

* 특정 독성 간염에서의 해독제
- AAP toxicity → NAC (*N*-acetylcysteine)
- 광대버섯(*Amanita*: Amatoxin) 중독 → high-dose penicillin + silymarin

5. 예후

- 심한 encephalopathy가 발생하면 사망률 매우 높음 (약 80%)
- 생존한 경우엔 장기 예후 좋다 (complete biochemical & histologic recovery)
- 원인별 예후 (좋은 순서) ; AAP (70% 이상 생존) > HAV > HBV > drugs > Wilson's dz.

★ 전격성 간부전에서 불량한 예후인자 (King's college criteria) ⇨ 간이식

■ **Acetaminophen에 의한 간독성**

(1) Acidosis (pH <7.3) or (2) 아래 3가지 모두
1. INR >6.5 (PT >100초)
2. Azotemia (creatinine >3.4 mg/dL)
3. Encephalopathy grade III~IV

* 기타 ; hyperphosphatemia, lactate ↑

■ **AAP 이외의 원인에 의한 급성 간부전**

(1) INR >6.5 (PT >100초) or (2) 아래 중 3개 이상
1. INR >3.5 (PT >50초)
2. Serum bilirubin 증가 (>7.5 mg/dL)
3. 나이 : 10세 이하 or 40세 이상
4. 예후가 나쁜 원인(e.g., drugs, non A-E virus, unknown)
5. Slow-paced illness (encephalopathy 발생 전까지 황달이 1주 이상 지속)

* 암기법 (ABCDE) ; Age, Bilirubin, Coagulopathy, Duration of jaundice, Etiology

- PT : rapid severe liver injury를 잘 반영
- animotransferase (AST, ALT) level은 관계없음!

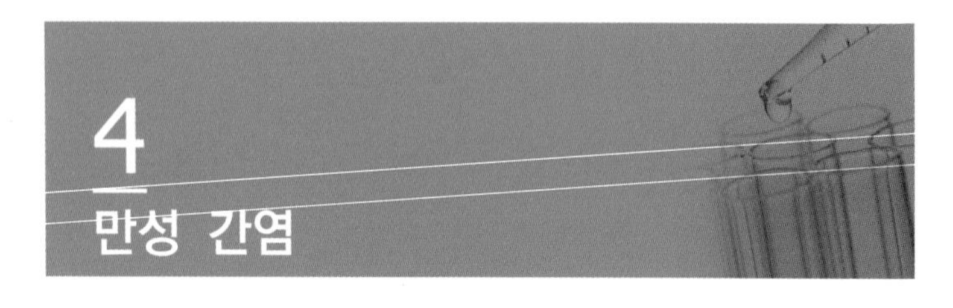

개요/분류

- 정의: 간세포의 염증 및 괴사가 6개월 이상 지속되는 상태
- 우리나라의 흔한 원인 : HBV (m/c), HCV, autoimmune hepatitis (증가 추세)

1. 원인에 의한 분류

- viral hepatitis ; HBV, HDV, HCV
- drug-induced hepatitis ; AAP, amiodarone, aspirin, dantrolene, ethanol, isoniazid, methyldopa, nitrofurantoin, oxyphenisatin, perhexilene, maleate, phenytoin, propylthiouracil, sulfonamides
- autoimmune hepatitis
- 대사질환 ; Wilson's disease, α_1-antitrypsin deficiency, alcoholic liver injury
- cryptogenic (idiopathic) hepatitis (non-ABCDE)

2. Grade에 의한 분류

- necroinflammatory activity에 기초하여 minimal, mild, moderate, severe activity로 나눔
- histologic activity index (HAI, Knodell-Ishak score) ; periportal necrosis (piecemeal necrosis, bridging necrosis 포함), intralobular necrosis, portal inflammation, fibrosis 등의 4가지 parameters에 의해 분류 … 미국에서 주로 이용
- METAVIR score … 유럽에서 주로 이용

3. Stage에 의한 분류

- fibrosis의 정도에 기초한 간염의 진행(progression) 정도를 반영하는 분류

Score	METAVIR	HAI
No fibrosis	F0	0
Mild fibrosis (portal fibrosis)	F1	1,2
Moderate fibrosis	F2	3
Severe fibrosis ; bridging fibrosis, nodularity	F3	4
Cirrhosis	F4	5,6

* bridging necrosis : portal tract과 portal tract or central vein 사이의 연결 같은 혈관구조물 (vascular structures) 사이의 연결 (→ severe!)

만성 바이러스성 간염

* hepatitis B, C, D 에서 진행 (A, E는 만성화되지 않음)

1. 만성 B형 간염 (chronic hepatitis B, CHB)

(1) 개요

- HBV 감염의 만성화(6개월 이상 HBsAg 존재) 비율은 감염된 시기와 밀접한 관계
  - 수직/주산기 감염 → 90% 이상 만성화 (m/c)
  - 성인 때 급성감염 → 1% 미만만 만성화 (유년기 때 감염은 약 20%)
- 출생시나 영아기에 감염되면 HCC의 risk도 증가됨
- HBV replication 정도가 조직학적 소견보다 예후에 더 중요함

	Replicative phase	Nonreplicative phase
Serum HBeAg, HBV DNA, DNA polymerase	+ (약 1/3은 HBeAg 음성)	−
Anti-HBe	−	+
Intrahepatocytic HBcAg	+	−
Liver HBV DNA	extrachromosomal	host genome에 삽입
Infectivity / Liver injury	high / severe	low / minimal
Liver biopsy	CAH	CPH

- 우리나라 ⇨ 대부분 genotype C2 ; HBeAg seroconversion 늦고, pre-core (PC) 변이 흔하고, HBeAg 음전 이후에도 바이러스 증식 지속, LC/HCC로의 진행 빠름, 치료 후 재발률 높음
- CHB의 자연경과 (수직/주산기 감염시)

경과 (phase)	1. 면역관용기 (증식보유기) 면역관용 CHB	2. HBeAg+ 면역활동기 (면역제거기) HBeAg+ CHB	3. 면역비활동기/조절기 (비증식보유기,건강보균) 면역비활동 CHB	4. HBeAg− 면역활동기 (재활성화기,면역탈출기) HBeAg− CHB
기간/연령	10~30년 지속	15~35세 사이에 이행	장기 지속 (80%)	고령
HBeAg	항상 (+)	60~90%에서 (+)	(−)	(−) Precore or BCP 변이
Anti-HBe	(−)	(−/+)	(+)	(+/−)
HBV DNA	↑↑(>10^7 IU/mL)	점차로 감소 or 수시로 변함	↓↓(<2000 IU/mL)	↑(>2000 IU/mL) 변동 심함
ALT	대부분 정상	↑~↑↑	지속적으로 정상	↑(변동 심함)
임상양상	대부분 무증상	대개 무증상, hepatic flares, 일부 급성간염 유사, 때때로 IgM anti-HBc (+)	대개 무증상, 드물게 LC or HCC 발생 가능, 10~20%는 재활성화	고령, 말기 간질환 (LC or HCC)으로 진행 or 가질 확률 높음, hepatic flares
조직소견	정상~경미한 염증	중등도~심한 활동성 염증 다양한 정도의 섬유화	경미한 염증 다양한 정도의 섬유화	심한 활동성 염증 조직괴사
치료	경과관찰	항바이러스제	경과관찰	항바이러스제

- 아시아권에서는 면역활동(제거)기가 30~40대에 흔함
- 대부분의 면역관용기는 수직감염과 관련, 유년기/성인기에 감염되면 면역관용기가 매우 짧거나 없음

5. HBsAg 소실기 : 면역비활동기 환자의 1~2%/yr에서 HBsAg 소실 (functional cure) & HBV DNA 거의 음성

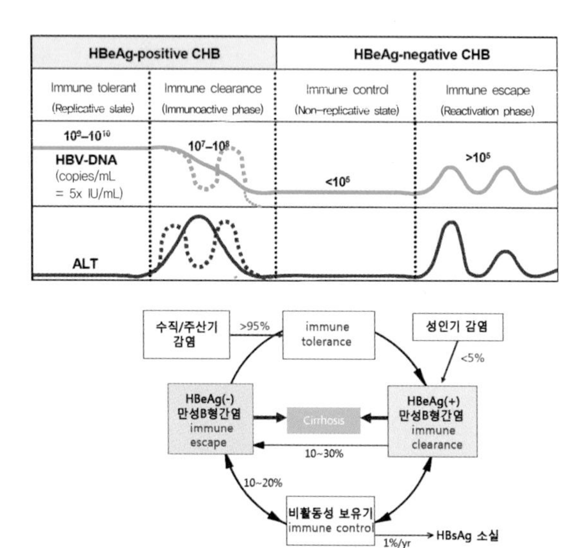

- 면역제거기에 HBV도 자신을 보호하기 위해 cccDNA 상태로 간세포의 핵 내에 숨음 (covalently closed circular DNA : HBV 증식에 필수적인 RNA intermediate인 pregenomic RNA [pgRNA]의 template로 작용, 항바이러스제 중단 시 HBV가 다시 증식하게 하는 주원인)
- replicative phase → seroconversion → nonreplicative phase (연간 약 10~15%)
- HBeAg이 소실되고 anti-HBe가 나타날 때 (HBeAg seroconversion)
  - seroconversion 전에 60~80%에서 급작스런 ALT 상승 발생 / but, deep jaundice는 없음 (∵ virus-infected hepatocytes의 cell-mediated clearance 때문)
  - 실제 호전인지 ↔ HBeAg(-) mutants 발생인지 감별 → HBeAg (-)면서 HBV-DNA 2,000 IU/mL 이상이면 HBeAg(-) 만성 B형간염임을 시사함 / 유전자검사까지는 거의 필요 없음
- inactive carrier : HBsAg의 혈청 소실은 연간 0.5~2% 정도 (→ 예후 좋음)

* HBeAg(-) chronic hepatitis B : HBV DNA는 (+)로 증식재활성화기에 해당함
  - 대부분 precore (PC) and/or basal core promotor (BCP) mutation → Ⅱ-3장 참조
  - 기전
    - precore mutation : precore gene 변이로 HBeAg의 translation 중단
    - BCP mutation : precore mRNA의 transcription 감소
  - HBeAg(+) chronic hepatitis B 환자보다...
    - 자연경과에서 늦게 발생 (HBeAg+ 보다 고령), HBV DNA level 약간 낮음
    - 지속적인 간손상은 발생 ⇨ 염증/괴사 더 심하고, LC or HCC로의 진행 위험 더 높음!
    - 항바이러스제에 의해 HBV DNA level 더 잘 떨어지지만, 관해율(지속적 반응 유지)은 낮음
    - episodic reactivation이 흔함(aminotransferase level의 변동; hepatic flares)

- 대부분 다양한 기간의 면역조절기 뒤에 이행되지만, 일부는 면역제거기에서 바로 이행 가능
- 지중해연안, 유럽, 아시아 등에서는 HBeAg(+) CHB보다 흔하고, 미국도 30~40% 차지
- 전세계적으로 증가 추세 (∵ 예방접종↑ → 젊은 환자↓, 감염자가 점차 고령화)

(2) 임상 양상

- 성인 만성 B형 간염환자의 대부분은 급성 간염에 걸렸었던 사실을 모름
- Sx : 다양 (대부분은 무증상), fatigue (m/c)
  - 심하면 nausea, anorexia, fever, jaundice / 말기에는 albumin↓, PT↑
- ALT > AST (→ cirrhosis 발생시는 AST > ALT)
- replication 상태와 조직소견, 증상은 항상 일치하는 것은 아님
  (e.g., replicative phase라도 AST, ALT는 정상일 수 있음)
- extrahepatic Cx ; hepatitis B Ag-Ab immune complex 침착과 관련
  - arthralgia/arthritis (m/c)
  - purpuric cutaneous lesion (leukocytoclastic vasculitis)
  - immune-complex glomerulonephritis ; MGN, MPGN
  - polyarteritis nodosa, essential mixed cryoglobulinemia (EMC) ...
- 만성 B형 간염의 급성 악화의 원인
  ① reactivation (replicative stage) ; HBeAg (+), IgM anti-HBc (+)
  ② seroconversion ; HBeAg 소실, anti-HBe (+)
  ③ other viral (e.g., HAV, HDV, HCV) or drug-induced hepatitis
  ④ precore/BCP mutation ⑤ HCC 발생

(3) 예후/경과

- 조직소견에 따른 예후
  - mild chronic hepatitis B : 5YSR 97%, 15YSR 77%
  - moderate~severe chronic hepatitis B : 5YSR 86%, 15YSR 66%
  - chronic hepatitis B + LC : 5YSR 55%, 15YSR 40%
- chronic hepatitis B
  ⇨ LC : 2~6%/year (HBeAg+), 8~10%/year (**HBeAg−**)
     HCC : 0.5~1%/year (LC−), 2~3%/year (LC+)
  - HBV replication이 심하고 오래 지속될수록 LC 및 HCC 발생위험이 높음
  - 기타 HCC 발생 위험인자 ; HCV 중복감염, HCC 가족력, HBeAg(−), HBV genotype C, BCP mutation, aflatoxin, alcohol, 비만, DM, 흡연, 남성, 고령 등
- 만성 B형 간염에서 LC로의 진행 속도에 영향을 미치는 요인 : 염증과 lobular distortion 정도
  ① virus의 replicative activity (e.g., HBV DNA level↑)
  ② 다른 virus의 중복감염 (e.g., HCV, HDV, HIV)
  ③ 다른 원인에 의한 간손상 동반 (e.g., alcohol, drugs)

* 만성 간염환자에서 LC로 이행되었음을 시사하는 소견
  ① 단백질의 합성 저하 ; albumin↓, PT↑
  ② portal HTN → splenomegaly → pancytopenia
  ③ bilirubin↑ (LC에서만 나타나는 소견은 아님)

(4) 치료

* 치료 목적 ; HBV의 증식을 억제 → 염증을 완화시켜 섬유화 방지,
LC와 HCC 발생 예방으로 사망률 감소 및 생존율 향상

* **치료 목표** (치료 종료의 임상적 지표)

① ALT 정상화 : 정상상한치(UNL)-남성: **34** IU/L, 여성 **30** IU/L 이하로
- 간내 염증 반응의 감소를 반영, 대부분 HBV DNA 불검출에 수반됨
- but, 정상인 환자의 14~40%도 F2 이상의 섬유화를 보임, ALT에 영향을 미치는 다양한 인자들(e.g., 지방간) 존재 → ALT 정상화만을 치료 목표로 삼기에는 제약

② HBV DNA 불검출
- HBV DNA level은 질병 진행과 장기 경과를 반영하는 가장 강력한 지표, 낮을수록 좋음
- but, 치료 종료시 대부분 HBV DNA가 다시 검출되므로 이것만 치료 목표로 삼기는 어려움

③ HBeAg의 혈청소실 혹은 혈청전환 (HBeAg 양성 환자에서)
- ALT 정상화 및 조직소견 호전을 반영, HBV DNA 감소 정도와 비례
- but, HBeAg 혈청전환 후에도 24%에서 HBeAg(-) 간염 발생, 치료 종료시 재발률 높음

④ HBsAg의 혈청소실
- HBsAg level은 CHB의 자연경과를 잘 반영, 간내 cccDNA level과도 비례
- 항바이러스 치료로 감소하며 HBeAg 소실을 반영
- 혈청소실/전환 이후 대부분 HBsAg 소실과 HBV DNA 불검출이 유지됨, HCC도 감소
  → 치료 목적을 가장 잘 반영하는 지표, 치료 종료 가능! (but, 매우 드묾)

┌HBeAg (+) 환자 → ALT 정상화, HBV-DNA 불검출, HBeAg 및 HBsAg의 혈청소실/전환
└HBeAg (-) 환자 → ALT 정상화, HBV-DNA 불검출, HBsAg의 혈청소실/전환

■ 치료 약제 ★

	PEG-IFN*	Lamivudine	Adefovir	Entecavir	$Tenofovir_{DF}$	$Tenofovir_{AF}$	Besifovir
HBeAg 음전	34~39%	16~21%	12%	39%	18%	22%	14~21%
HBsAg 음전	2~7%	0~1%	0~5%	0~5%	0~1%	0~1%	0%
HBV-DNA 음전							
HBeAg(+)	6~14%	36~44%	13~21%	70~80%	75%	73%	64~81%
HBeAg(-)	19%	60~73%	48~77%	91~95%	91%	90%	97%
ALT 정상화							
HBeAg(+)	32~52%	41~75%	48~61%	82~87%	68%	75%	64~79%
HBeAg(-)	59%	62~79%	48~77%	78~88%	71%	81%	88%
조직학적인 개선							
HBeAg(+)	38%	49~62%	53~68%	72%	74%		
HBeAg(-)	48%	61~66%	64%	70%	72%		
내성 발생	없음	15~30%/1년 70%/5년	없음/1년 29%/5년	<1%/1년 1.2%/6년	없음	없음	없음

* 투여경료 ; PEG-IFN만 피하주사, 나머지는 모두 경구약제

┌Nucleoside analogue ; Lamivudine, Entecavir, Telbivudine
└Nucleotide analogue ; Adefovir, Tenofovir, Besifovir

Immune modulator	Pegylated IFN-α 2a (주사제)
High genetic barrier (초치료시 내성 매우 드묾) ⇨ 만성 B형간염의 1차 치료약제로 권장!	Entecavir Tenofovir disoproxil fumarate [TDF] Tenofovir alafenamide fumarate [TAF] Besifovir dipivoxil maleate
Low genetic barrier	Lamivudine, Adefovir dipivoxil, Telbivudine, Clevudine

① interferon-α

- 기전 : 감염된 간세포에서 HLA class I Ag 발현 촉진 → CD8+ cytotoxic T lymphocyte에 의한 HBV에 감염된 간세포의 파괴를 촉진
- C형 간염에 비해 large dose를 사용 (500~1000만 U 3회/주 or 매일 500만 U 피하/근육주사)
  - HBeAg (+) : 16~24주 사용
  - HBeAg (-) : 12개월 이상 사용
- pegylated IFN-α (PEG-IFN) : 반감기가 길어 주사 횟수가 주 1회로 감소
  - 치료 효과는 기존의 IFN보다 약간 높음, 부작용은 비슷
  - 기존의 IFN은 PEG-IFN보다 장점이 없기 때문에 PEG-IFN으로 대치되었음
- HBeAg (+) or (-) 만성 B형간염에 모두 효과적
- 성공적인 치료(seroconversion)시 ; ALT가 일시적으로 상승 가능, 재발은 드묾(1~2%)!
- immune complex에 의한 extrahepatic Cx.도 호전 가능
- 우리나라의 경우 B형 및 C형 간염의 interferon 치료 효과가 다른 나라에 비해 훨씬 나쁨
- 다른 경구 약제 대비
  - 장점 ; 치료기간이 짧고, 약제 내성이 없음 (→ 장기 예후 좋음)
  - 단점 ; 주사제(환자 매우 불편), 고비용, 부작용↑

Interferon (or PEG-IFN)의 부작용 ★
전신적인 "flu-like" 증상 (m/c, >90%), 근육통, 두통, 구역
BM 억제 ; leukopenia, thrombocytopenia
감정적 불안정성 ; irritability, anxiety, depression
자가면역 반응 ; autoimmune thyroiditis (비가역적) → hypothyroidism : 2~4개월마다 갑상선검사
기타: 탈모(2nd m/c, 10~30%), 발진, 설사, 체중감소, 사지의 저림/무감각

- Autoimmune thyroiditis 외에는 모두 가역적 (용량을 낮추거나 중단하면 호전됨)!

PEG-IFN에 대한 반응에 영향을 미치는 인자 ★

반응이 좋은 경우	반응이 나쁜 경우
면역기능 정상, 젊은 연령, 짧은 유병기간 여성, Heterosexual Genotype A or B High ALT level : 정상상한치(UNL)의 2~3배 이상 Low HBV DNA level (<10^9 IU/mL) Active liver biopsy (간실질의 심한 염증)	Homosexual HIV 양성 출생시 감염된 소아 (수직감염) 동양인에서 minimal~mild ALT 상승 비대상성 만성 간염 (∵ 간염의 급성악화로 인한 간부전 위험↑)

* HBV genotype : A/B형에서 C/D형보다 HBeAg 혈청전환 및 HBsAg 혈청소실이 더 흔함 (but, 개별적인 예측인자로서는 그 예측력이 떨어지므로 치료방침 결정에 이용하면 안 됨)

* 비대상성 간경변증, 면역저하자, 장기이식자, 임산부 등에서는 금기임! / 60세 이상은 상대적 금기
↳ 감염 및 간기능 상실로 인해 사망 가능

경구 항바이러스제에 대한 반응에 영향을 미치는 인자

반응이 좋은 경우	
High ALT level : 정상상한치의 3배 이상 Low HBV DNA level (<10^7 copies/mL) Active liver biopsy (간실질의 심한 염증)	치료 시작 후 6~12개월째에 바이러스 반응이 있는 경우 내성 바이러스 발현율이 낮음 HBV genotype은 치료 반응에 영향 없음

② lamivudine (Zeffix®)

- 최초의 초치료 경구약제(100 mg/day) → 현재는 내성 발생 때문에 초치료 약제로 권장 안됨!
- nucleoside (cytidine) analogue ; RNA-dependent DNA polymerase (reverse transcriptase) 억제
- HBeAg (+) 환자는 치료전 ALT level이 높아야 반응(HBeAg seroconversion)이 좋음
  (일반적으로 HBV DNA이 10^4 copies/mL 이하로 억제되어야 seroconversion됨)
- IFN보다 훨씬 장기간의 치료가 필요, IFN과의 병합요법을 해도 효과가 증가하지는 않음!
  (IFN의 금기인 decompensated chronic hepatitis, 면역저하 등의 환자에도 효과적)
- 치료효과가 나타나는데 3~6개월이 걸리므로 간기능 악화가 너무 진행된 경우에는 도움 안될수
- 부작용이 적은 것이 장점, 약 1/4에서 치료 중 일시적으로 ALT 상승 가능
- 임신 중 안전성은 확립되지 않았고, 신기능 저하시엔 용량 줄여야
- 장기간 투여시 내성 변이종 발생 증가 (60~70%/5년) : YMDD-variant HBV
  - P (polymerase) gene YMDD motif의 변이 : M(methionine)204V(valine) or M204I(isoleucine)
  - 임상양상 ; ALT↑ & HBV DNA 재검출, 약 23%에서는 ALT 10배↑되는 급성악화 발생
    (wild-type보다 증식력은 떨어지지만, breakthrough로 인해 치명적인 간기능 악화 위험)
  - 발생이 증가하는 경우 ; 투여 기간↑, 치료전 HBV DNA level↑, 치료전 ALT level↑,
    치료 6개월 후 HBV DNA level↑, 비만
  - HIV 감염자는 대부분 YMDD variant가 빨리 발생되므로 lamivudine은 금기!
- 내성 발생시 ⇨ tenofovir 단독 or tenofovir + nucleoside analogue 병합 치료
  - tenofovir를 사용할 수 없는 경우에는 adefovir + nucleoside analogue 고려
  - 간기능이 양호하면 lamivudine을 중단하고 PEG-IFN 고려 가능

③ adefovir dipivoxil (Hepsera®)

- adefovir의 전구약물(prodrug)
- nucleotide analogue ; reverse transcriptase 및 DNA polymerase를 모두 억제
- lamivudine과 치료 효과 및 투여기간 비슷하면서 초치료 환자에서 내성 발생률 낮은 편
  (항바이러스 효과는 다른 약제들에 비해 떨어짐! → 현재는 더 효과적이고 내성 발생률도 낮은 tenofovir가 초치료 및 lamivudine 내성 환자에 권장됨!)
- lamivudine과의 병합요법을 해도 효과가 증가하지는 않음
- 장기간 투여해도 내성 발생이 적은 편이므로, lamivudine 내성 YMDD 변이형 치료에 효과적
  (면역저하자에서도 효과적이므로 HIV 감염자에서도 사용 가능)
- lamivudine 투여를 중단하고 adefovir로 대치시 간염의 악화가 우려되는 경우 2~3개월간 lamivudine과의 병합요법을 사용할 수 있음
- 내성 발생시 ⇨ tenofovir 단독 or tenofovir + entecavir 병합 치료
  (tenofovir를 사용할 수 없는 경우에는 adefovir + entecavir 병합 치료 고려 가능)
- 부작용 : nephrotoxicity (보통 치료 6~8개월 이후에 발생)

- 30 mg/day 투여시 10%에서 creatinine 0.5 mg/dL 상승 (가역적 → 잠시 중단 or 감량)
- 일반적 치료용량인 10 mg/day에서 신독성 발생은 드물지만(3%), Cr monitoring은 필요함
- 드물지만 renal tubular injury도 발생 가능
- 기저 신질환이 있는 경우 투여 간격을 늘려서 용량을 감량

c.f.) lamivudine, adefovir, entecavir, telbivudine 등은 C_{Cr}이 50 mL/min 미만이면 용량 감량!

④ entecavir (Baraclude®)

- nucleoside (cyclopentyl guanosine) analogue ; HBV DNA polymerase의 priming, pregenomic mRNA로부터 HBV DNA (-) strand의 reverse transcription, HBV DNA (+) strand의 합성 등 3단계에서 HVB 증식을 억제함
- 기존 경구약제보다 치료 효과가 좋고, 내성 발생률이 매우 낮아 최근 초치료로 선호됨!
  ; lamivudine이나 adefovir보다 약 100배 이상의 바이러스 억제 효과
- 부작용은 lamivudine과 유사, 치료 전 간기능이 나쁜 경우 lactic acidosis 발생 주의
- lamivudine 내성 환자에서는 초치료 환자보다 치료 반응이 낮고, entecavir 내성 발생률이 높아 (누적 50% 이상) 사용 안함 → 대신 tenofovir (or adefovir) 사용
- entecavir 내성 : "two-hit mechanism"에 의해 발생 (먼저 M204V/I가 선택되고, 이후에 추가 mutations 발생해야) → lamivudine 내성(M204V/I)에서만 나타남 (lamivudine 및 모든 nucleoside analogues에 내성) ⇨ tenofovir 추가/대체
  (tenofovir를 사용할 수 없는 경우에는 adefovir + entecavir 병합 치료 고려 가능)

⑤ tenofovir disoproxil fumarate [TDF] (Viread®)

- tenofovir의 prodrug, nucleotide analogue, adefovir와 기전 비슷하지만 훨씬 강력한 효과
- HIV 치료제지만 HBV 감염에도 매우 효과적, 아직까지 HBV는 tenofovir 내성이 거의 없음
- adefovir와 구조 유사하지만, 신독성이 덜해 고용량(300 mg) 사용 가능 → 훨씬 더 효과 좋음!
- 드물게 경미한 신기능 저하, 골감소/골다공증이 발생할 수 있음 → Cr, BMD F/U 고려
  (신기능 저하, 골감소/골다공증을 보이는 노인 ⇨ entecavir or tenofovir AF 추천)
- adefovir를 대신해서 초치료 및 nucleoside analogues 내성 환자에게 권장됨
- adefovir에 반응이 느리거나 없는 환자, HIV와의 중복감염 등에도 효과적

* tenofovir alafenamide fumarate [TAF] (Vemlidy®)
; tenofovir DF보다 반감기 김 → 더 적은 용량으로 비슷한 항바이러스 효과
→ 신장과 골대사에 대한 독성 감소 (안전성 향상!)

⑥ besifovir dipivoxil maleate (Besivo®)

- 새로운 nucleotide analogue로 tenofovir와 효과 비슷하면서 더 안전
- 신기능 저하 및 골감소/골다공증 포함 심각한 부작용 없음, 아직까지 내성 없음

⑦ telbivudine (Sebivo®, Tyzeka®)

- lamivudine 계열로 lamivudine보다는 치료 효과가 훨씬 좋고 내성 발생도 적지만, 다른 경구약제보다는 내성 발생이 많아서(2년 뒤 ~22%) 초치료 약제로는 권장 안 됨
- lamivudine처럼 부작용 적음 ; 드물게 CK↑, Cr↑, peripheral neuropathy

⑧ clevudine (Levovir®)

- lamivudine 계열로 항바이러스 효과가 강력하고 오래 지속됨

(투약 중단 후에도 지속적인 HBV 억제 효과를 보임)
- 약 2%에서 myopathy 부작용 발생, 신기능 저하시엔(C_{Cr} <60 mL/min) 금기
- 내성 발생률은 entecavir보다 높고, 내성 발생시 lamivudine 내성에 준해서 치료

⑨ emtricitabine : lamivudine과 구조 유사, 단독 투여 시에는 lamivudine보다 좋은 점은 없음, tenofovir와 병합요법시 HIV 및 HBV에 효과적 (HBV 치료에는 허가 안 되었음)
c.f.) Truvada® (tenofovir + emtricitabine)

* glucocorticoids는 금기! (∵ 오히려 HBV 증식을 촉진함)
* 임산부에서의 안전성
  - category B : tenofovir DF, telbivudine, emtricitabine → 임신 중 B형간염 치료시 사용
  - category C : lamivudine, adefovir, entecavir, besifovir
  - 항바이러스제를 복용 중인 출산 후 여성에서는 항바이러스제의 모유 분비 여부에 대해 거의 알려진 바가 없으므로 현재로서 수유를 제한하는 것이 권장됨

■ 비증식보유자 (Inactive carrier state)

- 간암의 위험군임 (HBsAg 음성인 사람보다 간암에 걸릴 확률 약 100배)
- 치료 방법도 없고, antiviral therapy의 적응이 아님!
- 정기적인 간암 선별검사를 받아야 됨 ; US, AFP (최소한 1년에 1회 이상)
(증상이 발생할 때만 병원에 오게 되면, 이미 간염이 심해져 치료가 어려운 경우가 많으므로, 증상이 없더라도 정기 검진을 받아야 됨)
- 50세 이하에서는 IgG anti-HAV 검사를 시행하여 음성이면 HAV 예방접종
- HCV와의 중복 감염 유무를 확인하기 위해 anti-HCV 검사를 시행

◆ 2018 대한간학회 만성 B형 간염 치료 guideline

치료대상 ★★	
HBeAg(+) 만성 B형간염 (면역활동기)	HBV-DNA ≥20,000 IU/mL (약 10^5 copies/mL) 이며 • ALT ≥2×UNL (upper normal limt, 정상상한치) • ALT 1~2×UNL – 추적관찰(F/U) or – 필요한 경우 간생검 : 중등도 이상의 염증괴사 소견이나 문맥주변부 섬유화 (stage 2) 이상의 단계를 보일 경우 치료 시작 – 간생검이 곤란한 경우 비침습적 방법의 간섬유화 검사로 평가할 수 있음 • ALT ≥5~10×UNL의 급격한 상승 or 황달, PT↑, 간부전(e.g., 간성혼수, 복수) 소견을 보이는 경우에는 즉각적인 치료 시작
HBeAg(−) 만성 B형간염 (면역활동기)	HBV-DNA ≥2,000 IU/mL (약 10^4 copies/mL) 이며 • ALT ≥2×UNL (upper normal limt, 정상상한치) • ALT 1~2×UNL ⇨ F/U or 필요시 간생검 등 위와 동일 • ALT ≤UNL ⇨ F/U or 필요시 간생검 등 위와 동일
대상성 간경변증	HBV-DNA ≥2,000 IU/mL (약 10^4 copies/mL)면 ALT에 관계없이 치료 시작 HBV-DNA가 2,000 IU/mL 미만의 낮은 농도라로 검출되면 ALT에 관계없이 치료 고려
비대상성 간경변증	HBV-DNA 검출되면 ALT에 관계없이 신속히 치료 권장, 간이식도 고려

* 면역관용기 및 면역비활동기는 경과 관찰 대상임

치료약제의 선택	
일차 치료 ★	
HBeAg(+)/(−) 만성간염	Entecavir, Tenofovir (DF, AF), Besifovir or PEG-IFN 중 하나
대상성 간경변증	Entecavir, Tenofovir (DF, AF), Besifovir 중 하나 우선 권장 간기능이 좋은 경우 PEG-IFN은 주의하며 신중하게 사용 고려 가능 (∵ 간염 악화와 약물 부작용 위험)
비대상성 간경변증	Entecavir, Tenofovir (DF, AF), Besifovir 중 하나 우선 권장 PEG-IFN은 간부전 위험 때문에 금기임! 간이식을 고려
내성환자의 치료	
내성약물	대책(이차 치료제)
Nucleoside 유사체 (Lamivudine, Telbivudine, Clevudine, Entecavir)	Tenofovir (TDF or TAF) 단독 요법으로 전환 − 내성 치료 전 고바이러스혈증의 경우는 Tenofovir/Entecavir 병합 고려 − Entecavir 내성 → Tenofovir로 전환 *or* Tenofovir 추가
Adefovir	Tenofovir 단독 *or* Tenofovir/Entecavir 병합 요법으로 전환
Tenofovir	Entecavir 추가
다약제 내성	Tenofovir/Entecavir 병합 *or* Tenofovir 단독 요법으로 전환

* 초치료 환자에서 병합요법은 권장되지 않음

항바이러스제 치료 반응의 정의	
생화학반응(biochemical response)	ALT가 UNL 이내로 정상화되는 것
바이러스반응(virologic response)	혈청 HBV-DNA가 real-time PCR에서 검출되지 않는 것 (최저 검출한도 : 보통 60 IU/mL or 300 copies/mL) *FEG-IFN : 투여 6개월 이후 or 치료 종료시에 혈청 HBV-DNA가 2,000 IU/mL 이하로 감소된 경우
혈청반응(serologic response)	HBeAg 혈청반응 : HBeAg의 혈청 소실 또는 전환 HBsAg 혈청반응 : HBsAg의 혈청 소실 또는 전환
조직반응(histologic response)	조직활성지표(activity index) 치료 전보다 2점 이상 호전 & 섬유화가 악화되지 않음
일차 무반응/치료실패 (primary non-response)	항바이러스제를 6개월 투여한 후에도 혈청 HBV-DNA가 2 $\log_{10}$ IU/mL (1/100) 이상 감소하지 않는 경우 *FEG-IFN : 3개월 치료 후 1 $\log_{10}$ IU/mL (1/10) 이상 감소하지 않는 경우
바이러스 돌파현상 (virologic breakthrough)	치료 중 가장 낮게 측정된 HBV-DNA보다 1 $\log_{10}$ IU/mL (10배) 이상 다시 증가한 경우 *or* 미검출 상태에서 다시 검출되는 경우 ⇨ 약제 순응도 확인 및 약제내성검사 시행
생화학 돌파현상	정상화되었던 ALT가 다시 UNL 이상으로 상승한 것
유전자형내성(genotypic resistance)	항바이러스제 내성을 보이는 돌연변이 바이러스가 발견된 것
표현형내성(phenotypic resistance)	약제에 대한 감수성 저하를 in vitro 검사에서 확인한 것
교차내성(cross resistance)	어느 약제에 의해 유발된 내성 변이가 노출된 적이 없는 다른 약제에 대해서도 내성을 보이는 경우

* 부분 바이러스반응 (partial virologic response) : 혈청 HBV-DNA가 2 $\log_{10}$ IU/mL 이상 감소하였지만, real-time PCR에서는 검출되는 경우 (초치료 실패는 아님)
  - 유전자 장벽 낮은 약제(Lamivudine, Telbivudine 등) → 치료 시작 후 24주째 평가
  - 유전자 장벽 높은 약제((Entecavir, Tenofovir, Besifovir) → 치료 시작 후 48주째 평가

  ⇨ 약제 순응도 면밀히 확인, 약제의 교체 검토(e.g., 내성장벽 낮은 약제 → 교차내성 없고 내성장벽 높은 약제). 내성장벽 높은 약제를 사용하던 환자는 3~6개월 간격으로 반응을 F/U하면서 치료 지속 가능 (단 Entecavir를 사용하던 경우에는 Tenofovir 등으로 전환 고려 가능)

* 일차 무반응 (primary non-response) → 돌연변이 검사 시행 (내성 돌연변이가 발생하지 않은 경우에는 효능이 더 높은 약제로 전환 추천)

* PEG-IFN 치료시 … HBsAg 정량검사를 치료반응 예측 인자(stopping rule)로 활용
  - HBeAg(+) 환자 : 24주째 HBsAg 20,000 IU/mL 이하로 감소하지 않을 때
  - HBeAg(-) 환자 : 12주째 HBsAg 정량치의 감소가 없으면서 HBV-DNA 감소가 2 $\log_{10}$ IU/mL 미만이면 치료 반응이 없을 것으로 예상하여 치료 중단 고려

c.f.) HBV-DNA 음전이 지속되어도 경구약제 중단시 재발(or 내성발생)하는 경우가 흔함
→ HBV-DNA 정량검사보다 HBsAg 정량검사의 반응이 재발(or 내성발생) 예측에 더 유용

2. 만성 C형 간염 (chronic hepatitis C, CHC)

(1) 개요

- acute hepatitis C 이후 85~90%는 chronic hepatitis로 됨
  - acute hepatitis C의 50~70%는 바로 chronic hepatitis로 진행
  - acute hepatitis C 이후 AST/ALT가 정상화되었던 환자도 흔히 chronic hepatitis로 진행
- 증상이 없고 aminotransferase level도 정상인 anti-HCV (+) 환자의 1/3~1/2에서 biopsy상 chronic hepatitis를 보임
- 우리나라 : anti-HCV 양성률 0.78%, 고령일수록 높아짐, 남<여, genotype 1b>2a>1a>2b

(2) 임상 양상

- 대부분은 무증상, fatigue가 m/c (jaundice는 드물다)
- extrahepatic Cx.은 HBV보다 드물다 (EMC만 예외적으로 더 많음)
- aminotransferase level은 HBV보다 낮지만, 변동이 많다
- 일부에서 autoantibody (anti-LKM1) 가짐 → pathogenesis에 autoimmunity도 관여함을 시사
- 드물게 autoimmune hepatitis에서도 anti-HCV의 false (+)가 나타날 수 있음
  → HCV RNA 측정!
- NAFLD, insulin resistance, DM 등의 발생 증가

(3) 예후/경과

- long-term Px.는 B형보다 좋다, 매우 느리고 점진적으로 진행
- chronic hepatitis C 환자의 약 5~20%가 20~25년 뒤 LC로 진행
- HCV에 의한 compensated LC 환자의 경우
  - 10YSR 약 80%, 사망률 2~6%/year
  - decompensation 발생률 4~5%/year
  - HCC 발생률 1~4%/year (HBV보다 높다) : 주로 30년 이상 HCV 감염자에서

HCV의 만성 간질환으로의 진행 위험인자
1. 장기간의 감염 기간 (m/i)
2. 고령(40세 이상에 감염), 남자, 음주, 흡연
3. 비만, 인슐린 저항성, 면역억제자, 장기이식 수혜자
3. Advanced histologic stage & grade
4. Genotype 1 (특히 1b)
5. Complex quasispecies diversity (유전적 다양성/돌연변이능력)
6. 간 내 철분 축적
7. 다른 간질환 동반 ; 알코올성 간질환, 지방간염, 만성 B형간염, hemochromatosis, α_1-antitrypsin deficiency
8. 다른 바이러스의 중복 감염 ; HIV, HBV, HAV

*급성 간염의 severity (황달 등), ALT/AST level, HCV RNA level 등은 관련 없음

- 간이식 후에 재발한 HBV or HCV도 빠르게 LC로 진행함
- m/i 예후 인자 - 간 조직소견
  ; 2단계(F2, portal fibrosis) 이상의 간섬유화 환자에서 LC로의 진행률이 높음
- aminotransferase, HCV RNA level은 예후/경과와 관련 없음!

(4) 치료

- 운동/식이조절을 통한 적정 체중 유지, 단주/절주
- 치료목표 : HCV RNA 음전 (EVR & SVR) → 심한 간질환 예방
  - SVR 있으면 장기 재발률 1% 미만! ⇨ HCV 박멸처럼 간주 (임상적 완치와 유사한 지표)
  - SVR을 보이지 않는 환자에 비해 LC Cx 및 HCC 발생률과 사망률 감소
- antiviral therapy 전의 필수 검사 ; HCV RNA 정량검사, HCV 유전자형 및 아형(1a/1b) 검사 (간 조직검사는 반드시 필요한 것은 아니지만, genotype 1인 경우와 ALT가 정상일 때는 유용)
- 치료 방법/용량/기간 결정 및 치료 반응 예측의 m/i 인자 - HCV 유전자형(genotype)

치료 반응의 정의 ★		
급속 바이러스 반응 : RVR (rapid virological response)		치료 **4주**째에 HCV RNA가 검출되지 않는 것 (검출한계 <50 IU/mL) (→ genotype에 관계없이 빠른 SVR 달성과 관련)
초기 바이러스 반응 : EVR (early virological response)		치료 **12주**째에 HCV RNA가 기저값보다 2 $\log_{10}$ 이상 감소하거나 검출되지 않는 것 (→ Genotype 1에서 EVR은 SVR의 중요한 예측인자임) - complete EVR (cEVR) : HCV RNA가 검출되지 않는 것 - partial EVR (pEVR) : 2 $\log_{10}$ 이상 감소하였으나 검출은 되는 것
지연 바이러스 반응 : DVR (delayed virological response)		pEVR에 도달한 Genotype 1 감염 환자 중 치료 **24주**째 혈중 HCV RNA가 검출되지 않는 것
지속 바이러스 반응 : SVR (sustained virological response)		치료 "종료" 후 12주 or 24주 때 HCV RNA가 검출되지 않는 것 (→ HCV가 박멸된 것으로 간주) … 장기 치료 반응의 best predictor!
치료 종료 반응 : ETR (end of treatment response)		치료 24주 or 48주 종료 시점에 HCV RNA가 검출되지 않는 것
무반응 : Nonresponse	Null response	치료 12주째 HCV RNA가 2 $\log_{10}$ 미만으로 감소한 상태
	Partial response	치료 12주째 HCV RNA가 2 $\log_{10}$ 이상 감소되었지만, 12~24주 사이에 HCV RNA가 검출되는 상태
바이러스 돌파(breakthrough)		치료 중 소실되었던 혈중 HCV RNA가 재출현
재발(relapse)		치료 종료 후 소실되었던 혈중 HCV RNA가 재출현

① interferon-α

- 페그 인터페론(pegylated IFN)-α : long-acting
  - 주 1회만 투여하면 되고, 약물농도도 더 안정적으로 유지됨, 기존의 IFN보다 효과 2배
  - ANC <750/mm^3 or platelet <50,000/mm^3 이면 50% 감량
  - ANC <500/mm^3 or platelet <25,000/mm^3 이면 투약 중지 (→ 회복되면 50%로 재개)
- pegylated IFN을 사용할 수 없는 환자는 기존의 IFN을 사용 (e.g., allergy to pegylated IFN)
- 치료 중 만성 B형 간염에서와 같은 일과성의 acute hepatitis-like ALT 상승은 일어나지 않고, ALT level은 급격히 감소됨!

② ribavirin (nucleoside analogue) [Viramid®, Rivavirin®]

- 단독 투여는 효과 없고, interferon과 서로 상승 효과가 있어 PEG-IFNα + ribavirin 병합요법으로 사용 (but, 부작용↑), DAA 도입 이후에는 주로 일부 DAA 요법에 추가하여 사용함
- ribavirin의 부작용 ; hemolytic anemia (m/i), fatigue, rash, nasal congestion, pruritus, gout 유발, 선천성 기형(→ 남녀 모두 치료 중 & 치료 후 6개월까지 반드시 피임해야 됨)
  - Hb <10 g/dL면 감량, <8.5 g/dL면 투약 중지 (투약 중지 환자는 PEG-IFN 단독요법)
- absolute C/Ix. ; CAD or CVA 환자 (∵ hemolysis가 ischemia 유발 가능), 심한 신기능 저하 (∵ 신장으로 배설, 투석으로 제거 안 됨), 임산부 (∵ teratogenic)
- relative C/Ix. ; uncontrolled HTN 등의 CAD 위험인자, anemia or hemoglobinopathy

c.f.) PEG-IFNα + ribavirin (PR) **병합요법**

- DAA 도입 전 과거의 표준 치료였었음 (e.g., genotype 1, 4 [48주] → 60~70%에서 SVR)
  ↳ 더 효과적이고, 부작용 적고, 주사의 불편함이 없으므로 대부분 DAA 요법으로 대치되었음
  (일부에서만 DAA 요법 대신 고려 가능 ; genotype 2, 3, 5, 6 [24주] → 80~90%에서 SVR)
- biochemical & virologic response가 없어도 조직학적 호전이 약 3/4에서 나타남

③ **직접작용항바이러스제**(direct acting antivirals, DAAs) ★

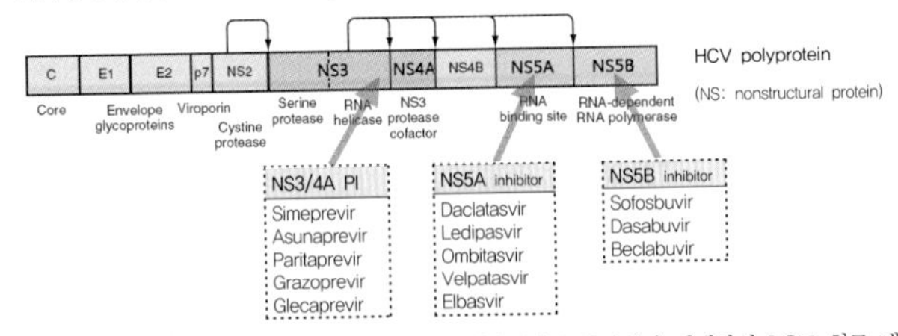

- 차세대 DAA는 부작용이 적어 치료의 금기가 적음 (과거 금기였던 비대상성 LC도 치료 대상)
  - 병합치료를 통해 기대되는 SVR은 95% 이상, 기존 pIFN + ribavirin에 비해 매우 효과적!
  - DDA의 낮은 SVR 예측인자 ; genotype 3, LC, 이전의 치료 실패, HCV 내성관련변이(+)
  - HCV RNA level, ALT level, IL28B 유전형, 연령, 인슐린 저항성, type 2 DM 등의 영향 거의 없음

- NS3/4A protease inhibitors (PI, "-previr") : HCV 증식에 필수인 다단백 분해과정을 차단, 주로 genotype 1에만 효과적, 내성 장벽 낮음, Child B-C/비대상성 LC에서는 금기!
  (1) 1세대 ; boceprevir, telaprevir … 최초의 DAA, 부작용이 심해 최근에는 사용 안함!
  (2) 2세대 ; simeprevir [Olysio/Sovriad®], asunaprevir [Sunvepra®], paritaprevir, grazoprevir, glecaprevir, voxilaprevir
- NS5A inhibitors ("-asvir") : HCV 복제 및 조립(replication complex)을 억제
  - daclatasvir [Darlinza®], ledipasvir, ombitasvir, velpatasvir, elbasvir, pilbrentasvir (↳ 간기능 및 신기능 장애시 용량 조절 필요 없음)
  - 여러 유전자형에 효과적, 다른 약제와 병합치료시 상승 효과, 내성 장벽 매우 낮음
  - NS5A 내성관련치환(RAS) : genotype 1a의 7~16%, 1b의 16~20%에서 존재, daclatasvir (or elbasvir) 치료 전 RAS가 검출되면 다른 약제를 사용 (or ribavirin 추가)
- NS5B polymerase inhibitors ("-buvir") : RNA dependent RNA polymerase 억제
  (1) nucleos(t)ide polymerase inhibitors ; sofosbuvir [Sovaldi®]
    - 모든 유전자형에 효과적!, 다른 약제와 병합시 상승 효과, 내성 장벽 높음!, 교차내성 無
    - 간기능 장애시 용량 조절 필요 없음, 심한 신기능 장애(GFR <30 mL/min)시엔 금기 (amiodarone, flecainaide, propafenone, thioridazine, rifampin, cyclosporine, sirolimus, gemfibrozil 등과 병용은 금기)
  (2) non-nucleos(t)ide polymerase inhibitors ; dasabuvir [Exviera®], beclabuvir ; 주로 genotype 1에만 효과적, 내성 장벽 낮음

* RAS (resistance-associated substitution)내성관련치환 : DAA에 내성을 보이는 아미노산 변이
  - 자연발생 RAS ; genotype 별로 차이 → NS3 RAS 1a 75%, 1b 2% / NS5A RAS 1a 3.5%, 14.1% / NS5B RAS는 자연발생이 매우 드묾
  - 치료중 발생한 RAS ; 발생한 RAS 부위에 따라 지속 기간 차이 → NS3와 NS5B RAS는 약제 중단 후 사라짐 / NS5A RAS는 약제 중단 후 수년간 검출 가능
* 복합제제로 많이 개발되어 사용됨
  - ledipasvir 90 mg + sofosbuvir 400 mg [Harvoni®] once/daily
  - velpatasvir 100 mg + sofosbuvir 400 mg [Epclusa®] once/daily
  - ombitasvir/paritaprevir/ritonavir 12.5/75/50 mg + dasabuvir 250 mg [Viekira Pak®] 2T/day (↳ CYP3A4 inhibitor, 약동학적 증강제 역할)
    → Child B-C/비대상성 LC 환자는 금기, 신기능 장애시 용량 조절 필요 없음
  - elbasvir 50 mg + grazoprevir 100 mg [Zepatier®] once/daily

  [pan-genotypic DAA regimen]
  - glecaprevir 100 mg + pibrentasvir 40 mg [Mavyret®] 3T once/daily
    → genotype 1~6 모두에 8주 요법 (mild LC 환자는 12주), CKD 환자도 사용 가능, Child C/비대상성 LC 환자는 금기 (Child B도 권장 안됨)
  - sofosbuvir 400 mg + velpatasvir 100 mg [Epclusa®] once/daily
    → genotype 1~6 모두에 12주 요법 (LC 환자도), severe CKD (GFR <30 mL/min)는 금기
  - sofosbuvir/velpatasvir/voxilaprevir 400/100/100 mg [Vosevi®] once/daily
    → 이전 DAA 치료에 실패한 경우 m/g, Child B-C/비대상성 LC 및 severe CKD 환자는 금기

④ liver transplantation : ESLD (end-stage liver dz.) 환자의 유일한 치료법
- 이식 후 C형간염 재발로 인한 allograft loss, mortality 등은 적은 편이지만
- 이식 후 C형간염 재발 예방을 위해 이식 전 항바이러스 치료로 HCV RNA 음전이 이상적임
  (∵ 이식 전 HCV RNA 검출 → 거의 대부분 이식 후 재감염 → 간질환 악화 & 사망률↑)
- but, 일부 환자는 DAA 치료로 간기능이 호전되어 이식 필요성이 없어지거나 연기될 수
- 간기능에 따라 차별화 권장
  ① MELD <16~20점 : DAA 치료로 12~35%의 이식 대기자가 대기 명단에서 제외 됨
  ② MELD >25점 : DAA 효과 불확실, 약제 독성 문제 → 이식 전 치료 권장 안됨
    → 간기능 저하가 심한 경우에는 이식 후 치료하는 것이 유리함
    (∵ 이식 후 재발시 DAA 치료하면 SVR >85%, 재발 초기는 SVR 91~100%)
  ③ MELD 20~25점 → 효과가 있을 것으로 예상되는 환자들을 선별하여 DAA 치료 결정

만성 C형 간염의 치료 대상 (대한간학회, 2017)
1. 치료 금기증이 없는 모든 C형간염 환자는 치료 대상임 2. F3 이상의 진행된 섬유화(LC 포함) 환자는 우선적으로 치료함 3. 간이식 전후 환자는 우선적으로 치료함 4. 혼합한랭글로불린혈증, 사구체신염 등 HCV 감염과 연관된 심각한 간외합병증 동반 환자는 우선 치료함 5. 치료 여부는 간질환의 중증도, 간외 합병증, 치료 성공 확률, 심각한 부작용 발생 가능성, 동반 질환유무, 환자의 치료 의지 등을 고려하여 개별화함 6. 간 이외의 질환으로 기대 수명이 짧은 환자들에게 HCV 치료는 권장되지 않음

3. 만성 D형 간염

- HDV의 동시감염(coinfection)은 acute hepatitis B의 severity는 증가시키지만, 만성 간염으로의 진행은 증가시키지 않는다
- chronic hepatitis B 환자에서 HDV 중복감염(superinfection)이 발생하면 severity 악화됨
- severity 이외의 임상/검사소견은 chronic hepatitis B와 B+D가 거의 비슷
  (예외 ; chronic hepatitis D에서는 anti-LKM3가 양성)
- 치료
  ① 장기간의 high-dose IFN 1~2년 or PEG-IFN α 48~72주 단독치료
    - 약 ~50에서 HDV RNA 음전 (but, 약 1/2은 재발)
    - 경구항바이러스제(nucleos(t)ide analogs)와 병합은 초기 반응은 좋지만 결국엔 별 차이 없음
    - 반응군은 HBsAg 음전 때가지 투여하자고도 함 (∵ HDV의 증식에는 HBsAg이 필요)
    - HDV RNA와 HBsAg이 음전이 지속되면 간 섬유화도 호전됨
    - glucocorticoid, nucleos(t)ide analogs는 효과 없음 (∵ HBsAg 음전이 어렵기 때문)
  ② new drugs ; prenylation inhibitors (e.g., lonafarnib)
  ③ 간이식 : end-stage liver dz.에서 효과적 (→ chronic hepatitis B에서 보다 예후 좋다)

자가면역성 간염 (Autoimmune hepatitis, AIH)

원인을 모르는 interface hepatitis 및 lymphoplasmacytic infiltration을 동반한 간의 만성 염증으로
autoAb (+), hypergammaglobulinemia, 면역억제제에 반응 등이 특징인 자가면역질환

1. 병인 (자가면역)

* autoimmune pathogenesis를 지지하는 증거
  ① 간 병변이 주로 cytotoxic T cell과 plasma cell로 구성
  ② circulating autoantibody, rheumatoid factor, hyperglobulinemia가 흔함
  ③ 환자 및 그의 친척에서 다른 autoimmune dz.의 발생 빈도가 높음
    예) thyroiditis, Graves' dz., SLE, MCTD, RA, UC, type 1 DM, MPGN, celiac dz., Sjögren's syndrome, vitiligo, autoimmune hemolytic anemia, ITP ...
  ④ autoimmune dz.와 관련된 HLA haplotypes이 흔함 (e.g., HLA-B1, B8, DR3, DR4, DRB1)
  ⑤ glucocorticoids나 immunosuppressive therapy에 반응함

2. 임상양상

- 주로 young ~ middle-aged 여성에서 호발 (우리나라 ; 남:여 ≒ 1:9, type I AIH가 대부분)
- 대부분 chronic viral hepatitis와 비슷함, 약 25%는 acute viral hepatitis처럼 발생
- fatigue, anorexia, amenorrhea, acne, spider nevi, cutaneous striae, hirsutism, arthralgia, jaundice, hepatomegaly, sicca syndrome, pericarditis ...
- mild dz. ; 경과가 다양하며 호전과 악화의 반복이 흔함, LC로의 진행은 드묾
- severe dz. (약 20%)
  - aminotransferase level : 정상의 10배 이상 증가
  - marked hyperglobulinemia
  - aggressive histology ; bridging necrosis, multilobular collapse, LC

  → 치료 안하면 6개월 mortality ~40%
- 일부 ALP가 크게 증가된 경우는 PBC와 임상양상/검사소견이 겹침

3. 검사소견

- 대개 AST/ALT 상승이 매우 심하지는 않으며, bilirubin과 ALP는 정상인 경우가 많음
- autoAb (+), hypergammaglobulinemia, rheumatoid factor (+) 등이 특징

(1) type I (classic) autoimmune hepatitis

- 여성(10세 이후), lupoid feature, 약 40%는 황달, 25%는 LC 동반
- HLA-DR3 (DRB1*0301) 및 -DR4 (DRB1*0401)와 관련성 높음
- ANA (homogeneous pattern) **and/or** anti-smooth muscle Ab (SMA) 양성이 특징
- 기타 anti-actin, pANCA, anti-asialoglycoprotein receptor Ab (anti-ASGP-R), anti-soluble liver Ag/liver-pancreas (anti-SLA/LP) 등도 양성 가능
- marked hypergammaglobulinemia : polyclonal, 주로 IgG → anti-HCV의 false (+) 가능

(2) type II autoimmune hepatitis

- 여자 소아(2~14세), 유럽(지중해 연안)에서 호발, type I AIH보다 LC로의 진행이 빠름
- HLA-DQB1*0201, -DR3 (DRB1*03), -DR7 (DRB1*07) 등과 관련
- ANA나 SMA (anti-smooth muscle Ab)는 음성
- anti-LKM (Ab to liver-kidney microsomal antigens) and/or anti-LC1 양성이 특징
  - * anti-LKM1 (Ab to cytochrome P450 2D6 [CYP2D6]) : type II AIH, 일부 chronic hepatitis C
    - anti-LKM2 : drug-induced hepatitis
    - anti-LKM3 : chronic hepatitis D
  - * anti-LC1 (Ab to liver cytosol formiminotransferase cyclodeaminase)

① type IIa : young women, hyperglobulinemia, high anti-LKM1, glucocorticoid에 반응, 서유럽과 영국에서 흔함

② type IIb : older men, HCV 감염과 관련, globulin level은 정상, low anti-LKM1, interferon에 반응, 지중해 연안에서 흔함

(3) type III autoimmune hepatitis

- ANA와 anti-LKM1 모두 음성, 임상양상은 type I과 비슷하지만 더 심한 편임, 30~50세
- soluble liver Ag/liver-pancreas Ag에 대한 Ab (anti-SLA/LP) 양성

4. 진단

• simplified diagnostic criteria (2008) – International AutoImmune Hepatitis Group (IAIHG)

Parameter		Points
Autoantibodies	ANA or SMA ≥1:40	1
	ANA or SMA ≥1:80 or anti-LKM ≥1:40 or anti-SLA/LP 양성(>20 units)	2
IgG (or γ -globulins)	UNL (upper normal limit)의 1~1.1배	1
	UNL의 1.1배 초과	2
Liver histology*	Compatible with AIH	1
	Typical for AIH	2
Viral hepatitis 소견	없음	2

- Definite AIH 7점 이상
- Probable AIH 6점

†Typical AIH
(1) interface hepatitis, 문맥/문맥주위의 lymphocytic/lymphoplasmacytic infiltrates
(2) emperipolesis (한 세포가 큰 세포 안으로 침투/삽입된 것)
(3) hepatic rosette formation
*Compatible: 전형적인 소견은 없지만, lymphocytic infiltration을 동반한 만성간염 소견

• AIH를 시사하는 소견 ; 여성, aminotransferase가 주로 상승, globulin ↑, autoAb (+), 다른 자가면역질환 동반, 전형적인 조직소견(e.g., interface hepatitis, plasma cells, rosettes), HLA-DR3 or DR4 (+), steroid에 반응

• AIH가 아님을 시사하는 소견 ; ALP가 주로 상승, AMA (+), viral hepatitis markers (+), 간독성 물질 또는 알코올 병력, 조직소견(i.e., bile duct injury, fatty infiltration, viral inclusion)

5. 치료

- 치료의 절대 적응
  ① 급성 또는 전격성 간염(liver failure)
  ② aminotransferase가 정상의 10배 이상
  ③ aminotransferase가 정상의 5배 이상 & γ –globulin이 정상의 2배 이상
  ④ 조직소견 ; bridging/multilobular/centrilobular necrosis, moderate~severe interface hepatitis
  ⑤ 정상적인 생활을 어렵게 하는 증상, 임상적으로 계속 악화됨
  - 증상이 없는 mild hepatitis는 즉시 치료할 필요 없음!
- steroid (prednisone or prednisolone, 12~18개월) : 약 80%에서 반응 (→ survival도 향상됨)
  - 증상 호전, AST · bilirubin 감소, 조직학적 호전 (but, 궁극적인 LC로의 진행은 막지 못함!)
  - budesonide : hepatic first-pass clearance 우수하여 steroid 관련 부작용 적음, LC 환자에는 ×
  * steroid 단독요법이 선호되는 경우 ; cytopenia, 임신, azathioprine 불내성, 활동성 암, acute severe (fulminant) onset 등의 환자
- half-dose steroid + azathioprine : steroid의 부작용 감소, 치료 기간 단축 장점
  - azathioprine 단독으로는 효과 없음!
  - steroid 단독요법과 azathioprine 병합요법의 효과는 비슷함
  - budesonide + azathioprine : 치료경험이 없는 non-cirrhotic uncomplicated AIH 환자, steroid로 악화될 수 있는 비만, 당뇨, 고혈압, 골다공증 등의 환자에서 1st line Tx로 권장됨
- 치료 종료 후 50% 이상에서 재발 → 대부분 저용량 평생 유지요법 필요!
  ; 개인별 benefit – risk profile에 따라 steroid 단독 / steroid + azathioprine / azathioprine 단독
- 내과적 치료에 반응이 없으면 우선 steroid (± azathioprine) 용량을 증량
- 내과적 치료에 실패하거나 decompensated cirrhosis 발생하면 간이식이 유일한 치료법임
  (치료 2주 후에도 bilirubin이 감소되지 않으면 간이식 준비 / 간이식 후 재발은 드문 편임)

6. 예후

- 약 40%에서 10년 이내에 LC 발생 (but, viral hepatitis에 의한 LC보다는 HCC가 적게 발생)
- poor Px sign
  - 첫 발병시 multilobular collapse 존재
  - 치료 2주 후에도 bilirubin이 감소되지 않을 때
- 사망원인 ; hepatic failure, LC의 합병증, 감염
- 치료하면 10YSR 80~90%

5
대사성 간질환

지방간/지방간염

1. 개요

- 지방간(fatty liver) : 간세포 내에 지방질(주로 TG)이 축적된 상태(지방증, steatosis)로 간세포의 5% 이상에서 지방 침착을 보이는 경우 (간세포 손상이나 섬유화는 없음)
- 지방간염(steatohepatitis)
  - steatosis + 간세포 괴사 및 염증반응(e.g., 염증세포의 침윤)
  - 관련질환, 임상양상, 초음파 소견 등으로는 지방간과 구별 안 됨
- 임상양상은 원인, 지방축적의 정도, 축적 속도 등과 관련 (대부분 증상은 없어, 검사 중 우연히 발견되는 경우가 많다)
- 원인이 교정되지 않으면, fatty liver (simple steatosis) → steatohepatitis → steatohepatitis + fibrosis → cirrhosis → HCC로도 진행 가능

2. 분류/원인

(1) macrovesicular (대부분) ★

- 주로 만성적인 문제들과 관련
- 원인
  - alcohol (m/c), obesity (NAFLD), type 2 DM, hypertriglyceridemia, HCV (genotype 3)
  - protein-calorie malnutrition, starvation, TPN, jejunoileal bypass, choline deficiency,
  - Cushing's syndrome, Wilson's dz., dysbetalipoproteinemia, Indian childhood cirrhosis
  - Drugs ; glucocorticoids, synthetic estrogen, methotrexate, aspirin, vitamin A, amiodarone, tamoxifen, CCl_4, PI ...
- 조직소견 ; 간세포 내에 large vacuole, 핵은 주변으로 밀려서 압박됨!
- 보통 간에 손상을 입히지는 않으며 원인을 제거하면 사라짐, 예후 좋다
- 심한 간섬유화로 발전 위험요인 ; 연령 >45세, 비만(BMI ≥30), AST/ALT >1, DM

(2) microvesicular

- 간세포의 지방산 산화 과정에 갑자기 문제가 생긴 경우
- 원인
  - Acute fatty liver of pregnancy (AFLP), preeclampsia or HELLP syndrome
  - 소아에서 salicylate overdose, Reye's syndrome
  - Toxic shock syndrome, Jamaican vomiting sickness, Yellow fever
  - Drugs ; valproic acid, tetracycline, NRTI ...

- 조직소견 ; 간세포 내에 many small vacuoles
- 보통 심하며 예후 나쁨 (fulminant hepatic failure 발생 위험)

3. 진단

- aminotransferases : 경도(simple steatosis) ~ 중등도(steatohepatitis)로 상승
  - **AST**/ALT >1 → alcoholic fatty liver dz.
  - AST/**ALT** <1 → NAFLD
- US, CT, MRI : 간 내의 지방 증가 (simple steatosis와 더 심한 간염을 구별하지는 못함)
  - ↳ echogenicity 증가 ("bright liver")
- 간조직검사 (gold standard) : 대개는 필요 없지만, 치료방침 결정을 위해 확진이 필요한 경우 시행 (단점 ; invasive, sampling error, 판독자간 불일치 등)
- 간 경도 측정 ; transient elastography (FibroScan®), acoustic radiation force impulse (ARFI) sonoelastography, real-time elastography, MR elastography 등 → 섬유화가 진행할수록 증가
- biomarkers & scoring systems : 다양하게 연구되었지만 정확도가 떨어지거나 확립된 기준이 없음 e.g.) NAFLD fibrosis score (연령, BMI, hyperglycemia, AST/ALT ratio, albumin level, platelet)

4. 비알코올 지방간질환(non-alcoholic fatty liver dz., NAFLD)

- 알코올 이외의 원인에 의한 (알코올 섭취력 <20~40 g/day) 지방간 질환으로 fatty liver (simple steatosis)부터 steatohepatitis (NASH), fibrosis, cirrhosis 까지를 포함한 다양한 스펙트럼의 질환
- 유병률 : 미국 25~34%, 전 세계 6.3~34% (median 20%), 우리나라 16.1~33.3% (남>여)

(미국)	Nonobese	Obese
NAFLD	10~15%	70~80%
NASH	3%	15~20%

*인종에 따른 차이	
	- 히스패닉 ~50%
	- 백인 ~33%
	- 흑인 ~25%

↳ 마른 사람에서도 발생 가능 (특히 지방조직이 부족한 사람에서)

- 임상적으로 진단 (다른 원인 R/O하고): 비만, 당뇨, 고지혈증 등이 있는 사람에서 증상 없이 AST-ALT의 상승이 있고 복부 영상검사에서 간에 지방 축적이나 간비대 소견 있으면 진단 (AST-ALT는 보통 1.5~4배 상승, 10배 이상 상승은 매우 드묾, 대개 **ALT**>AST)
  - 치료가 필요하거나 다른 간 질환이 의심되면 간 생검 시행 (simple steatosis는 필요 없음)
  - 조직학적 severity는 임상 및 검사 소견과 상관성 없음! (LC라도 거의 정상일 수 있음)
- metabolic syndrome (복부비만, type 2 DM, hypertriglyceridemia, HTN)과 매우 밀접한 관련, NAFLD는 metabolic syndrome의 간 증상으로 봄 → 내분비내과 12장 참조
  - insulin resistance ; 공통 기전, NASH의 거의 모든 예에서 나타남
  - proinflammatory cytokines (e.g., TNF-α, IL-6, resistin, visfatin, PAI-1) 증가
  - anti-inflammatory cytokine adiponectin은 감소 (NASH의 severity와 반비례함)
- ~1/4에서 ANA 양성 : low titer (<1:320)
- 20~50%에서 serum ferritin 상승 → insulin resistance 및 더 진행된 질환을 시사함
- NAFLD는 독립적인 심혈관질환(CAD)의 위험인자임
- 자연경과 ; 단순 지방간(simple steatosis)은 대부분 진행하지 않고 일반인에 비해 사망률 높지 않음, NASH (NAFLD의 약 20%)는 15년 동안 약 11%가 cirrhosis로 진행함

Advanced NAFLD (NASH, LC) 발생 위험인자 ★	
고령(>50세), 비만(BMI ≥30), 인종(e.g., 히스패닉) HTN, DM/insulin resistance, AST/ALT ratio >1, ALT >2×UNL	⇨ 간 조직검사 고려
Hecroinflammatory activity (hepatocyte ballooning degeneration, necrosis), fibrosis, iron 축적	

5. 비알코올 지방간염(non-alcoholic steatohepatitis, NASH)

- 대부분 무증상, 피로(m/c), RUQ 불쾌감, 간비대 등
- aminotransferases 상승 (AST/ALT <1, severity는 잘 반영 못함), ALP 약간 상승, 약 1/2에서 ferritin 상승 (ferritin 상승은 insulin resistance의 marker도 가능)
- bilirubin과 γ-GTP는 대부분 정상
- 15~50%에서 fibrosis, 7~22%에서 cirrhosis 발생 → 이중 일부에서는 decompensation (~31%) 및 HCC (~7%) 발생 (NAFLD에 의한 cirrhosis 발병시 간암 발생 위험률은 1%/yr)
- 진단
  ① 간 조직검사 ("gold standard") : 지방간염 … 조직소견은 alcoholic hepatitis와 비슷함!
  ; macrovesicular steatosis, parenchymal inflammation (neutrophils, lymphocytes, monocytes 등의 염증세포 침윤), hepatocytic necrosis, ballooning hepatocyte degeneration, perivenular, perisinusoidal, or periportal fibrosis (37~84%), Mallory-Denk bodies ...
  ② 의미있는 알코올 섭취력이 없어야 됨 (<20~40 g/day)
  ③ 바이러스, 약물, 자가면역질환 등 다른 간염의 원인 R/O
- keratins 8 & 18 (K8/18) : 간세포 사멸 표지자, fibrosis와 비례, NASH 진단 및 F/U에 도움
- FibroScan® : pulse-echo 초음파를 이용해 간 경도를 측정하여 간 섬유화 정도를 평가
  (↳ 만성 바이러스 간염 환자에서는 섬유화 평가에는 정확했으나 NAFLD에서는 약간 떨어짐)

6. 치료

- 원인 제거 및 생활습관 개선(e.g., 체중 감량, 운동, 지방섭취 제한)이 치료의 근간!
  → aminotransferases level 및 hepatic steatosis 호전
  - 지방간 호전에는 3~5% 이상, 지방간염 호전에는 10%의 체중 감량 필요
  - 급격한 체중 감량은 피함 (∵ 간경변 및 담석 발생↑) → <1.6 kg/week 정도
- FDA 허가된 NASH/NAFLD의 치료 약물은 아직 없음 (metabolic syndrome 치료와 비슷)
  ① thiazolidinedione (pioglitazone, rosiglitazone[심혈관계 위험으로 권장×]) : PPAR-γ inhibitor
    - insulin sensitivity 향상, hepatic stellate cells 활성화 억제, 간기능검사와 조직 호전
    - 장기간 사용시 체중↑, 골밀도↓ 부작용 위험 → DM c̄ NASH 환자에서 사용
    (c.f., PPAR [peroxisome proliferator-activated R.] : 간내 지방침착에 중요한 역할을 하는 핵수용체)
  ② antioxidants (vitamin E) : 간기능검사 및 US 소견 호전, 일부 조직학적 호전 가능
    - but, 심혈관 사망률↑, 전립선암↑ → non-DM NASH 환자에 800 IU/day 사용
  ③ dyslipidemia 치료제 (statin) : 조직학적 호전 가능 → dyslipidemia 동반한 NASH에 사용
  ④ TNF-α inhibitor (pentoxifylline) : 일부 조직학적 호전 가능
  ⑤ 기타 ; metformin, ursodeoxycholic acid (UDCA), betaine, ARBs, orlistat (lipid 흡수 억제 비만치료제), omega-3 FA 등은 효과(조직학적 호전)가 적거나 부작용으로 권장 안 됨

연구중	Farnesoid X receptor (FXR) agonist (e.g., Obeticholic acid [Ocaliva™]) : insulin 저항성과 지방대사 호전, 항염증 작용 등 → NASH/간섬유화의 조직학적 소견을 유의하게 호전시킴 CCR2-CCR5 antagonist (e.g., cenicriviroc) : 항염증 및 항섬유화 작용의 면역조절제 Dual peroxisome proliferator-activated receptor alpha/delta (PPAR-α/δ) agonist 등

⑥ 약물치료에 반응 없는 심한 비만의 경우 (비대상성 간질환만 아니면) bariatric surgery 고려

⑦ 간이식 : NAFLD에서 말기 간질환 발생시 고려, 예후는 좋은 편, 이식 이후 NAFLD 재발 가능

c.f.) alcoholic hepatitis는 elective surgery의 금기지만, fatty liver는 금기 아님

■ Acute fatty liver of pregnancy (AFLP, 급성 임신성 지방간)

- 임신 말기(35주 이후)에 발생, 드물다(1/6000~13000), 1/2에서 preeclampsia 동반
- 발생 증가 ; 초산부, 쌍둥이/남아 임신시
- long-chain-3-hydroxy acyl COH dehydrogenase deficiency와 관련
- 증상 ; N/V, abdominal pain, jaundice, hepatic faliure, encephalopathy, DIC, death
- 간 크기의 감소가 특징 (c.f., HELLP : 간 크기 정상)
- Lab ; ALP↑↑, ALT/AST↑(100~1000), bilirubin↑, **PT↑**, leukocytosis, thrombocytopenia, 심한 hypoglycemia (c.f., HELLP : PT 정상)
- biopsy (진단에 필수적은 아님) ; 간세포내 microvesicular fat의 침착, hepatic necrosis
- Tx ; 즉시 delivery (분만 후 정상화됨)
  - supportive therapy ; glucose, platelet, FFP 등 투여
  - 분만 후에도 계속 악화되면 간이식을 고려
- Px ; 산모와 신생아 모두에서 사망률 증가, 다음 임신시 재발은 드묾!

■ 알코올 간질환 (alcoholic liver disease, ALD)

1. 개요

: 미국에서는 LC의 m/c 원인 (우리나라도 증가 추세)

(1) 분류(pathology)

① alcoholic fatty liver (steatosis)
- 만성 과음자의 대부분에서 발생, 10~35%는 alcoholic hepatitis로, 8~20%는 cirrhosis로 진행
- giant mitochondria, perivenular fibrosis, macrovesicular fat 등의 소견을 보이면 progressive liver injury 증가

② alcoholic hepatitis (→ 조직 소견은 뒷부분 참조)
- 과반수에서 중등도 이상의 fibrosis를 동반하며, 약 40%는 LC로 진행
- cirrhosis의 precursor이지만, 금주하면 reversible 가능

③ alcoholic cirrhosis (micronodular type이 m/c)

* 진단은 주로 음주력+임상양상으로.. 조직검사는 일부 필요한 경우에만 시행 고려함
(e.g., 비전형적인 임상양상, 진단이 애매할 때, steroid 치료가 필요한 중증 간염 환자)

(2) 알코올 간질환(ALD)의 위험인자

- 음주의 양과 기간 (m/i) (↔ 술의 종류/도수와의 관계는 불확실함, 알코올 총량이 중요)
  - heavy alcohol intake [>60 g/day 3개월 이상]
    (c.f., 40~80 g/day 섭취시 fatty liver 발생, 10~20년간 160 g/day 섭취시 hepatitis/LC 발생)
  - 알코올중독자의 15%에서만 alcoholic liver dz. (hepatitis or LC) 발생
  - 음주 습관 : 간헐적 음주보다 매일 음주, 식사 없는 음주, 폭음, 빠른 음주, 폭탄주,
    어린 나이에 음주 시작 등은 ALD 위험을 더욱 증가시킴
- 여자 : 20 g/day 이상 섭취시 위험 증가 (예후도 나쁨)
- C형 간염 동반 : ALD 진행 가속, LC 발생 증가, survival 감소, IFN 치료에 대한 반응 감소
  ↳ 보통의 알코올 섭취(20~50 g/day) 시에도 LC & HCC 발생 위험 증가됨
- 유전적 소인 (susceptibility에 차이 있음) ; alcohol dehydrogenase (ADH),
  acetaldehyde dehydrogenase (ALDH), cytochrome P450 2E1 polymorphism,
  PNPLA3 (patatin-like phospholipase domain-containing protein 3) mutation (→간질환 진행↑) ...
- 영양상태 ; ALD 환자는 단백-영양결핍과 미량영양소(e.g., vitamins, zinc, Mg) 결핍이 흔함
  - 영양이 적절해도 ALD 발생함, 영양상태가 나쁠수록 간손상의 빈도/중증도 증가
  - folate, vitamin E, zinc 결핍은 간질환의 악화를 가속할 수 있음
- 비만(obesity), 지방간(NAFLD), DM : ALD 발생 및 진행의 위험인자
- 흡연 : fibrosis/LC로 진행 및 HCC 발생의 위험인자

* 커피 : 커피 소비량이 많을수록(하루 3잔↑) ALD 위험성 감소, 간질환으로 인한 사망률 감소

(3) 알코올 간질환의 병태생리

- 간의 알코올 대사 효소 : ethanol → acetaldehyde
  ① alcoholic dehydrogenase (ADH) pathway : low~moderate ethanol dose 때 주로 작용
  ② microsomal ethanol oxydizing system (MEOS) : cytochrome P450 2E1 (CYP2E1)이 중요,
     만성 음주로 ethanol level이 높을 때 주로 작용
  ③ catalase pathway : 별로 안 중요함
- acetaldehyde (잠재적 독성물질)는 acetaldehyde dehydrogenase (ALDH)에 의해 신속히 처리됨
- 간 손상에 관여하는 인자들
  - ADH pathway의 조효소 산물인 NADH의 과잉 축적 (주로 급성 알코올중독에서)
    → 간의 산소 이용↑, 포도당↓, 젖산염 생산↑, 지방산의 산화↓, 간세포에 지방 축적 등
  - acetaldehyde의 축적 → 지방대사장애, free radical 생성, 각종 단백과 결합체 형성
    (toxic protein-acetaldehyde adducts → 자가면역반응 유도, 교원질 형성 촉진) 등
  - adenosine monophosphate-activated protein kinase (AMPK) 억제 → lipid 생합성↑
  - peroxisome proliferator-activated receptor α (PPAR-α) 억제 & sterol regulatory element
    binding protein 1c (SREBP1c) 활성화 → 지방분해↓, 지방산의 산화↓
  - ethanol에 의한 장 투과도↑ → 장내 endotoxin 유입↑ → "Kupffer cells" 활성화
    → 염증반응 : cytokines (e.g., TNF-α, TGF-β, IL-1, IL-6)↑
      * TNF-α & endotoxin → 간세포의 apoptosis & necrosis
  - acetaldehyde 및 단백질 결합체, 면역반응, 지방 과산화 산물 등
    → 간성상세포(hepatic stellate cells) 자극 → collagen 생산↑ : 간 섬유화

2. 알코올 지방간(alcoholic fatty liver)

- 대부분 무증상, 검사 중 우연히 발견되는 경우가 많다
- 피로, 식욕부진, 간비대, RUQ 불쾌감 정도
- AST-ALT, GGT, TG, cholesterol 등의 경미한 상승
- non-alcoholic fatty liver와는 음주력으로만 감별 가능!
- 금주하면 조직학적으로 완전히 회복(정상화)됨

3. 알코올 간염(alcoholic hepatitis)

(1) 임상양상

- 매우 다양하지만, 증상이 없는 경우도 많음
- 간비종대, 황달, 복통, 발열, cutaneous spider angioma ... (전신적인 증상은 cytokines과 관련)
- 심한 경우는 ascites, edema, varix bleeding 등도 발생 가능 (LC 없이도)

(2) 검사소견

- AST-ALT는 보통 2~7배 증가 (400 IU/L를 넘는 경우는 드묾!)
- **AST**/ALT >1 (보통 2 이상) [∵ mitochondrial AST의 증가 때문] ↔ NAFLD와 차이
- bilirubin↑, γ-globulin↑, IgA↑, TG↑, LDL↑ (심한 경우 PT↑, albumin↓)
- ALP↑ (bilirubin의 증가 정도보다는 적게 증가, 대개 정상의 3배 이내)
- GGT (γ-glutamyl transpeptidase)↑ : 알코올 남용의 지표는 가능하지만 nonspecific
- CDT (carbohydrate-deficient transferrin) : 알코올 남용 확인에 가장 좋다!
- macrocytic anemia (MCV↑) : 알코올 남용의 지표 (but, insensitive)
- anemia의 원인 ; GI blood loss, 영양결핍 (특히 folic acid, vitamin B_{12}), hypersplenism, alcohol의 직접 BM 억제, hemolytic anemia (∵ hypercholesterolemia → acanthocytosis)
- leukocytosis (neutrophilia) ; severe dz.에서 더 잘 보임
  (일부에선 leukopenia나 thrombocytopenia도 나타날 수 있음)

(3) ultrasonograpohy

- fatty infiltration 및 간 크기 파악
- biliary obstrution을 R/O
- severe liver injury 소견 (→ 간질환 회복 가능성↓)
  ; portal vein flow reversal, ascites, intra-abdominal collaterals

(4) 병리소견

① hepatocyte injury ; ballooning degeneration, spotty necrosis
② neutrophil infiltration
③ perivenular & perisinusoidal space of Disse의 fibrosis
④ Mallory-Denk body (Mallory's hyaline) - 특징적이나 NASH와 다른 dz.에서도 관찰됨!
  ; 심한 obesity, poorly controlled DM, HCC, primary biliary cirrhosis, Wilson's dz., Indian childhood cirrhosis, jejunoileal bypass 뒤 등 (LC에서는 안 보임)
⑤ central hyaline sclerosis → LC로의 진행 위험↑

4. 치료

- 완전한 금주(단주)가 m/i
  - 금주시 hepatomegaly 축소, 조직소견 호전, LC로의 진행 늦춤, 생존율 향상
    (but, 일단 fibrosis가 진행된 경우에는 LC로의 진행을 완전히 막지는 못함)
  - 약물요법 ; 금주 기간을 연장시키고 음주량을 감소시킴
    ① disulfiram, acamprosate, naltrexone : 효과 보통이지만 부작용으로 많이 사용 안함
    ② baclofen : $GABA_B$-receptor agonist : 부작용 없이 알코올 갈망을 줄여 효과적임
  - 정신사회치료 ; 음주 문제와 병에 대한 인식을 갖도록 함
- 수액 및 충분한 영양 공급
  - 고칼로리(35~40 kcal/kg/day), 고단백식(1.2~1.5 g/kg/day) 영양요법이 추천됨
  - branched-chain amino acids, vitamins, Mg, Zn 보충도 바람직함
- severe alcoholic hepatitis (정의 : mDF >32 or MELD >20)

Modified Discriminant Function (mDF) = 4.6×($PT_{환자}$ − $PT_{control}$ [sec]) + bilirubin (mg/dL)

① glucocorticoids (4주 투여 이후 4주간 감량) : 50~60%만 반응
  - C/Ix : active GI bleeding, 신부전(CKD or AKI), 췌장염, 조절되지 않는 감염
  - 치료반응 평가 → "Lille score" : 치료 전 여러 변수들과 치료 후 7일째 bilirubin으로 계산

② nonspecific TNF inhibitor (pentoxifylline)
  - steroid의 금기이거나 반응이 없을 때 2nd line therapy로 사용 (steroid보다는 덜 효과적)
  - steroid보다 투여하기 쉽고 부작용도 거의 없음 / steroid와 병합치료해도 효과↑×
  - 주로 hepatorenal syndrome을 감소시켜 생존율 향상
  - monoclonal anti-TNF Ab는 감염/신부전에 의한 사망률이 높아 금기임

③ *N*-acetylcysteine + steroid : 단기 생존율은 향상되지만, 장기 생존율의 향상은 없었음

- 간이식 : 현재의 알코올중독자는 대상이 안 됨 (∵ 수술 중 사망률↑, 이식 이후 불량한 순응도)
  - 최소한 6개월 이상 금주를 확실히 한 경우 다시 간이식 대상 여부 평가 (최근에는 논란)
    → 중증 알코올간염 환자에서 내과적 치료에 반응하지 않는 경우 조기 간이식 고려 가능
  - 성공적으로 간이식을 받고 계속 금주를 하면, 이식 후 예후는 다른 간질환과 유사거나 더 높음
    (but, 다른 원인에 의한 간이식보다 심혈관계 합병증으로 인한 사망률이 현저하게 높음)

5. 예후

- 나쁜 예후 인자 ★
  ① 음주 지속 ② 염증 정도 (leukocytosis → mortality↑)
  ③ biopsy상 perivenular fibrosis, central hyaline sclerosis, massive fibrosis
  ④ severe alcoholic hepatitis의 소견
    (a) 심한 hyperbilirubinemia (>8 mg/dL)
    (b) 심한 PT 연장 (control보다 5초 이상)
    (c) anemia, albumin↓(<2.5 mg/dL)
    (d) ascites, varix bleeding, encephalopathy, hepatorenal syndrome (renal failure; Cr↑)
- LC의 합병증을 동반한 환자가 음주를 계속하면 5YSR <50%

WILSON'S DISEASE

1. 개요

- AR 유전의 선천성 Cu (copper) 대사 이상 : 13번 염색체 상의 copper-transporting adenosine triphosphatase (*ATP7B*) gene의 mutations (유전자 변이는 500개 이상으로 매우 다양함)
- pathogenesis
  ① ATP7B 단백 결함 → 간세포에서 Cu의 담즙으로의 배설 장애 (∵ Cu의 주 배설로는 bile)
  → Cu가 간에 축적 ; 초기에는 간세포의 metallothionein에 결합하지만 결합 용량 이상으로 축적이 계속되면 간 손상 발생 (간 손상은 3살 때부터도 발생 가능)
  ② 간에서 ceruloplasmin (Cu 운반단백)의 생성 장애 → serum Cu level↓
  (∵ 정상적으로 serum Cu의 90% 이상은 ceruloplasmin에 결합되어 있음)
  ③ Cu의 ceruloplasmin에의 결합 이상 → serum free Cu↑
  ⇨ Cu가 liver, brain, cornea, kidney 등에 과다 침착되어 다양한 임상양상을 나타냄

2. 임상양상

(1) 간 증상

- 대개 8~10세에 발생 (늦으면 30대에도) ; 간비대, AST-ALT↑, 지방간 등
- acute hepatitis, LC, fulminant hepatitis까지 나타날 수 있음
- 간부전이 심하면 Coombs (-) hemolytic anemia도 발생 (∵ 간세포 괴사로 다량의 Cu가 유리)

(2) 신경정신 증상

- 사춘기 이전에는 드물며, 대개 성인기에 증상 발생 (→ 신경증상을 보이는 환자는 간질환도 동반)
- 신경증상 (대개 운동장애) ; tremor, spasticity, chorea, drooling, dysphagia, dysarthria, parkinsonism, cerebellar dysfunction, Babinski's sign (+) ...
- 정신증상 ; schizophrenia, 조울증, 신경증, 행동장애
- 감각이상이나 근력약화는 안 나타남

(3) 기타 증상

- 눈 ; Kayser-Fleischer (KF) ring (m/i, Wilson's dz.에 매우 특이적, 신경증상 환자의 99% 이상, 간증상 환자의 약 30~50%에서 발견됨 / heterozygous carriers에는 없음), sunflower cataract ...
- 신세뇨관산증(RTA) ; hematuria, phosphaturia, glucosuria, amino aciduria
- 신결석, 담석, 골관절염(척추, 무릎), 내분비장애(gynecomastia, amenorrhea, infertility) ...

3. 진단/검사

- 소아/젊은성인에서 원인을 알 수 없는 신경증상이나 간기능장애가 발견되는 경우 꼭 의심!
- 전형적인 증상(만성 간질환, 신경증상, K-F ring)이 모두 있으면 임상적으로도 진단이 가능하지만, 흔하지는 않으며.. 증상이 부족한 경우에는 생화학 및 유전자 검사가 필요함
- Wilson's dz. 환자의 가족은 3세 이상이면 모두 선별검사를 받아야 됨 (생화학, 분자유전검사)

Wilson's disease의 진단에 도움되는 소견
1. Wilson's dz.의 가족력
2. 유전자(돌연변이) 검사 : 자동염기서열분석(sequencing)
3. 각막의 Kayser-Fleischer ring
4. Coombs (-) hemolytic anemia
5. 혈청 ceruloplasmin 감소
6. **간의 Cu 농도 증가** (liver biopsy) … gold standard
7. **24hr urinary Cu excretion 증가!!** (Cu의 주 배설 경로는 bile이므로, (+) Cu balance는 유지)

	Wilson's dz.	Heterozygous carriers	Normal	유용성
혈청 ceruloplasmin (mg/dL)	↓(90%)	↓(20%)	18~35	+
24시간 소변 Cu (μg/day)	>100	50~80	20~50	++
간 Cu 함량 정량검사 (μg/g)	>200	50~125	20~50	+++
Haplotype analysis (match)	2	1	0	+++

- serum ceruloplasmin ; 유용성은 떨어짐 (환자의 10%에서 정상, 보인자의 20%에서 감소), 가장 쉬운 선별검사, acute phase reactant로 감염/임신 때 증가할 수 있으므로 해석에 주의
- serum free Cu↑ ; 진단보다는 치료효과 monitoring에 주로 이용됨 (serum total Cu↓ ; 진단에 신빙성은 떨어짐)
- 24hr urine Cu↑ ; 중요한 선별검사, 환자는 100 μg/day 이상, 대개 1000 μg/day 이상 (but, 무증상기 환자의 약 1/2은 60~100 μg/day의 중간범위를 보임 → 간 조직검사 필요)
- 간조직 구리 함량 검사 : 10~15 mg의 간생검 조직이 필요, 보통 250 μg/g 이상
  소아/전격성간염/말기 환자에서는 100~250 μg/g 정도로 많이 높지 않음
  만성 폐쇄성 간질환에서는 위양성 가능, 조직학적 형태도 중요, 구리 염색법은 진단에 도움 안됨
- 분자유전검사 ; 자동염기서열분석(sequencing)으로 수많은 돌연변이를 검색, 중요 진단 수단이 됨, 특히 임상적 진단이 불명확한 경우 가장 정확한 방법
  - 돌연변이 2개 발견 → 확진 (c.f., Wilson 분자진단이 증가함에 따라 무증상~ 등 증상 spectrum이 넓어짐)
  - 돌연변이 1개 발견 → heterozygous carrier 또는 1개의 돌연변이를 놓친 것 (→ 간 조직검사)

4. 치료

(1) 치료약제

- D-penicillamine (과거의 DOC) ; chelating agent (Cu를 chelation하여 소변으로 배설시킴)
  - antipyridoxine effect도 있으므로 pyridoxine (vitamin B_6)도 함께 투여
  - 치료 효과는 매우 늦게 나타남 (몇달~몇년 뒤)
  - 부작용 ; hypersensitivity (rash), leukopenia/thrombocytopenia, lymphadenopathy, nephrotoxicity (NS), 신경증상 악화 (→ 신경증상 존재시엔 금기)
- trientine
  - penicillamine과 치료 효과 동일 (pyridoxine은 투여할 필요 없다)
  - 부작용이 적어 penicillamine 대신 많이 쓰임, 신경증상은 악화 가능

- 아연(zinc)
  - 기전 ; 세포내 Cu 결합단백인 metallothionein의 생성을 유발
    - 장관 상피세포의 Cu 결합↑ → 생리적으로 탈락할 때 Cu가 대변을 통해 체외로 배설됨
    - 간의 metallothionein↑ (toxic Cu 격리↑)
  - penicillamine보다 치료 효과 느림! → 무증상 or 심하지 않은 경우 1차 치료제로 사용
  - 부작용이 거의 없음 (약 10%에서 속쓰림과 오심 뿐), 음식과 함께 복용하면 효과 감소
  - penicillamine or trientine과는 동시에 복용하면 안됨 (∵ zinc를 chelation하여 효과 사라짐)
    → 1시간 이상의 간격을 두고 복용
- tetrathiomolybdate : 정신신경증상 존재시 DOC!
  - 단백질/Cu와 결합하여 Cu 흡수 및 혈중 free Cu를 모두 감소시킴
  - 작용이 빠르고, 신경기능이 보존되고, 부작용이 적음

(2) Tx. guidline

- 권장 초치료(first choice)
  - decompensation이 없는 hepatitis/cirrhosis 환자 → zinc
  - hepatic decompensation 발생 환자 → trientine + zinc (심한 경우엔 간이식)
  - 신경정신 증상 → tetrathiomolybdate + zinc
  - 무증상, 임신, 소아, 유지요법 등 → zinc
- 약물치료가 핵심으로 평생 지속 (투약 중단시에는 급속도로 재발하여 사망도 가능)
- 초기 1년은 엄격한 구리 제한 식이요법도 병행
- 간기능이 호전되면 엄격한 식이요법까지는 필요 없지만, Cu 함량이 높은 음식은 섭취 제한 (e.g., 간 등의 내장, 조개, 연어, 콩류, 감자, 초콜릿)
- 간이식 : 내과적 치료에 반응이 좋기 때문에 거의 필요 없지만, 진단이 늦어졌거나 치료순응도가 안 좋아 비가역적인 심한 간손상으로 진행한 환자에서는 시행

(3) Tx. monitoring

- trientine or penicillamine
  - 부작용 발생 감시 (특히 BM suppression, proteinuria)
  - 치료효과 monitoring : serum free Cu
- zinc → 24hr urinary Cu로 치료효과만 monitoring

5. 예후

- 간이나 뇌손상이 발생하기 전에 치료하면 예후 매우 좋다
- 치료하면 KF ring을 포함한 거의 모든 증상이 호전됨
  (간기능은 치료 약 1년 뒤 회복되고, 신경정신증상은 6~24개월 뒤 호전됨)
- 빨리 진단하지 못하면 사망률이 높으므로, 조기 진단과 치료가 중요

혈색소침착증 (Hemochromatosis)

1. 개요

- dietary iron의 흡수 증가로 체내 iron이 과잉 축적되어 여러 장기 (특히 liver, pancreas, heart, pituitary)의 조직손상과 기능장애를 보이는 일련의 상태
  (체내 iron 축적 → transferrin saturation↑ → 장기에 toxic free iron 침착)
- triad ; liver cirrhosis, skin pigmentation, DM (→ "bronze DM") (+ CHF : tetrad)

c.f.) 인체는 과잉의 iron을 효과적으로 배설하는 기전이 없어 iron 흡수 조절을 통해 체내 iron balance를 유지함 (dietary iron은 십이지장에서 주로 흡수됨)

2. 원인/분류

(1) hereditary hemochromatosis (HH)

- 대부분 AR 유전(low penetrance), hepcidin deficiency와 관련
  (간에서 분비되는 혈중 peptide로 십이지장에서 iron 흡수를 억제하는 역할을 함)
- *HFE* gene-related (type 1 HH) ; *C282Y* homozygosity (85%), *C282Y/H63D* heterozygosity
- non-*HFE*-related (드묾)

(2) secondary iron overload

- iron-loading anemia ; sideroblastic anemia, thalassemia, chronic HA, 수혈
- chronic liver dz. ; alcoholic cirrhosis, hepatitis C, NASH
- iron 섭취 과다

3. 임상양상

- 보통 40~60대에 첫 증상 발생, 남:여 = 9:1 (∵ 여성이 증상 발현 약하고 늦음)
- 대부분 무증상 or 비특이적 증상(e.g., weakness, fatigue, lethargy, weight loss)
- 침범 장기에 따른 특이 증상
  ① liver : hepatomegaly (95% 이상에서 발생), LC, HCC
    - alcohol은 LC의 발생 위험을 거의 10배 증가시킴, LC 환자의 30%에서 HCC 발생
    - 서서히 발생하는 병이므로 fulminant hepatitis는 일으키지 않음
  ② pancreas : DM (약 65%에서 발생)
  ③ skin : pigmentation (90% 이상에서 발생)
  ④ joint (25~50%) : arthropathy (2nd & 3rd metacarpophalangeal joint에 m/c)
  ⑤ heart (15%) : CHF, cardiomyopathy, arrhythmia
  ⑥ pituitary : hypogonadotrophic hypogonadism (성욕감퇴, impotence, amenorrhea ...)
    (→ 치료 ; testosterone or gonadotropin)

4. 검사/진단

- serum iron↑, transferrin saturation↑, TIBC↓ ; false (+)/(-)가 많음
  (e.g., alcoholic liver dz.에서는 iron overload 없이도 serum iron 상승)
- serum ferritin↑↑ ; 체내 iron store를 잘 반영하나, 염증이나 간세포괴사 때도 증가 가능
  - 대개 serum ferritin 1 μg/L 증가시 body iron store 5 mg 증가
  - serum ferritin 1000 μg/L 이상이면 hemochromatosis가 강력히 의심됨
- liver biopsy ; iron 함유량↑, severity 판정 (fibrosis/LC 진단)에 유용
  - hereditary : 주로 간 실질(hepatocytes)에 iron 침착
  - secondary : Kupffer cells과 fibrosis 부위에 iron 침착
  - 유전자 검사의 보급으로 hemochromatosis의 진단/치료에서 중요성은 많이 감소
  - ferritin <1000, ALT 정상, hepatomegaly 無, 알코올 과용 無 → severe fibrosis 거의 없음!
- deferoxamine mesylate 주입 test (chelatable iron store 측정)
- CT or MRI (더 정확) ; iron deposition시 liver density 증가

- screening test ; <u>transferrin saturation</u>, <u>serum ferritin</u>
- confirm test ; liver biopsy, genetic test (C282Y mutation)

* fasting transferrin saturation 45% 이상이고 ferritin이 상승되어 있으면(남 >300, 여 >200) *HFE* 유전자 검사가 권장됨

5. 치료

(1) <u>phlebotomy</u> (TOC)
  - 1주일에 1~2번, 500 mL (200~250 mg iron) 씩 제거
  - maintenance phlebotomy : 2~3개월 마다 1 unit 씩 제거
  - chelating agent보다 iron이 훨씬 많이 제거됨

(2) deferoxamine mesylate (parenteral chelating agent, SC/IV)
  - 하루에 10~20 mg의 iron 제거됨
  - 심한 빈혈, hypoproteinemia 등으로 phlebotomy 못할 경우에 이용
  - * deferasirox (Exjade®) : oral chelating agent, thalassemia와 2ndary iron overload에 효과적 (e.g., AA, MDS, chronic hemolytic anemia), hemochromatosis에 사용은 연구 중

- iron 제거치료로 다른 증상들은 다 호전되나, hypogonadism과 arthropathy는 거의 호전 안 됨
- iron 많은 음식 (e.g., 고기), 알코올, vitamin C (iron 흡수 촉진), 생 조개 등의 섭취 제한
- 간이식은 권장 안 됨 (∵ 재발, 심장 및 감염 합병증↑)

6. 예후

- 간섬유화가 발생하기 전에 치료하면 모든 합병증 발생 방지 & 수명 거의 정상
- 일단 LC가 발생하면, 치료해도 HCC의 발생위험은 감소하지 않음
  → 조기 진단과 치료가 중요 / 다른 가족의 검사 (family screening)
- 흔한 사인 ; CHF, hepatic failure or portal HTN, HCC (치료한 경우는 HCC가 m/c)

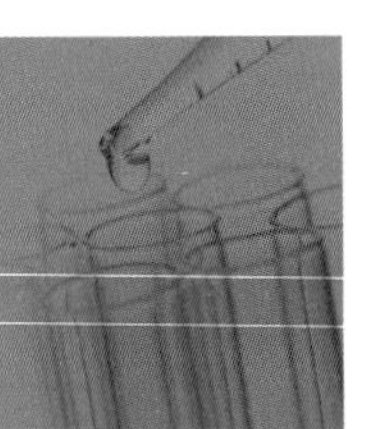

6 간경변증

개요

1. 정의

- 각종 간질환의 종말상으로 대부분 비가역적이며, 만성·진행성의 경과를 밟아 간세포의 기능장애 및 portal HTN에 의한 여러 가지 증상을 유발함
  c.f.) 원인 교정/치료로 fibrosis가 회복될 수 있는 경우 (항섬유화 치료) ; HCV, HBV, alcohol, NAFLD (체중감량), PBC (UDCA), hemochromatosis
- 병태생리 : 여러 원인에 의한 간세포의 손상 → 여러 세포들의 상호작용(sinusoid endothelial cells, hepatic stellate cells 등) → ECM (extracellular matrix) 과잉 생산 및 분해 감소
  → fibrosis 진행, nodule 형성
- 간 성상세포(hepatic stellate cells, Ito cells)가 활성화되면
  - ECM (collagen type I, III, sulfated proteoglycans, glycoproteins) 합성 증가
  - 세포가 수축됨 (→ sinusoid의 defenestration에도 기여)
  - TIMP (tissue inhibitors of metalloproteinase)도 분비 → 기질(ECM) 분해 감소
  - stellate cells을 활성화하는 cytokines ; TGF-β (m/i), PDGF, FGF, IL-1, EGF, TNF ...
- space of Disse의 collagen 축적은 sinusoidal defenestration 유발 ("capillarization")

2. 병리소견

① extensive fibrosis : hepatic stellate cells (= Ito cell)이 fibrosis 발생에 m/i
② 재생결절(regenerative nodule)
③ liver lobule 구조의 변화 (lobular architecture의 파괴)
→ 결과로 간은 딱딱해지고, 표면 요철이 현저해짐

3. 분류

(1) 원인에 의한 분류

① chronic viral hepatitis ; HBV, HCV, HDV
② alcoholic liver dz.
③ NAFLD
④ autoimmune hepatitis

* 우리나라 LC의 흔한 원인
1. HBV (약 70%, m/c)
2. 알코올 간질환 (약 18%)
3. HCV (약 10%) : 증가 추세
(서양에서는 HCV와 알코올 간질환이 m/c 원인)

⑤ drugs & toxins
⑥ biliary obstruction ; PBC, PSC, autoimmune cholangiopathy, chronic bile duct obstruction (e.g., CBD stone), cystic fibrosis, sarcoidosis ...
⑦ venous outflow obstruction ; chronic Rt-HF (e.g., cardiomyopathy, TR, constrictive pericarditis), Budd-Chiari syndrome, venoocclusive disease ...
⑧ metabolic ; hemochromatosis, Wilson's dz, α_1-AT deficiency, GSD ...
⑨ malnutrition, postjejunoileal bypass surgery
⑩ cryptogenic : 원인을 모르는 경우 (약 10%)

(2) 형태학적 분류 (의미 없음)

① macronodular (>3 mm) : viral hepatitis, biliary obstruction 등이 원인
② micronodular (<3 mm) : alcohol, 영양결핍, 고령 등 간세포의 재생능력이 저하된 경우에 발생
③ mixed

(3) 기능적 분류

① 대상성(compensated) : 간기능이 유지되고 증상이 없을 때
② 비대상성(decompensated) : 간기능장애가 뚜렷하고, 합병증(복수, 정맥류출혈 등)이 발생된 경우

4. 임상양상

(1) 간기능 장애에 의한 증상

① 합성 기능의 장애
- albumin ↓, cholesterol ↓
- 응고인자 (특히 vitamin K 의존 인자 : II, VII, IX, X) ↓
  ⇨ PT ↑, bleeding tendency (petechiae, ecchymoses) ; thrombocytopenia도 관여
- 각종 감염에 대한 감수성 증가

② 분해/배설 기능의 장애
- bilirubin 대사 장애 → urine urobilinogen ↑, 황달(icterus), 소양증 → excoriation (긁은 상처)
- ammonia 증가 → hepatic encephalopathy 발생에 기여
- drug metabolism의 변화
- steroid 등의 호르몬 대사 장애

남성	여성
Hypoandrogenic/feminization	Virilization
Libido 감소	Libido 감소
Impotence (발기부전)	Anovulation
Testicular atrophy (고환 위축)	Amenorrhea
Gynecomastia (여성형유방)	Spider angioma
남성형 체모 분포 소실 (e.g., 가슴털)	Palmar erythema
Spider angioma (거미혈관종)	
Palmar erythema (손바닥홍반)	

* 거미혈관종 : 세동맥을 중심으로 모세혈관들이 확장되어 방사상으로 뻗어나가는 것. 박동(pulse)이 만져질 수도 있음. 얼굴, 상체, 상지에만 발생함

*거미혈관종과 손바닥홍반 : 급성/만성 간질환에서 나탈 수 있음(특히 LC), 정상인에서도 나타날 수 있으며 임산부에서는 흔히 관찰됨. vasodilation 및 hyperdynamic circulation의 결과이기도 함

③ 당대사 장애 → 공복시 저혈당, 식후 고혈당, DM

* 기타 ; 근육위축, 전신무력감, 피로감, 복부팽만, 식욕부진, 체중감소 ...
  ↳ 주로 양쪽관자뼈 부위, 엄지/새끼 두덩 부위에 … liver insufficiency의 marker!

* 간 : 단단하고 결절성으로 촉지되기도 하지만 위축되어 만져지지 않을 수도 있음
  (보통 간 우엽은 작아져 7 cm 미만, 간 좌엽은 결절성으로 만져짐), 압통이 특징적
* 조혈기능의 장애는 성인에서는 현저하지 않다

(2) portal HTN에 의한 증상/합병증

① esophageal/gastric varix (bleeding)
② splenomegaly & hypersplenism (→ platelet↓ → WBC↓)
  ★ 만성 간질환에서 platelet count의 점진적인 감소는 LC 발생의 신호
③ ascites ; edema, SBP, hepatic hydrothorax, hernia, hepatorenal syndrome (HRS)
④ hepatic encephalopathy
⑤ 복부/흉부 표재 정맥의 확장(e.g., "caput medusae"), rectal varix ...

(3) 기타 합병증

① hepatopulmonary syndrome
② hepatocellular carcinoma (HCC)

■ **Advanced liver dz.의 소견** ; 근육위축, 체중감소, 간비대, 복수, 부종, 복부정맥 확장, 간성 구취, 자세고정불능(asterixis), 정신 혼동/혼미, 멍듦(bruising) 등

5. 진단

(1) 병력, 증상, 진찰 소견
(2) 검사소견
- albumin↓, globulin↑ (A/G ratio↓), bilirubin↑, PT↑
- TTT, ZTT ↑ (TTT : IgM, ZTT : IgG 농도를 반영)
- anemia의 원인 (만성 간질환은 대개 macrocytic anemia)
  ① acute/chronic GI blood loss
  ② 영양결핍 (e.g., folate, vitamin B_{12})
  ③ hypersplenism
  ④ alcohol에 의한 BM suppression
- thrombocytopenia (∵ hypersplenism 때문)
- glucose intolerance (60%), DM (20%)

(3) imaging ; CT (m/g), US, MRI
- 간이 작아지고 결절 형태 : 재생결절은 5 mm 이상인 경우 관찰됨
- 복강내 collateral vessels → portal HTN을 시사

(4) liver biopsy (확진) - 임상적으로 진단이 명확하지 않을 때 or 치료방침 결정에 필요할 때만

* 간경변증 환자의 진단/치료를 위한 평가
  ① 원인 질환 및 악화요인의 파악
  ② portal HTN 및 합병증의 진단/치료
  ③ hepatic functional capacity (reserve)의 평가
    - CTP score (m/c)

- 간세포기능의 정량적 평가 ; galactose elimination capacity, aminopyrine breath test, ICG clearance, amino acids clearance 등 (but, 일반적으로 이용되지는 않음)

④ HCC에 대한 screening (AFP, abdominal US)

6. 치료

(1) 일반적 요법

- 대상성 간경변증은 대개 특별한 치료가 필요 없다
- 알코올 및 간독성 약물의 섭취 금지 (m/i)
- 적절한 칼로리 및 단백 공급

	Calories (kcal/kg/day)	Protein (g/kg/day)
Compensated LC	25~35	1~1.2
Malnutrition	35~40	1.5

- hepatic encephalopathy시는 단백 제한

- 체내 수분 저류(e.g., 복수, 부종)시에는 sodium 제한
- vitamin B, C 보충
- constipation 방지

(2) 원인 교정/치료 (항섬유화 치료) ; HBV (antivirals), HCV (antivirals), ALD (금주 등), NAFLD (체중감량 등), PBC (UDCA 등)

(3) LC의 합병증 치료, 악화요인의 교정, 간암의 조기 발견 등이 중요

(4) 간이식 : 비대상성 LC의 가장 근본적인 치료

7. 예후

- 대상성 LC 환자 : 5YSR 90% (자신도 모른 채 평생 살아갈 수도 있음)
  → 평균 6년 뒤에 비대상성 LC로 진행 (약 5~7%/year), median survival은 약 9년
- 비대상성 LC 환자 : 75%가 1~5년 이내에 LC의 합병증으로 인해 사망, median survival 약 1.5년
- LC 환자의 사망 원인 : 간부전 (m/c, 약 40%), 식도정맥류 출혈 (약 20%), 간신증후군, 간세포암

■ 예후 판정 및 생존율 예측 (clinical staging)

(1) Child-Turcotte-Pugh (CTP) score ★

Score	1	2	3
Serum **albumin** (g/dL)	>3.5	2.8~3.5	<2.8
Serum **bilirubin** (mg/dL)	<2	2~3	>3
PT ┌ 연장된 초 └ INR	<4 <1.7	4~6 1.7~2.3	>6 >2.3
Ascites	없음	경증(조절 쉬움)	중등도 이상(조절 어려움)
Encephalopathy	없음	1~2단계	3~4단계

CTP class	Score 합계	일반적인 수술의		Varix bleeding 후 치사율	
		가능성	사망률	30일 이내	1년 이내
A	5~6	가능	0~5%	10%	24%
B	7~9	상황에 따라	10~15%	30%	48%
C	10~15	불가능	24% 이상	45%	77%

- class A (compensated LC) : 5YSR 90%, 간이식 필요 없음
- class B~C (decompensated LC) : 간이식 필요

(2) MELD (model for end-stage liver disease) score ★★

$$\text{MELD score} = 3.78 \times \log_e(\text{bilirubin}) + 11.2 \times \log_e(\text{PT;INR}) + 9.57 \times \log_e(\text{Cr}) + 6.43 \times (\text{원인})$$

* bilirubin, creatinine은 mg/dL 단위 / 원인 ⇨ 알코올성/담즙정체성은 0, 바이러스/기타는 1

- 말기 간질환 환자의 단기 예후 및 사망 예측에 유용, 간이식 대상자의 우선순위 결정에 이용
  - fulminant hepatic failure는 MELD score에 관계없이 0 순위
  - HCC : 등록 6개월 후에도 Milan criteria에 해당되면 28점 추가, 3개월 마다 10% 가산 (미국), 우리나라 2016년부터 도입 MELD 0~13은 4점 추가, 14~20은 5점 추가
- MELD와 CTP score는 정상관관계를 보임
- 장점 ; 연속적인 점수, 재현성, 객관적, LC의 원인을 반영

* 혈청 sodium을 추가한 MELD-Na score가 더 정확한 지표로 최근 사용됨 (∵ ascites, hepatorenal syndrome 등도 반영)

$$\text{MELD-Na score} = \text{MELD} + 1.32 \times (137 - \text{Na}) - [0.033 \times \text{MELD} \times (137 - \text{Na})]$$

* Na : mmol/L (= mEq/L) 단위, 125 미만은 125로, 137 이상은 137로 사용함

간경변증의 주요 합병증

1. 문맥압 항진증 (Portal HTN)

(1) 병태생리

- 간혈류의 정상 압력
  - 혈액 공급
    - hepatic artery : 100 mmHg
    - portal vein : 7 mmHg (5~10 mmHg)
  - 혈액 배출 – hepatic vein : 4 mmHg
- hepatic sinusoids의 저항은 미미하므로 portal vein의 평상시 압력은 낮다
- portal HTN (portal pr. >10 mmHg)은 보통 portal blood flow에 대한 간내(외) 저항 증가 또는 내장혈류 증가(∵ vasodilation)로 인해 발생 (LC의 60% 이상에서 portal HTN 동반)
- portal venous system은 valve가 없으므로, 우심방과 splanchnic vessel 사이의 어느 level에서의 저항도 portal HTN을 일으킬 수 있고, 이때 역류 및 collateral circulation이 쉽게 발생함

• HVPG (hepatic venous pr. gradient) = PP (portal pr.) − IVC pr.
- portal HTN >5 mmHg (정상 <5 mmHg)
- 10 mmHg 이상 → ascites & varix 발생
- 12 mmHg 이상 → varix bleeding 위험 증가!

(2) 분류/원인

	Intrahepatic (>95%)	Extrahepatic
WHVP 정상	*Presinusoidal* Schistosomiasis Early PBC (primary biliary cirrhosis) Chronic active hepatitis Congenital hepatic fibrosis Sarcoidosis Toxins : vinyl chloride, arsenic, copper Idiopathic portal HTN (Banti's syndrome)	*Prehepatic* Increased blood flow (splenomegaly, AV fistula) Splenic vein occlusion (thrombosis) **Portal vein occlusion** **(thrombosis)** − 2nd m/c
WHVP 증가	*Sinusoidal* LC − m/c Acute alcoholic hepatitis Cytotoxic drugs Vitamin A intoxication *Postsinusoidal* Hepatic venoocclusive dz. (= sinusoidal obstruction syndrome, SOS) Alcoholic central hyaline sclerosis	*Posthepatic* **Budd-Chiari syndrome** (hepatic vein or IVC occlusion) IVC webs Thrombosis Tumor invasion CHF (right-sided) Constrictive pericarditis Severe TR

■ Budd-Chiari syndrome (BCS)

• hepatic vein (HV) outflow의 폐쇄 (small hepatic vein ~ IVC [우심방입구] 어느 level에서의)
→ sinusoidal pr.↑ & hepatic congestion → hypoxic hepatic injury (zone 3에서 현저)

• 원인 (보통 응고항진 상태와 관련) ; thrombosis, malignancy (e.g., MPN), pregnancy, infections, vasculitis, webs, membranes ...

• 평균 발생 연령 35세, 남:여 = 1:2

• 임상양상 ; 무증상 ~ acute fulminant hepatic failure까지 다양, 약 15%는 진단시 LC 존재
- classic triad ; hepatomegaly, abdominal pain, ascites → 보통 subacute하게 발생
- splenomegaly, fever, fulminant failure 등은 드물다

• Dx ; Doppler US, MR/CT venography, venography (retrograde hepatic vein cannulation)

• Tx ; anticoagulation, percutaneous angioplasty, TIPS, surgical shunt 등
→ 치료에 반응 없고 심한 증상이 지속되는(e.g., refractory ascites) 간부전시에는 간이식

■ Portal vein thrombosis (PVT)

• 원인 ; MPN, malignancy, procoagulant conditions (e.g., APS, protein C/S/ATⅢ 등의 결핍, factor V Leiden, prothrombin gene mutations), cirrhosis, intraabdominal sepsis, trauma, pancreatitis ...

• acute PVT ; 갑작스런 or 수일간 진행되는 복통/요통 (보통 복막자극 증상은 없음)
- 심한 전신염증 반응 ; 발열, APR↑ 등
- 대부분 간기능은 정상 (∵ hepatic arterial supply의 빠른 보상)

- acute septic PVT는 복부 감염과 관련 (→ 항생제 치료)
- mesenteric venous thrombosis로 확대되면 장허혈, 장경색 등도 발생 위험

• chronic PVT ; variceal bleeding으로 인한 melena가 m/c 증상, 간기능은 대개 정상
  - sepsis or 기서 간질환이 없으면 황달은 드묾 / 복수도 10~35%에서만 존재
  - splenic vein을 침범하지 않으면 splenomegaly 드묾

• Dx ; Doppler US, CT, MRI

• Tx ; 원인의 교정, anticoagulation, thrombectomy, variceal bleeding에 대한 치료 등

(3) 임상양상

① gastroesophageal varix (bleeding), splenomegaly & hypersplenism, ascites, encephalopathy ...

② portal-systemic collaterals

- rectum 주위의 vein → hemorrhoid, rectal varix
- cardioesophageal junction → esophagogastric varix
- periumbilical or abdominal wall → "caput medusae"
- retroperitoneum → splenorenal shunt

(4) 진단

① 병력 및 진찰 소견(e.g., splenomegaly, ascites, encephalopathy)

② 내시경(EGD) : varix 확인

③ abdominal US/CT/MRI : splenomegaly, collateral vessels

④ PP (portal pressure) 측정 (정상 : 5~10 mmHg) : 흔히는 사용 안됨

• percutaneous transhepatic catheterization (직접 측정) : 매우 invasive

• transjugular/transfemoral hepatic vein catheterization (간접 측정)
  - FHVP (free hepatic venous pr.) = IVC pr.
  - WHVP (wedged hepatic venous pr.) = sinusoidal pr. ≒ portal pressure (PP)
    (실제로는 WHVP가 PP보다 약간 낮다)
  - <u>HVPG</u> = PP - IVC pr. = WHVP - FHVP (정상 <5 mmHg)

Portal HTN	PP	WHVP (sinusoidal pr.)	FHVP	HVPG (WHVP - FHVP)
Prehepatic	↑	정상	정상	정상
Presinusoidal	↑	정상	정상	정상
Sinusoidal	↑	↑	정상	↑
Postsinusoidal	↑	↑	정상	↑
Posthepatic	↑	↑	↑	정상

⑤ 간 이외의 원인을 R/O ; 심장초음파 (e.g., constrictive pericarditis, CHF)

(5) 치료 : specific Cx.의 치료

2. 정맥류 출혈 (Variceal bleeding)

(1) 개요

- 정맥류(varix)는 mucosa로만 덮여 있다 (submucosal vessel)
- 식도 하부 1/3 (gastroesophageal junction)에서 m/c
- LC 환자의 40~85%에서 위식도 정맥류 발생, severity와 비례(e.g., CTP score)
- 식도정맥류로 진단된 환자의 약 1/3에서 2년 이내에 출혈이 나타나며, 일단 출혈이 발생했었던 식도정맥류는 2년 이내에 대부분 (약 70%) 재출혈을 일으킴
- 사망률 : 식도정맥류 출혈 8%, 위정맥류 출혈 36%
- 출혈 위험이 증가되는 경우
  ① 문맥압 상승 (HVPG >12 mmHg)
  ② 내시경 소견/stigmata ; 정맥류의 크기(m/i), 위치, red color (wale) sign, diffuse erythema, hematocystic spots, cherry red spots, white-nipple spots, blue varix
  ③ 간경변의 중증도(e.g., CTP or MELD score, tense ascites) → only 재출혈의 위험인자

c.f.) LC 없이 varix bleeding과 splenomegaly가 발생하면 splenic vein thrombosis를 의심
(varix bleeding만 있는 경우에는 portal vein thrombosis도 의심)

(2) 임상양상/진단

- painless massive hematemesis, melena
- mild postural tachycardia ~ profound shock
- 이전의 varix bleeding 병력이 있는 환자라도 다른 GI bleeding source (e.g., PUD)를 R/O 하는 것이 중요! (∵ esophageal varix 환자에서 출혈 발생시 30~50%는 varix 이외의 원인이 focus)
- upper endoscopy (m/g) : LC 환자는 2년마다, varix 발견시 1년마다 시행
  - 정맥류의 크기/형태
    - F1 : 크기가 작고, 직선형의 정맥류 기둥
    - F2 : 중간 크기, 염주알 모양 (식도 내강의 1/3 미만 차지)
    - F3 : 크기가 크고, 결절이나 종괴 모양 (식도 내강의 1/3 이상)
  - 적색 징후(red color sign) : 정맥류를 덮고 있는 점막의 발적된 모양
    ⇨ red wale marking, hematocystic spot, diffuse redness, cherry-red or white-nipple spot
- barium esophagography ; cobble stone or worm 모양

(3) 치료 및 예방

- 식도정맥류 출혈은 life-threatening emergency (치료해도 6주 내에 20% 이상 사망)
- 식도정맥류 출혈 환자의 약 40%는 치료 없이도 저절로 지혈되지만, 재출혈 위험이 매우 높음
- 간기능 부전이 있어 CTP class C인 환자는 치료에 대한 반응여부와 관계없이 근본적인 치료로서 간이식을 고려해야 함

■ 급성 출혈의 치료

① IV line 확보 (가장 먼저!) ; 수액 공급, 수혈(RBC, FFP 등)
- 수축기 혈압이 120 mmHg을 넘어서는 안 됨
- 혈장량은 약간 부족한 상태를 유지 (∵ 혈장량이 증가되면 portal pr. 증가로 재출혈 위험↑)
- 혈장량 과다 방지를 위해 전혈보다는 RBC 수혈 권장 (→ 목표 Hct 약 25%)

② 예방적 항생제 (e.g., ceftriaxone, norfloxacin) : 5~7일간 투여 권장
- 이유 ; 심각한 세균 감염 (SBP) 위험 크게 증가, 세균 감염시 조기 재출혈 위험도 증가
- 세균 감염 감소(45% → 14%) 및 사망률 감소(24% → 15%) 효과

③ vasoconstrictors (varix bleeding이 의심되면 내시경 전이라도 즉시 투여!)
- terlipressin (vasopressin analogue) IV : 80%에서 지혈됨, 생존율↑, 심장허혈 부작용
- octreotide (somatostatin analogue) IV : 부작용 적음, 미국에서 1st 선호됨
- 기타 ; somatostatin, vapreotide ... (vasopressin은 부작용이 많아 안 쓰임)

④ 풍선확장술/풍선탐폰법(balloon tamponade)
- 3 lumen (Sengstaken-Blakemore, SB) or 4 lumen (Minnesota) tube, 30~45 mmHg
- Ix. ┌ 출혈이 매우 심할 때 (약물요법이나 내시경치료 실패시)
  └ 혈역학적으로 불안정하여 내시경 시행이 불가능할 때
- aspiration의 위험이 높으므로 먼저 endotracheal intubation 시행
- 지혈 효과는 90% 이상이지만, 압박을 풀면 재출혈 위험이 높음(~50%)
- 교량/구조 요법 (국소 괴사 위험으로 24시간 이상은 사용하면 안 됨)
- Cx. (~15%) ; aspiration pneumonia, esophageal rupture, airway obstruction, rebleeding ...

⑤ 내시경적 지혈술
- 가장 중요한 출혈 치료법 (90% 지혈), 환자가 혈역학적으로 안정되어 있을 때에만 시행
- 내시경검사 시행 전에 NG tube를 삽관하여 N/S으로 위세척
  (NG tube 삽관이 varix bleeding을 더 조장하지는 않는다)

┌ EVL (endoscopic variceal band ligation) ; 부작용이 적고, 간편
└ EIS (endoscopic injection sclerotherapy) ; 부작용이 많음, EVL이 불가능하거나 실패시 고려

- varix가 위까지 확대되면 TIPS 고려

⑥ TIPS (transjugular intrahepatic portosystemic shunt)
- stent로 간정맥을 통해 간실질과 간내 문맥분지를 천자하여 간 내에 문정맥단락(portacaval shunt)을 만드는 것 (생리적으로 side-to-side surgical shunt와 비슷)
- Ix ① 내시경적 지혈술 및 약물치료 실패시
  ② 수술의 위험성이 높거나, 수술 후 재발한 경우
  ③ 조절되지 않는 복수, 간성 혼수, Budd-Chiari syndrome
  - 종종 간이식의 전단계로도 시행됨
- 지혈 성공률 95% (but, stent 재협착에 의한 재출혈율 25~30%), shunt의 diameter 조절 가능
- 내시경적 지혈술보다 효과는 더 좋지만, survival 증가는 없음!
- 단점 ; shunt occlusion과 encephalopathy (~20%)의 발생 위험이 높다!

■ 재출혈의 예방 (secondary prophylaxis)

* 재출혈의 정의 : 정맥류 출혈에서 회복된 뒤 최소 5일 이상 출혈이 없다가 다시 출혈된 경우

① nonselective β-blocker (± isosorbide mononitrate) + 내시경치료(EVL)

② TIPS : 위 치료에도 불구하고 지속적으로 재발하는 경우

③ surgical therapy : 조기 사망률이 30%나 되므로 최후의 방법으로만 사용 (예방적 수술은 금기)
- nonselective shunt : 전체 portal system을 bypass (decompression)

- encephalopathy의 부작용 발생 위험이 더 높다
- 예 ; end-to-side / side-to-side portocaval shunt, proximal splenorenal shunt
• selective shunt : varix만 bypass, liver로의 portal flow는 유지
  - encephalopathy 감소
  - 예 ; distal spleno-renal shunt (Waren shunt)
• 내과적 치료보다 생존율을 더 향상시키지는 못한다!

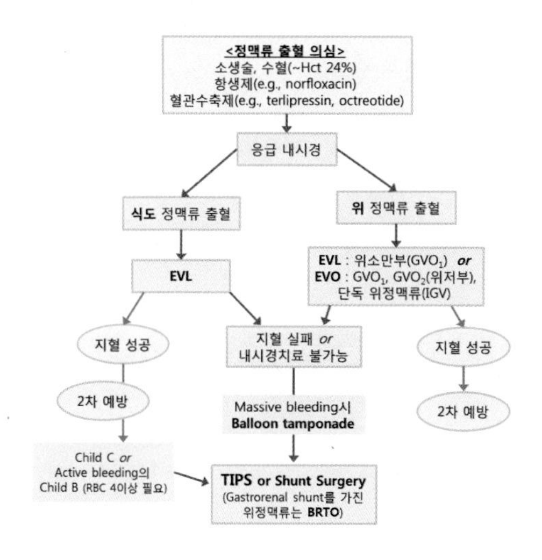

■ 초출혈의 예방 (primary prophylaxis)

① nonselective β-blockers (e.g., propranolol, nadolol)
• 적응 ; 금기가 없는 모든 large varix & portal HTN 환자에게 투여 (∵ portal pressure ↓)
⇨ resting HR 25% 감소 or 55회/분에 이를 때까지 *OR* 부작용이 발생할 때까지 *OR* HVPG ≤12 mmHg or 20% 감소시키는 용량으로 조절
• 기전
  - cardiac β_1 block → CO↓ → 내장 혈류↓ → portal pr.↓
  - mesenteric β_2 block → 차단 안된 α_1 활성화 → 내장혈관 수축 → portal flow↓
• 출혈이 없었던 large varix 환자의 초출혈 위험을 40~50% 감소시키고, 출혈관련 사망률도 감소시킴, 전체적인 survival 연장 효과는 논란(고위험군에서는 survival 연장)
• portal HTN에 의한 congestive gastropathy와 gastric varix에서도 출혈 위험을 감소시킴
• 재출혈 예방시에도 사용 / acute bleeding의 치료에는 금기! (∵ 저혈압 유발 위험)

② 내시경 정맥류 결찰술(endoscopic variceal band ligation, EVL)
• 금기/부작용으로 β-blocker를 사용 못하는 환자에서 시행, 정맥류가 소실될 때까지 반복 시행

- 출혈 고위험군(e.g., Child B/C, red wale sign)은 β-blocker or EVL 모두 가능
- β-blocker와 EVL의 초출혈 예방 및 사망률 감소 효과는 동일함
- β-blocker와 EVL의 병합 치료는 단독 치료에 비해 예방 및 생존율 차이가 없고 부작용↑

* EIS, TIPS, 수술 등은 부작용이 많아 예방 목적으로는 권장 안 됨!

┌ 작은 식도정맥류 (F1) ⇨ 고위험군(LC child B/C or red color sign)은 nonselective β-blockers
　(고위험군이 아니면 F/U or 필요에 따라 nonselective β-blockers)
└ 큰 식도정맥류 (F2, 3) ⇨ nonselective β-blockers or EVL

(4) 위정맥류 출혈(gastric varix bleeding)

- 정맥류를 덮고 있는 피막이 두꺼워 파열의 가능성은 적으나, 일단 파열 되면 대량 출혈을 초래 (식도정맥류와 공급 혈관의 경로가 다름)
- 식도정맥류보다는 상대적으로 적고 (5~33%), 출혈 빈도도 낮음 (2년에 25%)
- 분류 : GOV (gastroesophageal varix), IGV (isolated gastric varix)
  - GOV1 (74%) : 식도정맥류가 위소만부로 연장 → 식도정맥류 치료와 비슷
  - GOV2 (16%) : 식도정맥류가 위저부로 연장, GOV1보다 심한 형태
  - IGV1 (8%) : 위저부에만 존재 → splenic vein thrombosis 유무 확인 … 치료 가장 어려움
  - IGV2 (2%) : 위체부, 전정부, 유문부 등에 존재
- 내시경적 지혈술(EVL, EIS)의 성공률은 낮음!
- 내시경적 정맥류 폐색술(endoscopic variceal obturation, **EVO**)
  - 조직접착제 Histoacryl® (N-butyl-2-cyanoacrylate : 혈액과 접촉되면 중합체 형성 → 정맥내 색전, 지혈) + Lipidol 혼합 용액 주입
  - 적응증
    ① 위정맥류 출혈의 치료
    ② 기존의 내시경적 지혈술로 치료가 어렵거나 실패한 위식도 정맥류 출혈
    ③ TIPS가 어렵거나 금기인 경우
  - 효과는 TIPS만큼 매우 좋으나, 기존 내시경적 지혈술보다는 부작용이 많다 (e.g., 전신 색전증)
- TIPS : 90% 이상 효과적, 내시경 치료(EVO) 불가능/실패시 구조요법으로
- BRTO (balloon occluded retrograde transvenous obliteration)
  - gastro-renal shunt를 가진 위정맥류의 치료에 매우 효과적
  - TIPS에 비해 간성뇌증이 호전되는 장점이 있으나, 복수/식도정맥류가 악화될 수 있는 단점
- 수술 (간기능이 괜찮고 다른 치료에 실패한 경우) ; distal spleno-renal shunt (DSRS) 등

(5) portal hypertensive gastropathy (PHG, congestive gastropathy)

- proximal stomach (주로 fundus)의 submucosal vein에서의 출혈, acute보다 chronic이 흔함
- portal HTN 환자에서 전체 GI bleeding 원인의 약 1/4 차지 (acute bleeding시에는 10% 미만)
- endoscopy : engorged & friable mucosa (모자이크 패턴, 뱀껍질 같은 점막), red spots이 동반되면 severe로 봄, indolent mucosal bleeding이 특징
- Tx : propranolol이 출혈 예방에 도움 (→ portal pr. 뿐 아니라 splanchnic arterial pr.도 낮춤)
  - β-blocker & iron 치료해도 수혈이 계속 필요하면 TIPS 고려
  - PUD 치료약물 (H_2-RA 등)은 대개 도움이 안 됨!

3. 복수 (Ascites)

(1) 발생기전(병인)

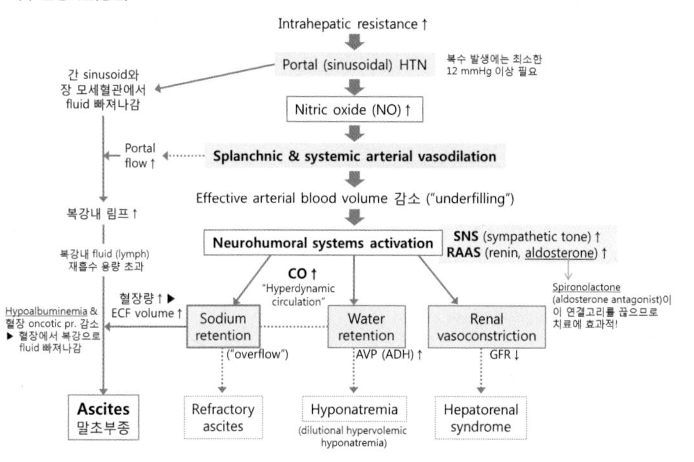

- volume overload 상태에서도 지속적으로 volume retention 발생
- portal HTN과 hypoalbuminemia가 모두 존재하지 않는 환자에서는 복수 발생이 드묾

(2) 진단

- 증상 ; 복부팽만, 말초부종, 호흡곤란, hepatic hydrothorax 등
- 1.5 L 이상이면 옆구리 탁음/볼록해짐, shifting dullness, fluid wave
- 복수천자(paracentesis) - 경미한 복수라도 모든 환자에서 시행!
  - ↳ 시행 부위 : 좌하복부(anti-McBurney point)가 가장 안전
    - (1) Monro-Richers line (umbilicus와 ASIS를 연결하는 선)의 아래쪽 1/3
    - (2) umbilicus와 pubic bone의 정중선의 1/2이상 지점
- LC ascites의 성상 ; protein <2.5 g/dL, SAAG >1.1, WBC <500/μL
- 진단이나 원인이 불확실하면 (e.g., Budd-Chiari syndrome R/O) 복부초음파(Doppler)도 시행 (c.f., 초음파는 100 mL의 복수도 발견 가능)

(3) 치료 및 예후

- ascites가 발생되면 decompensated cirrhosis를 의미 (2YSR <5%)
- 치료원칙 : 체내 염분저류를 감소시킴

① bed rest ; renal blood flow 증가 및 renin 감소 효과가 있을 것으로 추정되나, 근거는 없음 (지나친 bed rest는 오히려 안 좋음)

복수의 Diagnostic Evaluation

1. Paracentesis
   ① Fluid analysis: cell count, protein, albumin, Gram stain
   ② Serum-ascites albumin gradient (SAAG) 계산
      ┌ SAAG ≥1.1 g/dL : portal HTN에 의한 복수
      └ SAAG <1.1 g/dL : 다른 원인에 의한 복수(e.g., 암, 감염)
   ③ 세균 배양
   ④ 선택: amylase, glucose, LD, TG, cytology, mycobacterial culture

2. Abdominal US with Doppler
   ① Portal, hepatic, splenic veins의 patency/flow 평가
   ② Hepatic & splenic parenchyma 검사
   ③ Neoplasm or peritoneal disease R/O
   ④ Biliary duct size 평가

② sodium 제한 (m/i) ; 하루 염분(소금, NaCl) 5 g (= 나트륨[Na, sodium] 2 g, 88 mEq) 이하로
- 가공식품은 피하고 가능하면 신선한 식품을 섭취
- 24hr urine Na >78mEq or spot urine Na/K >1이면 환자가 저염식을 지키지 않은 것임!

③ fluid 제한은 반드시 필요한 것은 아님!
- Na 120~125 mEq/L로 떨어지면 수분섭취를 1~1.5 L/day로 제한해볼 수 있음
- Na 120 mEq/L 이하로 떨어지면 이뇨제 중단 & 수분섭취 제한

④ diuretics (oral) : grade II (moderate) 이상의 복수부터 사용
- 대개 spironolactone (Aldacton®) ± furosemide (Lasix®)로 치료 시작 (병합요법이 선호됨)
- spironolactone:furosemide는 100:40 비율로 병용 (furosemide의 단독 투여는 권장 안 됨)
  ┌ spironolactone : 50-100 mg/day로 시작 ~ 400 mg/day까지 증량 가능
  └ furosemide : 20-40 mg/day로 시작 ~ 160 mg/day까지 증량 가능
  ⇨ 최대 용량으로도 조절이 안 되면 "refractory ascites"
- 과도한 반응이 나타나면 furosemide↓, 반응이 없으면 thiazide 추가한 3제요법도 고려 가능
- 부작용 ; 신기능장애(∵ hypovolemia, 25%), hyponatremia (28%), hypokalemia → encephalopathy (26%), spironolactone 장기간 사용시 painful gynecomastia ...
  - painful gynecomastia 발생하면 amiloride로 대치 (but, 이뇨 효과는 떨어짐)
  - hyponatremia → 이뇨제 감량 c.f.) vaptans (V_2 receptor antagonists) : LC with ascites 환자에서 장기간 사용은 효과 없고, 오히려 사망률 증가 위험

⑤ 치료적 복수천자(large-volume paracentesis, LVP) : 한번에 4~6 L 이상
- 일반적인 치료에 반응이 없거나, 심한 복수의 초치료 때 (이뇨제보다 효과 빠르고 입원기간↓)
- 심한 부종이 없는 환자는 동시에 혈장확장제(albumin) 보충
  (∵ effective arterial volume 감소로 인한 순환장애 예방)

단순(uncomplicated) 복수의 치료

Grade	임상양상	치료
I (mild)	초음파상으로만 복수가 발견됨	Low salt diet
II (moderate)	경도~중등도의 복부팽만/불쾌감	Diuretics
III (large-volume)	심한 복부팽만/불쾌감	LVP

* 복수 치료시의 치료반응 평가(monitoring)
  - ⓐ 체중 (intake/output) - m/i
    - 복수 + 말초부종 환자 → 1 kg/day 이하씩 감소
    - 복수만 있는 환자 → 0.5 kg/day 이하씩 감소 ⇨ 체중감소 없으면 urine Na 측정
  - ⓑ 24hr urine Na : 88 mEq Na 제한 환자 → 78 mEq가 적절 (10 mEq는 소변 외 소실)
    - >78 mEq/day → 체중감소 없다면 환자가 저염식을 잘못함 → 철저한 Na 제한 교육
    - <78 mEq/day → 이뇨제 효과 부족 → 이뇨제 증량
  - ⓒ spot urine Na/K ratio >1 (≒ 24hr urine Na >78 mEq/day) → 철저한 Na 제한 교육
* hepatic coma의 impending sign이 없으면 적어도 1 g/kg의 protein을 투여해야 함 (2000~3000 kcal/day)
* 복수가 갑자기 생기거나, 치료에 잘 반응하지 않을 때 고려해야할 것
  ; excessive salt intake, drugs or alcohol, noncompliance, HCC, superimposed infection, worsening liver dz., portal vein thrombosis
* 난치성 복수 (refractory ascites)의 치료
  - ⓐ 반복적 large-volume paracentesis (LVP) ± albumin 보충
  - ⓑ TIPS : 반복적 LVP에 비해 효과적임, LVP가 곤란한 경우 고려
    - LVP와 간성뇌증 발생률은 비슷하나, 뇌증의 severity가 더 심함(→ 삶의 질 저하)
    - peritoneovenous shunt는 합병증이 많아 현재는 잘 사용 안함
  - ⓒ 간이식 : 가장 효과적인 방법

■ Hepatic hydrothorax
- diaphragmatic defects를 통해 복수가 흉막강으로 넘어온 것(pleural effusion)
- 발생 부위 ; 우측(85%), 좌측(13%), 양쪽(2%)
- 치료는 ascites의 치료와 동일함 (염분 제한 + 이뇨제)

4. 원발/자발세균복막염 (Spontaneous bacterial peritonitis, SBP)

(1) 개요

• 대부분 복수를 동반한 LC 환자에서 특별한 infection source 없이 발생 (metastatic cancer, chronic active hepatitis, acute viral hepatitis, CHF, SLE, lymphedema 등이나, 원인질환 없이도 발생 가능)
• LC 환자의 10~30%에서 발생, very advanced liver dz. (CTP class C)에서 호발 (특히 복수 내 albumin 농도가 낮을수록 잘 생김), 사망률 15~20%
• 대개 single organism에 의한 감염임 ; *E. coli* (m/c), *Klebsiella*, streptococci, *S. aureus*, enterococci, pneumococci, 혐기성 세균 등
• mixed organism → 2ndary bacterial peritonitis (perforation) 의심

(2) 병인

① bacterial translocation (주기전) : 장내세균에 대한 장관벽의 permeability↓ → 세균이 장간막 림프절 통과 → 균혈증 & 복수에 seeding
② portal bacteria를 제거하는 간과 비장의 macrophage 능력 장애
③ bacterial growth를 유도하는 large volume의 복수 존재

(3) 임상양상

- fever, abdominal pain/tenderness ... (일부는 전형적인 증상이 없을 수도 있음)
- 이유 없이 간기능이 악화되거나 간성혼수 등이 발생 가능
- 약 30%에서는 신기능 장애도 발생 (→ 사망률↑)
- secondary bacterial peritonitis에서 보이는 복부경직과 peritoneal irritation 소견은 드문 편임

(4) 진단

- 복부의 다른 infection source를 R/O (CT가 유용)
- 복수천자, 복수 Gram 염색 & 배양, 혈액배양 시행
- ascitic fluid : cloudy
  ① <u>WBC >500/μL (& neutrophil ≥50%)</u> or absolute neutrophil count >250/μL
  ② bacterial culture : 40~50%에서만 (+) (c.f., 50%에서 bacteremia 동반)
  ③ protein↓ (<2.5 g/dL), SAAG >1.1
  - Gram stain은 대부분 음성으로 나옴

(5) 치료/예방

- 즉시 empirical antibiotic therapy 시작! ; 배양결과 안 기다림, 5~10일간 투여
  - <u>3세대 cepha.</u> (DOC) : cefotaxime (or ceftriaxone, ceftazidime) IV or
  - 광범위 β-lactam/β-lactamase inhibitors (e.g., piperacillin/tazobactam)
- 신기능장애 발생의 예방을 위해 <u>albumin</u>도 투여 (체중 1 kg당 1.5 g) → 사망률 감소
  ↳ 적응 ; BUN >30 and/or Cr >1, bilirubin >4
- 치료에 대한 적절한 반응 : 증상호전 (증상이 호전되면 복수천자 F/U은 필요 없음)
- 증상호전 없거나 원인균이 비전형적이면 48시간 후에 다시 복수천자 시행해 치료반응 평가
  → WBC 50% 이상 감소해야 치료 성공
- 재발이 비교적 흔함 (1년 이내에 70% 이상 재발!)
- <u>prophylactic therapy</u> (→ 재발률을 20% 이하로 줄일 수)
  ① GI bleeding (e.g., varix) → 3세대 cepha. IV (5~7일)
  ② prior SBP → oral norfloxacin 400 mg/day or ciprofloxacin 750 mg/week (평생)
  ③ low ascitic protein (<1.0 g/dL) : 논란, 불량한 예후인자(e.g., Cr >1.2, BUN >25, Na <130, CTP score 9 & bilirubin >3)가 있으면 치료하는 것이 좋음 → norfloxacin

5. 간신증후군 (Hepatorenal syndrome [HRS], functional renal failure)

(1) 개요

- 신장 자체에는 이상이 없으면서, 심한 간질환에서 신부전이 발생한 것
  (간경변 → 복수 → 난치성 복수 → 최종 단계로 HRS 발생)
- LC with ascites 환자의 약 10%에서 발생
- 예후 매우 나쁨 (발생 몇 주 이내에 95%가 사망)
- kidney biopsy는 정상! urinalysis와 pyelography도 보통 정상 (→ 신장이식시 기증 가능)

(2) 병인

- advanced LC & portal HTN ⇨ 심한 내장동맥 확장(splanchnic vasodilation)

→ 순환 혈액량 감소 → 심한 신장허혈

- 혈관수축인자(e.g., RAAS, SNS, endothelin) 증가
- 혈관확장인자(e.g., PGE, NO) 감소 (type 2 HRS 때는 증가)

⇨ renal vasoconstriction (복수 발생기전 때와 비슷하나 더 심함)

→ renal blood flow & GFR 더욱 감소

	type 1 HRS	type 2 HRS
순환장애	지속적, severe	안정적
신장내 혈관확장인자	감소	증가
신부전 (신기능 감소)	급격히 진행, severe	완만히 진행, moderate
평균 생존기간	약 2주	3~6개월 (HRS 없는 환자보다는 짧음)

- type 1 HRS는 심한세균감염(특히 SBP), GI 출혈, 수술 등에 의해 주로 발생 (∵ 급성 순환장애)

(3) 임상양상

- prerenal azotemia와 유사 : azotemia (GFR↓, BUN↑, Cr↑), hyponatremia, hyperkalemia, progressive oliguria, hypotension ...
- 대개 심한 복수와 부종(이뇨제에 반응×)을 가지고 있음
- 유발인자 ; 특별한 원인 없음(m/c), SBP, 심한 GI 출혈, 설사, acute alcoholic hepatitis, 과도한 paracentesis, diuretics, vasodilators, NSAIDs, 신독성약물(e.g., AG) 등의 과다사용 ...

(4) 진단 ★

- 우선 신부전의 다른 원인을 R/O 해야 됨!

① hypovolemia로 인한 prerenal azotemia (e.g., GI bleeding or diuretics에 의한)

	Prerenal azotemia	Hepatorenal syndrome
N/S 1 L 투여 후	Cr↓, 소변량↑	반응 없음
소변 sodium 농도	<10 mEq/L	<5 mEq/L
PCWP or CVP	감소	정상/증가

② ATN, 신독성 약제 (e.g., aminoglycoside, contrast agents) : high urinary sodium excretion

③ 기질성 신장질환 ; 단백뇨(>500 mg/day), 혈뇨(RBC >50/HPF), 비정상 신초음파 등

- tubular function은 정상임
  - urine/plasma osmolality ratio >1.0
  - urine/plasma creatinine ratio >30
  - urine sodium concentration <5 mEq/L, FE_{Na} <1.0

HRS의 진단기준 (International Ascites Club Consensus Workshop, 2007)

1. Cirrhosis with ascites
2. Serum creatinine level ≥1.5 mg/dL (133 μ mol/L)
   * type I HRS는 serum Cr 2주 이내에 2배 이상으로 증가하여 2.5 mg/dL 이상일 때
3. 2일 이상 이뇨제 중단 & albumin (1 g/체중kg/day, 최대 ~100 g/day)으로 volume expansion 해도 호전이 없을 때(serum Cr level ≥1.5 mg/dL)
4. Shock 없음
5. 최근에 신독성 약물 사용 없음
6. 기질성 신장질환 없음

(5) 치료

- 간경변 말기로, 간이식 외에는 효과적인 치료법이 없음
  - 간이식의 성적은 HRS 없는 환자에 비해 약간 불량
  - type 2 HRS는 간이식까지 기다려볼 수 있지만, type 1 HRS는 시간이 없으므로, 다른 방법으로 생존기간을 연장시켜야 간이식 기회 가능
- 신기능을 호전시키기 위한 치료
  ① 혈관수축제 (내장동맥확장 차단) + albumin (arterial volume 증가)
    - vasopressin analogues (e.g., ornipressin, terlipressin) + albumin
      → RAAS & SNS 활성화↓, 순환기능 개선 → 신기능 호전, 치료 이후 HRS 재발도 드묾
      → 간이식까지 생존기간 연장 가능
      (c.f., ornipressin은 허혈 부작용이 문제, terlipressin은 부작용 훨씬 적음)
    - midodrine (α-agonist) + octreotide + albumin
    * low-dose dopamine, misoprostol (PGE_1) 등의 혈관확장제는 효과 없음

  ② peritoneovenous shunting : 난치성 복수의 type 2 HRS에서 고려
    (type 1 HRS에서는 효과 없음)
  ③ TIPS : 신기능을 호전시키고, type 1 HRS에서는 survival도 증가 효과
  ④ extracorporeal albumin dialysis
- 예방도 중요함 (AKI의 유발요인 제거 등)
  - diuretics overdose 방지, ascites 교정은 천천히
  - 신독성이 있는 약제, 특히 NSAIDs의 사용 금지
  - 감염(특히 SBP), 출혈, 전해질 이상 등의 Cx.을 빨리 발견/치료
  - severe acute alcoholic hepatitis 환자에서는 steroid보다 pentoxifylline 투여가 생존율↑

6. 간성뇌증 (Hepatic encephalopathy, HE)

(1) 병인

: 장에서 흡수된 toxin이 간에서 해독되지 않아 CNS 장애를 일으킴 (∵ shunting, hepatic mass↓)

① toxic substance의 증가
  : ammonia (major toxin), mercaptans, short-chain fatty acids, phenol
  (but, ammonia level은 encephalopathy의 severity와 비례하지는 않음)

② CNS 내의 GABA (principal inhibitory neurotransmitter) 농도 증가
  (∵ 장내 세균에 의해 생성된 GABA의 hepatic clearance 감소)

③ aromatic amino acids (tyrosine, phenylalanine, tryptophan) 증가
  branched-chain amino acids (valine, leucine, isoleucine) 감소
  → false neurotransmitter (e.g., octopamine) 생성 증가

④ BBB의 permeability 증가

⑤ 뇌의 globus pallidus에 망간(manganese) 축적 증가

(2) 유발인자 ★

① nitrogen load 증가 ; 위장관 출혈 (m/c, NH_3와 질소화합물의 생성 증가), 단백(e.g., 고기) 과다섭취, 신부전, 변비(→ 장내 세균 증가)

② 수분/전해질 이상 ; hypovolemia, hyponatremia, hypokalemia, alkalosis (→ NH_4^+의 NH_3로의 변화증가 - NH_3는 BBB 잘 통과, 심한 이뇨/구토/복수천자 시 잘 발생) ...

③ 약물 ; narcotics, tranquilizers, sedatives, diuretics (전해질 이상 일으켜)

④ 기타 ; 감염(e.g., SBP), 수술, 급성 간질환 (e.g., acute viral hepatitis) 병발, 진행성 간질환 (e.g., alcoholic hepatitis, 간외 담도 폐쇄), alcohol, anemia, fever, hypoxia ...

* TIPS (portal HTN시 portal blood의 ~50%가 간을 우회하지만, TIPS 시행시 ~93%가 우회)

(3) 임상양상/진단

- 병력과 임상양상으로 진단, 서서히 발생하며 대개 치명적이지는 않음
- CNS 증상 ; 불면 (초기에), 의식저하, 기억장애, 착란, 혼수
- 신경학적 증상 ; 퍼덕떨림(asterixis, flapping tremor - 특징적!), 경직, 과잉반사, 경련
- 기타 ; 인격변화, 지남력저하, 지능감퇴, 복수, 황달, 발열, fetor hepaticus (∵ mercaptans 때문)
- 신경심리검사 ; 선잇기검사(trail-making test), 추상적 대상 그리기 등
- 혈중 암모니아(NH_3) 검사는 진단 정확도가 떨어져 도움 안 됨
- EEG ; symmetric, high-voltage, triphasic slow-wave (2~5/sec)
- CSF나 brain CT는 정상 (stage IV에서나 cerebral edema 발생)
- 급성 간성혼수는 가역적이나 만성 간성혼수는 비가역적

< 간성뇌증의 Stage/Grade >

Stage	EEG	Asterixis	CNS 및 신경근육 장애
I	triphasic wave	±	성격 변화, 불안, 조울, 경미한 착란, 기억장애, 수면장애, 집중력↓
II	〃	+	무기력, 중등도의 착란, 이상한 행동, 지남력 상실, 발음 장애
III	〃	+	심한 착란, 심한 지남력상실/언어장애, 기면 상태이나 각성 가능, 기억 장애, 근육 경직, 안구진탕(nystagmus), Babinski sign
IV	delta activity	-	혼수, 강한 자극에 반응 없음

(4) 감별진단

① acute alcoholic intoxication, sedative overdose, delirium tremens, Korsakoff's psychosis, Wernicke's encephalopathy ...

② subdural hematoma, meningitis, hypoglycemia 등의 대사성 뇌증

③ Wilson's disease (간질환 & 신경증상이 있는 젊은 성인에서 반드시 R/O!)

(5) 치료

- 유발인자 확인 및 제거 (m/i)
  - 간성뇌증 환자의 80% 이상에서 확인되며, 유발인자 제거만으로 간성뇌증 호전 가능
  - 이뇨제 중단, 전해질이상 교정(e.g., KCl 투여), 변비 예방, 관장(→ 장내 혈액을 신속히 제거), 광범위 항생제 등

- 장내 독소물질(e.g., ammonia)의 생성 및 흡수 억제
  ① 단백 섭취 제한 (∵ 과도한 단백 섭취 → 장내세균이 ammonia 형성↑)
    - 초기 단계에만 0.5 g/kg/day 정도로 제한 → 1~1.5 g/kg/day로 증량
      (장기간의 단백 제한은 영양불량을 초래하여 예후를 더 악화시키므로 금기임)
    - 식물성 단백질, 분지쇄 아미노산(BCAA) 등이 유리
  ② 비흡수성 이당류 (→ ammonia를 형성할 수 있는 장내물질을 신속히 배출)
    - <u>lactulose</u> enema/oral (하루 2~4회의 묽은 변을 볼 정도로 투여)
      ⓐ osmotic laxative로 작용 → ammonia 생성/흡수 감소
      ⓑ 장내 pH 감소 → NH_3가 NH_4^+로 전환 → NH_3 흡수 감소
        (NH_4^+ : nonabsorbable, NH_3 : absorbable & neurotoxic)
      ⓒ 직접 세균 대사에 작용하여 ammonia 생성을 감소시킴 (세균의 ammonia 소화↑)
    - lactiol (β-galactosidosorbitol) : lactulose와 비슷한 효과
  ③ 경구 비흡수성 항생제
    - neomycin (부작용으로 권장×), metronidazole, <u>rifaximin</u> (부작용 적음)
    - ammonia 생성에 관여하는 장내세균을 억제 (→ ammonia 생성 감소)
  ④ 기타 치료법
    - L-ornithine-L-aspartate (LOLA) : 간의 요소회로를 활성화하여 혈중 ammonia↓
    - 아연(zinc) : 요소회로 효소들의 보조인자로 작용 (LC에서 결핍되기 쉬움)
    - 안식향나트륨(sodium benzoate) : 소변으로 ammonia 배출을 증가시킴
    - *H. pylori* (위내에서 NH_3 생성) 박멸도 도움될 수 있음
- 신경전달물질 관련 약제
  ① benzodiazepine receptor antagonist (flumazenil)
    - 효과가 일시적이고 미미하여 일차 치료로는 권장 안 됨
    - benzodiazepine에 의해 유발된 encephalopathy의 응급치료에는 도움
  ② dopamine agonists (L-dopa, bromocriptine) : 효과 불확실
  ③ 분지쇄아미노산(BCAA)
    - encephalopathy의 치료 목적으로는 효과 불확실 (권장 안됨)
    - 단백 섭취의 유지 목적으로는 사용 가능
- 기타 ; hemoperfusion, extracorporeal liver assist devices ...
- 대부분 진행된 간경변 환자에서 발생하므로 예후 나쁨 (1YSR 42%, 3YSR 23%) → 간이식 준비
- 간성뇌증 자체는 대부분의 환자에서 유발인자 교정 및 기타 치료로 잘 조절됨
- 재발 방지 (1년 이내 50~75%에서 재발) ; lactulose, rifaximin 등

7. 간폐증후군 (Hepatopulmonary syndrome, HPS)

- 원인 ; <u>폐 모세혈관의 확장</u> ⇨ Rt-to-Lt (AV) shunt : 적혈구가 산소화되지 못하고 그냥 통과
  (기전 ; endothelin-1↑ → NO↑, 폐혈관 확장)
- 간경변 환자의 4~32%에서 발생 (복수가 없어도 발생 가능), 드물게 급성 간손상에서도 발생 가능
- 증상 ; 점진적인 호흡곤란, <u>편평호흡(platypnea</u> : 기립시 호흡곤란 심해짐), orthopnea, orthodeoxia
  (∵ 일어서거나 앉으면 폐 기저부의 혈관확장이 더 우세하게 나타나 shunt 증가)

- PaO_2↓ (<80 mmHg), $PaCO_2$↓, $(A-a)DO_2$↑ (>15 mmHg), DL_{CO}↓, O_2 supply에 반응 안함
- 진단 (pulmonary vascular shunting 확인)
  ① agitated saline contrast echocardiography (m/c) : Rt-to-Lt shunt 확인, 가장 sensitive
  ; 정맥으로 agitated saline을 주입하여 미세기포를 생성시킨 뒤 좌심실(LV)에서 관찰
  ┌ 폐에서 흡수되어 LV에서는 미세기포가 안 보여야 정상
  └ 3~5회 심박동 이내에 LV에 나타나면 심장내 shunt, 6회 이후에 나타나면 폐 AV shunt
  ② HRCT : 비침습적, 정량도 가능
  ③ ^{99m}Tc-MAA (macroaggregated albumin) lung perfusion scan : shunt의 양을 정량 가능, specificity는 높으나 sensitivity가 낮음
  ④ angiography : 침습적, sensitivity 낮음
- 예후가 나쁘며 간이식이 유일한 치료법임
- 간폐증후군이 있는 경우 LC 환자의 사망률은 훨씬 높아짐

■ Portopulmonary HTN : 간폐증후군과는 반대로 폐혈관이 수축되는 것
┌ 진단 : 평균 폐동맥압 >25 mmHg
└ 간이식의 비적응임 (평균 폐동맥압이 50 mmHg 이상이면 간이식의 절대 금기)

8. 간세포암 (HCC)

→ 다음 장 참조

BILIARY CIRRHOSIS

1. 원발성 담즙성 담관염 (Primary biliary cholangitis, PBC)

(1) 개요/임상양상

- intrahepatic (small~medium-sized) bile ducts의 autoimmune destruction으로 인해 서서히 ductopenia, cholestasis, cirrhosis로 진행하는 만성 담즙정체성 간질환 (기전은 모름)
- 기존의 primary biliary cirrhosis에서 ~ cholangitis로 이름이 바뀌었음
- 서양에서는 흔하나 우리나라에는 매우 드묾, 90%가 여성, 35~60세에 발생
- 무증상으로 수년이상 경과하는 경우가 많음 (우연히 ALP 상승으로 발견됨)
- 증상 ; 진단시 약 60%는 증상이 없음
  - fatigue (m/c, 70%) : 검사 소견 이상에 비해 정도가 심한 것이 특징
  - pruritus (약 50%) : 간헐적, 야간에 심해지는 것이 특징
    → 6개월~2년 이후에 jaundice, hyperpigmentation 발생!
    (황달 발생 이전에 소양증이 나타나면 severe dz. 및 poor Px.를 시사!)
  - 담즙 배설장애 → 흡수장애 (지용성 vitamins), 지방변
  - cholesterol 상승 → 눈 주위의 피하지방 축적 (황색판종, xanthelasma), 관절/힘줄 위의 황색종(xanthoma)
  - 나중에 portal HTN, 복수, 간비종대, 간부전 등 발생

- 다른 자가면역질환 동반이 흔함
- 말기에는 hepatobiliary malignancies (e.g., HCC) 발생 위험 증가

(2) 검사소견/진단

- cholestatic pattern ; ALP와 GGT의 현저한 상승, AST-ALT의 경미한 상승, bilirubin은 초기엔 정상 (대개 LC 발생되면 상승)
- total cholesterol ↑, IgM ↑ (cryoprotein과 IC 형성)
- anti-mitochondrial antibody (AMA) : 90%에서 양성 (m/i)
  - M2 분획(anti-PDC-E2)이 가장 specific
    : E2 component of the pyruvate dehydrogenase complex (PDC-E2)가 주요 target Ag
  - AMA 음성인 경우 liver biopsy가 진단에 중요, cholangiography로 PSC도 R/O해야
- ANA : 1/3~1/4에서 양성, 예후 더 나쁨
- liver biopsy (확진) : small bile ducts의 noncaseating granulomas, portal tracts에서 bile ducts의 감소 (ductopenia)
- US, CT, ERCP, MRCP 등에서 담도 폐쇄의 소견은 없음!
  (→ 주로 다른 간담도계 질환의 R/O 또는 간경변 확인이 목적)

c.f.) autoimmune cholangitis (= AMA-negative PBC) : PBC의 조직소견 (+), AMA (-), ANA or SMA (+)

(3) 동반질환

- sicca syndrome (35~70%), autoimmune thyroiditis (10~15%)
- CREST (Calcinosis, Raynaud's phenomenon, Esophageal dysmotility, Sclerodactyly, Telangiectasia) : <5~10%
- type 1 DM, rheumatoid arthritis, scleroderma, IgA deficiency
- autoimmune thrombocytopenia, hemolytic anemia
- metabolic bone dz. ; osteoporosis, osteomalacia

(4) 치료

① ursodeoxycholic acid (UDCA, ursodiol) : TOC
- 증상/검사/조직소견 호전, 병의 진행 지연, 수명 연장
- but, PBC의 진행을 역전시키거나 완치시키지는 못함

② obeticholic acid (Ocaliva®)
- farnesoid X receptor (FXR) agonist : 간세포 내의 담즙산 농도↓ & 염증 억제
- FXR : CYP7A1을 억제하여 담즙산 합성 억제 (담즙산 합성의 negative feedback에 중요), insulin 저항성과 지방대사 호전, 항염증 작용 (→ 간 염증과 섬유화 억제) 등
- UDCA 효과가 적거나 복용할 수 없는 compensated (child A) LC 환자에서 적응

* steroid, colchicine, methotrexate, azathioprine, cyclosporine, penicillamine 등은 도움 안됨!

② 간이식
- bilirubin이 6 mg/dL 이상이거나 MELD score가 12 이상인 간부전이면 고려
- 다른 원인에 의한 간이식보다 예후 좋음 (이식후 재발 드묾)

③ 보존적 치료 (증상 조절)
- 소양증 ; antihistamines, opioid antagonist (naltrexone), rifampin/rifampicin, cholestyramine, sertraline, plasmapheresis, UV light ...
- low-fat diet, medium-chain triglyceride (→ steatorrhea 감소)
- fat-soluble vitamins (A, D, E, K) 보충, calcium 보충
- osteoporosis 발생하면 bisphosphonate

(5) 예후
- 무증상 환자 : 2~3년 뒤 증상 발생, 5YSR 90%
- 진단 이후 ; 평균 9.3년 생존, 10년 뒤 26%에서 간부전 발생
- 중요 예후인자 ; 황달(serum bilirubin level), Mayo risk score

Mayo risk score (R) = $0.871\log_e(\text{bilirubin[mg/dL]}) + 2.53\log_e(\text{albumin[mg/dL]}) + 0.039(\text{age}) + 2.38\log_e(\text{PT[sec]}) + 0.859\log_e(\text{edema score[0, 0.5, 1]})$

2. Primary sclerosing cholangitis

→ II-9장 참조

7
간 종양

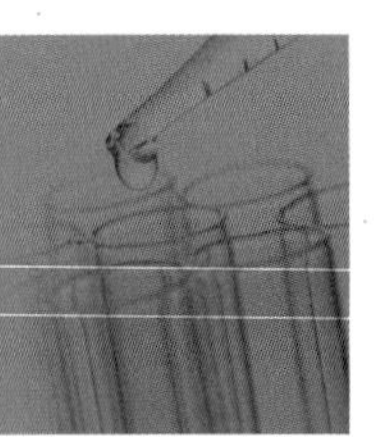

양성 간종양

1. 해면 혈관종 (Cavernous hemangioma)

- 간의 m/c 양성 종양 (80% 이상), 간 종양 중 전이암 다음으로 m/c
- 무수히 많은 vascular lake로 구성 → 조영 촬영시 천천히 조영됨
- 여자에서 약간 더 많고 (다산부에서 더 흔함), 크기도 큼
- 대부분은 무증상 (출혈 발생은 드묾), 우연히 발견됨, 파열은 매우 드묾
- 진단
  ① US ┌ 경계가 뚜렷하고 균일한 <u>hyper</u>echoic lesion (→ 특징적!)
  　　　└ post. enhancement (후방음영 증가)
  ② dynamic contrast-enhanced CT
  　┌ 동맥기 ; 종괴 주변부부터 조영↑ (peripheral nodular enhancement)
  　└ 조영후기 ; 종괴 내부도 조영↑ → 정상 간 실질과 구별 어려워짐
  ③ MRI ┌ T_1 image : 균일한 저음영 종괴
  　　　└ T_2 image : 경계가 뚜렷하고 균일한 고음영 종괴 (매우 밝음)
  ④ ^{99m}Tc-RBC scan (가장 specific) ; 초기엔 냉소(cold defect), 지연 영상에선 열소(hot area)
  - 진단을 위해 biopsy / resection할 필요 없음
  - biopsy는 massive bleeding 일으킬 수 있으므로 금기! (c.f.. ecchinococcal cyst도 biopsy 금기)
- giant cavernous hemangioma (4 cm 이상) ; 복통, 조기 포만감, N/V 가능 (둔상시 파열 위험)
- P/Ex ; 간비대, 때때로 종양 위로 arterial bruit이 들릴 수도
- 치료
  - 증상이 없으면 경과관찰! (∵ malignant change 없음!)
  - 크기가 크고 증상이 심하면 surgical resection
  - 파열시엔 간동맥의 색전/결찰술 이후 resection (매우 드묾)

2. 국소 결절성 과형성 (Focal nodular hyperplasia, FNH)

- 간의 2nd m/c 양성 종양, 20~50대에 호발, 남<여, 경구피임약 관련은 불확실
- Rt. lobe에 호발, 대부분(90%) single, 별모양의 섬유성 반흔이 특징, 크기는 대개 5 cm 미만
- 대부분 증상이 없어 우연히 발견됨

- 출혈, 파열, necrosis 등은 드묾 (경구 피임약 복용시엔 출혈 위험 증가)
- 진단
  ① 균일한 종괴, central hypodense "stellate" scar (septation)가 특징
    - dynamic CT, contrast MRI (US에선 잘 안 보임)
    - 동맥기에 빠르게 조영이 증가되었다가 빠르게 감소됨
    - MRI ┌ T_1 : 저음영 (→ 조영시는 고음영이 특징), central scar는 저음영
    └ T_2 : 다양 (3/4는 고음영, 1/4은 저음영)
  ② ^{99m}Tc-sulfur colloid scan : hot spot (∵ Kupffer cells에 의한 uptake)
- 경과 : 대부분 stable, 약 1/3은 크기 감소, 악성화 안함!
- 치료 : 증상이 없으면 경과관찰 (증상/합병증 발생시에만 surgical resection), 경구피임약은 중단

3. 간세포 선종 (Hepatocellular adenoma, HA)

- 드묾!, 주로 20~30대 대부분(95%) 여자에서 발생
- Rt. lobe에 호발, 보통 single, 크기가 큼 (보통 8~15 cm)
- 위험인자
  ① estrogens (경구피임약, 임신), anabolic androgenic steroids, FAP
    ↳ 최근엔 경구피임약의 용량 감소 및 호르몬 구성 변화로 감소 추세
  ② glycogen storage dz. type IA & III (→ multiple adenoma)
  ③ DM (maturity-onset diabetes of the young), hemochromatosis, acromegaly
- 증상
  ① mass effect (우상복부 불쾌감)
  ② 파열 ; 종양내 출혈 (→ pain), 복강내 출혈 (→ hemoperitoneum, shock → 사망률 ~20%)
    * 파열 위험이 증가하는 경우 ; 간 표면에 위치 (m/i), 크기(>5 cm)
- large adenoma는 임신시 출혈 위험이 높아지므로 피임 권장
- 약 8~13%에서 악성화 위험
  * 악성화 위험이 증가하는 경우 ; large (>8 cm) & multiple, β-catenin activation, 남성
- 진단 : 영상검사로 adenoma를 확진하기에는 sensitivity가 부족, HCC와 감별 어려움
  ① US (hyperechoic) / CT, MRI
    - 약 1/3~2/3는 종괴 내부에 fat, necrosis, 출혈, 석회화 등 존재 (→ 비균질의 종괴)
    - 동맥기 때는 균일하게 조영증가 뒤 빠르게 정상화됨
  ② ^{99m}Tc colloid scan : "cold spot" (∵ Kupffer cells 無)
  ③ angiography : hypervascularity가 특징이나 흔히 hypovascular 부위도 함유
    c.f.) hypervascular mass : hemangioma, adenoma, HCC
  ④ biopsy : FNH와 혼동되기 쉽고, 출혈 위험이 높음
- 치료
  ① 경구 피임약 중단
  ② 수술(resection) : 출혈, 파열 및 악성화 위험 때문
    ┌ 증상이 있는 경우, 경구 피임약 중단 후에도 크기가 줄어들지 않을 때
    │ large (>5~8 cm) & 간 표면에 가까이 위치
    └ β-catenin activation, 남성

③ RFA (radiofrequency ablation) : 수술 위험이 높을 때
④ multiple large adenoma (e.g., glycogen storage dz.) → 간이식

	FNH	HA
경구피임약 관련성	±	+++
모양	중심의 stellar scar	크고 대개 heterogeneous
크기	<5 cm	8~15 cm
출혈	드묾	흔함
섬유화	+	−
캡슐(피막)	−	+
Kupffer cells	+	−

c.f.) 단순 간낭종 (simple hepatic cyst)
- 대부분 크기가 작고, 증상이 없음, congenital로 생각됨
- 유병률 0.1~2.5%, 남:여 = 1:5, 우엽에 호발
- US 소견
  - hypoechoic (간농양보다 훨씬 낮다)
  - 경계가 뚜렷함, 매우 얇은 막으로 둘러싸여 있음
  - post. enhancement
- contrast-enhanced CT : 조영증강 안됨
- 치료 ; 합병증을 동반하지 않고 증상이 없으면 치료할 필요 없다
  (낭종내 출혈 or 감염, 크기 증가 → 경피적 배액술 → 반응 없으면 수술)

원발성 간암

1. 간세포암 (Hepatocellular carcinoma, HCC)

(1) 개요
- 원발성 간암의 90% 차지, 우리나라에서 6번째로 흔한 암 (조금씩 감소 추세)
  (c.f., 미국은 HCV의 유행으로 간암 증가 추세, 원인으로는 NASH가 점점 증가)
- 50대에 호발, 남:여 = 3:1
- 예후 매우 나쁨 ; 간암의 5YSR 9.6% (간절제술을 받은 경우 50~60%)
- molecular pathogenesis
  : low-grade dysplastic nodules (LGDN) → high-grade dysplastic nodules (HGDN) → HCC

(2) 원인/위험인자
① cirrhosis (원인에 관계없이)
- HCC 환자의 75~85%에서 LC 동반
- LC 환자의 10~30%에서 HCC 발생 (약 ~3%/year)

② hepatitis virus

- HBV : HCC 환자의 약 70%가 관련 (대부분 수직감염)
- HCV : HCC 환자의 약 10~12%가 관련, HBV보다 고령에서 HCC 발생

- HBV에서 HCC 발생 상대위험도는 6~10배 (HCV의 상대위험도는 더 높음)
- 일본, 미국, 유럽에서는 HCV가 m/c 원인
- HBV의 약 1/2은 cirrhosis 상태에서 HCC 발생, 나머지 1/2은 만성활동성간염에서 발생
- HCV ; 거의 대부분 cirrhosis 상태에서 HCC 발생, HBV와 달리 host DNA에 통합되지 않음

③ chronic liver dz.

- alcoholic liver dz. (우리나라 HCC 원인의 3nd m/c, 약 10%)
- autoimmune chronic active hepatitis, NASH (obesity), primary biliary cirrhosis (PBC)

④ metabolic dz. ; hemochromatosis, Wilson's dz., α_1-antitrypsin deficiency, tyrosinemia, porphyria cutanea tarda, glycogen storage dz., cirtullinemia, orotic aciduria ...

⑤ hormonal factors (드묾) ; androgenic steroids, 경구피임약(estrogen)

⑥ aflatoxin B_1 (아프리카와 남부 중국) : *Aspergillus flavus*에서 생성 → *TP53* gene의 mutation

⑦ 간암의 가족력

⑧ 기타 ; 당뇨병, 비만(metabolic syndrome), 흡연, 조영제(thorotrast) ...

* 우리나라 원인 : HBV (m/c) > HCV > alcohol > NAFLD/NASH 등

* HBV infection시 HCC의 발생 기전

: HBV DNA가 host genome에 삽입된 뒤 세포의 gene expression의 변화를 일으킴

① insertional mutagenesis

② chromosomal rearrangement

③ virus와 cellular gene의 transcription을 모두 transactivating (X, pre-S2 gene)

c.f.) 간흡충증(*Clonorchis sinensis*) → 담관암(cholangiocarcinoma) / HCC와는 관련 없음!

(3) 임상양상

- 3 cm 이하면 특별한 증상이 없다 (screening 중 우연히 발견)
- abdominal (RUQ) pain (m/c Sx, 40%), hepatomegaly (50~90%), weight loss, weakness
- RUQ (liver 위)에서 friction rub or bruit 들림 (6~25%)
- ascites (30~60%), bloody ascites (hemoperitoneum, ~20%), tumor rupture (1%)
- jaundice : 드물다(5%)!, LC 말기나 bile duct 침범시엔 가능
- ALP ↑, 5-nucleotidase ↑, AFP ↑, ferritin ↑ ...
- 간암의 흔한 전이장소 ; 주위 림프절, 폐, 뇌, 뼈, 부신 ...

(4) paraneoplastic syndrome

- erythrocytosis (∵ erythropoietin-like substance 분비) : 3~12%에서
- thrombocytopenia or leukopenia도 흔함
- hypercalcemia (∵ PTH-related protein 분비)
- 기타 ; hypoglycemia (∵ tumor에서 glucose 소비↑, 간부전), hypercholesterolemia (10~40%), dysfibrinogenemia, cryofibrinogenemia, carcinoid syndrome, TBG↑, gynecomastia, testicular atrophy, polymyositis, acquired porphyria ...

(5) 진단

① 초음파(US) : HCC 진단 sensitivity 61~67% ⇨ 주로 screening에 이용
- homogenous hypoechoic lesion : 종양 크기가 2 cm 이하시
- peripheral (thin) halo : 종양 크기가 1 cm 이하시
- central mosaic pattern : 종양 크기가 5 cm 이상시
- hump sign : 종양이 간 표층에 존재시

* contrast-enhanced US (CEUS) [**혈관내조영제 조영증강 초음파**]

② dynamic (=multiphase) contrast-enhanced MD-CT [역동적 조영증강 CT]
- US보다 더 정확, 작은 종양 및 혈관 침범도 진단 가능 (sensitivity 67.5%, specificity 92.5%)
- 경계가 불분명하고, 불균등하게 조영증강되는 불규칙한 종괴
  - 동맥기 (대동맥이 가장 하얗게 조영될 때) : 간에서는 HCC만 조영증강!
  - 문맥기 (대동맥 조영은 약간 감소, 문맥계 조영) : 조영감소 시작(washout)
  - 조영후기(정맥기) ; 간 실질은 고음영, HCC는 저음영 ↔ hemangioma와의 차이

③ lipidol (ethiodol) CT
- 혈관조영술 때 주입했던 lipidol을 CT에서 확인하는 것
- daughter nodule을 확인 및 작은 종양의 조직검사 때 유용
- 단점 ; lipidol 주입 후 2~4주 뒤에 검사

④ dynamic contrast (gadolinium)-enhanced MRI [역동적 조영증강 MRI]
- CT보다 약간 더 우수하거나 비슷함 (sensitivity 80.6%, specificity 84.8%)
  - T_1 image ; 다양 (저/동/고 음영)
  - T_2 image ; 주로 고음영!, mosaic pattern
- liver-specific, hepatobiliary contrast agent (간세포특이조영제) MRI
  - Primovist® (gadoxetic acid disodium, Gd-EOB-DTPA)를 많이 사용
  - 기존의 세포외액 조영제(gadolinium)의 역동기 영상에 간담도기 영상이 추가되어 민감도↑
  - HCC는 간담도기(hepatobillary phase)에서 주로 저음영을 보임 (∵ 간세포 기능↓↓)

⑤ PET-CT : HCC 진단에는 민감도 떨어짐, 간외 전이 진단에 유용(→ 수술 전 검사로 활용)

⑥ 혈관조영술(hepatic angiography)
- CT/MRI의 발전으로 HCC 진단에의 이용은 제한적, 색전술 등 치료적 시술 때 활용
- hypervascularity, 혈관침범(PV, IVC에 흔해), A-V or hepatic artery-PV shunt

⑦ tumor markers : 감시검사에는 사용 가능하나, 진단에서의 역할은 제한적(∵ 위양/음성율 높음)
- AFP (α-fetoprotein)
  - sensitivity 50~80%, specificity 60~90% (2 cm 이하의 작은 간암에서는 15%에서만 상승)
  - AFP level ∝ tumor size
  - AFP doubling time ∝ tumor doubling time
  - 치료 효과와 재발 여부 F/U에도 이용
  - AFP이 상승되는 경우 (정상: 0~10 μg/L)

HCC : 400 μg/L 이상이면 HCC를 강력히 의심
난소 및 고환의 embryonic carcinoma, Nonseminomatous testicular carcinoma, 임신
전이성 간암 (위, 대장, 췌장암) : low level
양성 간질환 ; viral hepatitis, LC, fulminant hepatitis (fatty liver에선 증가 안함)

• lens culinaris agglutinin-reactive fraction of AFP (AFP-L3) ; 더 정확, 10% 이상이면 (+)
• PIVKA-Ⅱ (des-γ-carboxy prothrombin, DCP)
  - 간에서 생성되는 비정상적인 prothrombin
  - sensitivity 60~90%, specificity 약 90% (AFP보다는 좋다)
  - but, vitamin K 결핍, warfarin 복용시에도 증가됨
• AFP >200 ng/mL or AFP-L3 >15% or PIVKA-Ⅱ >40 mAU/mL면 영상검사 권장 (일본)

⑧ 조직검사 : 확진 가능 (but, 위음성 및 부작용이 있으므로 임상적 진단이 선호됨)
• 고위험군의 미확정 결절(전형적 영상소견×) or 비전형적 결절에서 필요
  (∵ 영상검사만으로는 cholangiocarcinoma[CCA], HCC-CCA 혼합형, 휘귀 간암 등과의 구별×)
• 방법 ; US/CT-guided percutaneous FNA cytology/biopsy, core needle biopsy 등
  - early HCC 진단에는 침핵생검(core needle biopsy)만 권장 ; 민감도 72%, 위음성률 33%
  - FNA cytology/biopsy는 grade 2 이상의 분화를 보이는 advanced HCC 진단에만 도움됨
• 단점 ; 종양의 크기가 작은(<2 cm) 경우 민감도 더욱 감소, tumor seeding 위험 (~1%),
  다른 종양보다 출혈 위험 높음 (∵ hypervascular, platelet↓, 응고인자↓, 복수)

* laparoscopy/minilaparotomy : 부분 간절제술이 가능한 일부 localized resectable tumor
* 복수에서는 암세포가 발견 안됨!

■ 임상적 진단 (대개 조직검사 없이 영상검사로 진단하여 치료방침 결정) ★★

고위험군(HBV, HCV, LC 환자)에서 발견된 크기 1 cm 이상의 결절에서

• **역동적 조영증강 CT** *or* **역동적 조영증강 MRI** *or* **간세포특이조영제 MRI**에서 전형적 영상소견을 보이면 진단 가능

> **동맥기 조영증강 & 문맥기/지연기/간담도기의 조영제 씻김(wash out)**
> (단, MRI T2 강조영상에서 매우 밝은 신호강도를 보이지 않아야 하며,
> 확산강조영상이나 조영증강영상에서 과녁 모양을 보이지 않는 병변에 국한함)

• 1차 영상검사에서 불확실한 경우 2차/추가/다른 영상검사를 시행하여 판단할 수 있음
  역동적 조영증강 CT *or* 역동적 조영증강 MRI *or* 간세포특이조영제 MRI *or* 혈관내조영제 조영증강 초음파(CEUS)
  ▶ CEUS의 전형적 영상소견 : 동맥기 조영증강 & 60초 이후 지연기 경등도 씻김현상(mild wash out)

• 1~2차 영상검사에서 전형적 소견을 안 보이고, 보조적 영상소견에 해당하면 **간세포암 의증**으로 진단 가능

악성 종양의 가능성을 시사하는 소견	T2 강조영상의 중등도 신호강도, 확산강조영상에서의 고신호강도, 간담도기에서의 저신호강도, 추적검사에서 크기 증가*
간세포암종을 시사하는 소견	피막의 존재, 모자이크 모양, 결절 내 결절, 종괴내 지방이나 출혈
양성 종양을 시사하는 소견	추적검사에서 2년 이상 크기 변화 없음*, MRI의 T2 강조 영상에서 매우 밝은 신호강도, 종괴 효과 없음

⇨ 6개월 이내 추적검사 or 생검(조직검사) 시행

• 위 영상검사 진단 조건에 해당하지 않거나 비전형적인 영상 소견을 보일 때는 F/U or 생검(조직검사) 시행

* 추적검사에서 크기 증가는 5 mm 이상의 결절에 대해서만 적용 가능하며
  장경이 6개월에 50%, 1년에 100% 증가했을 때 유의한 크기 증가로 판단함
* 크기 1 cm 미만의 작은 결절 : 영상검사의 진단능력이 1 cm 이상보다 현저히 감소되므로 보수적으로 접근함
  ⇨ 6개월 미만의 간격으로 시행한 추적검사 (크기 증가 혹은 패턴 변화가 일어나는지 신중하게 감시)

(6) 병기(staging)

: 전세계적으로 통일된 병기법은 없고, 우리나라와 일본은 modified UICC staging을 사용함

① modified UICC staging (일본) ; 예후 예측에 우수, 국내 간암 가이드라인에서 사용 ★

Stage Ⅰ	T1 N0M0
Stage Ⅱ	T2 N0M0
Stage Ⅲ	T3 N0M0
Stage ⅣA	T4 N0M0
	AnyT **N1** M0
Stage ⅣB	AnyT AnyN **M1**

- T1 : 3가지 기준 모두 만족
- T2 : 2가지 기준 만족
- T3 : 1가지 기준 만족
- T4 : 3가지 기준 모두 불만족

[기준] (1) 단발(solitary) 종양
(2) 가장 큰 종양의 직경 ≤2 cm
(3) 혈관 및 담관 침범 없음

② TNM staging (AJCC 8th, 2016) ; Tumor, LN, Metastasis 등 종양관련 인자만을 고려

Stage ⅠA	T1a N0M0
Stage ⅠB	T1b N0M0
Stage Ⅱ	T2 N0M0
Stage ⅢA	T3 N0M0
Stage ⅢB	T4 N0M0
Stage ⅣA	AnyT **N1** M0
Stage ⅣB	AnyT AnyN **M1**

- T1a : 단발 종양 (≤2 cm), 혈관침범 여부 관련X
- T1b : 혈관침범이 없는 단발 종양(>2 cm)
- T2 : 혈관침범이 있는 2 cm 이상의 단발 종양 or 다발 종양(≤5 cm)
- T3 : 다발 종양 (하나라도 5 cm 이상)
- T4 : 담낭 이외의 인접 장기 침범 or 장측 복막 천공을 동반한 간문맥/정맥의 주요 분지를 침범한 종양

• 해부학적 분류로 수술로 절제된 경우에만 적용 가능
• 간기능이 반영 안 되어 널리 사용되지 않음

(7) 치료

① 수술 : 부분 간절제술(hepatectomy)

• 간절제 이후에 잔존 간기능이 적절해야 하므로 환자의 10~30% 정도만 수술 가능 (∵ LC 多)
• 적응 : 국소 종양 & 잔존 간기능이 적절(Child A), 우리나라에서는 Child B도 고려 가능
(mild portal HTN or hyperbilirubinemia를 동반한 Child A~B7에서도 제한적으로 시행 가능)
 - 보통 크기가 작은 1~2개의 종양에서 시행시 예후 가장 좋으나, 크기는 절대적 기준은 아님
 - 크기가 크더라도 TACE보다는 예후 좋음 (c.f., 10 cm 이상의 약 1/3에서도 미세혈관침범 無)
 - 현관/담관 침습한 경우도 main portal trunk 침습이 없으면 간절제술 고려 가능
c.f.) 전방접근법, liver hanging maneuver (LHM) → 수술 시간↓, 출혈↓, 큰 종양에서 유리
• 정상 간은 전체의 70~80%까지 절제 가능, 만성간질환/LC는 ~60%까지만 권장
• 수술 후 잔존 간기능 예측 ⇨ ICG_{R15} (15분 정체율) : ~14%까지는 우간절제술 안전
• Child A single HCC 경우 수술 후 5YSR 50~70% (but, 재발도 많음[5년 50~70%], 대부분 간내)
• 절제술이 불가능한 경우 ; 잔존 간기능 부족(Child B 이상), diffuse or multifocal tumors, multiple distant metastasis, peritoneal seeding, 혈관 침범, 기타 일반적 수술의 비적응증
⇨ TACE, 국소치료술, 간이식 등을 선택
• 수술 후 예후가 나쁜 경우 ; size↑, LC (portal HTN), infiltrating growth pattern, 혈관 침범, intrahepatic metz., multifocal tumors, LN metz., capsule 無, 가장자리에서 1 cm 이내, 수술 중 수혈량↑ (c.f., 최근 간절제술의 성적 향상은 수술 중 출혈량 감소에 크게 기인)
• 복강경 간절제술 ; 좌엽 외측, 전하방(좌외분절), 우간 표면 등의 small HCC에서는 성적 동일
• adjuvant/neoadjuvant therapy (TACE, MTT, CTx 등)는 확실한 효과가 없으므로 권장 안됨!
(c.f., cytokine-induced killer cell[CIK] 면역세포치료는 재발↓, 생존율↑ → 뒷부분 참조)
• 동반된 LC의 합병증으로 사망하는 경우가 대부분이므로 일반적인 고식적 치료도 중요함!

② 간이식(liver transplantation, LT)

• HCC & LC를 완전히 제거하고 새로운 간을 이식하기 때문에 가장 이상적인 치료법
• 가장 큰 종양의 크기와 각 종양의 크기 합이 예후에 m/i (종양 개수의 영향은 불명확)

- 적응 : "Milan criteria" (사체간이식에서 주로 사용-미국/유럽)
  - 원격전이/혈관침범이 없는, 5 cm 이하 단일 종양 *or* 3개 이하의 다발 종양(각 3 cm 이하) 이면서, 심한 간기능장애 동반시 TOC (∵ 장기의 공급이 제한적이므로 엄격한 적응)
  - 예후 매우 좋음 : 5년 tumor-free survival 70% 이상 (5YSR 75%), 간절제술보다 더 좋음!
- 생체간이식에서는 적응을 Milan criteria 이상으로 확대 가능함 (우리나라/일본)
  - 비대상성 LC (Child B~C) & Milan criteria에 해당 → 적극적으로 생체간이식 고려
  - 원격전이/혈관침범이 확실히 없고 tumor marker가 높지 않으면(e.g., AFP <400 ng/mL, PIVKA-II <400 mAU/mL) Milan criteria를 넘어도 생체간이식 성적 우수함!
  - 절제술/국소치료 후 재발된 간암에서도 salvage 간이식 가능 → 예후도 일차 간이식과 비슷
  - 초기병기(stage A)는 수술과 간이식의 생존율이 큰 차이가 없으므로 수술이 권장됨
- 가교치료(bridge therapy) : 간이식 대기가 길어지면 TACE, RFA 등의 국소치료술 먼저 시행
  - 이식 대기 중 종양이 진행되어 이식 불가능이 되는 이탈률 15~30%/yr → 국소치료로 감소
  - 병기 감소(down staging)도 가능(24~63%에서), 반응 좋을수록 이식 후 예후도 향상
- stage IV (원격 전이)는 간이식이나 간절제술의 절대 금기임

③ **국소치료술(loco-regional therapy, LRT)**

- **고주파열치료술(radio-frequency ablation, RFA)** : 가장 효과적, 평균 1~2회 시술
- 경피적에탄올주입술(percutaneous ethanol injection, PEI) : 편하고 부작용 적음, 2~4회 시술
- 기타 ; 초단파소작술(microwave ablation), 냉동소작술(cryoablation), 고강도집속초음파 (high-intensity focused US, HIFU), laser ablation 등

- 간기능이 좀 더 저하된 환자에서도 시행 가능 (Child B까지)
- 3개 이하의 작은 종양(**<3 cm**)[Milan criteria]에서 치료 성적 우수함 → 간절제술과 생존율 비슷!
  - 2 cm 이하의 종양에서는 RFA와 PEI의 치료 효과가 비슷함, 2~3 cm 이상이면 RFA 권장
  - 3~5 cm에서 수술 적용이 어려운 경우 RFA 단독보다 RFA + TACE 병행치료시 생존율↑
  - RFA는 단일 종양은 5 cm 까지도 가능 (5 cm 이상은 수술)
  - 초단파소작술과 냉동소작술은 RFA와 생존율, 재발률, 주요 합병증 발생률 등 비슷함
- 시술 이후 생존과 관련된 독립인자 ; 초기 완전 괴사, Child 점수, 결절 수/크기, 시술 전 AFP
- RFA가 가장 효과적이지만, 간절제술보다 국소재발률은 높고 합병증 발생률은 낮음 (약 10%) ; 담관 손상/협착, 혈액담즙증, 복강내 출혈, 혈흉, 흉막유출, 담낭염 등
- C/Ix ; 조절되지 않은 간성혼수 or 복수, 응고장애, 전신 세균성 감염 등

④ **경동맥화학색전술(transhepatic arterial chemoembolization, TACE) 및 기타 경동맥 치료법**

- conventional TACE (cTACE) : 항암제(cisplatin, doxorubicin, mitomycin C) + lipiodol 혼합물을 종양의 영양동맥에 주입 이후 색전물질로 동맥색전술 (→ 항암치료 + 종양괴사)
- 수술이나 LRT 불가능한 환자에서 생존율 증가! (multifocal advanced HCC도 시행 가능) ; 문맥 침범, 다발 종양, 충분한 절제 불가능, portal HTN, 간기능 저하, 고령, 동반질환 등
  - ↳ 흔함(약 30%), 국소 종양으로 잔존 간기능이 좋은 경우 cTACE ± EBRT 시행 (sorafenib이 1차 치료지만 TACE + EBRT가 더 효과적임)

⇨ 비수술적 치료 중 TACE가 가장 많이 시행됨 (객관적 종양반응 73%, 5YSR 20~32%)

- 절대 금기는 없지만, 일반적으로 다음 중 2개 이상이 동반되면 금기임 ; 주혈관(portal and/or hepatic vein) 침범, massive/diffuse 침범, Child C, 원격전이

• 부작용

- 전신적 ; postembolization syndrome[PES] (80~90%, 발열, 복통, N/V 등, self-limited), sepsis
- 간 ; 간기능 악화 (간부전), 간내 담관 손상, 담즙종(biloma), 간 농양, 간 파열
- 간외 ; UGI bleeding, GB infarction, splenic infarction, cholecystitis, pancreatitis, PE ...

* DEB (drug eluting bead)-TACE : microsphere에 고용량 doxorubicin을 담아 투여
 ; 효과는 cTACE와 비슷하지만 PES↓, 입원기간↓ (but, 2 cm 이하 작은 종양에선 반응↓)

* **경동맥방사선색전술(transarterial radioembolization, TARE)**
 - 방사성동위원소를 포함한 microspheres를 간동맥으로 주입하여 치료 (체내 RTx)
 - Yttrium-90 (^{90}Y) (m/c), ^{131}I-Ethiodol (lipiodol), ^{131}I-Ferritin, ^{166}Holmium, ^{188}Rhenium
 - 동맥의 색전효과는 최소화하면서 과혈관성 HCC에 높은 농도로 분포되어 종양 치료 효과
  ↳ 색전술후증후군(PES) 적고, portal vein thrombosis 환자에서도 안전하게 사용 가능
  (but, TACE or sorafenib 같은 표준치료보다 생존율 향상은 없음)
 - 간 이외의 장기로 주입시 방사선 폐렴이나 위장관 궤양 등 TACE보다 심한 Cx 발생 위험
 - 치료 부위, 방사선량, 간 이외 장기로의 유출 위험 평가위해 ^{99m}Tc-MAA 검사 필요

⑤ 체외 방사선치료(RTx, EBRT)

• 간절제/간이식 불가능 or LRT/TACE로 근치적 치료가 불가능한 간암 환자에서 시행
• 간문맥 등 주요혈관 침범, 원격 전이, 림프절 전이, 담도폐쇄 등의 환자에서도 시행 가능
• 주로 Child A~B7 환자에서 시행 → 생존기간↑ (40~90% 반응, 10~25개월의 중앙생존기간)
 - 종양이 전체 간부피의 2/3 (or 70%) 이하 *or* 선량-체적 분석에서 30 Gy 이하가 조사되는 체적이 전체 간부피의 40% 이상(or 30 Gy 이상 조사 체적이 60% 이하) ↳ 간의 방사선 허용량
 - Child B8 이상으로 간기능이 나쁜 경우에는 더 엄격한 선량체적 기준 적용 필요
• 수술 및 LRT 어려운 환자에서 TACE와 병행시 치료 효과 향상
• 암성 통증 등 증상 완화에도 효과적, LRT 이후 재발한(불응성) HCC에도 시행 가능

⑥ 전신치료/molecular targeted therapy (MTT)

• sorafenib (Nexavar®) : multi-kinase inhibitor (RAF, VEGF, PDGF, Flt-3, c-Kit 등 억제)
 - 진행성 간암에서 가장 처음 승인된 MTT, 생존율 약간 향상 (중앙생존기간 약 10개월)
 - Ix ; 전신상태가 양호하고 (Child A, ECOG 0~1) 혈관침범 or 간외전이가 있는 advanced HCC or 다른 치료법에 반응 없이 진행하는 경우
 - Child B8 이상 LC에서는 간기능 악화 (Child C는 금기), 장기간 사용시 약제내성 발생
 - Cx ; HFSR (hand foot skin reaction), 설사, 피로, 발진, 식욕/체중↓, 고혈압, 탈모
 - TACE와의 병행치료 ; 생존율 향상이 크지 않아 일반적으로 권장 안됨
• lenvatinib (Lenvima®) : multi-kinase inhibitor (VEGF, FGF, PDGF, RET, c-Kit 등 억제)
 - 진행성 간암에서 두 번째로 승인된 MTT, sorafenib보다 조금 더 효과적임
  ; 중앙생존기간은 비슷하지만, progression-free survival (PFS)은 의미 있게 연장됨
 - Ix ; 전신상태가 양호하고, 종양이 전체 간의 50% 미만인 HCC에서 간외전이, Vp3 이하 간문맥 침범 or 다른 치료법에 반응 없이 진행하는 경우
 - sorafenib보다 부작용 심함 ; 고혈압(m/c), 설사, 식욕/체중↓ 등 (HFSR은 sorafenib보다 적음)

[second-line therapy] : sorafenib 치료 실패 후 고려 (전신상태가 계속 양호한 경우)

- PD-1 (programmed death-1) immune checkpoint inhibitor
  - <u>nivolumab</u> (Opdivo®) : 1차 치료제로도 sorafenib보다 더 효과적일 것으로 기대됨
  - pembrolizumab (Keytruda®)
- 기타 regorafenib (Stivarga®), cabozantinib (Cabometyx®), ramucirumab (Cyramza®) 등

⑦ 화학요법

- cytotoxic CTx
  - sorafenib, lenvatinib, nivolumab, regorafenib, cabozantinib, ramucirumab 등의 1차/2차 MTT 치료에 실패하거나 사용할 수 없는, 전신상태가 양호한 advanced HCC에서 가능
  - FOLFOX (oxaliplatin/fluorouracil/leucovorin), GEMOX (oxaliplatin/gemcitabine) 등
- 간동맥주입화학요법(hepatic arterial infusion chemotherapy, HAIC)
  - 간동맥에 항암제(5-FU ± cisplatin)를 직접 주입하여 종양에 고농도로 전달, 부작용↓
  - sorafenib, lenvatinib, nivolumab, regorafenib, cabozantinib, ramucirumab 등의 1차/2차 MTT 치료에 실패하거나 사용할 수 없는, 간문맥침범을 동반한 경우 <u>잔존 간기능</u>이 좋고 종양이 간내 국한된 advanced HCC에서 고려 ↳ 치료 성적에 m/i
  - sorafenib과 비슷하거나 우수 (간문맥을 침범한 경우 HAIC가 더 우수함)
  - 주간문맥을 침범한 경우 TACE보다 우수함

⑧ 면역치료(adoptive immunotherapy) ··· cytokine-induced killer cell (CIK) [Immuncell-LC®]

- 환자의 말초혈액에서 림프구를 분리 후 cytokine 처리 & 배양으로 제조한 면역세포치료제
- AJCC I~II 환자에서 간절제 or LRT로 근치적 치료 후 보조요법(adjuvant therapy)으로 시행 → 무재발 생존(recurrence-free survival) 및 전체 생존율 유의하게 증가

■ HCC의 1차 권장 치료 (Best★ , Alternative) - 국내 가이드라인 (2018)

mUICC stage		간절제술	RFA	other LRT*	TACE	TARE	RTx (EBRT)	간이식	Sora-fenib	Lenva-tinib
Stage I	Single, ≤2 cm, VI−	★								
Stage II	Single, >2 cm, VI−	★	(≤3 cm)	(≤3 cm)				(≤5 cm)		
	Multiple, ≤2 cm, VI−	(≤3개)	(≤3개)	(≤3개)			(≤3개)	Milan criteria		
	Single, ≤2 cm, VI+									
Stage III	Multiple, >2 cm, VI−	(≤2개)	(≤3개 & ≤3 cm)	(≤3개 & ≤3 cm)			(≤3개 & ≤3 cm)	Milan criteria		
	Single, >2 cm, VI+				± RTx					<50%
	Multiple, ≤2 cm, VI+				± RTx					
Stage IVa	Multiple, >2 cm, VI+				+ RTx					<50%
Stage IVa (−,N1,−), IVb (−,−,M1)										<50%

*간기능 우수(Child A), <u>portal HTN 합병증</u> 無, 전신수행능력 우수(ECOG 0~1) 환자 기준
(↳ splenomegaly & platelet <100,000/mm^3, esophageal varices, ascites)

*other LRT ; percutaneous ethanol injection (PEI), microwave ablation, cryoablation 등 / VI : vascular invasion

(8) 예방

- HBsAg/anti-HBs/anti-HBc 모두 음성이면 HBV 예방접종, hepatitis virus 전염 예방
- chronic hepatitis B or C → antiviral therapy
- 만성 간질환 → 철저한 건강관리와 정기적인 검진
- 과도한 알코올 섭취 제한, 비만 및 대사증후군 해소 노력
- 기타 ; 커피(음식 중 유일하게 HCC↓ 근거 有), stains과 metformin은 근거가 부족함

■ 감시/선별검사(surveillance, screening tests) : US + AFP

- 고위험군을 대상으로 6개월마다 시행 (1년에 2번)
- 간암의 검진 대상
  ① HBV or HCV 보유자 (40세부터)
  ② 간경변증 환자 (진단시부터)
  ③ 기타 간암 발생 고위험군 (e.g., 가족력)
- AFP는 높은데 US에서 결절이 안보이거나 나쁜 음창(sonic window) 등으로 US가 불완전한 경우 대체 영상검사 고려 ; CEUS, dynamic CE-CT, dynamic CE-MRI 등 시행 가능

2. 기타 악성 종양

(1) Cholangiocarcinoma (담관암)

- intrahepatic duct type, 원발성 간암중 2nd m/c (6~10%)

→ II-9장의 담관암 편 참조

(2) Fibrolamellar carcinoma

- LC 없는 young age에서 발생, 남=여, HBsAg (-)
- capsule 없고, collagen fiber가 많다
- 천천히 자라며, 치료(수술)하면 예후 좋다 (5YSR >50%)

(3) Hepatoblastoma

- 영아에서 발생하며, 매우 높은 AFP level이 특징
- 대개 단발성이며, 예후는 HCC보다 좋다

(4) Angiosarcoma

- malignant endothelial cells로 둘러싸인 vascular spaces로 구성
- 원인 ; thorium dioxide, polyvinyl chloride, arsenic, androgenic steroids ...
- 폐와 뼈 전이가 흔함

전이암 (Liver metastases, Secondary liver cancer)

1. 개요

- metastatic carcinoma가 primary carcinoma보다 20배 더 흔하다 (미국)
  (암으로 사망한 환자의 부검시 30~50%에서 발견됨)

- 간에 metastatic tumors가 잘 발생하는 이유
  ① liver가 타장기보다 크기 때문
  ② high blood flow rate
  ③ hepatic artery와 portal vein으로부터의 double perfusion
  ④ Kupffer cell의 filtration 기능
  ⑤ metastatic implantation을 촉진하는 local tissue factors or endothelial membrane의 특성
- brain tumor를 제외한 모든 종양이 간으로 전이 가능
- liver metastasis를 흔히 일으키는 종양 (대장암이 m/c)
  - GI (colon, gastric, pancreatic ca), lung ca., breast ca., melanoma, lymphoma
  - 소아에서는 neuroblastoma, Wilm's tumor, leukemia 등
- portal vein을 통하여 간 내에 전이

2. 임상양상

- 검사소견 ; 대개 ALP만 상승된 경우가 많다
- US 소견
  - multiple (각각의 크기는 비슷)
  - Bull's eye sign, cluster sign
  - peripheral thick halo
  - calcification ; 대장암, 난소암, 담도암, 위암 등의 점액 생산 종양에서
- 예후 매우 나쁨 (진단 후 평균 수명 약 6개월)

3. 치료

- single, large tumor (특히 대장암에서 전이시) → 수술(resection)
- unresectable → systemic CTx (e.g., oxaliplatin), intrahepatic CTx (e.g., ^{90}Yttrium), PEIT, RFA
  : 일시적인 완화 효과 (수명 연장 효과는 연구 중)

- 대장암의 isolated liver metz.는 수술하면 약 1/3에서 장기 생존율 증가
  - 대장암은 간에만 전이된 경우가 흔하기 때문
  - 수술해도 예후 나쁜 경우 ; LN 전이, disease-free survival 12개월 미만, 양엽을 침범, 크기 >5 cm, CEA >200 ng/mL
- neuroendocrine tumors (e.g., carcinoid tumor, islet cell tumor)의 isolated liver metz.
  - 수술 : hormone 분비량↓ (→ 증상 호전), 일부 생존율 증가 효과
  - TACE 또는 국소치료술(e.g., RFA, cryoablation)도 효과적
- 나머지 대부분의 종양들도 대상 선택을 잘 하면 (예후가 좋은 조건) 수술 등의 치료가 가능
  (but, 상부위장관 종양, 췌장암 등은 예후가 매우 나쁘므로 권장 안됨)

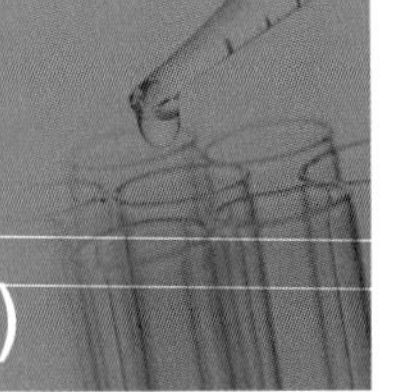

8
간 농양(Liver abscess, LA)

화농성(Pyogenic) 간농양 (PLA)

1. 개요

- 복강내 장기에서 발생하는 농양 중 m/c (장기 농양의 48% 차지, 간농양의 대부분)
- 55~60세에 호발, 남≥여 (담도계 질환이 원인인 경우가 많아지면서 남녀 차이는 점차 감소 중)
- 위험인자 ; DM, 고령(>50세), 간담도계 질환/시술/수술, 간이식, 다른 암, 면역저하 등
- 적절한 치료에도 불구하고 사망률은 약 15%로 높은 편임

2. 감염경로

- <u>담도계 질환</u>(e.g., acute cholecystitis, cholangitis 등)에 의한 ascending infection이 m/c
  → multiple abscess로 잘 발생 (특히 sepsis, shock 등 급격한 전실질환에 합병된 경우)
- portal vein (pylephlebitis) ; appendicitis, diverticulitis, pancreatitis, pelvic infection → 대개 single
- hepatic artery
- direct extension from adjacent septic focus 예) appendicitis or diverticulitis 파열
- abdominal trauma ; penetrating wound
- intervention-related (최근 증가) ; TACE, RFA 등 시술 이후 0.2~0.5%에서 발생 가능
  (→ 발생률은 낮지만 사망률이 50~90%로 치명적, 고위험군은 시술 전 예방적 항생제 고려)
- 약 ~40%는 감염경로를 모름, 이 경우 구강 상재균도 원인이 될 수 있음 (특히 alcoholics에서)

3. 원인균

- *Klebsiella* (m/c, 40~90%), *E. coli*, *S. milleri*, 혐기성균(*B. fragilis*), enterococci ...
  - biliary tract ; 호기성 enteric GNB (*K. pneumoniae*, *E. coli*), enterococci 등
  - portal vein (mixed infection이 흔함) ; 호기성균 + 혐기성균 (특히 *B. fragilis*)
  - hematogenous spread ; *S. aureus*, streptococci (*S. milleri* group) 등
- <u>*K. pneumoniae*</u> ; 최근 <u>DM</u> 환자 및 알코올중독자에서 증가, bacteremia 흔함
  (→ <u>안구내염</u>, 뇌농양 등의 전이성 감염이나 sepsis 발생 가능)
- *Candida* spp. : CTx. 받는 환자에서 진균혈증 이후 발생 가능 (흔히 neutropenia의 회복기에)
- 면역저하자(e.g., 항암치료, 영양결핍)에서는 호기성균 + 혐기성균의 복합 감염이 m/c (poor Px)

4. 임상양상

- fever (m/c), RUQ abdominal pain, hepatomegaly, tenderness, N/V, 체중감소, 황달 ...
- ALP↑ (70%에서), bilirubin↑ (50%), AST↑ (48%)
- leukocytosis (77%), anemia (50%), hypoalbuminemia (30%) ...
- 약 1/3에서는 bacteremia도 동반

5. 진단

- amebic abscess에 비해 multiple이 많음 (약 50%)
- US : hypoechoic mass, 변연은 불규칙, 내부에 septation or debris도 존재 가능
  (CT에 비해 sensitivity는 낮지만, 간편하게 시행 가능한 것이 장점)
- CT : 경계가 뚜렷한 저음영 병변(very-low density), 주위 조영 증강, 약 20%에서는 공기도 보임
- fine needle aspiration : Gram stain & culture (80~90%에서 양성) … 확진
- blood culture : 약 ~50%에서 양성

6. 치료

배농술 : percutaneous (needle aspiration ± catheter drainage) or surgical drainage &
광범위 항생제 (호기성 & 혐기성 대상 2~3가지) IV ⇨ 감수성 결과에 따라 변경 (IV ⇨ oral)
보통 2주 IV 이후, 4주 oral (총 ~6주) 장기간의 투여 필요
- *K. pneumoniae* : 3세대 cepha., ciprofloxacin 등
- candida : amphotericin → fluconazole

- 대개 percutaneous aspiration을 먼저 시행하나, 5 cm 이상인 경우는 catheter drainage도 시행
- multiple abscesses의 경우 보통 가장 큰 농양만 aspiration하면 작은 농양들은 항생제로 호전됨
- 배농술이 불가능하거나 위험한 환자에서 작은 농양(<3 cm)은 항생제만으로도 치료 가능
- surgical drainage가 percutaneous drainage보다 입원 기간 단축 (발열 호전과 사망률은 차이 없음)
- 처음부터 수술하는 것이 좋은 경우 (surgical drainage의 적응)
  ① large (>5 cm) & multiple abscesses
  ② viscous abscess contents
  ③ peritonitis의 소견 존재시 (e.g., ruptured abscess)
  ④ 수술이 필요한 질환 공존 (e.g., biliary tract dz., diverticular abscess)
  ⑤ percutaneous drainage 4~7일 후에도 호전이 없을 때, 황달이 지속될 때, 신부전 등
- 간농양과 원인 질환을 동시에 치료
- 예후가 나쁜 경우 ; 진단/치료 지연, multiple abscess, multiple organisms, fungal infection, shock, jaundice, hypoalbuminemia, pleural effusion, biliary malignancy, sepsis 등

아메바성(Amebic) 간농양 (ALA)

1. 원인

- *Entamoeba histolytica*
- Rt. lobe의 전상부에 호발, 대개 single abscess, 주로 portal route에 의해 감염
- acute colonic infection과 liver abscess의 발생과는 연관성이 없다
- 최근에는 매우 드묾, 20~40대 남성에서 호발 (위험인자; AIDS, 동성연애자)
- 아프리카, 동남아시아, 중남미 등의 열대/아열대 유행지역의 오염된 식수를 통해 감염
- 세균과의 복합 감염은 드묾

2. 임상양상

- gradual onset of fever, malaise, RUQ pain, leukocytosis ... (황달은 드묾)
- 거의 대부분에서 무증상의 intestinal colonization이 선행됨
  → amebic dysentery의 병력은 없는 경우가 많음 (90%)
- 비특이적 증상만을 나타내는 경우가 많아 임상적으로 진단하기가 매우 어려움
- Cx (드묾) ; intraperitoneal, intrathoracic, pericardial rupture

3. 진단

- aspiration (진단을 위해서는 대개 필요 없음)
  - chocholate color pus (특징적), 세균감염이 동반된 경우 아니면 냄새 없음
  - ameba는 주로 농양 가장자리에 존재하므로 관찰/동정되지 않는 경우가 많음
- stool 검사 (큰 도움 안됨) : cyst or trophozoite 발견, amebic Ag ELISA 등
  - *E. histolytica*의 cyst는 *E. dispar*와 구별 안됨
  - RBC를 탐식한 trophozoite를 발견하는 것이 유일한 확진 법
- serologic test (m/g) : anti-amebic Ab ELISA 등 (진단에 가장 유용, sensitivity >95%)
- 영상검사 ; US (hypoechoic), CT (low density) → pyogenic LA와 감별 어려움

4. 치료

- metronidazole (TOC) → 90% 이상이 3일 내에 증상 호전됨
- luminal amebicide (diiodoquine) : cyst 박멸 및 전파 예방
- aspiration : 보통은 필요 없다 (크기가 커도), 안 해도 잘 치유됨!
  - Ix. ① R/O pyogenic abscess (특히 multiple일 때)
    ② metronidazole 치료 3~5일 뒤에도 반응이 없을 때
    ③ rupture의 위험이 있을 때
    ④ Lt. lobe abscess의 pericardium으로의 rupture 예방
- 치료하면 mortality <1%, 재발은 드물다

	Pyogenic liver abscess (PLA)	Amebic liver abscess (ALA)
원인균	*K. pneumoniae, E. coli*, enterococci ... single : multiple = 1 : 1 Rt & Lt lobe	*Entamoeba histolytica* 보통 single Rt. lobe에 국한
임상양상	50세 이상, 남 = 여 Severe Sx Pichet fence fever	40세 이하, 남 : 여 = 9~10 : 1 Mild Sx Anchory paste color pus
감염경로	Biliary tract infection의 ascending GI infection이 portal vein 통해	장내 colonization이 portal vein 통해 혈행성으로 전파
진단	LA aspiration의 미생물학적 동정	혈청 anti-amebic Ab 검출
치료	Aspiration/drainage + 항생제	내과적 치료 (metronidazole) 우선
Mortality	10~15%	1% 미만

c.f.) Perihepatitis (Fitz-Hugh-Curtis syndrome)

- 원인균 ; *C. trachomatis* (3/4), *N. gonorrhoeae*
- 성생활이 활발한 젊은 여성에서 호발, PID 환자의 약 15~30%에서 발생
- 병인 ; PID (endometritis, salpingitis)가 복막을 통해 직접 전파 (transperitoneal spread)
- 임상양상 ; RUQ pain (날카로운 양상), fever, nausea (salpingitis도 동반 가능)
  → 급성 담낭염으로 오인 가능
- 진단 ; 임상양상, 항생제에 대한 반응, CT (동맥기에서 간피막의 전벽을 따라 조영증강)
  - 과거에는 laparoscopy를 이용했으나 침습적이고 항생제에 반응이 좋으므로 거의 이용 안함
  - 원인균 동정 ; 자궁경부(m/c), 질, 소변, 간피막 등의 검체 이용
    → PCR, Chlamydial Ag test, 배양 등
  - *C. trachomatis*에 대한 혈청학적검사
- 치료 ; doxycycline + ciprofloxacin

9
담낭 및 담관 질환

담즙(Bile)의 생산과 흐름

1. 담즙(bile)의 성분

- 수분 및 전해질 (80~90%)
- 용질 ; bile acids 80%, lecithin & other phospholipids 16%, cholesterol 4%, conjugated bilirubin 1%, proteins ...

2. 담즙산(bile acids)

acetate
↓ HMG-CoA reductase
cholesterol
↓ cholesterol 7α-hydroxylase (rate-limiting enzyme)
primary bile acids

(1) primary bile acids ; cholic acid, chenodeoxycholic acids (CDCA)

- 간에서 cholesterol로 부터 생성 → glycine or taurine과 conjugation되어 담즙으로 분비됨 (정상 담즙의 glycine:taurine = 3:1)
- bile acids는 자체적으로 결합하여 micelles을 형성
- 소장에서 지방 흡수에 매우 중요한 역할을 함

(2) secondary bile acids

- 대장에서 세균에 의해 primary bile acids가 deconjugation 되어 생성
  - cholic acid (CA) → deoxycholic acid (DCA) : 더 잘 흡수됨
  - chenodeoxycholic acid (CDCA) → lithocholic acid (LCA), ursodeoxycholic acid (UDCA)
- strongly lipophilic하여 수동적으로 흡수됨

3. 장간순환 (enterohepatic circulation)

- 정상적으로 분비된 bile acids의 95% 이상이 재흡수되어 문맥을 통해 간으로 올라가고, 간에서 다시 담즙으로 분비됨 (rate-limiting step은 canalicular secretion)
- 담즙 분비량 (간에서) : 500~600 mL/day

• bile acids의 흡수
 ① passive diffusion : 장관 전체를 통해 일부 unconjugated & conjugated bile acids가 흡수됨
 ② active transport : distal ileum에서 conjugated bile acids를 흡수
  ⇨ bile acid recirculation의 대부분을 차지
• bile acid pool : 정상 2~4 g, 하루에 약 5~10번 순환 (대변으로 소실 : 0.2~0.4 g/day)

4. 대장 내의 담즙산

• epithelial cells에 작용하여 sodium & water secretion을 일으킴
• bile salt-binding resins (cholestyramine) → constipation을 일으킴
• bile salt malabsorption 시 "bile salt diarrhea" 발생 (e.g., ileal dz.나 ileal resection 뒤)
 → bile salt-binding resin을 투여하면 diarrhea 감소

5. 담낭 (gallbladder)

• 간에서 생성된 bile (isotonic)에서 수분을 재흡수하여 bile 내 용질을 3~5배로 농축시킴
• 담낭의 정상 용량 : 약 30 mL
• Oddi 괄약근 : 공복시 강한 수축 상태를 유지
 ① 십이지장의 내용물이 담관으로 역류되는 것을 방지
 ② 담낭 내에 담즙이 채워지는 것을 촉진
• CCK (cholecystokinin) : fat or AA 섭취시 십이지장에서 분비됨
 ① 담낭(GB)의 강력한 수축 작용
 ② sphincter of Oddi의 저항 감소
 ③ 간에서 bile 분비 증가
 ④ 담낭 내용물의 십이지장으로의 배출 촉진

담석(쓸개돌, Gallstone)/담석증(Cholelithiasis)

1. 역학

* 우리나라 담석증의 특징
 • 유병률 2~4% (증가 추세), 연령이 증가할수록 증가, 남:여 = 1:1.1 (서양은 1:2~3)
 • 발생부위 : 담낭 (64%) > 총담관 (22%) > 간내담관 (14%)
  - GB stone ; cholesterol (58%) > black pigment (25%) > brown pigment (12%)
  - CBD stone ; brown pigment (76%) > cholesterol (18.4%) > black pigment (3.5%)
  - intrahepatic stone ; brown pigment (61.4%) > cholesterol/mixed (35.6%)
 • 서양보다 색소성(pigment) 담석, 담관 담석 및 간내 담석이 상대적으로 많음
 • 식생활의 서구화에 따라 담낭 담석, cholesterol stone이 증가 추세
 c.f.) 미국 ; 유병률 10~20%, 담낭 담석이 90% 이상, cholesterol stone이 약 80%

2. 위험인자/병인★

(1) cholesterol stones

위험인자 \ 기전	Cholesterol 분비/생산 증가	Bile acids 분비/생산 감소	담낭운동성 감소 (GB hypomotility)
연령 증가	○	○	
임신	○		○
여성호르몬, 경구피임약(estrogen)	○	○	
비만, 고칼로리/고지방 식이	○		
급격한 체중감소	○	○	(담즙내 calcium ↑)
금식, TPN, 수술, 화상, DM, postvagotomy, spinal injury			○
회장 말단부(terminal ileum) 질환, PBC, *CYP7A1* mutation (7α −hydroxylase ↓)		○	
약물 Cholestyramine	○		
약물 Clofibrate	○	○	
약물 Octreotide, ceftriaxone			○
기타 • phospholipid의 분비 감소 (e.g., *MDR3* gene mutation) • 유전적 요인 (가족력), 인종 (북유럽, 북남미 > 아시아, 인디안)			

• *pathogenesis*

① cholesterol의 과포화(supersaturation)
- cholesterol 분비/생산 증가 (HMG-CoA reductase 활성⬆)
- bile acid의 분비/생산 감소 (cholesterol 7α-hydroxylase 활성⇩ [*CYP7A1* mutation]), bile acid pool 감소, phospholipid 분비 감소 (e.g., *MDR3* mutation)
- but, supersaturation 만으로는 대부분 담석이 발생 안되고, 다음 기전이 필요함

② cholesterol monohydrate cystals의 nucleation (핵형성)
- 핵형성 촉진 인자 ; mucins, 일부 non-mucin glycoprotein (주로 Ig), heat-labile protein
- 핵형성 억제 인자 ; apolipoprotein AⅠ & AⅡ, lecithin vesicles

③ GB hypomotility : 많은 담석 환자가 GB emptying 이상을 보임

• **담낭 오니(biliary sludge = microlithiasis)** : 걸쭉한 점액성 물질(주로 mucins), 담석의 전구 병변
- GB hypomotility와 관련 (예; 임신 중 20~30%에서 sludge, 5~12%에서 담석 발생, sludeg는 대개 무증상, 담석은 종종 biliary colic을 일으키지만, 대부분 출산 후 자연 소실됨!)
- 장기간 금식, TPN, 급격한 체중감소, 약물복용(e.g., octreotide, ceftriaxone) 때도 발생 가능
- 경과 ; 18%는 소실, 60%는 소실뒤 재발, 14%는 담석 발생(18%는 무증상, 6%는 증상 有), 6%에서는 심한 biliary pain 발생 (→ cholecystitis, cholangitis, pancreatitis 등도 유발가능)

(2) pigment stones

• 연령에 따라 유병률 증가, 여성에서 호발

• 주로 calcium bilirubinate로 구성 (← UCB + Ca^{2+})
(brown stone은 black stone보다 cholesterol과 calcium palmitate 함량이 높음)

- deconjugation (CB → UCB) ; β-glucuronidase (세균 또는 내인성), 자연 분해
- 세균의 역할 : pigment stone의 70~80%에서 발견됨
  (*E. coli, K. pneumoniae, Pseudomonas* 등이 흔한 원인)

	Black (흑색석)	Brown (갈색석)
호발 지역	인도, 서양	동아시아(주로 시골)
발생 부위	담낭	총담관 (서양), 모든 담도계 (동양)
성상	Hard, dense, brittle concretions	Soft, clay-like consistency (내시경 제거 쉬움)
기전	담즙내로 unconjugated bilirubin (UCB) 분비 증가	담즙정체에 따른 2차 세균 감염
위험인자	만성 용혈 or ineffective hematopoiesis ; pernicous anemia, thalassemia, hereditary spherocytosis 간경변증 (특히 심한 or 알코올성) 회장 말단부의 질환/절제 Gilbert's syndrome, Cystic fibrosis 고령, TPN	만성 담관염 담관 협착 및 담즙 정체/역류 ; 십이지장 게실, 만성 췌장염, sclerosing cholangitis, cholecystectomy, choledochal cyst (Caroli's dz.) 기생충 감염 ; 회충 등 (간디스토마는 논란) 저칼로리 채식위주 식이

c.f.) 소량의 음주는 cholesterol gallstone 예방 효과

3. 진단

(1) 임상양상

- 담도산통(biliary colic) : epigastric or RUQ의 지속적인 심한 통증
  - N/V 동반, 우측 견갑부 또는 등쪽으로 radiation될 수 있음
  - 지속시간 : 30분~5시간 (5시간을 넘으면 acute cholecystitis 의심)
  - 지방섭취, 폭음, 폭식 등에 의해서 유발 or 뚜렷한 이유 없이 갑자기 발생할 수도 있음
- fever or chills → 보통 cholecystitis, cholangitis, pancreatitis 등의 Cx.을 시사
- bilirubin and/or ALP 증가 → CBD stone 시사
- 대부분(85%)은 증상 없이 선별검사 상 우연히 발견됨

(2) 단순 복부촬영

- sensitivity가 낮아 유용성은 적음
- calcification을 볼 수 있는 경우 (대부분은 radiolucent)
  - cholesterol & mixed stones의 10~15%에서
  - pigment stones의 약 50%에서
- 그 외 이용되는 경우 ; emphysematous cholecystitis, porcelain GB, limey bile, gallstone ileus ...

(3) 초음파(ultrasonography) – choice!

- 진단 민감도/특이도 95% 이상, 아주 작은 (~2 mm) 담석까지 발견 가능
- criteria
  ① GB lumen 내의 강한 echo (opacities) : stone
  ② post. acoustic "shadowing" (후방음향음영)
  ③ 환자의 체위(중력)에 따라 echo가 변화 (rolling stone sign)
- GB의 배출 기능도 평가 가능

• stone의 type, number, cystic duct obstruction 등은 정확히 알 수 없음

* biliary sludge : GB의 dependent portion에 low echogenic crescent-like layer 형성 (postural change는 있지만, acoustic shadowing은 없음!)

(4) 경구 담낭조영술 (oral cholecystography, OCG)
- 진단 민감도 90~95% (but, serum bilirubin 높으면 민감도 떨어짐)
- 대부분 US로 대체 되었지만, cystic duct의 개통성, GB의 배출 기능, 담석의 크기와 개수 판정에 좋아 비수술적 치료시 (e.g., 쇄석술, 용해요법) 환자 선별 때 이용됨

* IV cholangiography는 CBD의 40%가 안 보이고, CT보다 해상도가 떨어지므로 추천되지 않음 (ERCP와 PTC의 도입 후 거의 사용 안 됨)

(5) radioisotope scan (^{99m}Tc-labeled HIDA, DIDA, DISIDA 등)
- serum bilirubin 농도가 높아도 담낭으로 잘 배설됨
- nonvisualization of GB의 원인
  ① cystic duct obstruction (→ sensitivity, specificity 아주 높다)
  ② acute or chronic cholecystitis
  ③ previous cholecystectomy
- acute cholecystitis의 확진, acalculous cholecystopathy의 진단 등에 이용

(6) ERCP
- gallstone 환자에서 ERCP의 적응증 (CBD stone이 의심되는 경우)
  ① 황달 또는 췌장염의 과거력
  ② 간기능검사 이상 (e.g., AST, ALT, ALP, GGT 상승)
  ③ US에서 CBD dilatation or stone

(7) PTC, CT

* gallstone과 CBD stone은 증상만으로는 구별이 잘 안되므로, US상 gallstone이 없으면 ERCP 등으로 CBD stone 유무를 확인해야 함

4. 자연 경과

- asymptomatc gallstone 환자에서 Sx. 발생률 2~3%/year, Cx. 발생률 <1%/year
- 15년 이상 무증상이면, 그 이후에 증상이 발생할 가능성은 거의 없다
- Sx과 Cx이 발생할 위험이 높은 경우
  ① young age
  ② OCG상 nonvisualization of GB
  ③ DM : septic Cx. 발생 위험이 약간 높다

5. 치료

★ **무증상 담낭담석은 예방적 담낭절제술 필요 없다 ⇨ 경과관찰만!**

(1) 수술 : laparoscopic cholecystectomy (TOC)
- 장점 : 회복이 빠르고, 수술후 통증과 복부 반흔이 적음

- prophylactic cholecystectomy의 적응증 ★
  ① 증상이 있는 경우
  ② 과거에 gallstone에 의한 Cx.이 있었던 경우 (e.g., acute cholecystitis, pancreatitis, fistula)
  ③ Cx.이 발생할 위험이 높은 경우
    - calcified or porcelain GB (∵ 50%에서 GB ca. 발생)
    - CBD stone, cholesterolosis, adenomyomatosis, 1 cm 이상의 GB polyp 동반시
    - nonvisualization of GB (담낭의 기능 이상)
    - congenital hemolytic anemia (e.g., sickle cell anemia), 소아 (pigment stone 등)
  ④ very large gallstones (>3 cm)
  ⑤ congenitally anomalous GB
  ⑥ 비만 수술 등 비교적 안전한 다른 복부 수술시 추가적으로 시행
  ★ **DM, 신장이식, 임신, young age, multiple gallstone 등은 아님!!**
- pneumoperitoneum을 만들기 위해 주입하는 공기 : CO_2
- 치료성적 좋다 (→ 치료의 gold standard)
  ① 부작용 발생 : 약 4%
  ② 수술 중 개복술로 전환 : 5%
  ③ 사망률 매우 낮음 (<0.1%)
  ④ 담관 손상이 비교적 드묾 (0.2~0.5%) : 개복술 때보다는 많음

(2) 경구 용해요법 (Oral dissolution therapy)

- UDCA (ursodeoxycholic acid) ± CDCA (chenodeoxycholic acid)
  - 기전 ; 담즙의 cholesterol saturation 감소, nucleation 억제
- 적응
  - 증상이나 합병증 병력이 있는 cholesterol stone 중
  - 10 mm 이하의 radiolucent gallstone & functioning GB (OCG에서 visualization)
  - 치료 성공률 약 50% (6개월~2년 뒤 완전 용해), pigment stone은 반응 안함
  - 5 mm 이하로 엄격히 적용하면 치료 성공률 70% 이상 (but, 환자의 10% 이하만 해당 됨)
- 설사(1%) 외에는 큰 부작용이 없음, 완전 용해가 없더라도 다수에서 증상 완화를 보임
- 단점 ; 치료성적이 가장 나쁨 (3~5년 뒤 30~50% 재발, 이후에는 재발 드묾), 높은 비용, 오랜 치료 기간 (2년) 필요
- 대부분 laparoscopic cholecystectomy로 대체되었으며, 수술을 거부하거나 불가능한 경우 (e.g., 심한 심폐 or 간 질환) 이용됨
- 수술 후 cholesterol 담석(특히 CBD)이 재발하는 경우에는 장기간의 UDCA 치료 필요

(3) 체외충격파쇄석술 (ESWL, gallstone lithotripsy)

- radiolucent, solitary, <2 cm, well-functioning GB (GB ejection fraction >60%) 인 경우 용해요법과 함께 사용하면 효과적이나, 거의 이용 안됨
- 이용되지 않는 이유
  ① laparoscopic cholecystectomy의 사용 증가
  ② 높은 재발률 ; 2년 뒤 10~15%, 5년 뒤 30%
  ③ ESWL 후에도 계속 UDCA를 복용해야 하는 비용 문제
  ④ 부작용(황달, 담낭염, 췌장염) 발생 위험

* 담석 발생 예방에 효과적인 것 ; UDCA, 적당량의 알코올, 섬유질(채식), 운동, 커피
(칼슘 섭취는 담석 발생 위험 증가와 관련 없고, 오히려 예방 효과가 있다는 보고도 일부 있음)

급성 담낭염/쓸개염 (Acute cholecystitis)

1. 원인

(1) mechanical inflammation ; gallstone에 의한 담낭관 폐쇄 (90~95%)
(2) chemical inflammation ; lysolecithin과 기타 local tissue factors
(3) bacterial infection (50~85%의 환자에서 발견, 이차적인 원인)
; *E. coli, Klebsiella, group* D *Streptococcus, Staphylococcus, Clostridium* 등

2. 임상양상

- 전형적인 양상(triad)
  - biliary colic & RUQ (rebound) tenderness : 대개 6시간 이상 지속
  - fever : 대개 low-grade
  - leukocytosis (with neutrophilia, left-shifted)
- anorexia, N/V, jaundice (20%), palpable GB (25~33%)
- Murphy's sign : RUQ를 누른 상태로 깊게 숨을 들이 마시거나 기침을 하면 pain이 증가하여 inspiratory arrest 발생 (→ 급성 담낭염의 특이적 소견!)
- ALP↑, bilirubin↑(<5 mg/dL) - 45%에서, aminotransferase↑(<5배) - 25%에서
(bilirubin 5 mg/dL 이상 상승하거나 amylase/lipase가 크게 상승하면 담관 결석을 의심)

3. 진단

(1) ultrasonography (first!) ; gallstone 발견 (90~95%에서) + 임상양상
(2) radionuclide biliary scan (e.g., HIDA) - 확진 가능
- 특징적 소견 ; bile duct는 보이지만, GB는 안 보임
- US에서 확실치 않은 acute/chronic cholecystitis의 진단에 이용

4. 치료/예후

(1) 75%는 내과적(보존적) 치료에 반응 ; 수액, 항생제, bowel rest
(but, 약 1/4은 1년 내에 재발, 약 60%는 6년 내에 재발)
⇨ 가능하면 조기에 수술하는 것이 권장됨!
(2) 25%는 내과적 치료에도 불구하고 합병증 발생 ⇨ 응급 수술 필요

c.f.) Mirizzi's syndrome

- 담낭 경부나 담낭관(cystic duct)에 박혀있는 large/multiple gallstone이 외부에서 CBD or 총간관(common hepatic duct)을 압박하여 담도 폐쇄와 황달을 일으킨 것
- gallstone 환자의 0.1% 이하에서 발생
- Dx ; ERCP, MRCP, PTC
- 수술(특히 복강경) 전 확인하지 못하면 CBD injury 위험 → 치료로 개복술 선호

■ 무결석 쓸개염 (Acalculous cholecystitis)

- gallstone을 동반하지 않은 acute cholecystitis (acute cholecystitis의 5~10%)
- 유발인자 (but, 50% 이상에서는 원인이 불분명)
  ① 심한 질환으로 입원중 ; 외상, 화상, 수술, 오래 지속된 분만, TPN, 패혈증 등
  ② obstructing GB cancer, GB torsion, GB ischemia, 담즙 정체
  ③ GB의 드문 세균(e.g., *Leptospira, Streptococcus, Salmonella, V. cholerae*) 및 기생충 감염
  ④ 전신질환 ; DM, 심혈관 질환, 결핵, 매독, vasculitis, sarcoidosis, actinomycosis ....
- 임상양상은 calculous cholecystitis와 같지만, 심한 기저 질환에 합병된 것이 특징
- US, CT, scan ; large/tense/static GB, poor emptying (stone은 없음)
- calculous cholecystitis보다 Cx. 발생률이 높음 (예후 나쁨!)
- 치료 : 응급 수술(cholecystectomy) or 수술 곤란하면 경피담낭배액술(PTGBD) 먼저!

■ Acalculous cholecystopathy

- gallstone을 동반하지 않은 GB motility 장애
- 임상양상(criteria)
  ① typical RUQ pain (biliary colic)의 반복 발생
  ② CCK cholescintigraphy 이상 : GB ejection fraction <40%
  ③ CCK 주입시 pain 발생
- US : large GB
- 담낭절제술 후 통증 소실
- sphincter of Oddi dysfunction도 비슷한 임상양상을 보임

■ 만성 담낭염/쓸개염 (Chronic cholecystitis)

- 지속적인 gallstones의 자극으로 인해 발생
- 1/4 이상에서 bile 내에 bacteria 존재 (→ operative risk에는 거의 영향 없음)
- 경과 : 수년 동안 무증상/비특이적 증상 or 담도 산통, 급성 담낭염, 합병증 등 발병

담낭염(쓸개염)의 합병증

1. 기종성 담낭염 (emphysematous cholecystitis)

- acute cholecystitis → GB wall의 ischemia or gangrene → gas-producing organisms의 감염
- 원인균 : *Clostridium welchii, C. perfringens* 등의 혐기성균, *E. coli* 등의 호기성균
- 위험인자 ; 노인, 남성, DM, 심혈관계질환, initial leukocytosis (>15,000/mm^3)
- 임상양상은 일반 담낭염과 동일 (but, morbidity와 mortality가 높음)
- Dx : plain abdominal film
  - GB lumen 내의 gas
  - gaseous ring (GB wall 내의 gas)
  - pericholecystic tissues의 gas
- Tx : 응급수술(cholecystectomy) + 항생제(metronidazole 포함)

2. 농양 (empyema)

- G(−) sepsis and/or perforation 발생 위험 높다
- Tx ; 응급수술 + 항생제

3. 수종(hydrops) or 점액낭종(mucocele)

- 무증상 or chronic RUQ pain, RUQ에서 아래로 커지는 nontender mass
- 농양/괴저/천공 등이 발생할 수 있으므로 수술

4. 괴저 (gangrene)

- GB wall의 ischemia와 necrosis로 발생
- risk factors ; GB의 심한 distention, vasculitis, DM, empyema, GB torsion (→ arterial occlusion)
- perforation 발생 위험 증가

5. 천공 (perforation)

- localized > free, 담낭저부(fundus)에서 호발
- localized perforation ; 대개 세균 중복감염에 의해 abscess 형성
- free perforation ; RUQ pain이 갑자기 소실된 후 generalized peritonitis sign 발생 (사망률 30%)
- US ; 담낭 주위의 액체 저류, hole sign (천공 부위에 고무풍선이 터져서 구멍이 나 있는 모양)
- Tx ; cholecystectomy (수술 곤란하면 경피담낭배액술 먼저)

6. 누공 (fistula)

- 부위 ; duodenum (m/c), hepatic flexure of colon, stomach, 복벽 ...
- 대부분 fistula 자체는 무증상

- plain abdominal film ; biliary tree 내의 gas (cholecystoentric fistula)
- barium study or endoscopy 상에서 fistula 발견

7. 담석성 장폐쇄 (gallstone ileus)

- cholecystoenteric fistula를 통해 large stone (대개 >2.5 cm)이 소장으로 빠져 나와 mechanical obstruction을 일으킨 것 (ileocecal valve에서 m/c 막힘)
- 대부분 acute cholecystitis or fistula의 증상 선행은 없음
- 진단
  ① plain abdominal film ; small intestinal obstruction, biliary tree 내의 gas (air biliary gram), 장폐쇄 부위의 gallstone에 의한 석회화 음영
  ② upper GI series ; cholecystoduodenal fistula, ileocecal valve 부위의 small-bowel obstruction
- 치료 ; 개복수술 (장내와 GB 내의 stone 제거)
  - fistula는 자연적으로 폐쇄되는 경우가 많으므로 그대로 둔다!

8. 석회화 담즙 (limey [milk of calcium] bile)

- GB lumen 내로 calcium salt가 과다 분비되어 침착된 것
- plain abdominal film ; hazy opacification of bile, layering effect
- 증상이 없어도 cholecystectomy 필요 (특히 hydropic GB에서 발생시)

9. 도자기화 담낭 (porcelain gallbladder)

- 만성 염증 상태의 GB wall에 calcium salt가 침착된 것, 영상검사에서 eggshell appearance
- 예방적 cholecystectomy 권장 (∵ GB cancer 발생 위험 높음: 13~61%)
- selective mucosal calcification이 diffuse intramural wall calcification보다 암 발생 위험 높음

담낭염(쓸개염)의 치료

1. 내과적 치료

- 수술하기 전 2~3일 동안
- 금식, NG suction, 수액 및 전해질 이상 교정
- 진통제 ; meperidine (demerol), NSAIDs
  (morphine은 Oddi 괄약근의 spasm을 일으키므로 사용 안 함!)
- 항생제 ; ureidopenicillin (e.g., piperacillin, mezlocillin), ampicillin/sulbactam, ciprofloxacin, moxifloxacin, 3세대 cephalosporins
  - 괴저/기종성(gangrenous or emphysematous) 담낭염 의심시엔 metronidazole 추가 (∵ 혐기성균)
  - DM 환자 중에서 G(-) sepsis 의심시엔 AG와 병합요법
  - 실패하거나 생명이 위독한 심한 감염 시에는 imipenem, meropenem 사용

2. 외과적 치료

- early cholecystectomy (24~72시간 이내) : TOC
  - 대부분 laparoscopic cholecystectomy로 시행
  - gangrenous GB, 응고장애, 담도폐쇄를 동반한 심한 염증 등 때는 개복술 고려
- 수술의 고위험군 ; 고령, 황달, CBD 절개, 심혈관계 질환, DM, LC, 소아의 용혈질환
- 위중하거나 쇠약한 환자는 **담낭배액술** 먼저 시행! → 안정된 뒤 elective cholecystectomy 시행
  - 주로 경피(경간)담낭배액술(percutaneous transhepatic GB drainage, PTGBD)로 시행
    : cholecystostomy + tube drainage
  - 최근에는 (EUS-guided) endoscopic transmural GB drainage (EUS-BD)도 시행
- delayed surgery의 적응
  ① 환자의 상태가 early surgery를 받기엔 위험한 경우 (e.g., hypotension, shock)
  ② acute cholecystitis의 진단이 불확실한 경우
- 급성 담낭염의 laparoscopic cholecystectomy 이후 surgical drainage catheters 사용은 권장 안됨
- urgent (emergency) cholecystectomy ; emphysematous cholecystitis, gangrene, GB empyema, perforation, gallstone ileus, GB torsion 등의 Cx 발생(의심)시

3. 담낭절제술의 합병증

- early Cx. ; atelectasis, abscess, hemorrhage, bile duct injury, bile leak (peritonitis), fistula
- 수술하면 75~90%는 수술 전의 증상이 거의 사라짐
- cholecystectomy 이후에도 이전 증상(RUQ pain 등)이 지속되는 경우 (5~30%)
  ① 간과된 extrabiliary disorders (m/c) ; IBS (m/c), GERD, PUD, pancreatitis ...
  ② biliary disorders (post-cholecystectomy syndrome) : 10~20%
- **Post-cholecystectomy syndrome (담낭절제술후 증후군)의 원인**
  ① CBD stone (m/c) : 대부분 수술 이후 retained biliary calculi (잔류 담석)
  ② biliary stricture ; fever, jaundice ... (수술 후 몇 년 뒤에도 발생 가능)
  ③ cystic duct stump/remnant syndrome (담낭관 잔류 증후군)
    : cystic duct가 1 cm 이상 남았을 때 (but, 대부분은 다른 질환이 원인임)
  ④ sphincter of Oddi (SO)의 stenosis or dyskinesia
  ⑤ bile salt-induced diarrhea or gastritis
    - gut transit time (특히 Rt. colon)이 빨라짐 → colonic bile acid 증가
    - 5~10%의 환자에서 3회/day 이상의 심한 수양성 설사 발생
    - Tx ; bile acid-sequestering agents (e.g., cholestyramine, colestipol)
  ⑥ 기타 ; biliary tract malignancy, choledochocele ...
  * 수술 관련 합병증 ; 담관 손상, 담즙 누출(bile leak), 담관 폐쇄 등
    - hepatobiliary scan (^{99m}Tc-DISIDA)이 진단에 유용
    - bile leak의 치료 (대개 cystic duct or duct of Luschka에서 누출)
      - 소량 누출 : biliary sphincterotomy ± plastic biliary stent (7~10 French)
      - 대량/복잡 누출 : 더 큰 stent 사용 → 실패하면 self-expanding metal stent (SEMS) 고려

■ 오디괄약근 기능이상 (Sphincter of Oddi dysfunction/dyskinesia, SOD)

- 대부분 postcholecystectomy syndrome의 일종으로 발생되나, 정상 GB에서도 발생 가능 (postcholecystectomy syndrome의 ~10% 차지)
- 담도성 통증(epigastric or RUQ) : 위의 Rome III criteria 참조
- 초기 검사 ; LFT, amylase/lipase, US, 내시경, EUS, MRCP 등 (∵ ERCP는 invasive)
- revised Milwaukee classification (criteria) : 담도성 통증 +
  ① 간수치(e.g., aminotransferase, ALP, bilirubin) 2회 이상 상승 (통증 발생시 일시적으로)
  ② CBD의 확장 (US 상에서 직경 >8 mm)

┌ type Ⅰ (criteria 2개 만족) → 바로 괄약근절개술(endoscopic sphincterotomy) 시행
│ type Ⅱ (criteria 1개 만족) → ERCP & manometry 시행 (or 경미하면 내과적 치료 먼저 시도)
└ type Ⅲ (criteria 해당 없음) → 다른 질환의 가능성 검토 및 내과적 치료 먼저 시도
(반응이 없거나 증상이 심하면 ERCP & manometry 시행)

- 내과적 치료 ; CCB (nifedipine), nitrate, sphincter에 botulinum 주사 등
- manometry 이상 (basal pr. ≥40 mmHg) or 내과적치료 실패 → endoscopic sphincterotomy 시행
- 합병증 (특히 췌장염) 발생 위험이 높음!

■ 유두협착 (Papillary stenosis, sphincter of Oddi stenosis)

- 진단기준(criteria)
  ① upper abdominal pain (대개 RUQ or epigastric)
  ② LFT 이상
  ③ ERCP/MRCP : CBD의 dilatation, 담관에서 조영제의 배출 지연 (>45분)
  ④ manometry : Oddi 괄약근의 basal pr. 증가 (>40 mmHg)
- quantitative hepatobiliary scintigraphy의 이용
  ① papillary stenosis의 진단
    ┌ CBD에서 십이지장으로의 transit 지연
    │ CBD의 dilatation
    └ time-activity dynamics 이상
  ② sphincterotomy 전후의 치료 효과 (biliaray emptying 개선) 판정
- 치료 ; endoscopic or surgical sphincterotomy

* Endoscopic sphincterotomy 후의 합병증

- 전체적인 합병증 발생률 : 5~10%
- perforation, pancreatitis, cholangitis, bacteremia, bleeding ..
- 진통제 사용에 따른 심폐기능의 저하
- 합병증 발생 위험이 증가하는 경우
  - SOD 환자 : 합병증(특히 췌장염) 발생 위험이 가장 높음
  - 담관 내로 선택적 삽관이 힘든 경우
  - 예비 절개 (precut sphincterotomy) 시행시
- post-ERCP pancreatitis : 젊은 환자에서 더 많이 발생 (→ II-10장도 참조)

증식성 담낭증 (Hyperplastic cholecystosis)

1. 선근종증 (Adenomyomatosis)

- 전체 담낭 질환의 약 5~10% 차치, 50세 이상 여성에서 호발
- 담낭벽(GB wall)의 hyperplastic change로 점막 과다증식, 두꺼워진 근육층, intramural diverticula or sinus tract (Rokitansky-Aschoff sinus, RAS) 형성 등 (→ 담낭벽이 두껍고 안에 물방울들이 보임)
- 침범 양상 ; focal/localized (m/c), segmental, diffuse/generalized
  ↳ 담낭 기저부(fundus)에 국한, "adenomyoma"로도 부름, 직경 1~2 cm
- 영상검사로 쉽게 진단 가능 ; 두꺼워진 담낭벽 내의(intramural) diverticula, RAS가 특징적인 소견
  - oral cholecystography (과거에 주로 이용되었지만, 최근엔 거의 시행 안함)
  - 주로 US, CT, MRI (m/g) 등을 이용 (GB cancer R/O 필요)
- 대부분 무증상 → 검사 중 우연히 발견되는 경우가 흔함
- gallstone을 동반한 경우가 많음 (증상을 일으킨 환자의 약 70%는 gallstone 동반)
- 과거엔 benign dz.로 여겼으나, 최근 연구 결과 premalignant dz. 가능성도 있음 (더 연구가 필요함)

2. 콜레스테롤 침착증 (Cholesterolosis)

- GB의 lamina propria에 lipid (특히 cholesterol ester)가 비정상적으로 축적된 것
  - diffuse form : strawberry GB
  - localized form : cholesterol polyps (1/2 이상이 다발성)
- 약 1/2에서 cholesterol stone 동반
- biliary colic을 일으킬 수 있음

** 증식성 담낭증의 치료 : 증상이 있거나 gallstone이 동반되면 cholecystectomy

담낭용종 (GB polyps)

- 유병률 약 5%, 주로 남성에서 발생
- 분류/크기
  ① 위용종(pseudopolyp) ; cholesterol polyp (60%, 2~10 mm), adenomyoma (= localized adenomyomatosis, 25%, 10~20 mm), inflammatory polyp (10%, 5~10 mm)
  ② 진용종(true polyp) ; adenoma (4%, 5~20 mm), adenocarcinoma → 담낭암의 전구단계임
  - cholesterol polyp만 multiple (평균 8개), 나머지는 보통 solitary
  - 임상양상과 영상검사만으로는 조직형을 정확히 예측할 수 없음
- 약 5%는 neoplastic / 크기가 18 mm 이상이면 대부분 악성(담낭암)
- 증상이 없고 크기(직경)가 10 mm 미만인 경우는 악성화 가능성 매우 낮음
  - 5 mm 이하 (거의 다 양성) → 1년 뒤 초음파 F/U (크기 변화 없으면 F/U 중단)
  - 6~9 mm → 1년간 6개월 간격으로 초음파 F/U (크기 변화 없으면 1년 마다 F/U)

담낭절제술이 필요한 경우 (악성화 가능성↑) ★
(1) 크기가 10 mm 이상 (m/i) (2) 크기가 10 mm 이하이면서 무경성(sessile) 용종 (넓은 기저부) 초음파 상 저 echo, 도플러 초음파에서 arterial flow, 초음파 F/U에서 용종의 크기가 커질 때 (개수는 관계없음!) 증상 有, 담석 동반, PSC 동반, 50세 이상 등

┌ 10~18 mm → laparoscopic cholecystectomy
└ 18 mm 이상 → open cholecystectomy (∵ 대부분 암)

담낭암 (쓸개암, GB cancer)

1. 개요

- 간외 담도계 악성종양 중 m/c (약 65%), 전체 GI 악성종양 중 5위 (1~2%)
- 60~80세에 호발, 남:여 = 1:2~4 (c.f., HCC와 cholangioca.는 남>여)
- adenocarcinoma가 90% / 발생 부위 ; fundus 60%, body 30%, neck 10%

2. 위험인자

1. Gallstone의 risk factor와 비슷(e.g., estrogen) : 90%에서 gallstone 동반 2. Gallstone의 duration↑, 크기 (>3 cm) 3. Calcified (porcelain) GB : end-stage cholecystitis 4. Large (>1 cm) or sessile GB polyps 5. Anomalous pancreaticobiliary union, choledochal cyst ... 6. Inflammatory bowel dz. 7. chronic *S. typhi* carrier

- 흡연, 알코올중독, 비만 등의 생활습관과의 관련성은 불확실함

- gallstone 환자의 0.2% 미만에서 adenocarcinoma가 발생하므로, 증상이 없으면 담낭암 예방을 위해 cholecystectomy를 할 필요는 없음

3. 임상양상

- 증상 ; chronic RUQ pain, 체중감소, 황달, RUQ mass
- 일단 증상이 발생하면, GB 밖으로 암이 퍼진 경우가 대부분 → unresectable!
  (간, 림프절, 복막, 총담관, 문맥혈관 등을 잘 침범)

4. 진단

- 수술 전에는 발견이 어려움 (80% 이상이 다른 목적의 수술 후에 발견됨)
  - 진단시 대부분 advanced (15~47%만 resectable), 예후 매우 나쁨 (cholangioca.보다도 나쁨)
  - incidental 'resectable' ca.는 예후 좋다 (5YSR : 50%)

- preOp. Dx : US, EUS, CT (→ GB mass or irregular wall thickening 봄)
- EUS : 담낭암의 T stage 판정에 도움 → 수술 방법 결정에 매우 중요
- CT (spiral MD-CT) : 빠르게 진단 가능하며, 병기 및 치료방침 결정에도 큰 도움
  → 담도계 질환의 진단에 일차적으로 많이 이용됨
- MRI (MRCP) : 병변의 양성-악성 감별에 도움

5. 치료 및 예후

- 수술은 암이 담낭에 국한되어 있을 때만 효과적
  - T1a : 고유판(lamina propria, 점막 또는 점막하)에만 국한, 5YSR 100%
  - T1b : 근육층(muscular layer)까지만 침범, 5YSR 85%
  - 대개 담석 때문에 시행한 laparoscopic cholecystectomy 후 조직검사에서 우연히 발견됨
  - T1a는 laparoscopic cholecystectomy 만으로 치료는 충분하므로 추적관찰(F/U)만 함!
  - T1b는 재개복술 필요 → simple cholecystectomy (담낭만 절제)
- 수술 전에 담낭암이 발견된 경우
  - 반드시 open cholecystectomy 시행 (∵ 복강경 수술시 bile splage에 의해 암세포의 파종 위험)
  - 크기가 1.5 cm 미만인 경우는 조심스럽게 복강경 수술도 시행 가능
- stage II (T2) : 근육층을 넘어 perimuscular connective tissue를 침범한 경우 (LN 전이 가능성↑)
  → regional LN의 광범위 절제를 포함한 radical (extended) cholecystectomy 시행!
- T3 : serosa (visceral peritoneum) 천공 *and/or* 간 침범 *and/or* 인접 장기 침범(e.g., 위, 십이지장)
  - 수술 가능하면 radical cholecystectomy 시행 (neoadjuvant or adjuvant Tx.는 효과 없음)
  - 간을 침범한 경우 → 간의 wedge resection 또는 anatomic resection 시행
- <u>unresectable ca. (대부분)</u> : 예후 매우 나쁨 (95%가 1년 이내에 사망, 5YSR <5%)
  - CTx. (gemcitabine + <u>cisplatin</u>)로 survival 3~6개월 증가, RTx.는 효과 없음
    ↳ 신독성 위험 있으면 대신 oxaliplatin
  - 고식적 치료 (e.g., PTBD, ERBD)

담관의 선천적 기형

1. 총담관낭/온쓸개관낭 (Choledochal cyst)

- 담관의 낭성 확장, 동양에 많다, 남:여 = 1:4
- classification (Todani)
  ① type Ⅰ (m/c, 50~80%) : 간외담관에 국한된 확장
    - Ⅰa : fusiform (saccular) cyst, 췌담관합류이상(AUPBD) 有
    - Ⅰb : segmental cyst, 췌담관합류이상 無
    - Ⅰc : cylindrical/diffuse cyst, 췌담관합류이상 無

  ② type Ⅱ : diverticular cyst, 췌담관합류이상 無
  ③ type Ⅲ : 총담관류(choledochocele), 십이지장내 담관이 확장, 췌담관합류이상 無

④ type Ⅳ : multiple cysts
- Ⅳa (2nd m/c) : 간내담관 & 간외담관, 췌담관합류이상(AUPBD) 有
- Ⅳb : 간외담관만

⑤ type Ⅴ : 간내담관(intrahepatic duct)에만 국한된 낭종 (Caroli's dz.)

- 성인의 40% 이상에서는 췌담관합류이상(AUPBD) 동반 → 췌액이 담도로 역류 → 담도계 Cx
- 임상양상 : 영아형 (2/3) > 성인형 (1/3)
  - 영아형(<12개월) ; biliary atresia와 증상 비슷 (jaundice, acholic stool 등)
  - 성인형(10세 이후에 증상 발생) ; 비특이적 심와부 통증이 m/c (70~95%)
    → classic triad (환자의 <20%에서만 나타남); abdominal pain, jaundice, palpable mass
  - 혈액검사 소견은(e.g., ALP↑) 모두 비특이적임
- Dx ; US, CT, cholangiography (ERCP, MRCP, PTC), EUS
- Cx
  - brown pigment stones, acute cholecystitis
  - cholangitis, pancreatitis, liver abscess
  - 2ndary biliary cirrhosis, portal HTN, portal vein thrombosis
  - 담낭/담관계의 악성종양 (10~15%) ; cholangioca. (adenoca.)가 m/c, 나이 들수록 증가
- Tx : cholangioca. 발생 위험이 높으므로 반드시 수술
  - 낭종절제(cyst excision) + biliary-enteric anastomosis (biliary drainage)
    ; Roux-en-Y 담관공장문합술(choledochojejunostomy), 간공장문합술(hepaticojejunostomy)
  - 복잡해서 완전 절제가 불가능한 경우엔 simple decompression & internal drainage
  - Caroli's dz.의 경우는 간이식이 최선의 치료

2. 췌담관합류이상 (Anomalous union of pancreaticobiliary duct, AUPBD)

- 췌관과 담관이 십이지장벽 전에서 합류하여 긴(>15 mm) 공통관을 형성한 것 (짧은 경우도 많음)
  → 췌액의 담도 내 역류(pancreaticobiliary reflux) 발생 (∵ Oddi 괄약근의 작용이 미치지 못해)
  → 담도의 만성 염증 및 낭종성 확장 (담관낭종)
  → 담석증, 담도염, 담낭암, 담관암 등의 담도계 합병증 발생
    (choledochal cyst 동반시엔 담관암, choledochal cyst 없을 땐 담낭암 발생 위험↑)
- 약 75%에서 choledochal cyst 동반, 약 17%에서 담도계 악성종양 발생
- 급성 췌장염 (약 20~40%에서 발생)
  - 담즙의 췌관 역류가 원인 (일반적으로 췌관 내압이 담관 내압보다 높음)
  - 역류가 증가되는 경우 ; 공통관 내의 담석증 or 단백전, SOD 등
- 진단
  ① 담도조영 상에서 췌담 공통관의 길이 >15 mm ; ERCP, MRCP, EUS 등으로 확인
    (일본 ; 췌관과 담관이 십이지장벽 밖에서 합류하는 경우로 정의)
  ② 담즙 내 amylase >10,000 IU
- 치료 ; 담관낭종 절제술, 합류 이상의 교정재건술(→ 역류 방지), 담낭절제술(∵ 암 위험) 등

c.f.) 정상 담관 및 췌관
- 십이지장 유두부로 분리되어 개구 (약 1/3)
- 합류하여 하나의 공통관 형성 (약 2/3) : 공통관의 길이 1~12 mm (평균 4.5 mm)

총담관결석/온쓸개관돌증 (choledocholithiasis, CBD stone)

1. 병인

(1) GB stone에서 기원 (secondary CBD stone) : 거의 대부분
- GB stone의 10~15%가 CBD stone으로 이행
- cholesterol or mixed stone

(2) CBD에서 primary (de novo)로 형성되는 경우 (대부분 brown pigment stone)
① hepatobiliary parasitism (e.g., 간흡충, 회충) or chronic, recurrent cholangitis
② congenital anomalies (특히 Caroli's dz.)
③ dilated, sclerosed, or strictured bile ducts
④ *MDR3* gene defect에 의한 biliary phospholipids 분비 감소

2. 임상양상/합병증

(1) 급성 담관염/쓸개관염(cholangitis)

- Charcot's triad (약 70%에서 나타남)
  ① biliary colic (RUQ pain/tenderness) ; 담낭염과 달리 복막자극 징후는 드묾(~15%)
  ② jaundice
  ③ fever & chills
- Reynold's pentad = Charcot's triad + shock & confusion
- 담즙 배양시 75%에서 (+) - 흔한 원인균 ; *E. coli, Klebsiella, Pseudomonas, Proteus,* enterococci 등 (약 15%에서는 *Bacteroides fragilis, Clostridium perfringens* 등의 혐기성균도)
- Lab ; leukocytosis, blood culture (+)
- 치료
  ① nonsuppurative acute cholangitis (대부분) ⇨ 보존적 치료와 항생제에 잘 반응
  ② suppurative acute cholangitis : 치료 안하면 거의 다 사망
  ; severe toxicity (confusion, septic shock, thrombocytopenia)
  ⇨ 광범위 항생제 + 응급 **담도감압(배액)술** (감염된 담즙의 drainage)
  ; ENBD (endoscopic nasobiliary drainage), ERBD, PTBD, EUS-BD 등
  (c.f., 내시경 불가능 or 실패시에는 PTBD [=PTCD] 시행)
  ⇨ sepsis에서 회복 후엔 ERCP & sphincterotomy (stone removal)
  + 추후 laparoscopic cholecystectomy 시행!

c.f.) 기타 담관염의 원인 ; 담도계 수술/시술(e.g., ERCP), 간내 담석증(hepatolithiasis), 담도 협착, 종양, choledochal/biliary cysts, sump syndrome (담도-십이지장 문합술의 합병증) ...

(2) 폐쇄성 황달 (obstructive jaundice)

- jaundice, pruritus, dark urine (bilirubinuria), light-colored (acholic) stools
- 초기에는 대부분 담도산통(biliary colic)이나 담관염 증상을 동반 안함
- chronic calculous cholecystitis의 동반은 매우 흔하지만, GB는 상대적으로 확장되어 있지 않다!
  → palpable/dilated/nontender GB시 담석보다는 종양에 의한 담관 폐쇄 시사(Courvoisier's law)

- bilirubin이 5 mg/dL 이상인 담관염 환자는 반드시 CBD stone을 의심!
  - 대개 15 mg/dL 이상은 상승하지 않는다
  - 20 mg/dL 이상인 경우는 악성종양에 의한 폐쇄를 의심
- 상승 순서 : ALP↑→ bilirubin↑(황달) → aminotransferase↑
- obstruction relief시 호전 순서 : aminotransferase↓→ bilirubin↓→ ALP↓(∵ 반감기 길)

(3) 담석성 췌장염(pancreatitis)

- non-alcoholic acute pancreatitis의 m/c 원인
- acute cholecystitis의 15%, CBD stone의 30% 이상에서 발생
  (이동이 용이한 multiple small stones이 췌장염을 잘 일으킴)
- 췌장염 동반 의심되는 임상 소견
  ① back pain or 좌측복통
  ② prolonged vomiting & paralytic ileus
  ③ pleural effusion (특히 좌측)

(4) Secondary biliary cirrhosis

- 담석보다는 협착/종양에 의한 장기간의 폐쇄 환자에서 더 호발
- 일단 cirrhosis가 발생하면 폐쇄를 교정해도 계속 진행 (→ portal HTN, 간부전)

(5) 지용성 vitamins (A, D, E, K) 결핍

- 흡수에 bile acids 필요
- vitamin K↓ → PT 연장

3. 진단

(1) transabdominal ultrasonography (TUS)

- 담도폐쇄 evaluation시 1st 영상검사 (CBD 확장 90% 이상 발견)
- 담낭담석에 비해 담도담석의 진단 sensitivity는 떨어지지만(50~70%), specificity는 높음(약 95%)
- 초음파에서 stone이 의심되면 치료까지 고려하여 ERCP를 시행하고, 종양 등 다른 원인이 의심되면 spiral CT, MRCP, EUS 등을 고려

(2) cholangiography ; ERCP (gold standard), MRCP, PTC

- ERCP : CBD의 확장 및 CBD 내 stone 음영 소견
  → 가장 정확한 검사법으로, 조직검사 및 치료(e.g., EST)도 병행 가능
- 담도결석의 진단 민감도 ; ERCP > EUS ≥ MRCP > spiral CT
  (담도결석이 많이 의심되면 치료도 고려해 ERCP를 하고, 조금 의심되면 EUS or MRCP로 R/O)
- PTC : 간내 담도 확장이 있고 ERCP가 불가능할 때 시행

(3) CT (spiral)

- 담관의 확장 및 종괴의 유무, 췌장 병변을 관찰 가능
- CBD stone 진단 민감도는 70~90% 정도 (spiral CT cholangiography는 조영제 부작용이 단점)
- 담도/췌장의 악성종양 의심 시에는 1st choice

4. 치료

* 담관결석은 무증상이라도 발견되면 반드시 치료가 필요함!

(1) 내과적 치료

- cholangitis 존재시 우선은 항생제로 control!
  - mild ; cefuroxime, ceftriaxone, levofloxacin, ciprofloxacin 등
  - severe ; ceftazidime/cefepime + metronidazole, cefoperazone/sulbactam, piperacillin/tazobactam, meropenem, imipenem/cilastatin 등
- fat 흡수장애 (steatorrhea) 동반시 → 지용성 vitamins 투여
  (e.g., vitamin K를 투여해서 PT를 정상화시켜야 됨)

(2) Endoscopic sphincterotomy (EST) & stone extraction : TOC

- 회복도 빠르고 CBD 수술(절개)에 따른 합병증도 방지 가능
- 2 cm 이하의 결석은 내시경적 방법으로 제거
- 2 cm 이상의 큰 결석은 분쇄하여 제거 ; basket을 이용한 mechanical lithotripsy, electrohydraulic lithotripsy (EHL), laser lithotripsy, ESWL, NB tube를 통한 용해제의 관류 등
- 내시경 시술이 성공하면 이후에 laparoscopic cholecystectomy 시행! (∵ 담도질환 재발 위험↑)

(3) 외과적 치료

- 개복술이 필요한 경우는 거의 없음
- common bile duct exploration + choledochoduodenostomy
- cholecystectomy with choledocholithotomy & T-tube drainage of bile ducts

간내 담석 (intrahepatic stone)

1. 개요/임상양상

- 정의 : 간내 담관에 담석이 존재하는 것
- 서양에는 거의 없고, 동아시아에서 흔하다 (전체 담석 중 우리나라 10~15%), 남:여=1:2
- 과거에는 대부분 갈색석(brown pigment stone), 최근 cholesterol 성분도 증가 추세임
- 발생 위험인자 ; 세균/기생충 감염, 선천적 담도 기형 or 담즙 저류
- 호발 연령은 담낭 담석보다 약간 젊다 (40~50대)
- 다발성, 대부분 담관 협착 동반 (→ 예후 나쁨)
- 환자의 약 5~10%에서 간내 담관암(cholangiocarcinoma) 발생!

2. 진단

- US, CT (초음파보다 우수), MRCP, PTC (가장 정확하나 invasive한 것이 단점)
- ERCP는 동반된 CBD stone에 의한 증상이 있는 경우에만 시행

3. 치료

- lobectomy or segmentectomy : 가장 좋다 (제거율 높고 재발률 낮음, 담도암 예방 효과도)
- PTCS (percutaneous transhepatic choledochoscopy) & stone removal : 제거율 64~92%, 재발↑
- 동반된 협착의 치료도 중요 (∵ 담석 재발의 위험인자)
  → 담석의 제거 후 풍선 확장술이나 stent 등을 이용한 협착 부위의 고정
- 치료후 재발된 담석 or 잔류석 → 만성 반복성 담도염, 간부전, 간경변, 담도암 등을 일으킬 수 있음

혈액담즙증 (Hemobilia)

- 담도와 혈관의 비정상적인 교류로 담도 내로 출혈이 발생한 것

원인	1. Iatrogenic trauma (m/c, 40~60%) ; 중재적 방사선 시술(PTBD), 수술, 담관조영술(PTC, ERCP), biliary stent, percutaneous liver biopsy ...
	2. Accidental trauma
	3. Gallstone (CBD stone)
	4. Biliary/Hepatic tumor bleeding
	5. Hepatic abscess
	6. Hepatic arterial aneurysm rupture
	7. 간/담도계의 기생충 감염

- 심한 출혈은 드묾, 외상 후 수주~수개월 뒤에도 발생 가능
- 전형적 증상(triad) ; RUQ pain (biliary colic), obstructive jaundice,
  담도내 출혈 → anemia, melena or stool OB (+)
- Dx : 내시경, ERCP (clot의 충만결손), angiography (m/g), CT (trauma 때 유용), 간담도 scan 등
- Tx
  - minor hemobilia : 보존적 치료 (적절한 biliary drainage 등)
  - major hemobilia : transarterial embolization (TAE)
    → 실패시 수술 (e.g., 출혈 혈관의 ligation, cholecystectomy)

간/담도계의 기생충 감염

- cholangitis, multiple hepatic abscess, ductal stones, biliary obstruction, cholangioca. 등을 일으킴
- 우리나라에 흔한 것 ; *Clonorchis sinensis* (m/c), *Ascaris lumbricoides*, amebiasis ...

■ Oriental cholangiohepatitis (recurrent pyogenic cholangitis, RPC)

- 대만, 홍콩, 남부 중국 등에서 주로 발생하는, 재발성 담낭염과 간담석증이 특징인 질환
- 원인 : 간흡충(*Clonorchis sinensis*), 회충(*Ascaris lumbricoides*) 등의 감염
  → 간내 담도의 협착/확장 → 담즙 저류 → brown pigment gallstone, biliary cirrhosis 발생
- 재발성 담낭염이 흔히 나타나고, cholangioca.도 발생 가능
- 진단 : cholangiography & stool ova
- 치료 : 구충제, 협착이 있으면 수술이 TOC (common duct exploration & biliary drainage)

원발성 경화성 담관염 (Primary sclerosing cholangitis, PSC)

1. 개요/임상양상

- 염증으로 인한 간내담관 and/or 간외담관의 fibrosis & stricture (primary autoimmune dz.로 추정)
- 20~40대에 호발, 남:여 = 2.3:1
- 임상양상 ; obstructive jaundice, pruritus, RUQ pain, anorexia, indigestion, cholangitis ...
- 약 20~44%는 증상이 없을 때 ALP level 상승에 의해 발견됨
- 경과는 매우 다양, 말기에는 secondary biliary cirrhosis (portal HTN 및 합병증), hepatic failure, cholangioca. (10~20%) 등도 발생 가능
- 예후 나쁨 : 진단 뒤 평균 9~12년 생존 (치료해도)
- poor Px. ; 고령, serum bilirubin↑, 심한 간조직 소견, splenomegaly

* **small duct PSC** : chronic cholestasis가 존재하고, 간 조직검사에서 PSC의 소견이 있지만, cholangiography는 정상인 경우 (PSC의 약 5%), 초기 PSC로 생각되며, 예후도 훨씬 좋음

2. 관련질환

① IBD (70~90%에서 동반) : 특히 UC (c.f., UC의 severity와는 관련 없음!)
② autoimmune hepatitis, autoimmune pancreatitis
③ multifocal fibrosclerosis syndromes (e.g., retroperitoneal, mediastinal, periureteral fibrosis)
④ Riedel's struma ⑤ pseudotumor of the orbit

- UC와 마찬가지로 흡연시 risk 감소 / genetic factor ; HLA-B8, -DR3, -DR4 등과 관련

3. 진단

- ERCP or MRCP ; 담관 내면이 염주알 모양 (군데군데 협착 부위들 사이에 정상/팽창 부위 혼재)
  - 약 75%는 간내담관 & 간외담관 모두 침범, 15~20%는 간내담만 침범
  - 주 협착 부위(dominant strictures) → hepatic duct 분지부가 m/c
- liver biopsy : 진단에는 제한적인 역할 (→ 대부분 담관조영술로 진단)
  ① 작은 간내담관의 협착시 (small duct PSC) 진단에 도움
  ② staging (inflammation과 fibrosis의 정도에 따라)
- p-ANCA : 90%에서 양성
- ANA, anticardiolipin Ab., antithyroperoxidase Ab., RF 등도 양성일 수 있음
  (c.f., AMA → primary biliary cirrhosis)

4. 치료

- 보존적 치료 (∵ 특별한 치료법이 없음)
  - cholestyramine (→ pruritus) / 항생제 (→ cholangitis)
  - vitamin D & calcium (→ bone mass 소실 방지)
  - UDCA (high-dose) : LFT는 개선되나, survival에는 영향 없음

- steroid, methotrexate, azathioprine, cyclosporine 등은 효과 없음!
- 담도 폐쇄가 심한 경우 → balloon dilatation and/or stenting, 담관절제 등
  (질병의 경과에는 영향 못 미치고, 합병증 발생 위험)
- 간이식 : advanced PSC의 유일한 치료법 (간이식 후엔 예후 좋음)

담관암/온쓸개관암 (Cholangiocarcinoma, CCA)

*담도암 (biliary tract ca., BTC) = 담관암 + 담낭암 + 팽대부암 등을 총칭

1. 개요

- 간에서 바터팽대부(ampulla of Vater)까지의 담도 상피에서 발생하는 악성종양 (bile duct ca.)
- 50~70대에 호발, 남:여 = 6:4, 아시아에서 더 흔했지만 유럽/미국에서도 빠르게 증가 추세
- 병리 ; adenocarcinoma (90~95%, highly desmoplastic stroma & mucin 생성이 특징), SCC
- 비교적 천천히 성장하고 혈행성 전이는 적은 편이나, 벽이 얇고 장막이 없어 주변 조직으로의 전이는 쉽게 발생 (50% 이상에서 주변 LN 전이 존재)

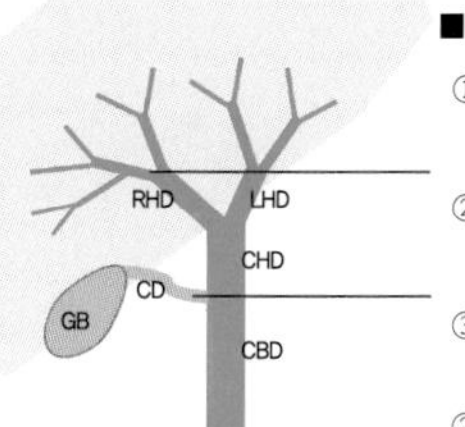

■ 위치에 따른 분류

① intrahepatic cholangiocarcinoma (iCCA)
; 5~10%, 2nd m/c 원발성 간암

② perihilar (central) cholangiocarcinoma (pCCA)
; 50~60% (m/c), 간문부 (CHD 분지부), Klatskin tumor

③ distal (peripheral) cholangiocarcinoma (dCCA) ; 25~35%

②+③= extrahepatic CCA

RHD (Rt. hepatic duct), LHD (Lt. hepatic duct), CD (cystic duct), CHD (common hepatic duct), CBD (common bile duct)

2. 위험인자

① primary sclerosing cholangitis (PSC) : 10~20% (부검시 40%)에서 담관암 동반,
대부분 간외에 (hepatic duct 분지부) 발생
(IBD 자체는 위험인자 아님! PSC 환자의 약 70%에서 동반 → 담관암 위험 더욱↑)

② intrahepatic duct stone (hepatolithiasis, 간내담석) : 5~10%에서 담관암 발생

③ 선천성기형 ; choledochal cyst, biliary atresia, anomalous pancreaticobiliary union, Caroli's dz.

④ 만성 간담도 기생충 감염 ; *Clonorchis sinensis, Opisthorchis viverrini, Fasciola hepatica* 등

⑤ biliary tract carcinogens ; thorotrast, radon, nitrosamines, dioxin, asbestos ...
(e.g., 고무, 자동차, 항공기, 화학약품 공장 종사자)

⑥ 이전의 biliary-enteric anastomosis/drainage

⑦ 만성 간담도 염증/손상 ; CBD stone, LC, HBV, HCV, alcoholic liver dz., 과음 등
(↳ 간내담관암과만 관련)

* gallstone, 흡연은 아님!

3. 임상양상

- progressive painless jaundice (severe), pruritus, weight loss, acholic stool
- vague RUQ pain with back radiation
- hepatomegaly
- nontender, palpable, distended GB (Courvoisier's sign) → 하부 담관암
- 오랜 담도폐쇄로 biliary cirrhosis, portal HTN도 발생 가능

4. 검사소견/진단

- total bilirubin↑, ALP↑, aminotransferase↑, CEA↑, CA19-9↑, CA125↑ (AFP은 정상)
- US ; 담관의 확장 확인
- MRI & MRCP (m/g), dynamic CT : 비침습적으로 담도계 종양 확인 및 수술 가능성 판정
  - 담관의 국소적인 협착/종괴 & 그 상부 담관의 확장
  - hilar ca. (Klatskin tumor) : 간내 담관의 확장, 간외 담관 및 담낭의 허탈(collapse)
- ERCP (biopsy/cytology, stenting → biliary drainage), (intraductal) EUS ...

5. 치료

(1) 절제술

- 유일하게 완치도 가능하지만, 약 20~30%만 수술 가능 (수술 후 재발은 국소재발이 m/c)
- 수술 전 portal vein embolization → 반대쪽 간의 hypertrophy 유발 → 잔존 간 용적↑
- 일반적으로 neoadjuvant or adjuvant therapy는 수명 연장 효과 없음!
- 수술 전 biliary drainage의 적응 ; bilirubin >10 mg/dL, cholangitis, delayed surgery 등
- 수술 후 예후는 LN 전이 여부와 tumor-free margins (R0)이 m/i → (+)면 adjuvant CTx. 권장
- PSC 환자는 resection 안 하고 간이식 고려 (∵ 간부전, 2nd CCA 발생↑)

(2) 간이식

- 재발률이 높고 예후가 나빠서 (5YSR ~20%) 대부분은 적응 안됨!
- 초기 perihilar CCA에서 neoadjuvant chemoradiation 뒤 이식하면 예후 좋은 편 (5YSR ~82%) (Ix. ; 전이가 없는 3 cm 미만의 perihilar CCA, 심한 전신질환/감염 및 이전의 RTx. 병력 無)
- intrahepatic CCA는 재발률이 높아 간이식의 적응 아님 (5년 내 70% 이상 재발)

(3) Unresectable CCA

- CTx. : gemcitabine + cisplatin (or oxaliplatin)이 가장 효과적 (median survival 8~15개월)
- palliative biliary drainage (stenting, decompression) : 삶의 질 개선
  - ERBD (metal stent) or PTBD (→ iCCA에 더 적합)
    ↳ plastic stent보다 오래 유치 가능해(~8-10개월) 선호됨
  - 황달이 해소되려면 전체 간 용적의 25~30% 이상이 배액되어야 됨
  - 간 용적의 50% 이상 배액(bilateral drainage)은 survival 연장 가능
- photodynamic therapy (PDT), intrabiliary RFA/brachyradiotherapy 등도 효과적
- targeted Tx. ; bevacizumab + erlotinib 등 일부 약간 효과도 있지만, 많은 연구가 필요

6. 예후

- 조기발견이 어려워 예후가 매우 나쁨 : 5YSR <10%
  (수술 가능한 경우라도 5YSR 10~30%)
- 위치에 따른 예후는 연구마다 조금씩 다르지만, 절제 불가능한 경우엔 모두 다 비슷하게 나쁨
  - resectability : iCCA < hCCA < dCCA (distal 쪽이 좀 더 높음)
  - curative R0-resection 후 생존율(5YSR) : iCCA > hCCA > dCCA (proximal이 좀 더 좋음)
- m/c 사인 : 간부전(hepatic invasion), 담관폐쇄의 합병증

바터팽대부(Ampulla of Vater) 암 / 팽대부암(Ampullary ca.)

- 대부분 adenocarcinoma (90%), adenoma가 흔히 선행됨
- 대장용종증후군 환자에서 호발 (특히 FAP → 50~86%에서 팽대부 adenoma 발생, 주로 다발성)
- ampullary adenocarcinoma는 예후 좋다
  ∵
  - 증상(jaundice)이 일찍 발생
  - 서서히 자람 (대부분 localized)
  - 조기 진단이 쉬움 (ERCP)
- Sx ; obstructive jaundice (m/c), pruritus, weight loss, epigastric pain
  - 약 1/3에서 출혈 발생 → stool OB (+), IDA
  - Courvoisier's sign : dilated, palpable, nontender GB
- 국소 LN 전이 흔함 (약 50%), 원격전이는 간에 m/c
- Dx ; MRI (with MRCP), CT, ERCP, EUS
- Px ; periampullary ca. 중엔 예후 좋음, 진단시 77~93%가 절제수술 가능!
  - LN 전이가 없는 경우 수술하면 5YSR 59~78%
  - 수술 가능한 LN 전이 존재 → 5YSR 16~25%
- Tx ; surgical excision (pylorus-sparing pancreaticoduodenectomy, PPPD)
  - adjuvant CTx. or chemoradiation은 일부에서 생존율 향상 (특히 LN 전이 환자)
  - 수술 불가능한 환자에서 CTx. or RTx.의 역할은 불확실함

Periampullary cancer (팽대부 주위 암)

- 정의 : ampulla of Vater 근처(2 cm 이내)에 생기는 cancer
- 남>여, 50~60대에 호발
  - 빈도순 ; pancreatic head (50~60%) > ampulla of Vater (20%) > distal CBD > duodenum
  - 예후순(생존율) ; duodenum > ampulla of Vater > distal CBD > pancreatic head (나쁨)
- obstructive jaundice ; 황달, 소양감, 짙은 갈색 소변, urine urobilinogen (-)
- Dx ; US (screening), CT, MRCP, ERCP, EUS ...
- Tx ; 췌십이지장절제술(Whipple's op., PPPD) → Ⅱ-12장 췌장암 편 참조

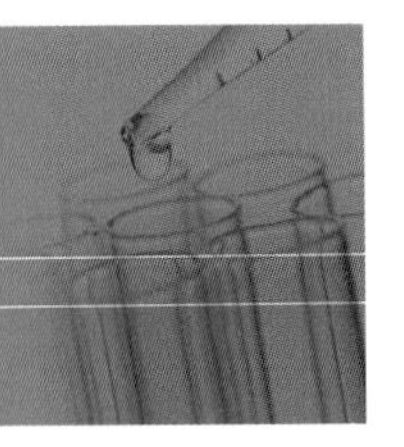

10

급성 췌장염/이자염 (AP)

개요

1. 정의

- 소화효소가 소장이 아닌 췌장 내에서 활성화되어 자기 자신을 소화(autodigestion) 시킴으로써 췌장의 염증과 괴사를 일으키는 병변
- 병인/경과(3 phases)
  - 1st : 소화효소의 췌장내 활성화(← cathepsin B 같은 lysosomal hydrolase) → acinar cell 손상
  - 2nd : neutrophils과 macrophages의 침윤, 활성화 → 췌장 내 염증반응
  - 3rd : 활성화된 단백분해효소(특히 trypsin) 및 cytokines → cellular injury & death (necrosis), 혈관확장/투과도↑(edema), SIRS, ARDS, multiorgan failure 등의 전신 증상

2. 췌장의 외분비 기능

- 하루에 1500~3000 mL의 20여종의 효소를 함유한 등장성 알칼리성(pH >8) 췌장액(이자액)을 분비
- 수분과 전해질 분비 (duct) : 중탄산염(bicarbonate)이 m/i (⇦ secretin, acetylcholine이 주로 자극) → 위산을 중화시켜 췌장 효소들의 활성에 적합한 pH 조성
- 효소분비 (acinus) : 모든 췌장효소는 alkaline pH에서 활성화됨 (⇦ CCK, secretin 등이 자극)
  - ① amylolytic enzymes (e.g., amylase) : 전분을 oligosaccharides와 이당류인 maltose로 분해
  - ② lipolytic enzymes ; lipase, phospholipase A, cholesterol esterase
    (colipase : lipase와 결합하여 담즙염의 lipase 억제 작용을 막음)
  - ③ proteolytic enzymes : inactive precursors (zymogens) 상태로 분비됨
    - endopeptidases ; trypsin, chymotrypsin, elastase
    - exopeptidases ; carboxypeptidases, aminopeptidases

    * enterokinase (십이지장 점막에 존재) → trypsinogen을 분할하여 trypsin으로 만듦
    다른 proteolytic zymogens을 활성화 ↵
  - ④ ribonuclease ; deoxyribonucleases, ribonucleases
- **췌장 분비 자극**
  - ① secretin (⇦ 위산) : 수분과 전해질이 풍부한 췌장액 분비 촉진, 위배출 & 위산분비 억제
  - ② cholecystokinin [CCK] (⇦ long-chain FA, 일부 AA, 위산) : 효소가 풍부한 췌장액 분비 촉진 (m/i), vagal nerve 통해 분비 자극, 담낭 수축↑, Oddi 괄약근 수축↓, 위배출 & 위산분비↓

③ gastrin : CCK와 구조 비슷하나, 췌장 분비 촉진 작용은 약함
④ 부교감신경(vagus nerve를 통해)
- stimulatory neuropeptides ; acetylcholine (Ach), gastrin-releasing peptides (GRP)
- secretin과 CCK의 췌장 효소분비 작용을 매개
- VIP (secretin agonist) 분비 촉진
⑤ bile acids

- **췌장 분비 억제** ; somatostatin, pancreatic polypeptides, peptide YY, neuropeptide Y, eukephalin, pancreastatin, calcitonin, gene-related peptidse, glucagon, galanin 등
- 췌장의 자가방어(autoprotection)
① protease를 비활성 전구체 상태(zymogen)로 저장/보관
② protease inhibitors를 함유 (췌장의 acinar cells에 존재)
③ 췌장 내 낮은 Ca^{2+} 농도 → trypsin activity↓

원인/위험인자

Obstructive
- Gallstone (m/c, 30~60%) : 미세담석증 포함
- SOD 또는 종양에 의한 ampullary obstruction
- Choledochocele
- Periampullary duodenal diverticulum
- Pancreas divisum, annular pancreas
- Primary or metastatic pancreatic tumors
- Crohn's disease of duodenum
- Parasites in pancreatic duct: *Clonorchis, Ascaris*

Toxins
- Alcohol (2nd m/c, 15~30%),
- Methanol, Organophosphorus,
- Scorpion venom (*Tityus trinitatis*)

Trauma
- Blunt abdominal trauma
- ERCP (특히 biliary manometry 이후)
- Postoperative state, cardiopulmonary bypass
- Penetrating duodenal ulcer

Metabolic
- Hypertriglyceridemia (대개 TG >1000 mg/dL)
- Apolipoprotein CII deficiency (→ TG↑)
- Acute fatty liver of pregnancy
- Hypercalcemia (e.g., hyperparathyroidism)
- Renal failure, 신장 또는 심장이식 후

Infections
- Viral; mumps, coxsackievirus, CMV, echovirus,
- Bacterial; *Mycoplasma, Salmonella, C. jejuni*
- *Mycobacterium avium complex*

Vascular
- Ischemic hypoperfusion (심장수술 후)
- Celiac axis/hepatic artery의 aneurysms
- Vasculitis
- Cholesterol or atherosclerotic emboli
- SLE, TTP, necrotizing angiitis

Drugs (2~5%)
- 확실히 관련
  - Azathioprine, 6-mercaptopurine, Sulfonamides, Thiazides, Furosemide (loop diuretics), Estrogens, Tetracycline, L-asparaginase, Cytarabine, Valproic acid, Pentamidine, TMP-SMX, Dideoxyinosine (ddI) ...
- 관련이 의심
  - Acetaminophen, Metronidazole, Methyldopa, Nitrofurantoin, Erythromycin, Salicylates, NSAID, ACEi, Chlorthalidone, Cimetidine, Mesalamine, Ethacrynic acid, Phenformin, Cocaine & Amphetamin abuse

Genetic
- Hereditary pancreatitis
- Cystic fibrosis

Idiopathic

재발성 췌장염 (약 25%)
- Alcohol과 Gallstone이 m/c 원인

특별한 원인없이 재발이 반복되는 경우 ★
- 담관/췌관의 잠재 병변 (m/c)
  ; 특히 microlithiasis, biliary sludge
- Sphincter of Oddi dysfunction (SOD)
- Hypertriglyceridemia, hypercalcemia
- Alcohol, drugs
- Pancreatic cancer
- Pancreatic divisum
- Intraductal papillary mucinous neoplasm
- Cystic fibrosis 등의 유전성 췌장염
- Autoimmune, idiopathic

- biliary tract disease (gallstones)가 m/c (30~60%) 원인 (but, 담석 환자의 3~7%만 췌장염 발생)
  - gallstone이 ampulla of Vater를 통과하며 일시적인 췌관 폐쇄를 일으켜 발생
  - multiple, small (<5 mm) stone에서 더 호발 (∵ ampulla 도달 가능), 남:여 = 1:2
  - 약 75%의 환자의 대변에서 gallstone이 발견됨
  - 3 mm 미만의 작은 담석(microlithiasis or biliary sludge)은 재발성 췌장염을 일으킬 수 있음
- idiopathic pancreatitis (20~30%) 환자의 약 75%도 microlithiasis에 의한 occult gallstone dz.가 원인 (→ 진단 : duodenal aspirate에서 cholesterol crystal 확인!)
- alcohol : 2nd m/c 원인이지만, 알코올중독자에서 췌장염 발생률은 매우 낮음 → 다른 요인도 관여
- post-ERCP pancreatitis
  - ERCP 이후 5~10%에서 acute pancreatitis 발생, 여러 노력에도 불구하고 발생률 별로 안 감소 (asymptomatic hyperamylasemia는 35~70%에서 발생)

post-ERCP pancreatitis 발생 위험인자
Young age, 여성 Non-dilated duct, Normal serum bilirubin SOD (sphincter of Oddi dysfunction) 이전의 post-ERCP pancreatitis, Recurrent pancreatitis Pancreatic duct injection, difficult cannulation, pancreatic sphincterotomy, precut access, balloon dilation 비숙련자(e.g., 내시경 교육받는 사람) 참여 고위험군에서 pancreatic duct stent 미사용 등

  - 대부분 mild & self-limited
  - 예방 (특히 post-ERCP pancreatitis 발생 고위험군에서)
    (1) ERCP 이후 단기간 pancreatic duct stent 유치 (ER pancreatic drainage, ERPD)
    (2) rectal NSAID (diclofenac or indomethacin)
- 유전적 요인 (→ acute pancreatitis 발생 위험↑)
  ① cationic trypsinogen gene (*PRSS1*) mutations → hydrolysis-resistant trypsin 생성
    ; familial/hereditary pancreatitis (AD 유전, 대부분 20세 이전에 증상 발생, 췌장암↑)
  ② pancreatic trypsin inhibitor (serine protease inhibitor Kazal type 1; *SPINK1*) mutations
    → 활성화된 trypsin의 억제 장애
  ③ cystic fibrosis transmembrane regulator (*CFTR*) mutation
  ④ monocyte chemotactic protein 1 (*MCP-1*) mutation
- 흡연은 대개 관련 없다!

임상양상

1. 증상 및 징후

(1) abdominal pain (m/i)
- 지속적, 상복부 전체 or 명치부(epigastrium)에서 발생, 등으로 radiation (약 50%에서)
- 누워 있으면 심해지고 / 구부리고 앉거나, 옆으로 누워서 무릎을 가슴에 붙이면 완화
- 일단 시작되면 하루 이상 중단 없이 지속됨

(2) N/V, 복부팽만, 장음 감소 or 소실
(∵ gastric & intestinal hypomotility, chemical peritonitis 때문)
• abdominal tenderness & rigidity (복통에 비하면 경미한 편)
• upper abdominal mass ; enlarged pancreas or pancreatic pseudocyst
(3) low-grade fever, tachycardia, hypotension
(4) shock - 발생 기전
① 혈액과 혈장단백의 retroperitoneal exudation에 따른 hypovolemia
② kinin peptides의 생성, 분비 증가 → vasodilatation & vascular permeability ↑
③ proteolytic & lipolytic enzymes의 systemic effects
(5) jaundice는 드물게 발생 (∵ 췌장 두부의 부종이 담관을 눌러서)
(6) erythematous skin nudules (∵ subcutaneous fat necrosis)
(7) 폐 증상 (10~20%) ; pleural effusion (주로 왼쪽), atelectasis, pul. edema
(8) ┌ Cullen's sign : 배꼽 주위의 blue discoloration (∵ hemoperitoneum 때문)
└ Grey-Turner's sign : 옆구리의 blue-red-purple / green-brown discoloration
(∵ hemorrhagic exudate가 후복막에 침착 → 조직의 hemoglobin catabolism 때문)
⇨ 심한 necrotizing pancreatitis를 시사, poor Px.! (methemalbumin ↑)

2. 검사소견

(1) serum amylase 상승

혈청 및 요 Amylase가 상승하는 경우 ★
1. 췌장 질환 ; 급성 췌장염, 만성 췌장염, pseudocyst, ascites, abscess, necrosis, 췌장암, 외상 ...
2. 타액선 질환 ; 이하선염, 귀밑샘염(parotitis), 타액선 결석, 방사선 조사, 턱얼굴 수술/외상, Sjögren's syndrome
3. 간담도 질환 ; 만성 간질환, 담낭염, 담관염, 담관 결석 ...
4. 신부전(renal insufficiency), 신이식 ...
5. 기타 복부 질환 ; 궤양의 천공, 장 폐쇄/경색, 복막염, 대동맥류, 수술 후, 자궁외임신 파열, 급성 충수염 ...
6. 종양 ; 췌장, 식도, 위, 유방, 난소, 폐, 전립선
7. 기타 ; Macroamylasemia, 수술, 화상, 외상, shock, 심폐정지, 폐렴, 폐경색, 뇌 외상, acidosis, type 2 DM, AIDS, 임신, 입덧/오조(hyperemesis gravidarum), 약물(e.g., morphine, anti-retroviral agents) ...

• 증상 발생 2~12시간 이내에 상승, 12~72시간에 peak, 2~3일 뒤 정상화! (환자의 85%에서)
• 정상상한치의 3배 이상 상승하고 다른 원인이 없으면 진단적 의미 있음!
(복수 또는 흉수의 amylase도 상승하면 진단에 도움)
c.f.) ┌ 복수 amylase↑ ; 췌장염, 장폐쇄, 장경색, 소화성 궤양 천공 ...
└ 흉수 amylase↑ ; 급/만성 췌장염, 폐암, 식도 파열 ...
• 위양성/위음성이 많고(20~40%), 췌장염의 severity와는 관계없다!
- false (+) : ERCP 후, 장폐쇄, 반복되는 구토, acidosis
- false (-) : 실제 acute pancreatitis가 있으나 serum amylase는 정상인 경우
① delayed presentation, sample 늦게 채취 or 오래 보관, 병원에 늦게 왔을 때
② acute alcoholic pancreatitis (대개 3배 이하로 상승)
② chronic pancreatitis의 급성 악화기 ; lipase보다 amylase가 더 영향을 받아 낮음
③ hypertriglyceridemia-induced pancreatitis (∵ amylase inhibitor↑)

- 1주 이상 지속적으로 상승 시 다른 합병증의 발생을 고려 (→ US, CT)
  예) 광범위한 necrosis, 췌관(pancreatic duct)의 파열/폐쇄, pseudocyst, ascites ...
- urinary amylase, ACR (amylase-creatinine clearance ratio)
  - 급성 췌장염 일부에서 상승하지만, false(+)/(-)가 많아 잘 사용 안함
- macroamylasemia : serum amylase↑, urinary amylase↓
  - amylase가 혈중에서 중합체 형태로 존재하여 신장으로 잘 배설 안 되어 만성적으로 상승함
  - 예 ; 정상(m/c), celiac dz., HIV, lymphoma, UC, RA, monoclonal gammopathy ...

(2) serum lipase 상승

- 급성 췌장염의 70~85%에서 상승, 4~8시간에 상승, 24시간에 peak, 8~14일 뒤 정상화
  (14일 이상 상승되면 poor Px or pancreatic cyst 합병 시사)
- 3배 이상 상승되면 급성 췌장염으로 진단 가능, 대개 amylase level과 비례하여 상승됨
  (amylase는 담석성 췌장염에서, lipase는 알코올성 췌장염에서 더 높은 경향)
- amylase보다 오래 상승되어 있기 때문에 내원이 지연된 경우 유용하지만, severity와는 무관
- 급성 췌장염 진단에 amylase보다는 더 specific하지만, 다른 많은 질환에서도 상승 가능함
  ; 만성 췌장염, 췌관 폐쇄, 신부전, 급성 담낭염, 장 폐쇄/경색, ERCP, PUD, 간질환, 알코올중독,
  DKA, type 2 DM, 종양, steroid, heparin (∵ lipoprotein lipase↑) ...
- 췌장 이외에 간, 위, 소장, 대장, 심장, WBC, 지방세포, 모유 등에도 존재함

Amylase & Lipase 상승	췌장 질환, 간담도 질환, 궤양 천공, 장 폐쇄/경색, 신부전, 임신, 입덧(오조), 염증성 장질환, Celiac dz., type 2 DM, DKA, AIDS, 외상, ERCP, 약물 ...
Amylase만 상승 ★	타액선 질환 ; 이하선염(mumps), 귀밑샘염(parotitis) 등 자궁외임신 파열, tubo-ovarian dz. 일부 종양(e.g., 난소, 폐), Macroamylasemia 일부
Lipase만 상승	급성췌장염의 delayed presentation, 만성췌장염의 급성 악화, 급성알코올성췌장염, hypertriglyceridemia에 의한 췌장염, Macrolipasemia

(3) trypsin/trypsinogen

- trypsinogen 1 & trypsinogen 2 → 십이지장에서 각각 trypsin 1 & trypsin 2로 활성화됨
- 혈중 trypsin은 α_2-macroglobulin or α_1-antitrypsin (AAT)과 결합되어 불활성화됨
- trypsin은 amylase/lipase와 달리 췌장에서만 생성됨! → 췌장 손상에 specific
- 몇 시간 내에 상승하고 amylase보다 오래 상승 지속됨
- 상승 정도는 췌장 염증 정도와 비례 → 급성 췌장염의 진단, severity 예측, F/U에 매우 유용

(4) 기타 검사소견

- leukocytosis (15,000~20,000/μL)
- hemoconcentration (Hct >44%) and/or azotemia (BUN >22 mg/dL)
  : 심한 췌장염에서 fluid가 복강/후복막으로 유출되어
- hyperglycemia (∵ insulin↓, glucagon↑, glucocorticoid & catecholamine↑)
- hypocalcemia (25%에서)
  - 지방괴사에 의한 fatty acids와 calcium의 saponification (비누화) 때문에
  - 혈청 albumin 저하와 관련될 수 있음
  - 7 mg/dL 이하로 감소시 → tetany 발생, poor Px.!

- bilirubin↑(10%에서) ; >4 mg/dL, 대개 일시적, 4~7일 뒤 정상화
- LFT↑ (특히 ALT 3배 이상↑) → biliary (gallstone) pancreatitis 가능성 시사
- LD↑ (>500 U/dL), albumin↓ (<3 g/dL) → 심한 췌장염 & 나쁜 예후
- CRP↑ → pancreatic necrosis 발생을 시사
- hypertriglyceridemia (15~20%) : amylase & lipase level은 보통 정상
  - 췌장염의 합병증이라기보다는 원인/유발인자에 해당함, 재발성 췌장염을 일으킬 수 있음
  - fasting TG level 750 mg/dL 이상이면 췌장염 발생위험 증가, 300 mg/dL 이하면 위험 無
- methemalbumin↑ → 심한 괴사성 췌장염의 지표
- hypoxemia ($PaO_2 \le 60$ mmHg) → ARDS 발생을 예고
- CDT (carbohydrate-deficient transferrin) : 급성 췌장염 진단에는 민감도↓, 알코올중독의 마커
- urinary TAP (trypsinogen activation peptide) : 급성 췌장염 진단 민감도↓, severity와는 관련

3. 영상검사

* 급성/만성 췌장염 환자의 50% 이상에서는 정상

(1) 단순 복부촬영

- 다른 질환 (특히 장 천공)을 R/O하는 것이 주목적!
- "sentinel loop sign" : 췌장주변의 소장(특히 jejunum)의 localized paralytic ileus (LUQ에 m/c)
- "colon cut-off sign" : 췌장염증이 대장으로 파급되면 transverse colon이 spasm을 일으켜 대장 공기음영이 갑자기 안 보임
- air-fluid level을 동반한 generalized ileus or duodenal distention
- mass effect (← pseudocyst)

(2) 복부 CT

- 가장 유용 ; pancreatitis의 정확한 진단, staging, severity 판정, 합병증 확인
- 췌장의 비대/부종, 가성낭종(pseudocyst), 췌관의 확장, 췌장 주위의 액체, 정상적인 주위 경계의 소실, 지저분한 침윤(dirty fat sign)
- dynamic contrast-enhanced CT (CE-CT)
  - 조영증강이 안 되는 부분이 necrosis (air도 있으면 infected necrosis)
  - necrosis의 크기 파악 가능 → severity, prognosis 보는데 매우 유용
  - 적응 : severe pancreatitis or organ failure 환자에서 입원 (48~)72시간 이후에 시행 (∵ 48시간 이내의 초기에 시행하면 necrosis가 제대로 형성 안 되어 놓칠 수 있음)
  - 입원 6~10일 뒤에 추가 시행이 필요한 경우 ; organ failure 지속이나 sepsis 징후 등의 systemic Cx 의심, 임상상태 호전× or 악화, 첫 발병, 진단이 불확실할 때
  - 조영제 사용의 금기일 때는 MRI (MRCP) 시행
- fluid collection, necrosis → mortality 증가

(3) MRI (MRCP)

- contrast-enhanced MRI는 급성 췌장염 진단에 CE-CT와 비슷하게 유용함
- CT보다 장점 ; 담도계 병변(e.g., CBD stone), pancreatic hemorrhage 등도 확인 가능
- 단점 ; 위중한 환자에서는 CT에 비해 검사하기 어려움

(4) 복부 초음파

- GB & biliary tree를 확인하는 것이 주목적
  (but, 췌장염을 유발하는 gallstone은 대개 크기가 작아 US로 찾기 어렵다)
- acute pancreatitis 자체의 진단에는 별 도움 안됨
  - 췌장의 부종으로 hypoecho., 췌장 두부의 크기 증가 (>3 cm), 췌장 주위에 액체 고임, 췌관 미부 확장 (pseudocyst 확인에 유용)
  - but, 장내 공기로 인하여 60%에서만 췌장의 관찰이 가능하고, CT에 비해 해상력이 떨어짐

(5) ERCP

- 시술관련 합병증 때문에 진단 목적으로 시행하지는 않음 (주로 치료 목적으로 이용)
- biliary sepsis (ascending cholangitis) 의심시엔 (WBC↑, LFT↑) 입원 1~2일 이내에 시행
- unexplained pancreatitis나 recurrent pancreatitis 때도 고려
- pancreas divisum이나 SOD 같은 드문 원인도 발견 가능

(6) EUS

- 1차적인 검사들에서 원인을 찾지 못했을 때 시행 ; 특히 malignancy, ampullary adenoma, pancreas divisum, bile duct stones, microlithiasis 등의 확인에 유용
- 담낭염 없이 지속적인 LFT↑ ± CBD 확장, 임신 등 때는 ERCP 여부 결정위해 먼저 시행
- necrotizing pancreatitis 때는 담도 평가에 EUS가 유용 (∵ ERCP시 조영제는 감염 확산 위험)

* 특별한 원인 없이 재발이 반복되며 imaging study에서 biliary and/or pancreatic ducts의 이상이 발견되지 않으면 → sphincter of Oddi manometry 시행 고려

진단

* 다음 중 2가지 이상에 해당되면 진단 가능!
  ① 임상양상 : 전형적인 복통 (등으로 방사 가능)
  ② 혈청 amylase and/or lipase 3배 이상 상승
  ③ 영상검사에서 급성췌장염 소견 : CE (contrast-enhanced) CT or MRI

급성췌장염의 감별진단
Perforated viscus (특히 peptic ulcer)
Biliary colic ; acute cholecystitis, suppurative cholangitis, CBD stone
Acute intestinal obstrution
Acute mesenteric vascular occlusion (bowel infarction)
Renal colic
Myocardial infarction
Dissecting aortic aneurysm
Connective tissue disorders with vasculitis : SLE, PN ...
Pneumonia
DKA

분류/예후/경과

1. 분류 (grades) - revised Atlanta classification (2012)

경증(mild) AP	장기부전(organ failure) 無 국소/전신 합병증 無
중등증(moderately-severe) AP	일시적인 장기부전 (48시간 이내에 호전) *and/or* 지속적인 장기부전을 동반하지 않은 국소/전신 합병증
중증(severe) AP	지속적인 장기부전 (48시간 이상) ; single, multiple

◆ <u>장기부전</u> **평가** : 입원 후 ~24시간, 48시간, 7일째 중증도 평가 권장

Modified Marshall scoring system for organ dysfunction

Organ system	Score				
	0	1	2	3	4
호흡기 (PaO_2/FiO_2)*	>400	301~400	201~300	101~200	≤101
신장 (serum Cr, μ mol/L)(1)	≤134	134~169	170~310	311~439	>439
[mg/dL]	<1.4	1.4~1.8	1.9~3.6	3.6~4.9	>4.9
심혈관 (systolic BP, mmHg)(2)	>90	<90 수액에 반응	<90 수액에 반응X	<90, pH<7.3	<90, pH<7.2

(1) CKD 환자는 baseline Cr 대비 악화되는 정도로 판단, (2) inotropic support 없이

*기계환기가 아닌 환자에서 FiO_2는 아래와 같이 환산함

<u>산소 공급 (L/min)</u> :	Room air	2	4	6~8	9~10
<u>FiO_2 (%)</u> :	21	25	30	40	50

각 장기별 **2점** 이상을 organ failure로 정의함

◆ **형태학적 분류**(morphologic criteria) : 보통 입원 48시간 이후에 CT 시행 권장

	정의	CE-CT 소견
Interstitial (edematous) pancreatitis 간질성췌장염	조직괴사를 동반하지 않은 췌장실질과 주변조직의 급성 염증	조영제로 췌장실질이 조영됨, 췌장주위 괴사 소견 無
Necrotising pancreatitis 괴사성췌장염	췌장실질 and/or 주변조직의 괴사를 동반한 염증	조영제로 췌장실질 조영 잘 안됨 *and/or* 췌장주위 괴사 소견 (아래 참조) 有
APFC (acute peripancreatic fluid collection) 급성췌장주위액체저류	간질성췌장염 발병 4주 이내에 괴사를 동반하지 않은 췌장 밖 액체 고임	Homogeneous collection with fluid density, 뚜렷한 벽 無, 췌장 주위에 위치(no intrapancreatic extension)
Pancreatic pseudocyst 췌장가성낭종	간질성췌장염 발병 4주 이후에 뚜렷한 벽을 형성한 액체 고임	뚜렷한 벽(completely encapsulated) 안의 <u>homogeneous liquid</u> density, 췌장 외부에 위치
ANC (acute necrotic collection) 급성괴사저류	괴사성 췌장염에 동반된 괴사조직을 포함한 액체 고임	Heterogeneous non-liquid density, 뚜렷한 벽 無, 췌장 내부 *and/or* 외부에 위치
WON (walled-off necrosis) 기질화된괴사	대개 괴사성췌장염 발병 4주 이후 뚜렷한 벽을 형성한 괴사액체 고임	Heterogeneous with liquid & non-liquid density + 다양한 loculations, 뚜렷한 벽 有, 췌장 내부 *and/or* 외부에 위치

2. Severe acute pancreatitis (Poor Px.)의 지표/위험인자 ★

(1) 비만 (BMI >30), 고령 (>60세), hemoconcentration (Hct >44%), 심한 동반 질환

(2) <u>장기부전(organ failure)</u> : 아래 중 하나 이상

① 심부전(shock) : hypotension (systolic BP <90 mmHg) or tachycardia >130 bpm

② 호흡부전(hypoxia) : PaO_2 <60 mmHg

③ 신부전 : hydration 후에도 serum creatinine >2 mg/dL

④ 위장관출혈 (>500 mL/day)

(3) multiple factor clinical scoring systems

- acute physiology and chronic health evaluation (APACHE Ⅱ) score ≥8 (입원 48시간 이내)
- <u>BISAP</u> (bedside index of severity in acute pancreatitis) score (입원 24~48시간) : 3개 이상이면 severe pancreatitis (간단하면서 다른 clinical scoring systems과 정확도 비슷)

BISAP	SIRS : 다음 중 2개 이상 존재시
B: BUN >25 mg/dL	① 체온 >38℃ or <36℃
I: Impaired mental status (Glasgow coma scale <15)	② 심박수 >90 bpm
S: SIRS	③ 호흡수 >20 bpm or PCO_2 <32 mmHg
A: Age >60세	④ WBC >12,000/μL or <4000/μL or >10% band neutrophils
P: Pleural effusion on imaging study	

- Ranson criteria (주로 알코올이 원인일 때) : 3개 이상이면 severe pancreatitis

입원 또는 진단 당시	입원 48시간 이후
연령 >55세	Hematocrit 10% 이상 감소
WBC >16,000/μL	수분 격핍(sequestration) 6 L 이상
Glucose >200 mg/dL	Calcium <8.0 mg/dL
LDH >400 IU/L	Arterial PO_2 <60 mmHg
AST >250 IU/L	BUN 5 mg/dL 이상 증가 (수액투여 후에도)
	Base deficit >4 mmol/L

- modified Glasgow system (모든 원인) : 3개 이상이면 severe pancreatitis (입원 48시간 이후)

WBC >15,000/mm^3	BUN >45 mg/dL
Glucose >180 mg/dL	Albumin <3.2 g/dL
LDH >600 IU/L	Calcium <8 mg/dL
AST >200 IU/L	Arterial PO_2 <60 mmHg

- Ranson or Glasgow system은 복잡하고 예측력(specificity) 떨어져 요즘엔 잘 사용 안함

(4) <u>CTSI (CT severity index)</u> : 영상 점수체계 중 가장 많이 사용, 6점 이상이면 severe pancreatitis

급성 췌장염의 CT severity Index (Balthzar-Ranson)

Grade (비조영증강)		Necrosis (조영증강)	
A: 정상	0	괴사 없음	0
B: 췌장의 국소/미만성 비대(부종)	1	췌장 1/3 미만의 괴사	2
C: B + 췌장 and/or 췌장주위 염증	2	췌장 1/3~1/2의 괴사	4
D: C + 하나의 췌장내/외 액체 저류	3	췌장 1/2 이상의 괴사	6
E: C + 둘 이상의 액체 저류 or 췌장내 가스	4		
CTSI (CT severity index) = Grade + Necrosis score (total 0~10)			

(5) 혈성 복막액(hemorrhagic peritoneal fluid)

(6) 단일 검사 지표

- CRP >150 mg/dL (입원 48시간 이후)
- serum neutrophil elastase, IL-6 : 발병 12시간 내에 상승
- urine trypsinogen activation peptide (TAP) : active trypsin을 간접적으로 반영
- serum amylase level은 급성 췌장염의 severity와 관계없음!

3. 경과(phase)

- 대부분은 (85~90%) self-limited (치료 후 3~7일 내에 회복)
- 15~20%는 severe 경과로 necrosis 발생하여 치명적임 (→ 이중 70%는 감염 발생)

- **1st/early phase** (첫 1~2주) ; 주로 clinical parameters로 severity 파악
  - 지속적인(2일 이상) 장기부전(SIRS)이 m/i parameter (→ 주요 사망원인)
- **2nd/late phase** (2주 이후) ; clinical parameters와 morphologic criteria (i.e., necrosis)로 파악
  - 감염이 주요 사망원인 (e.g., infected necrosis에 의한 sepsis)
- interstitial vs necrotizing pancreatitis의 구분이 중요
  - 장기부전 발생률 : interstitial pancreatitis 10%, necrotizing pancreatitis 54%
    (sterile necrosis보다 infected necrosis에서 더 흔함)
  - 단일 장기부전시 사망률 3~10%, 다발성 장기부전시 사망률 47%
  - but, 대분은 interstitial pancreatitis임, necrotizing pancreatitis는 드문 편 (10%)

치료

* 원칙 ; 췌장 분비를 감소시키는 대증적 요법

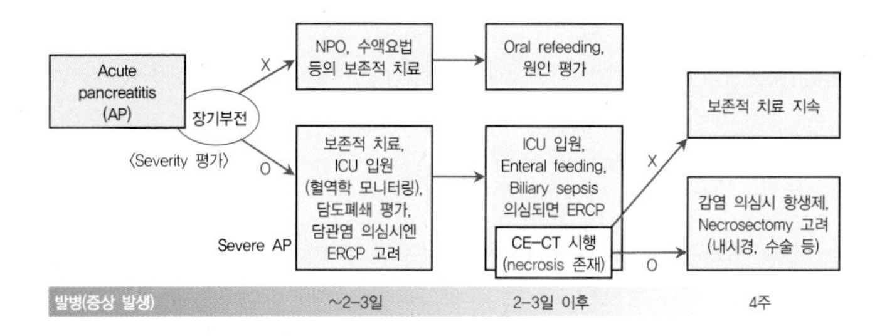

1. 일반적인 지지요법

- 수액 공급 & 전해질 교정 ; 초기 24시간 이내에 3~4 L 정도 (∵ 경미해도 심한 수분결핍 가능)
  - lactated Ringer's solution (SIRS 더 적게 발생해 선호됨) or normal saline 투여
  - F/U : 8~12시간마다 BUN, Hct 측정 → 12~24시간 이내에 감소하면 수액요법 충분하다는 증거 → 상승하면 2 L fluid bolus 및 fluid 투여량↑ → 반응 없으면 ICU 입원 & 혈역학적 모니터링
  - 너무 과량의 수액은 장기부전↑, 췌장주위저류액↑, 사망률↑ 위험
- 진통제 (충분한 양으로 투여!) ; hydromorphone, morphine, meperidine (Demerol®), fentanyl ... (morphine이 오디괄약근을 수축시킬 수는 있지만 금기는 아님, 다른 약제들도 비슷비슷)
- N/V → promethazine IV, 5-HT_3 antagonists (e.g., ondansetron) oral/IV
- 예방적 광범위 항생제(i.e., carbapenems) : interstitial or necrotizing pancreatitis 모두 권장 안됨!
  - 항생제의 무분별한 사용은 오히려 진균 감염 (더 위험) or 췌장 농양 발생 위험을 증가시킴
  - 적응 ; (1) 췌장 외 감염 존재 (e.g., 담관염, catheter-관련 감염, bacteremia, UTI, 폐렴)
    (2) infected necrosis가 확진되었거나 감염의 징후가 뚜렷한 pancreatitis
    (c.f., severe acute pancreatitis에서는 예방적 항생제 사용을 권장하는 국가도 있음)

2. 췌장분비 억제 (pancreatic rest)

- NPO (금식) : mild~moderate AP의 경우 2~3일간 시행
  - 증상(복통, N/V)이 호전되고 공복감을 느끼기 시작하면 다시 경구섭취 허용!
    (amylase 상승이나 CT상 염증소견의 지속 여부와 관계없이)
  - 대개 2~3일 뒤부터 oral 저지방 고형식(low-fat solid diet) 시작
  - severe AP (특히 pancreatic necrosis)의 경우 4~6주간의 금식이 필요할 수도
- 금식 기간 중 영양공급은 TPN보다는 경장영양법(enteral nutrition)이 좋음
  - 비위관(nasogastric tube) 삽입이 비공장관(nasojejunal tube)보다 간편해서 선호됨
  - TPN보다 hyperglycemia, infection 등의 합병증 발생이 적음
    (∵ 장기간의 TPN → 염증/감염↑, 장점막 위축으로 장내세균의 췌장으로의 전위↑)
  - duodenal outlet obstruction, paralytic ileus 등의 경우에는 TPN 시행
- nasogastric suction (NG tube 삽입) : 심한 N/V or paralytic ileus 때에만 권장
  (일반적인 mild~moderate pancreatitis에서는 효과 없음)

3. 기타 약물요법

- protease inhibitor ; gabexate mesilate (Foy) → 합병증(췌장 손상)은 감소하나, 사망률엔 영향 없음
- somatostatin analogue ; octreotide → 사망률은 감소하나, 합병증은 감소시키지 못함
- 효과가 없는 것으로 판명된 약물 ; anticholinergics, glucagon, H_2-RA, calcitonin, glucocorticoid, NSAIDs, aprotinin (protease inhibitor), lexiplafant (platelet-activating factor inhibitor) 등
- H_2-RA나 PPI는 급성 위점막 병변이나 출혈성 궤양을 동반한 경우엔 투여 할 수 있음

4. Severe necrotizing pancreatitis (ANC, WON)

- 강력한 수액요법 등의 보존적 치료 & close F/U (dynamic CT)

- endoscopic drainage/necrosectomy (transmural self-expanding metal stents) 등의 intervention
- percutaneous drainage : 췌장에서 먼 부위의 fluid & necrotic collections 때 선호
- 수술은 꼭 필요한 경우에만, 가능한 늦게 시행 (발병 3~4주 이후)
- 수술 (laparotomy with necrotic tissue removal & percutaneous drainage)의 적응
  ① 다른 치료(endoscopic/percutaneous drainage) 실패시
  ② 심각한 합병증 발생 ; 장 천공, 출혈 지속, abdominal compartment syndrome,
  embolization에 반응 없는 pseudoaneurysm 등
  ③ 동반된 담관계 질환의 교정이 필요할 때
  ④ 지속적인 장기부전, 치료 4~6주 이후에도 경구섭취가 불가능할 때 등

5. ERCP … Gallstone pancreatitis

- 췌장염 유발 담석은 대개 크기가 작아 저절로 빠져나가기 쉽고 ERCP는 시술관련 합병증 위험이 있으므로 신중히 시행 여부를 결정해야
- early (24~48시간 이내) ERCP with sphincterotomy (EST)
  : 담관염 등 담관 폐쇄가 의심되는 severe acute biliary (gallstone) pancreatitis 환자에서 시행
  (↳ WBC↑, LFT (특히 ALT)↑ 등)
- 담낭절제술(laparoscopic cholecystectomy)
  - mild gallstone pancreatitis 환자는 (acute attack이 호전되고) 퇴원 전에 시행
  - moderate 이상의 환자는 염증반응이 충분히 해소된 뒤에 elective surgery로 시행
- elective ERCP with sphincterotomy
  - 담낭절제술을 시행하기 어려운 biliary obstruction 환자
  - 담낭절제술 이후 CBD stone이 남아있을 것으로 의심되는 환자
- ERCP with stent placement : pancreatic duct disruptions 환자

6. Hypertriglyceridemia에 의한 pancreatitis

- 지속적인 hypertriglyceridemia가 있으며, 반복적인 pancreatitis의 재발 경향
- 체중감량(ideal weight로), 지방제한 식이, 운동
- 알코올 및 TG를 높이는 약 (e.g., estrogen, vitamin A, thiazide, β-blocker) 금지
- DM 또는 다른 원인이 동반되었으면 교정

합병증

1. 감염성 췌장괴사 (Infected pancreatic necrosis, IPN)

- acute pancreatitis 발병 후 2~4주경에 발생 (약 2%에서), 7~10일까지는 거의 감염 안 생김
- necrotizing pancreatitis 환자의 약 20%에서 세균 감염 발생 (50% 이상 괴사시 감염 확률 더욱↑)
- 원인균 ; *E. coli* (m/c), *S. aureus, Enterococcus, Klebsiella, Pseudomonas* ...
- 임상양상 ; persistent fever, leukocytosis, CRP↑, organ failure

- 사망률 25~30% (↔ sterile pancreatic necrosis는 사망률 약 10%)
- 진단 : CT-guided FNA (fine needle aspiration) with Gram stain & culture
  - sterile necrosis에서도 SIRS가 나타날 수 있으므로 임상양상만으로는 감별 어려움
  - 배양 음성 & fever 지속시 → 5~7일마다 FNA with Gram stain & culture F/U
- 최근에는 단계적 치료가 선호됨 (수술적 치료는 벽이 잘 형성될 때가지 가능한 늦추는 것이 좋음)
  → 조기 수술(open surgery)보다 multi-organ failure, DM 등의 합병증 및 수술관련 사망률 감소
  (입원 중 사망률에는 차이 없다는 연구도 있고, 전체 사망률은 감소한다는 연구도 있음)

  ① 원인균에 적합한 항생제 투여 (반응이 없거나 임상증상이 심하면 intervention 시행)
  ② endoscopic or percutaneous catheter drainage (with necrosectomy)
  ; 막으로 잘 싸여있는 경우(wall-off necrosis)에 효과적, 광범위한 괴사 치료는 힘듦
  ③ minimal access retroperitoneal pancreatic necrosectomy (MARPN) : 복강경 수술
  ④ open surgical necrosectomy (개복술이 곤란한 환자는 ② or ③ 고려)

■ Walled-off necrosis (WON, organized necrosis)

- 괴사성췌장염에서 췌장주위 지방조직의 염증반응 발생 → 3~6주 뒤 췌장괴사와 췌장주위 지방조직괴사가 합쳐지고 섬유조직에 의해 encapsulation 된 것
- 함유물 ; 반고체 상태의 괴사조직, 짙은 액체(죽은 췌장/췌장주위조직이 액화된 것, 혈액 등)
- CT에서 pancreatic pseudocyst와 비슷해 보이므로 혼동 주의 (둘 다 췌장염의 후반기에 발생)
  - walled-off necrosis : 괴사조직파편을 포함한 이물질 함유, 췌장/췌장주위조직의 괴사 소견
  - pseudocyst : 주변에 조영제에 의해 조영되는 정상 췌장 조직 관찰됨, 췌관 파열 소견 흔함

2. 췌장 농양 (Pancreatic abscess)

- acute pancreatitis 발생 후 4~6주 뒤에 발생 (infected necrosis, pseudocyst 등보다는 드묾)
- 유발인자 (대개 pseudocyst or necrotic pancreatitis에서 발생)
  ① severe pancreatitis, postop. pancreatitis, early oral feeding, early laparotomy...
  ② 항생제의 무분별한 사용
  ③ pseudocysts ; 대장과의 교류, 불완전한 drainage, needling
- 임상양상 ; fever, leukocytosis, tenderness, ileus, 회복되던 환자가 갑자기 악화 ...
- infected pancreatic necrosis보다는 중증도와 사망률 낮음 (∵ necrosis가 없는 국소 농양도 有)
- 진단 : CT-guided FNA (fine needle aspiration) with Gram stain & culture
- 치료
  ① 항생제 : imipenem-cilastatin (→ 췌장 감염시 m/g 항생제)
  ② percutaneous (or endoscopic) catheter drainage : 방법은 pseudocyst와 비슷, 70~90% 성공
  ③ 호전 없으면 즉시 surgical drainage

* 췌장 감염이 의심되는 경우 (fever, leukocytosis, pseudocyst or extrapancreatic fluid collection)
  ① pseudocyts는 즉시 aspiration (∵ 50% 이상이 infected)
  ② extrapancreatic fluid collection은 aspiration할 필요 없다 (∵ 대부분 sterile)
  ③ necrotic pancreas의 aspiration이 sterile로 나오면 일단 5~7일 F/U (∵ 자연 호전이 흔함)
  ④ fever와 leukocytosis가 재발하면 re-aspiration

3. 췌장 가성낭종 (Pancreatic pseudocyst)

- 췌장 밖에 췌장액이 축적된 것 (췌장효소와 소량의 조직파편 함유), epithelial lining은 없고 낭종 벽은 괴사조직, 육아조직, 섬유조직 등으로 이루어져있음
- 70%가 주췌관과 연결되어 있음
- 유발인자
  ① pancreatitis (90%)
  - acute pancreatitis 발생 후 4~6주 뒤에 발생 (7~15%에서)
  - chronic pancreatitis의 경과 중 발생 (20~25%에서)

  (→ small pancreatic duct obstruction으로 발생하는 retention cyst의 일종)

  ② trauma (10%)
- 위치 ; body & tail (85%), head (15%) / 주로 single, 약 14%는 multiple
- 임상양상
  ① abdominal (LUQ) pain 증가, 지속
  ② papable, tender abdominal mass (복부 중앙 or LUQ)
  ③ serum amylase 상승 (때때로 계속 상승, 변동 심함) : 75%에서
- 진단 : abdominal US or CT로 쉽게 진단 가능 (CT가 US보다 약간 더 우수)
- 자연소실 (25~40%에서) : 크기가 작은(<5 cm) 경우 (5 cm 이상은 6주 이상 지속 가능)
  - acute pancreatitis에서 생긴 경우 약 86%가 자연 소실 → F/U이 안전하고 효과적
  - chronic pancreatitis에서 생긴 경우 10% 미만만 자연 소실
- **증상(e.g.. 복통)이나 합병증 없으면 크기에 관계없이 경과관찰!** (6주 이후 대개 자연 소실됨) ★
- 크기가 점점 커지거나, 증상이 악화, 합병증이 동반된 경우 치료(intervention) 필요!
  ① 내시경적 배액술(endoscopic drainage) : 성공률 높고 합병증 적어 initial therapy로 권장됨
  (a) transpapillary drainage (ERCP) : 췌관과 연결되어 있는 작은 cyst (약 <9 cm)
  (b) EUS-guided transmural (transgastric or transduodenal) drainage
  : cyst와 장 벽이 밀접하게 (<1 cm) 붙어있어야
  - 내시경으로 접근이 어려운 부위는 percutaneous drainage or 수술 고려

  ② percutaneous needle aspiration or catheter drainage : 가장 간단하지만, 실패/재발률이 높음
  ③ 수술 : 위 치료에 반응이 없거나 출혈/감염 발생시 (낭종 벽이 잘 형성되는 4~6주 이후에 시행)
  (a) internal drainage : 가장 좋다 (재발률 5%)
  (cystogastrostomy, cystoduodenostomy, cystojejunostomy with Roux-en-Y loop)
  (b) external drainage : complicated pseudocyst에서 choice (재발률 22%)
  (c) excision
- 합병증 ⇨ 반드시 수술! (external drainage)
  ① infection/abscess (→ cyst에 대한 천자검사와 혈액배양 시행)
  ② rupture (→ shock 발생) ; 출혈 없으면 사망률 14%, 출혈 동반되면 사망률 60% 이상
  ③ hemorrhage ; mass 커지고, bruit 들림, 갑자기 BP/Hb/Hct 감소
  ④ GI obstruction ; 주로 십이지장 또는 위배출부 (→ N/V)
  ⑤ CBD obstruction (→ 황달)

* rupture & hemorrhage가 m/c 사인

4. 가성동맥류 (Pseudoaneurysm)

- 약 10%에서 발생, pseudocyst와 fluid collection 분포 부위에서 나타남
- 침범 ; splenic artery (m/c) > inf. & sup. pancreaticoduodenal artery
- 임상양상
  ① 특별한 원인이 없는 upper GI bleeding
  ② pseudocyst의 갑작스런 팽창
  ③ 특별한 원인 없이 Hb 감소
- 진단
  ① CT ; pseudocyst 내 or 주위의 고음영(조영증강) 병변
  ② arteriography or CT angiography (확진)
- 치료 ; angiographic embolization (active bleeding이 없어도!), 수술

c.f.) m/c venous Cx.은 splenic vein occlusion (→ splenomegaly, gastric varix)

5. 췌성 복수 (Pancreatic ascites)

- 원인 ; 주췌관(main pancreatic duct)의 파열, leaking pseudocyst
- 진단 ; 복수의 albumin↑(>3 g/dL) & amylase↑↑, ERCP/MRCP (조영제가 복강으로 빠져나감)
- 치료
  ① 보존적 치료 ; 금식, TPN, nasogastric suction, 치료적 복수천자
  ② somatostatin analogue (octreotide) → 췌장 분비 억제
  ③ 2~3주간의 내과적 치료 후에도 호전이 없으면 수술
  (ERCP로 췌관의 형태 및 췌장액 유출 부위를 확인 후) ; but 사망률이 높음
  ④ <u>주췌관</u> (앞쪽) 파열 → 내시경적(ERCP) 치료가 안전하고 효과적
    - endoscopic bridging pancreatic stent (EPS) or nasopancreatic drainage (ENPD)
    - 6주 이상 유치시 90% 이상에서 치유됨

* pleural effusion : 췌관이 뒤쪽에서 파열되어 pleural space와 internal fistula를 형성시 발생
  (대개 왼쪽에서 대량의 effusion 발생)
  → ERCP & stenting (m/g), thoracentesis or chest tube drainage

MEMO

11 만성 췌장염/이자염 (CP)

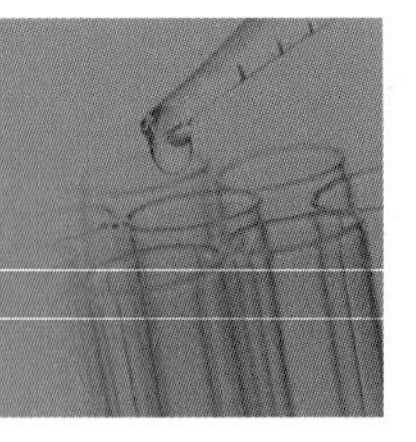

개요

1. 정의

: 췌장의 만성 염증 및 섬유화(fibrosis)로 인해 비가역적인 형태학적 또는 기능적(exocrine & endocrine) 변화가 발생된 상태 (c.f., 자가면역성, 폐쇄성 췌장염 등은 호전 가능)

2. Marseille-Rome의 정의/분류 (1988)

(1) 만성 석회화성 췌장염 (m/c) : 췌장의 불규칙한 섬유화, 췌관의 단백질 침전 또는 플러그, 췌석, 췌관의 위축/협착이 특징 (알코올이 대부분 원인, 원인이 제거되어도 구조/기능적 변화 진행 가능)

(2) 만성 폐쇄성 췌장염 : 췌관의 협착 및 근위부 췌관의 확장, 췌실질의 위축, 섬유화 등이 특징 (종양이나 양성 협착이 원인, 폐쇄가 해결되면 호전 가능)

(3) 만성 염증성 췌장염 : 섬유화, 단핵구 침윤, 위축 등이 특징 (무증상인 경우가 많음)

3. 원인 : TIGAR-O 분류(2001) ★

: Toxic-metabolic, Idiopathic, Genetic, Autoimmune, Recurrent, Obstructive

(1) 독성-대사성 (Toxic-metabolic)

- 알코올(m/c, 50~70%) : 섭취량과 기간이 관련 (술의 종류, 섭취 빈도와는 관련 없음)
  - but, 알코올 간경변에 비해서는 연관성 적음 : 만성 음주자의 일부(<10%)에서만 발생, 음주량이 매우 적어도 발생 가능 (→ 알코올 이외에 다른 유전 or 환경 요인도 관여)
  - 알코올은 CP의 다른 원인에 의한 췌장 손상의 위험성도 증가시킴
- 흡연 : CP & ARP의 독립적 위험인자(dose-dependent), 알코올과 synergistic, 보다 젊을 때 발병
  ↳ pancreatic autodigestion↑, duct cell CFTR function↓
- hypercalcemia (e.g., hyperparathyroidism), hyperlipidemia (특히 hyperTG)
- CKD (∵ 제거 안 된 toxins이 췌장 손상 유발)
- 약물(e.g., phenacetin 남용), 독소 - organotin compounds (e.g., DBTC [dibutyltin dichloride])

(2) 특발성 (Idiopathic)

- 2nd m/c (20~50%), 이중 ~15%는 유전적 결함이 원인으로 추정됨
- idiopathic CP : 청소년형(early-onset, 20세 전후) or 노인형(late-onset, 50~70세, 석회화 심함)
- tropical (malnutrition-induced) CP : 열대지방 일부에서 호발, 등유 때문?, DM↑, 석회화 심함

(3) 유전성 (Genetic, Hereditary pancreatitis)

- 뚜렷한 원인을 모르는 ARP or CP 환자(특히 소아)에서 의심 & genetic testing 시행
- *PRSS1, SPINK1 (PSTI), CFTR, CTRC, CASR* 등의 mutations이 → 뒷부분 참조

(4) 자가면역성 (Autoimmune, 2~6%)

- autoimmune pancreatitis (AIP) → 뒷부분 참조
- 2ndary pancreatitis ; Sjögren's syndrome, IBD, PBC ...

(5) 재발성 급성 췌장염 (acute Recurrent pancreatitis, ARP)

- 반복적인 or 중증의 급성 췌장염이 만성 췌장염을 일으킬 수 있음 : postnecrotic
  (c.f., AP, ARP, CP를 한 질환의 진행에 따른 시기로 보기도 함)
- hypertriglyceridemia, vascular dz. (ischemia), radiation, genetic, idiopathic ...

(6) 폐쇄성 (Obstructive)

- 췌관 손상, 외상, 낭종, 종양(e.g., islet cell tumor) 등에 의한 췌관의 폐쇄
- 오디괄약근(sphincter of Oddi) 이상, 팽대부 협착/종양
- pancreatic divisum → 뒷부분 참조

c.f.) gallstone은 주로 acute/relapsing pancreatitis를 일으킴 (만성 췌장염은 거의 안 일으킴!)

임상양상

(1) abdominal pain (m/c, 90%)

- epigastric, deep-seated, 등으로 radiation, antacids에 반응 없음
- persistent or intermittent, mild~moderate 등 다양한 양상을 보임
  (만성췌장염이 오래 진행되면 감소되고, 5~15%의 환자는 복통 없이 다른 증상만 보일 수 있음)
- 음주나 식사 (특히 고지방식) 후 악화 / 구부리면 다소 완화
- 원인 ; 췌관 내압의 증가, 반복적인 염증, pseudocyst에 의한 압박, 췌장 분포 신경의 변화 등
- 통증의 심한 정도에 비해 이학적 소견은 경미 (약간의 복부압통, 미열)

(2) 흡수장애 (∵ exocrine function의 저하)

- 췌장의 <u>90% 이상</u>이 파괴되어야 흡수장애 발생 (장기간 F/U하면 결국엔 50~90%에서 발생)
- 지방 흡수장애가 가장 먼저 발생 (∵ lipase가 더 빨리 감소하고 더 쉽게 파괴되므로)
- 만성 설사, 지방변(steatorrhea, 기름기가 있는 무른 변, 고약한 냄새), 체중감소, 피로
- 약 20%의 환자는 복통 병력이 없이도 흡수장애의 임상양상을 보임
- 지방변에도 불구하고 임상적으로 현저한 지용성 비타민 결핍은 매우 드묾

(3) 내분비기능 장애 (endocrine insufficiency)

- glucose intolerance는 흔하고, DM은 췌장의 80% 이상이 파괴되어야 발생 (결국엔 40~80%에서)
- insulin과 glucagon이 모두 감소됨

* classic triad (pancreatic calcification, steatorrhea, DM) → 환자의 1/3 미만에서만 나타남

합병증

(1) cobalamin (vitamin B_{12}) malabsorption (40%에서)
(2) DM, impaired glucose tolerance (40~80%에서)
 - but, DKA, HHS, DM의 chronic Cx (e.g., retinopathy) 등은 드물다!
(3) nondiabetic retinopathy (∵ vitamin A and/or Zinc deficiency 때문)
(4) ascites, pleural/pericardial effusion (fluid 내 amylase 농도 증가)
(5) pancreatic pseudocyst (20~40%에서) : 급성췌장염 때와 달리 자연 소실은 드묾(<10%)
 ; 대부분 3 cm 미만, 약 10%에서는 pseudoaneurysm을 형성하여 심각한 출혈 발생 위험
(6) gastric fundic varix (∵ splenic vein의 compression/thrombosis 때문)
 * splenic vein thrombosis (2~4%에서)
 - 췌장 tail의 염증으로 인해 thrombosis 발생
 - 주로 gastric varix를 동반 (→ GI bleeding!)
 - 정상 간기능의 splenomegaly & hypersplenism 발생
 - 진단 ; Doppler US로 splenic vein의 flow 확인, mesenteric angiography
(7) GI bleeding (∵ gastric fundic varix, peptic ulcer, gastritis, pseudocyst의 십이지장 침범 ...)
(8) jaundice (CBD obstruction) → cholangitis, biliary cirrhosis
 ┌ 췌장 두부의 부종 또는 가성낭종에 의한 압박
 └ 췌장 내 CBD 주위의 만성 염증 and/or 협착 때문
(9) subcutaneous fat necrosis : 하지의 붉은 결절로 나타남
(10) bone pain (∵ intramedullary fat necrosis)
(11) metabolic bone dz. (∵ 알코올, 흡연, vitamin D 등의 흡수장애, 만성염증)
(12) 췌장암 : 진단 20년 뒤 약 4%에서 발생, hereditary pancreatitis는 췌장암 발생위험 10배
 (췌장암의 약 6%가 만성췌장염에서 발생)
(13) 마약/진동체 중독 … 가장 흔하고 문제

검사소견/진단

1. 영상검사

(1) plain abdominal film (e.g., KUB) ; 30~50%에서 calcification 보임 (sensitivity 낮음)
 ┌ 대개 scattered calcification
 └ diffuse calcification → 췌장의 심각한(약 80%) 손상을 의미
 • calcification의 원인 ; alcohol (m/c), hereditary, trauma, hypercalcemia, islet cell tumor, idiopathic pancreatitis, tropical pancreatitis, serous cystadenoma ...
 • 심한 췌장염 환자의 1/3에서는 calcification이 감소되거나 소실되기도 함
(2) abdominal US ; 석회화, 췌관 결석 등 (복부 지방 및 가스로 인해 정확한 진단 어려움)

(3) abdominal CT ; 초음파보다 sensitive
- 췌관의 확장 및 염주알 모양 변형, 석회화, 췌관 결석, 췌실질의 위축, 불규칙한 윤곽, cavity ...
- pseudocyst (약 25%), gallstone, 담관협착, 췌장암 등도 발견 가능

(4) MRI (MRCP) ; CP를 시사하는 소견은 CT와 비슷하고, 진단 민감도는 약간 더 높음
- CT or MRI는 severe CP의 진단에는 충분하지만, 초기/mild CP에서는 진단 민감도가 낮은 단점
- secretin-enhanced MRCP는 CP에서 췌관 변화 진단에 약간 더 예민함
- ERCP에 비하면 정확도가 약간 떨어지지만 noninvasive한 것이 장점

(5) ERCP ; 췌관을 정확하게 평가 가능, 영상검사 중 (초기/mild) CP의 진단 민감도는 가장 높음
- luminal narrowing
- ductal system irregularity ; stenosis, dilatation, sacculation, ectasia (→ "chain of lakes" 모양)
- intraductal stone, protein plug, pseudocyst 등도 발견할 수 있음
- 부작용 위험이 높으므로 (5~20%에서 post-ERCP pancreatitis 발생), 다른 비침습적 검사들에서 진단이 안 될 때에만 실시 → EUS로 대치되어 CP 진단 목적으로는 거의 사용 안됨

(6) EUS ; 유용하고 부작용이 적어 ERCP 대신 많이 시행, CT/MRI보다 진단 민감도 높음
- 아래 소견(criteria) 중 5개 이상 존재시 만성 췌장염(CP)으로 진단 가능
- parenchyma (fibrosis) ; hyperechoic foci, hyperechoic strands, lobular contour, cysts
- duct ; main pancreatic duct [MPD] calculi (stones), MPD dilatation, duct irregularity, hyperechoic margins (MPD wall), visible side branches (dilatation)
- but, 초기/mild CP 때는 진단 민감도 떨어지고 (secretin test가 더 예민), 위양성도 흔함
- 한 번에 외분비 기능검사도 같이 하는 EUS-ePFT (endoscopic pancreatic function test)가 만성 췌장염(CP)의 조기 진단에 가장 sensitive!

* 진단 민감도 : EUS-ePFT > ERCP > EUS > MRI (MRCP) > CT > US

2. 혈액검사

(1) amylase & lipase : 대개 정상 범위 - 진단적 가치 없음
(amylase↑ 경우 ; 췌관 폐쇄, 가성낭종, 췌성 복수, 급성 염증의 동반 등)

(2) trypsinogen↓ (<20 ng/mL) (정상: 28~58 ng/mL)
- 심한 췌장 외분비기능 감소의 진단에는 특이적이나, 민감도는 떨어짐
- 급성 췌장염 때는 증가, 지방변을 동반하지 않은 만성 췌장염 때는 정상

(3) bilirubin, ALP : distal CBD 주위의 염증으로 인한 이차적인 담즙 정체 때 상승될 수 있음

(4) DM 진단 ; FBS↑, OGTT

(5) 기타 ; calcium↓, albumin↓, Mg↓ ...

3. 췌장 (외분비)기능 검사

* 일반적인 췌장 외분비기능 검사의 적응증
  ① 만성췌장염이 의심되나 영상검사에서 진단이 안 될 때
  ② 지방변이 있을 때 이를 확인하기 위해
  ③ 만성췌장염 환자의 F/U 또는 치료효과 확인

(1) 직접자극검사(direct stimulation test)

: 민감도 약 90%, 특이도 약 95%로 CP 진단 정확도 가장 높지만, 초기에는 약간 떨어짐

① secretin (stimulation) test

- IV recombinant secretin 투여 뒤 십이지장 내용물에서 bicarbonate 농도 측정
- 이상 ; maximal bicarbonate 농도 저하 소견이 가장 정확
- 췌장 외분비기능의 60% 이상이 파괴되어야 나타남 (→ 대개 만성 복통의 발생 시점과 관련)

	췌액 양	HCO_3^- 농도
Normal	>2 mL/kg/hr	>80 mmol/L
Chronic pancreatitis	정상	⬇
Pancreatic cancer	⬇	정상

② combined secretin-CCK stimulation test (m/g)

- 가장 민감하지만, 침습적이고 환자에게 고통을 주므로 잘 이용 안함
- 이상 ; bicarbonate 농도↓ + amylase, lipase, trypsin, chymotrypsin 등의 췌장효소 분비도↓

(2) 간접자극검사(indirect stimulation test)

: 민감도가 낮고 불편하여, 역시 잘 이용 안함

① Lundh test meal

- liquid test meal 투여 → CCK 분비↑ → 췌효소 분비↑
- 십이지장 내용물에서 trypsin의 농도를 측정

② bentiromide (NBT-PABA) test ; NBT-PABA 투여 → 췌장에서 생성된 chymotrypsin에 의해 NBT + PABA로 분해 → PABA는 소장에서 흡수 → 소변으로 배설되는 PABA 측정

③ pancreolauryl test : fluorescein dilaurate 투여 → elastase에 의해 분해 (소변 fluorescein 측정)

(3) intraluminal digestion products 측정

① stool의 현미경 검사 : 소화 안 된 meat fibers와 fat 확인

② stool fat 정량 검사 (c.f., intraluminal lipase가 크게 감소되어야 지방변 발생)

③ fecal nitrogen : 단백질 소화 장애로 증가됨

⇨ 만성 췌장염의 진단에는 sensitivity가 낮고, 흡수장애와 구별 안됨

* urinary D-xylose excretion test 등 소장성 흡수장애 검사는 정상임!

(4) 기타

① <u>stool elastase 1 ⬇</u> (<100 μg/mg)

- 중등도 이상의 만성췌장염 진단에 매우 sensitive (급성췌장염과 만성췌장염의 감별에 유용)
- 초기 만성췌장염 진단에는 sensitivity 떨어짐, cystic fibrosis에서도 감소됨

② stool chymotrypsin 측정 : false(+)/(-) 많아 잘 이용 안 됨

③ cobalamin (vitamin B_{12}) malabsorption

- Schilling test 이상 → pancreatic enzyme 복용하면 교정됨
  (∵ trypsin (protease)에 의한 vitamin과 R-protein의 분리 감소로)
- 만성췌장염에 specific 하지만, not sensitive (약 40%에서만 나타남)

④ triglyceride breath test … lipase

⑤ cholesterol octanoate breath test … carboxyl ester lipase

치료

* 통증과 흡수장애의 조절이 치료 목표 (보존적 치료)

1. 내과적 치료

┌ 초기에는 통증을 완화하고 재발을 예방할 수 있지만
└ 후기에는 통증을 완화하거나 경과를 바꾸지 못함

① 금주 및 금연
② diet : 과식 및 고지방식 피함
- moderate fat (30%), high protein (24%), low carbohydrate (40%)
- medium-chain fatty acids (lipase 없어도 직접 흡수됨)

③ pancreatic enzyme 보충 … 만성 췌장염 치료의 핵심!
- 대개 설사도 조절되고, 지방 흡수가 적절한 정도까지 회복되어 체중도 증가됨!
  (지방변도 호전되나, 완전히 회복되기는 어려움)
- cobalamin (vitamin B_{12}) 흡수장애도 교정됨 (folate는 아님!)
- 영양상태 정상화를 위해서는 대개 80,000~100,000 IU/meal의 lipase가 필요함
- 대부분 조성은 protease:lipase = 3~4:1
  - conventional (non enteric-coated) tablet (8개) : 위산에 의한 분해를 막기 위해 bicarbonate, H_2-RA, PPI 등도 함께 투여 (Ca^{2+} or Mg^{2+}을 함유한 antiacids는 오히려 지방변을 악화시킴)
  - enteric-coated capsule (2~3개) : feedback 작용 장소인 십이지장을 지나칠 수 있는 단점
  - 최근에는 microencapsulated enteric-coated sphere 형태의 3세대 효소제제가 널리 사용됨
    : 위산에 녹지 않고 십이지장에서 캡슐이 녹으며, 음식과 잘 섞여 십이지장으로 잘 내려감
- gastroparesis 동반시 반드시 치료 (∵ 십이지장으로 효소 emptying↓)
- 흡수장애가 지속되면 췌장효소 양을 두 배로 올려봄 → 호전 안되면 지방섭취↓(50~75 g/day), 식사를 조금씩 자주 섭취 → 호전 안되면 H_2-RA 등 투여
- 통증 감소에는 일관된 효과는 없는 것으로 연구결과 밝혀졌지만, 보통은 사용함
  (일부 환자에서는 non enteric-coated 췌장효소로 통증이 감소되었으나, 흡수장애에 의한 dyspepsia의 호전 때문으로 추정되며, advanced [large-duct] CP 환자에서는 효과 없었음)

④ 통증 조절
- 처음에는 비마약성(e.g., AAP) 진통제 식사 전 투여 → 효과 없으면 마약제 투여(e.g., tramadol) → 효과 없으면 강력한 마약제 투여 (but, 마약 중독 위험)
- NSAIDs는 위장관 부작용 위험으로 권장 안됨
- 항우울제(e.g., amitriptyline, SSRI), gabapentin, pregabalin 등의 추가도 도움
- antioxidants (특히 selenium, vitamin E & C, β-carotene, methionine의 혼합물)
  : mild CP 환자에서 통증 감소에 효과적이었다고 하였으나, 최근 연구결과로는 효과 없음

⑤ pancreatic DM ⇨ 대개 insulin therapy가 필요하게 됨
- 일부 환자는 경구혈당강하제에 반응하기도 함 ; metformin이 선호됨(∵ 2ndary 췌장암↓), GLP-1 analogs와 DPP-IV inhibitors는 급성췌장염과 췌장암 위험으로 사용 피함
- 탄수화물의 제한은 피해야 (∵ 영양결핍 상태)

2. 내시경적 치료 (ERCP, EUS)

- 통증 치료에서 약물이 효과 없을 때 고려 / 췌관 폐쇄를 직접 해소하여 췌액 배출 개선
- 대개 large-duct CP (대개 alcoholic CP) 및 췌관의 심한 구조적 이상(dominant stricture)이 적응
  → 성공률은 높지만, 몇 년 뒤 약 20~30%는 재발
- 췌관 유두부 괄약근절개술(papillary sphincterotomy) : ERCP
  ① dilatation & stenting/drainage (배액관) → 95%에서 협착이 해소되고, 84%에서 통증이 완화됨
  ② stone removal ; intraductal lithotripsy, balloon, basket, rat tooth forceps, stenting 등
  * 약 70~90%에서는 ESWL과 병행 필요 → 90% 이상 성공
- 합병증이 많은 것이 문제 (e.g., ductal damage [폐쇄, 출혈 등], stent의 이동/기능장애, AP, pancreatic abscess, cholangitis) ; stenting 후엔 ~20%, lithotripsy 후엔 ~10% 정도
- ERCP 치료가 실패하거나 불가능하면, EUS-guided PD drainage 고려 (→ 약 70~90% 성공)
  ① EUS-guided rendezvous (췌관 랑데부법) : transgastric guide wire 삽입 → PD~AoV 통과
  → 십이지장 내에서 ERCP로 wire를 받아 plastic stent 삽입
  ② EUS-guided pancreaticogastrostomy : PD와 위(십이지장) 사이에 fistula를 만들고 stent 삽입
  * 마약성 진통제에 반응 없을 때 EUS-guided celiac plexus (or ganglia) block/neurolysis도 가능
- 내시경적 치료에 반응이 없거나 재발하면 수술 고려

* pseudocyst (급성췌장염 때와 동일) : endoscopic drainage → surgical internal drainage

3. 외과적 치료

만성 췌장염에서 수술의 적응
1. Intractable pain (m/c) 2. Suspicion of malignancy 3. Obstruction of common bile duct (CBD) 4. Symptomatic duodenal obstruction 5. Symptomatic pseudoaneurysm 6. Obstruction of major abdominal vessels 7. Obstruction of pancreatic duct (PD)

- 대개 내시경적 치료보다 효과적이고 오래 지속됨!
- ductal decompression : ductal obstruction & dilatation (>5 mm) 있을 때
  - longitudinal pancreatojejunostomy (측측 췌장공장문합술, modified Puestow procedure)
  - 80% 이상에서 단기간의 통증 감소를 가져오나, 장기적인 효과는 50%에서 뿐
- pancreatic resection : 병변이 국한되어 있고, ductal dilatation이 없을 때
  - classic pancreaticoduodenectomy (Whipple operation) or PPPD
  - duodenum-preserving pancreatic head resection (DPPHR)
- total pancreatectomy + autologous islet cell transplantation : 모든 치료에 반응 없을 때 고려

4. 신경차단/박리술(nerve block or neurolysis)

- 복강신경얼기 차단(celiac plexus block) : 약 1/2에서 단기적인 (대개 몇 달) 통증 완화 효과뿐이라 잘 안 쓰임, 반복 시술시에는 합병증 위험
  → 통증이 매우 심한데 약물/내시경/수술이 효과 없을 때에나 고려 (e.g., 췌장암)
- 흉강경하 내장신경절제술(thoracoscopic splanchnicectomy) : celiac plexus block보다 좀 더 좋음

5. 예후 : 10YSR

- alcoholics : 65%
- non-alcoholics : 80%

기타 드문 만성췌장염의 원인

1. Autoimmune pancreatitis (AIP)

(1) 개요/임상양상

- 일본에서 흔함 (우리나라에서도 드물게 발생), 50대 이상 남성에서 호발, 음주와 관계없음
- DM (42~76%) 및 다른 자가면역질환 동반 흔함(~50%) ; PBC, PSC, IBD, Sjögren's syndrome, RA, autoimmune thyroiditis, retroperitoneal fibrosis (→ 2ndary autoimmune pancreatitis)
- 증상은 대개 경미함 ; obstructive jaundice (50~75%), 체중감소 (심한 복통은 매우 드묾!)

(2) 진단기준

- revised HISORt criteria (Mayo Clinic) : (H) or [(I) + 나머지 하나]를 만족하면 AIP로 진단
  (H) Histology에서 AIP 시사 소견 - lymphoplasmacytic sclerosing pancreatitis (LPSP)
  ; periductal lymphoplasmacytic infiltration, IgG4(+) cells↑, storiform fibrosis, idiopathic duct centric pancreatitis ...
  (I) Imaging에서 AIP 시사 소견 (CT) ; diffuse enlargement/swelling with delayed enhancement (특히 head 부위 → 췌장암과 혼동될 수), capsule-like rim, ductal narrowing ...
  (S) Serology ; IgG4가 정상상한치의 2배 이상 상승, ANA, RF 등의 자가항체 양성
  (O) Other organ involvement ; biliary strictures, parotid/lacrimal gland involvement, mediastinal lymphadenopathy, retroperitoneal fibrosis
  (Rt) Response to steroid Treatment
- 통일된 진단기준은 없음, 일본과 우리나라는 각각 따로 진단기준을 사용
- ERCP/MRCP ; diffuse/segmental/focal pancreatic ductal stricture, 협착 상류 췌관의 확장X, 담관 협착도 흔함 (석회화나 낭종의 동반은 드묾)

(3) 치료

- steroid 치료에 반응 좋음 (증상, 검사/영상/조직 소견이 빨리 호전됨)
  - 90% 이상이 반응하지만, 관해이후 중단하면 재발률이 약 30%로 높음
  - 관해유지 위해 steroid 유지요법 : 우리나라/일본 6개월 이상, 미국/유럽 3개월 ± 면역조절제

• 2~4주의 steroid 치료에도 반응 없으면 췌장암이나 다른 종류의 만성췌장염 의심
• 담관 협착은 steroid로 장기적인 치료 효과를 얻기가 어려워, 면역조절제가 필요할 수 있음
; azathioprine (m/c), 6-MP, mycophenolate mofetil, rituximab 등

2. Hereditary pancreatitis (HP, 유전성 췌장염)

• 한 가계 내에서 ARP or CP가 2세대 이상에 걸쳐 3명 이상인 경우 진단, 대개 20세 이하에 발병
• serine protease 1 gene (***PRSS1***) mutations : codon 29 (exon 2) 및 122 (exon 3) mutations
↳ encodes trypsin-1 (cationic **trypsinogen**)
- 췌장 내에서 hydrolysis-resistant trypsin 형성 → pancreatic autodigestion → 만성 췌장염
(c.f., 정상 : trypsinogen이 십이지장으로 분비된 뒤에야 trypsin으로 변환되어 활성화되고, 만약 췌장 내에서 trypsin으로 활성화되더라도 주위의 다른 trypsin이 서로 공격하여 불활성화됨)
- AD 유전, HP의 약 60% 차지, 단독으로도 만성 췌장염 유발 가능
- chronic pancreatitis와 임상양상 비슷 (ARP에서 진행), acute attack시 amylase/lipase 대개 정상
- 석회화, DM, 지방변 등이 흔함, 췌장암 발생 위험 높음 (70세까지 ~40%)
- 평균 10세에 복통, 29세에 지방변, 38세에 DM, 55세에 췌장암 발생
- 복통의 치료로 흔히 surgical ductal decompression 필요
• serine protease inhibitor Kazal type 1 gene (***SPINK1***) mutations : AR 유전
[= pancreatic secretory trypsin inhibitor gene (*PSTI*)]
- SPINK1 : 활성화된 trypsin에 결합하여 inhibitor로 작용, 활성도 20%⇩ (trypsin의 1차 방어선!)
- mutations (N34S가 m/i) 발생시 trypsin에 의한 pancreatic autodigestion → 만성 췌장염
• cystic fibrosis transmembrane conductance regulator gene (***CFTR***) mutations : AR 유전
- 1200가지 이상의 매우 다양한 mutations 존재 (너무 많아서 각각의 연관성을 밝히기엔 어려움)
→ typical cystic fibrosis 또는 atypical cystic fibrosis (idiopathic pancreatitis 포함)로 발현
(∵ 췌관에서 췌액 분비 장애 → 췌액 점도↑ → 만성 췌장염)
- idiopathic pancreatitis 환자에서 *CFTR* mutation 1개 존재 확률은 11배, 2개 존재 확률은 80배
- 소아 만성 췌장염의 m/c 원인 (미국)
• *CFTR* or *SPINK1* mutations 단독으로 직접 췌장염을 일으키기 어렵고 대개 다른 위험인자도 존재
• *CFTR* mutation 2개 → 췌장염 발생 위험 40배, *SPINK1* mutation → 췌장염 발생 위험 20배,
CFTR mutation 2개 + *SPINK1* mutation → 췌장염 발생 위험 400배 ...
• 기타 ; chymotrypsin C (*CTRC*), carboxypeptidase A1 (*CPA1*), calcium-sensing receptor (*CASR*), claudin-2 (*CLDN2*) 등의 mutations

3. Annular pancreas (윤상췌장)

• 췌장 조직이 duodenum 주위를 둘러 싼 것
• 장폐쇄의 증상 발생 ; 식후 팽만감, 복통, N/V
• pancreatitis 및 peptic ulcer 발생 위험 증가
• Tx ; 수술 (retrocolic duodenojejunostomy 등)

4. Pancreas divisum (분할췌장)

- m/c pancreatic congenital anomaly (부검시 5~10%에서 발견됨)
- 복측췌관(dorsal duct → 부유두)과 배측췌관(ventral duct → 주유두)이 서로 융합되지 않은 상태
- 대부분의 췌장 외분비물은 긴 복측췌관 & 작은 부유두(accessory/minor papilla)를 통하여 배출됨
- 진단(ERCP/MRCP or EUS) : cross-duct sign (dorsal duct가 CBD 앞을 지나감) 등
- 거의 대부분에서 췌장염의 발생 위험이 증가하지는 않음, 약 5%에서만 증상 발생
  (minor papilla가 작은 경우엔 dorsal duct obstruction 발생 가능)
- 췌장염이 발생한 경우 원인은 대부분 모르며, pancreatic divisum 자체와의 관련성은 논란임
- 치료 (최적의 치료는 논란)
  - 일반적인 chronic pancreatitis와 같은 보존적 치료
  - acute recurrent pancreatitis의 경우 minor papilla sphincter therapy (내시경적/수술)가 도움

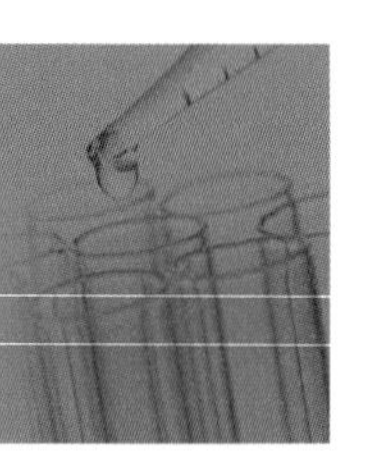

12 췌장암

개요

- 진행이 매우 빠르며, 조기 진단이 어렵고, 진단된 환자의 대부분이 사망하는 예후가 매우 나쁜 종양
  - pancreatic ductal adenocarcinoma (PDAC) : 90% 이상 (주위 조직/장기 침범 잘함)
  - endocrine (islet cell) tumors : 5~10% (원발 종양은 작지만, 원격전이가 된 경우가 흔함)
- 발생부위 : head (70%), body (20%), tail (10%)
- 50~70대에 호발, 남:여 = 1.5:1

위험인자
Smoking (m/i) : 약 2~3배 증가, 흡연량에 비례, 금연시 감소
Long-standing (>20년) DM, Obesity
Chronic pancreatitis
Pancreatic cancer의 가족력, Hereditary pancreatitis
일부 유전질환 ; Peutz-Jeghers, von Hippel-Lindau, familial atypical multiple-mole melanoma syndrome (FAMMM), ataxia-telangiectasia, Gardner's syndrome, Lynch syndrome II (HNPCC)
Chemicals ; 석유 화합물, 살충제 등

- diet, coffee, alcohol, prior partial gastrectomy/cholecystectomy, *H. pylori* 등의 관련성은 희박함
  - diet : 동물성 지방 과다 섭취시 risk 증가 / 과일, 야채 등의 섭취는 risk 감소 (일부 연구에서)
  - alcohol : 직접 관련은 없음, 흡연/만성췌장염과 상승 작용은 가능
- *GSTT1* (glutathione-S transferase T1) 유전자 이상을 동반한 흡연자는 위험 크게 증가
- 췌장암에서 발견되는 유전자 이상
  ① *KRAS* oncogene의 mutation (m/c, >90%) : MCN과 IPMT에서도 발견됨
    - mutation (주로 codon 12)에 의해 활성화되면 독립적인 성장인자로 작용하여 *PI3K, MAPK, RAF* 등의 신호전달체계를 활성화하여 암 발생
    - pancreatic intraductal neoplasia (PanIN)에서부터 발현, 암 발생과 유지에 모두 관련
  ② tumor suppressor genes의 inactivation (mutation or deletion)
    ; *p16/CDKN2A* (95%), *TP53* (50~70%), *SMAD4/DPC4* (55%), *RB1* (<10%), *STK11* ...
    - *KRAS* mutation + *CDKN2A* inactivation은 췌장암에 매우 특이적임
    - *SMAD4* inactivation은 나쁜 예후 및 원격전이 발생과 관련
  ③ 기타
    - DNA repair genes mutation ; *BRCA2, FANC-C, FANC-G, MLH1* ...
    - *PALB2* (partner and localizer of *BRCA2*) mutation : 유전성 췌장암과 관련

- survivin overexpression : inhibitor of apoptosis (IAP) family의 일종, 80% 이상에서 관찰됨
- *IGF-1R* & *FAK* (focal adhesion kinase) pathway activation
- *c-Src* overexpression and/or aberrant activation

• 유전성 췌장암 (약 16%)

① familial multi-organ cancer syndrome ; Peutz-Jeghers syndrome (*STK11* mutations, 췌장암 발생 위험 최고[132배]), familial atypical multiple mole melanoma [FAMMM] (*p16/CDKN2A*), familial breast-ovarian cancer (*BRCA1, BRCA2* mutations), *PALB2* (→ 유방/췌장암↑), HNPCC [Lynch syndrome] (*hMLH1, MSH2*), ataxia-telangiectasia (*ATM* → 유방/췌장암, 림프종↑), FAP, Li-Fraumeni syndrome ...

② genetically driven chronic dz. ; hereditary pancreatitis (*PRSS1* [serin protease 1]), cystic fibrosis, ataxia telangiectasia ...

③ familial pancreatic cancer (m/c) : 유전적 이상을 아직 모르는 것, 직계 가족 중 2명 이상이 췌장암 환자면 familial pancreatic cancer로 간주함, 췌장암 발생위험 7배 높음

• desmoplastic stroma : PDAC 주변을 둘러싸 CTx.에 대한 방벽 역할과 암의 진행 및 전이에 필수적인 조절자를 분비함 ; activated pancreatic stellate cell, glycoprotein SPARC (secreted protein acidic and rich in cysteine) overexpression

임상양상

1. 흔한 증상

① **obstructive jaundice** (∵ 담관 폐쇄) ; bilirubin, ALP, GGT 등 상승 동반
- head cancer ; 80~90%에서 발생 → 더 빠른 시기에 진단됨
- body or tail ca. ; 약 6%에서만 발생 → 증상(체중감소가 m/c) 늦게 나타나 예후 나쁨

• pruritus, dark urine, clay-like stool 등도 동반됨
• 대개 통증도 동반됨 (다른 periampullary ca.와 차이)

② **abdominal pain** (>80%) : 지속적, 등으로 방사 (25%), 앞으로 숙이면 감소
• 심한 통증은 매우 큰 종양 or retroperitoneal/splanchnic nerve 침범을 시사 (advanced → 수술 불가능)
• 드물게 ductal obstruction에 의한 acute pancreatitis의 복통도 발생 가능 (일시적, amylase↑)
→ 음주력이나 담석증 없이 급성 췌장염이 발생한 경우 한번쯤 췌장암의 가능성을 고려해야 됨

③ **weight loss** (80%) ; 식욕부진, 조기 포만감, 흡수장애, 설사/지방변 등에 의해 발생

2. 기타 임상양상

① DM or glucose intolerance (6~68%) : 대개 진단 후 2년 이내에 발생
→ 중년 이후 새로 DM 발병한 경우 췌장암의 가능성을 고려해야 됨

② dilated, palpable, non-tender GB ("Courvoisier's sign") : 수술 가능 환자의 25%에서 발생

③ venous thrombosis

④ migratory or recurrent thrombophlebitis
- Trousseau's syndrome : 췌장암 + 말초정맥혈전증

⑤ GI hemorrhage (∵ 종양의 문맥계 압박으로 인한 varix 때문)

⑥ advanced ca.의 경우 abdominal mass, ascites, hepatomegaly, splenomegaly
(∵ splenic vein이 종양으로 둘러싸여)

진단

* 주로 영상검사를 통해 임상적으로 진단 (MDCT ± EUS) / 초기 증상이 비특이적이고, 비침습적 검사들(e.g., CA19-9, US, CT)의 sensitivity가 부족한 편이라 조기 진단은 어려움

1. 영상검사

(1) 초음파

- CT보다 sensitivity 떨어짐
- obstructive jaundice 환자의 initial screening에 유용

(2) CT (pancreas protocol MD-CT)

- 췌장암 의심시 영상진단의 choice!
- 소견 ; 췌장의 종괴 (저음영 병변 : 정상 췌장보다 조영증강 덜 됨), 췌장의 국소적 비후, 췌장 모양의 변형, 췌장 두부암은 담관/췌관/위/십이지장의 확장도 동반 가능 (석회화는 드묾)
- 주위 장기/혈관/림프절 침범 및 장/간/폐 전이도 확인 가능 → 수술 가능성 평가 가능!
(but, 염증성 종괴와 종양성 종괴를 구별하기 어려울 수 있음)
- 의심이 되나 CT상 발견되지 않을 때는 EUS or ERCP가 도움이 됨

(3) MRI

- 진단 및 수술가능성 평가는 CT와 비슷
- 유용한 경우 ; 작은 간 병변의 성질 파악, 담도 확장의 원인 평가 (CT에서 mass 안 보일 때)

(4) EUS (endoscopic US)

- 췌장에 가장 근접해서 췌장을 관찰 가능
- 작은(<3 cm) 췌장암 발견에 매우 유용 (US, CT보다 sensitivity 높음!)
- local staging (e.g., portal vein 침범, LN 전이 확인), 다른 췌장 질환과의 감별 등에 유용
- 단점 ; 4~5 cm 깊이 밖에는 관찰 못함 (→ 간이나 췌장에서 먼 LN 전이 발견에는 정확도 부족)

(5) ERCP

- 작은 췌장 병변 확인, 췌관/총담관의 협착/확장 확인, stent 유치 등에 유용
- 췌장암의 소견 ; 췌관의 협착/폐쇄 (abrupt cut-off of duct), 담관과 췌관이 함께 협착/확장됨 (double duct sign) → chronic pancreatitis와 감별이 어려울 수도 있음
- CT에서 발견 못했을 때, periampullary ca.의 감별진단 등에 유용

• 췌장암 진단에는 CT or MRCP가 더 선호되며, ERCP는 대개 치료적인 용도(stenting) or brushing cytology에 고려 (진단이나 치료범위 결정만을 위해서는 잘 이용 안함!)

* MRCP ; 췌관과 담도계 구조 확인에 유용
(ERCP와 sensitivity는 비슷하지만 duct에 조영제를 투입하지 않는 것이 장점)

(6) PET (FDG-PET)
: 수술 or radical chemoradiotherapy 전에 occult distal metastasis 발견에 CT/MRI보다 유용

2. 조직검사

┌ 영상검사에서 췌장암이 거의 확실하고 <u>수술이 가능한 경우</u>에는 대개 필요 없음! (→ 바로 수술)
└ 적응 ; 췌장암인지 불확실한 경우, neoadjuvant therapy가 필요한 췌장암 환자

(1) EUS-guided FNA : head ca.에서는 바늘이 복강 내를 통과하지 않기 때문에 tumor seeding의 위험이 적어 선호됨 (정확도 약 90%)
(2) US/CT-guided percutaneous FNA cytology or biopsy : tumor seeding의 위험이 있고, 종양의 크기가 작을수록 위음성의 가능성 존재 (→ 수술 불가능한 전이암 환자에서만 이용)
(3) ERCP : ductal brushing or 췌장액 sampling

3. tumor markers

• CA19-9 (m/g), CEA, galactosyltransferase, pancreatic oncofetal Ag., 췌장암관련 Ag. ...
• **CA19-9** ; sensitivity 86%, specificity 87%
  - 진단 및 screening에는 적합하지 않지만, 예후 평가 및 치료 후 F/U에는 유용함
    (수술 전 CA19-9 level은 tumor stage와 비례, 치료 전 높은 CA19-9는 독립적인 예후인자!)
  - 담관암, 위암, 대장암, 폐쇄성 황달 (담즙저류), 담관염, 췌장염, 간염, UC 등에서도 상승 가능
• CEA ; sensitivity 58%, specificity 75% (CA19-9보다 진단적 가치 훨씬 떨어짐)

4. Screening

• 정상인을 대상으로 하는 건강검진에서 췌장암 screening은 권장 안 됨 (∵ 위양성률 높음)
• 췌장암 발생위험이 10배 이상인 고위험군에서 권장됨
  - familial pancreatic ca. (직계가족 3명 이상), FAMMM, Peutz-Jeghers, hereditary pancreatitis
  - spiral CT, EUS, CA19-9 등

치료 및 예후

췌장암의 clinical (radiological) staging & AJCC TNM 8th		
Localized resectable stage I/II (T1~3, N0~1, M0)	동맥 침범 없음(T1~3) T1: ≤2 cm, T2: 2~4 cm, T3: >4 cm N1: regional LN 1~3개 침범	Resectable 동맥: 침범X 정맥: 변형/폐쇄 없이 180° 미만 침범
Locally advanced stage III (T4 & any N, T1~3 & N2)	T4: 종양의 크기와 관계없이 주요 동맥 (CA, SMA, CHA) 침범 ⇨ unresectable primary tumor N2: regional LN 4개 이상 침범	Borderline Resectable 동맥: 단면의 180° 미만으로 침범 (대동맥은 침범X) 정맥: 정맥 재건수술이 가능한 침범
Metastatic (advanced) stage IV (any T, any N, M1)	M1: 원격전이 존재 (주로 간, 복막 / 때때로 폐)	Unresectable 수술 불가능한 심한 혈관 침범 or 원격전이 (원격 LN 침범 포함)

- Critical arteries ; CA (celiac axis), SMA (superior mesenteric artery), CHA (common hepatic artery)
- Borderline Resectable *vs* Unresectable locally advanced 정의의 통일된 기준은 없음, 정맥보다 동맥이 중요

1. Resectable 췌장암 (surgical resection)

- only curative, 15~20%에서만 수술 가능 (stage I, II, 일부 III), 수술해도 5YSR 약 10%
- 수술 후 예후가 좋은 경우 ; R0 resection (residual tumor 無), small tumor (<3 cm), LN(-), well-differentiated, adjuvant CTx. 시행 → 평균 20~23개월 생존, 5YSR 약 20%
- 일반적으로 body와 tail이 head ca.보다 수술 가능성이 떨어지고 예후 나쁨

(1) surgical procedures

- head → PPPD (pylorus-preserving pancreatoduodenectomy, modified Whipple's op.)
- body/tail ca. → distal pancreatectomy (with splenectomy)

(2) adjuvant therapy

- 수술 후 gemcitabine + capecitabine 등의 combiCTx., chemoRTx. 등 → survival ↑
  (↳ gemcitabine 단독보다 survival 2~3개월 더 증가)
- 수술 전(neoadjuvant) CTx.는 효과 불분명 (수술 시기 지연으로 오히려 안 좋을 수)

■ Borderline resectable 췌장암의 치료

: neoadjuvant therapy (FOLFIRINOX, GEM + nab-paclitaxel, chemoRTx. 등)
→ 수술 전 재평가 → 수술 (PPPD 등) → adjuvant therapy

2. 진행성(unresectable) 췌장암 : metastatic, 일부locally advanced

(1) CTx.

- 증상 호전, 삶의 질 향상, survival 증가 등이 목적이지만 매우 큰 효과는 없음
- gemcitabine (GEM)이 1st-line CTx.의 표준 약물 (but, 평균 5~7개월 생존)

- 5-FU계 경구 항암제(oral fluoropyrimidine) ; capecitabine (Xeloda®), S-1 (TS-1®)
  → 단독으로는 GEM보다 못하고, GEM과 병용시 survival 아주 약간↑
- FOLFIRINOX (5FU/FA + irinotecan + oxaliplatin) or
  gemcitabine + nab-paclitaxel (Abraxane®) 병합요법이 가장 효과적! (평균 8~12개월 생존)
  [nonoparticle albumin-bound]
  - 전신상태가 양호한 경우 TOC (∵ 부작용이 많음)
  - 전신상태가 나쁜 경우엔 gemcitabine (± capecitabine or S-1) 권장
- 1st CTx.에 실패하고 전신상태가 양호한 경우 → 1st와 다른 계열의 2nd CTx. 권장
- external RTx. : tumor size와 pain은 감소하나 survival 증가는 없다
- CTx. + RTx. : locally advanced 췌장암에서 survival 약간 더 증가

(2) Targeted therapy

- erlotonib (oral HER1/EGFR tyrosine kinase inhibitor) → GEM과 병용시 survival 약간↑
- BRCA2 or PALB2 (DNA 복구 단백 결함) mutations → PARP inhibitors
- microsatellite instability 동반 암 → anti-immune checkpoint monoclonal Ab
  ; anti-PD-1 (pembrolizumab, nivolumab), anti-PD-L1 Ab

(3) alliative procedures : biliary bypass

- 항암치료 or 수술 전 황달이 심하면 먼저 시행
- endoscopic biliary & duodenal stenting
- percutaneous transhepatic biliary drainage
- surgical biliary bypass ; cholecystojejunostomy, choledochojejunostomy

3. 증상 조절

- 근본적인 치료만큼 증상의 조절도 중요함
- 통증 조절 ; aspirin, acetaminophen, NSAID → 안 들으면 opioid (codeine, morphine)
  → nerve plexus block/ablation
- malabsorption → pancreatic enzyme 투여

4. 예후

- 5YSR : 5~6% (periampullary ca. 중 예후 가장 나쁨!)
  - 진단 후 평균 수명은 4~8개월
  - 수술 후 평균 수명은 17~20개월

췌장 낭성종양(cystic neoplasms)

* 췌장의 낭종(cyst)은 대부분 가성낭종(pseudocyst)이고, 낭성종양은 10~15% 뿐임
→ 급/만성 췌장염의 병력이 있으면 가성낭종일 가능성이 높음

* 췌장 낭성종양의 빈도 (우리나라) ; IPMT (IPMN) > MCN > SPN (SPEN) > SCN

1. 췌관내 유두상 점액종양 (Intraductal papillary mucinous neoplasm, IPMN)

- 60대에 호발, 남>여 (서양은 남≒여), 동양에 많음 (우리나라는 m/c), head에 호발
  - 대부분 무증상으로 검사 중 우연히 발견되는 경우가 많음 (특히 branch duct type)
  - 20~25%에서 췌장염 증상을 보임(복통, 황달, 체중감소 등), 약 20%는 재발성 CP 병력
- 대부분 낭종과 췌관의 연결이 있음, 낭종액(cystic fluid) 내 CEA↑, CA19-9↑
- 진단
  ① US, CT, MRI : 췌관의 확장, 포도송이 모양의 낭성 종괴
  ② 십이지장경 : 유두부(AoV) 종대, 유두 개구부에서 끈끈한 점액이 분비됨!
  ③ 췌관조영술 (m/i) : 주췌관이 근위부 협착 소견 없이 확장, 췌관 내 종양/점액에 의한 음영결손
  ④ EUS (FNA로 cystic fluid 분석도 가능), intraductal US (IDUS)
  - D/Dx ; mucinous cystic neoplasm
- 발생부위에 따른 분류 (대부분 악성화 위험이 높음)
  - main duct type (MD-IPMN, 주췌관형) : 38~68% 악성화
  - branch duct type (BD-IPMN, 부췌관형) : 12~47% 악성화
  - mixed type (혼합형) : 38~65% 악성화
- 대부분 수술(e.g., PPPD)로 치료, 수술 이후 예후는 좋음 (5YSR 80% 이상)
- 증상이 없고 악성 위험이 낮은 부췌관형(BD-IPMN)은 F/U도 가능

부췌관형(BD-IPMN)에서 악성 위험이 높은 경우 ⇨ 수술	악성 위험이 낮은 BD-IPMN의 F/U
① 폐쇄성 황달 ② 주췌관 확장(직경 ≥10 mm), ③ 조영증강 고형병변(벽결절) ≥5 mm 기타: FNA에서 악성의심 등 (낭종의 크기는 절대적이지 않음)	<1 cm: 6개월 뒤 CT/MRI → 변화 없으면 이후 2년 마다 1~2 cm: 6개월 마다 CT/MRI (1년) → 1년 마다 (2년) → 2년 마다 2~3 cm: 3~6개월 뒤 EUS, 6개월 마다 CT/MRI → 이후 1년 마다 >3 cm: 3~6개월 마다 MRI + EUS (65세 이하 >2 cm 환자는 가능하면 수술 권장)

c.f.) 일부는 내시경적 치료도 시도 가능 ; EUS-guided ablation (ethanol ± chemoagent), EUS-guided RFA

2. 점액성 낭성종양 (Mucinous cystic neoplasm, MCN)

- 30~60대, 대부분 여성에서 발생, body & tail에 호발 (서양은 m/c cystic neoplasm)
- 대부분 multiple, large (>2 cm), 약 30%에서 낭종벽의 석회화 관찰, 낭종액 내 CEA↑
- 조직소견 ; 양성세포와 악성세포가 혼재되어 있는 것이 특징
- 악성화 위험도(malignant potential) 높음 (11~38%) → 수술이 원칙 (수술 후 예후 좋음)

3. 장액성 낭성종양 (Serous cystic neoplasm, SCN) = 장액성 낭선종 (Serous cystadenoma)

- 60대에 호발, 남<여, 췌장 전체에서 발생, 양성(benign)으로 간주됨
- 작고(<2 cm) 무수히 많은 낭종들이 군집을 이룸(→ 벌집 or 스펀지 모양), 중심부의 석회화가 특징, 낭종액 내 CEA or CA19-9는 낮음!
- 악성화 위험도(malignant potential)는 거의 없음!, 증상이 심할 때만 수술

4. 고형 가유두상종양 (Solid pseudopapillary neoplasm, SPN) = 고형 유두상 상피종양 (Solid and papillary epithelial neoplasm, SPEN)

- 20~30대에 호발 (췌장 낭성종양 중 가장 어림), 대부분 여성, tail에서 m/c, 평균 약 10 cm 크기
- 처음에는 고형으로 시작 → 커지면서 낭성 변화 혼재, 대부분 양성 or 분화도가 좋은 악성
- 위험도는 낮지만 전암성 병변으로 간주됨, 수술하면 예후 좋음

	IPMN	MCN	SCN	SPN (SPEN)	Pseudocyst
빈도(우리나라)	40%	25%	18%	2~5%	*췌장염 병력
호발 연령	60대	40대	60대	20~30대	다양
성비	남>여	대부분 여성	남<여	대부분 여성	남>여
발생 부위	Head	Body/tail	전체	전체	전체
영상 소견	확장된 췌관에서 포도송이 모양의 multilocular 낭종, 벽(mural) 결절	원형/난형의 종괴 내에 격막(septated) & 고형물	Macrocystic 또는 honeycomb/sponge-like microcystic, 중심부 석회화 흔함	조영증강 되는 고형 종괴, 내부 변성부위	주로 unilocular, 경계 분명, 주췌관과 연결, 췌실질 석회화 등
악성화 위험	낮음~높음	중간~높음	거의 없음	낮음	없음
Cystic fluid					
Viscosity	⇧	⇧	↓	–	↓
Amylase	⇧	↓	↓	↓	⇧
CEA	⇧	⇧	↓	↓	↓

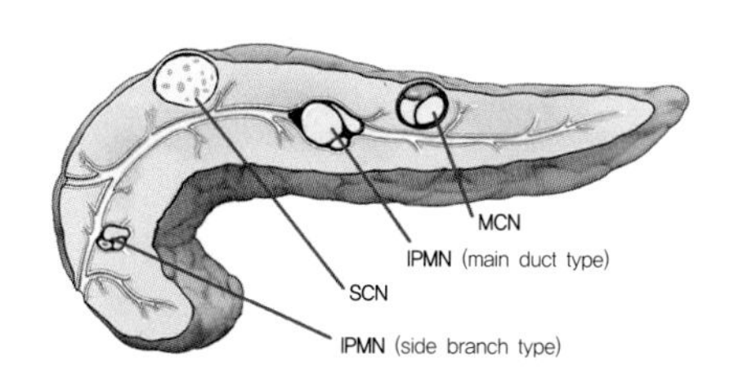

13
소화기 내분비종양

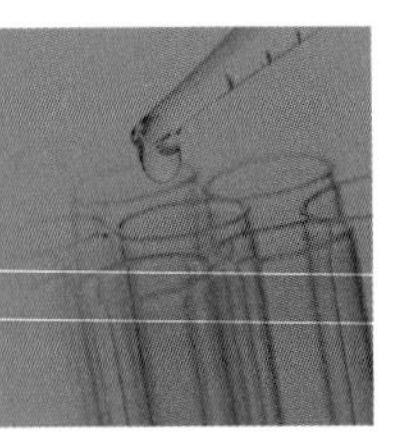

* NeuroEndocrine Tumor (NET, 신경내분비암종)
  - gastrointestinal NET (GI-NET) = carcinoid tumors
  - pancreatic NET (pNET) = pancreatic endocrine tumors (PET)

• GI NET (carcinoid 및 PET)의 일반적 특징

(1) cell markers ; chromogranin (A, B, C), neuron-specific enolase (NSE), synaptophysin 등이 양성

(2) 병리학적 특징
- 모두 APUDoma (amine precursor uptake & decarboxylation)
- 대개 dense-core secretory granules (>80 nm)을 가짐
- 조직소견으로 임상양상을 예측할 수는 없음 (invasion or metastasis에 의해 악성/예후 결정!)

(3) 생물학적 행동
- 보통 성장(진행)이 느리다
- 생물학적 활성을 가진 peptides or amines을 분비
- 보통 고밀도의 somatostatin receptors를 가짐 (→ localization 및 치료에 이용)

	분비되는 활성 호르몬	임상양상	악성화(%)
Carcinoid syndrome (GI-NET)	Serotonin	Flushing, diarrhea, wheezing, hypotension	95~100
Gastrinoima (ZES)	Gastrin	Peptic ulcers, diarrhea	60~90
Insulinoma	Insulin	Hypoglycemia	<10
VIPoma (Verner-Morrison, WDHA)	VIP	Diarrhea, hypokalemia, hypochlorhydria	40~70
Glucagonoma	Glucagon	Mild DM, necrolytic migrating erythema, weight loss	50~80
Somatostatinoma	Somatostatin	DM, diarrhea, steatorrhea, gallstones	>70
GRFoma	GHRH	Acromegaly	>60
ACTHoma	ACTH	Cushing's syndrome	>95
기타 PET	PTH-rP Calcitonin Renin	Hypercalcemia Diarrhea (50%) HTN	84 >80 -
Nonfunctional PET	-	종양 자체에 의한 증상 ; 복통, 황달, 체중감소 등	>60

CARCINOID TUMORS (카르시노이드종양, 유암종), GI-NET

1. 개요

- m/c NET, enterochromaffin (Kulchitsky) cells에서 유래
- 발생률 : 1~2/10만, 40~60대에 호발, 남≒여
- 발생 기원에 따른 분류
  ① foregut ; 호흡기계, 식도, 위, 십이지장, 담도계, 췌장
  ② midgut ; 공장/회장, 충수, 결장, 간, 난소, 고환
  ③ hindgut ; 직장
- 호발부위 ; GI tract (64%), bronchus/lung (28%)
- 분비물질 ; NSE, 5-HTP, 5-HT (serotonin), synaptophysin, chromogranin, neurotensin, tachykinin, PP, motilin, VIP, GHRH, ACTH, kallikrein, substance P, gastrin 등
- 병리학적 특징
  - 육안적으로 고형의 노란색 병변
  - 위와 회장에서는 다발성 가능, 그 외에는 대부분 단일 병변
  - 결합조직증식증(desmoplasia) → 장기의 구조적 변형 → 장 또는 혈관 폐쇄
- 전이 (종양 크기가 2 cm 이상이면 거의 대부분 발생) ; 간(m/c), 드물게 폐나 뼈로

위장관 장기별 NETs (carcinoid tumors)

	위	소장(공장/회장)	충수	결장	직장
발생빈도	4.6% (증가추세)	16.7%	4.8%	8.6%	13.6%
Carcinoid syndrome	9.5%	9%	<1%	5%	거의 없음
원격전이	10%	58.4%	38.8%	51%	3.9%
임상양상	소화불량, 복통, 구토, UGI bleeding, 빈혈 (내시경 시행 중 우연히 발견되는 경우가 많음)	복통, 장폐쇄 Carcinoid synd. 의 m/c 원인 (∵ 간전이 흔함)	대개 충수절제 수술시 우연히 발견됨	복통, 체중감소, 쇠약감, 설사, 변비	흑색변/혈변, 항문/직장 불쾌감, 변비, 배변습관변화 (1/2은 증상없이 우연히 발견)
예후	좋다	나쁨 (5YSR: 54%)	매우 좋다	매우 나쁨 (5YSR: 33~42%)	좋다 (5YSR: 72%)
치료	1. 내시경 절제술 (<1 cm, <5개) 2. 수술 (>1 cm or ≥5개)	광범위 절제술 + 림프곽청술	1 cm 미만 → 충수절제술 2 cm ↑ → Rt. hemicolectomy + 림프곽청술	2 cm 미만 → 국소절제술 2 cm ↑ → 광범위절제술	1 cm 미만 & 점막층에만 국한 → 내시경 절제술 2 cm ↑ → 수술 (근치적절제술)

2. GI carcinoid tumors

- 호발부위 : ileum (m/c, 15%), rectum (13.6%), colon, stomach, appendix ...
- 대부분 내시경/수술 도중 우연히 발견되거나, 오랫동안 애매한 증상을 앓은 뒤에나 진단됨
- 증상
  - 종양에서 분비되는 물질에 의한 증상
  - 종양 자체의 물리적 영향에 의한 증상 : 비특이적 복통이 m/c
    (대장보다 소장에서 증상이 잘 나타남)
- 위 NET (carcinoid)의 분류

	빈도	크기	Gastrin	역학	예후 (전이)
Type Ⅰ : autoimmune chronic atrophic gastritis 동반	80%	Small, multiple	↑	40~60대 여성에서 호발	좋음 (<10%)
Type Ⅱ : MEN1/ZES 동반	6%				(10~30%)
Type Ⅲ : sporadic	14%	Large, single	-	60대 남성에서 호발	나쁨 (54~66%)

- 췌장 : 매우 드물지만(0.7%), carcinoid syndrome 발생(20%) 및 전이(72%)가 흔함

■ 호흡기(기관지/폐/기관) carcinoid

- 전체 carcinoid의 약 28%, 원발성 폐 종양의 1~2% 차지
- bronchial adenoma (잘못된 용어지만..) 중 m/c
- 대개 양성 경과를 취하며, 원격전이(5.7%) 및 carcinoid syndrome (13%) 발생은 드묾!
- localization : chest X-ray, HRCT
- Dx : bronchoscopy, biopsy
- Tx : 수술(resection이 원칙)

3. Carcinoid syndrome

- serotonin 등의 여러 분비물질 때문
- 전체 carcinoid tumor 환자의 약 10%에서만 발생 (간 전이시 발생 증가)

(1) cutaneous flushing (m/c, 85~90%) ; 처음에는 2~5분 짧게 지속되다 병이 진행될수록 길어짐
- 주로 얼굴과 목에서 갑자기 발생, 흔히 열감 동반, 때때로 가려움증, 눈물, 부종도 동반
- 유발인자 ; 스트레스, 운동, 음주, 식사(e.g., 치즈), 약물(e.g., catecholamines, pentagastrin, SSRI)
- 주로 tachykinin 때문 (serotonin은 flushing과는 관련 없음!)

(2) diarrhea (85%) : watery, 대개 flushing과 함께 발생
- mixed secretory & hypermotility-induced (→ 금식해도 계속 지속)
- 지방변(67%)이나 복통(10~34%)도 동반 가능
- 주로 serotonin 때문 (→ 장 분비 촉진, 재흡수 억제, motility↑, fibrogenesis 촉진)

(3) valvular heart dz. (26%) : histamine과 serotonin 때문
- endocardial fibrosis (주로 우측 심장) ; TR (m/c), PR, TS, PS (좌측 심장 침범은 11% 뿐)
- 이중 약 80%는 우심실부전의 증상 발생 (드물게 좌심실부전, 협심증도 발생 가능)

* "classic" triad : (1) + (2) + (3)

(4) wheezing or asthma-like Sx. (8~18%) : bronchoconstriction, flushing attack시 현저
(5) pellagra-like skin lesions (2~25%) : niacin 부족 때문
(6) carcinoid crisis
  • 심한 증상을 가진 foregut tumor 또는 urinary 5-HIAA level이 매우 높은 환자에서 호발
  • 심한 홍조, 설사, 복통, 빈맥, 고혈압/저혈압, 기관지연축 등이 발생하며, 치료 안하면 사망도 가능
  • 유발인자 ; 스트레스, 마취, CTx., biopsy 등

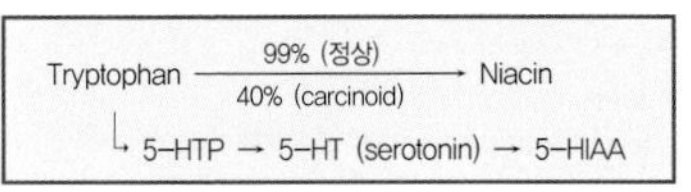

5-HTP : hydroxytryptophan
5-HT : hydroxytryptamine
5-HIAA : hydroxyindoleacetic acid

- typical carcinoid syndrome : midgut에서 발생, 5-HT & 5-HIAA↑ (serotonin pool↑)
- atypical carcinoid syndrome : foregut에서 발생, 5-HTP ▷ 5-HT로의 전환 감소, 5-HT와 5-HIAA는 정상이거나 약간만 상승

4. 진단

• urinary 5-HIAA 측정 (N: 2~8 mg/day) : carcinoid syndrome 환자의 약 73%에서 증가
  - 진단적 유용성 큼 (specificity 약 100%), 치료 반응 평가에도 유용
  - 5-HIAA level을 높이는 물질들 (→ 검사시 금기!) - serotonin 함유식품 ; 바나나, 파인애플, 키위, 호도, 땅콩, 건포도, avocados, guaifenesin, AAP
  - 5-HIAA의 false depression을 일으키는 것 ; aspirin, levodopa
• urinary 5-HTP or 5-HT : 5-HIAA가 정상인 경우 검사 (e.g., foregut tumors)
• serum serotonin : 약 92%에서 증가 (but, 증가해도 12~26%는 carcinoid syndrome이 없음)
• platelet serotonin (5-HT) : 5-HIAA보다 민감하나, 일반적인 사용은 어려움
• 기타 분비물의 측정
  - chromogranin A : GI-NETs 환자의 56~100%에서 증가하고, 종양의 크기와 비례, 비특이적 (pNET와 다른 NETs에서도 증가)
  - NSE (neuron-specific enolase) : chromogranin A보다 덜 민감 (17~47%에서만 증가)
• carcinoid syndrome 같은 특징적인 증상이 없는 경우엔 조직검사로 확진
• 전이의 진단
  - liver 전이 ; CT, MRI, angiography
  - bone 전이 ; bone scan
  - SRS (radiolabeled octreotide scan) ; 위 방법으로 알 수 없을 때

5. 치료

* carcinoid syndrome 환자의 대부분은 전이를 동반 (→ 절제 불가능)

(1) somatostatin analogue ; octreotide, lanreotide

- carcinoid cells의 hormone 분비를 억제
- diarrhea, flushing, wheezing 등의 증상 완화에 매우 효과적이고, carcinoid crisis도 예방 가능
- 장기간 사용시 부작용 ; 담석, 지방변, 내당능장애

(2) 기타 대증요법

- diarrhea → loperamide, diphenoxylate, atropine
- H_1 & H_2-RA combination → flushing ↓ (e.g., diphenhydramine & ranitidine or cimetidine)
- phenoxybenzamine → bradykinin 분비 억제
- bronchodilators & glucocorticoids → dyspnea & wheezing ↓
- serotonin antagonists (e.g., cyproheptadine, methysergide, ketanserin) → diarrhea ↓
  (but, 다른 Sx엔 별 효과 없다)
- β-agonist : 금기 (∵ 급성 발작 유발 가능)

(3) tumor reductive Tx.

- 수술 : 완치가 가능한 유일한 방법이지만, 10%에서만 완전 절제가 가능
  - 충수의 small (<1 cm) tumor → simple appendectomy
    (1~2 cm은 simple appendectomy or 광범위 절제술[Rt. hemicolectomy])
  - 직장의 small (<1 cm) tumor → local resection : endoscopic or transanal
    (1~2 cm은 local full-thickness excision)
  - 소장의 small (<1 cm) tumor ; 논란, 15~69%는 전이 존재, 광범위 절제술 + 림프절 곽청술
  - 2 cm 이상인 경우는 광범위 절제술 필요
  - 종양의 90% 이상이 절제되어야 증상 완화의 효과가 나타남
- gastric carcinoid의 절제술
  - 1 cm 이하면 내시경 절제술
  - type I & II 1~2 cm → "내시경 절제술 + somatostatin" or 수술
  - type I & II >2 cm or local invasion → total gastrectomy or anterectomy (type I)
  - type III >2 cm → 수술적 절제 & 국소 림프절 절제
- liver metastasis의 치료
  - 단발성의 경우 전이 부위의 절제
  - TACE (hepatic artery chemoembolization) : somatostatin analogue로 증상 조절에 실패했을 경우 사용하는 것이 바람직
- interferon-α : adjuvant therapy (40~70%에서 증상 완화)
- systemic chemotherapy : 효과 적고(20~30%), survival에 영향 없음
- radiolabelled somatostatin analogue를 이용한 방사선치료

6. 예후

- 5YSR ; local dz. 95%, LN involvement 65%, liver metastasis 18%
- urinary 5-HIAA 상승 정도와 반비례

→ 뒷부분 참조

PANCREATIC NEUROENDOCRINE TUMOR (pNET)

* 이자/췌장의 랑게르한스섬(Langerhans islets)에서 분비되는 호르몬

세포	주로 분비되는 호르몬
A	glucagon
B	insulin
D	somatostatin
D_2	VIP
EC	substance P, serotonin
G	gastrin
PP	PP (pancreatic polypeptide)

1. Gastrinoma (Zollinger-Ellison syndrome, ZES)

(1) 개요

- 30~50세에 호발, 남자가 약간 더 많음
- m/c pancreas islet cell tumor (non-β islet cell tumor)
- 20~25%는 MEN I과 관련 (AD 유전) → sporadic ZES와는 치료가 다름!
  (1) parathyroid hyperplasia (m/c) : hyperparathyroidism, 대부분 mild, 대개 ZES보다 선행
  (2) pancreatic NETs ; nonfunctional pNET > gastrinoma (ZES) > insulinoma ...
  → sporadic ZES보다 평균 10년 젊음, multiple 많음, 설사 적음, 경과 양호함
  (3) pituitary adenomas ; prolactinoma >ACTH-secreting > GH-secreting
  - gastric carcinoid tumor 발생도 sporadic ZES보다 많다
- 발생부위 ; 십이지장(45~90%), 췌장(10~45%), 난소, 간, 담관, 위, LN, 심장, 뼈 등
  ↳ 췌장 종양보다 작고(<1 cm), 성장이 느리고, 원격전이가 적음
- 60% 이상은 malignant : metastasis 존재 (장기 생존의 m/i 예후인자는 liver metastasis 유무)
- 처음 진단시 30~50%는 multiple lesions or metastasis를 가짐
- 다른 NETs와 비슷하게 90% 이상에서 somatostatin receptor over-/ectopic expression

(2) 임상양상

- 대부분(>90%) 전형적인 PUD (peptic ulcer dz.) 동반 : 복통 (typical DU 때문)
- 위산 과다분비에 의한 만성 (수양성) 설사, 지방변, GERD, 체중감소 ...
  (∵ pancreatic lipase 불활성화, bile acid 감소 → micelle 형성 장애 → 지방 흡수장애)
- gastrinoma (ZES)에 의한 PUD를 시사하는 소견 ⇨ serum gastrin level 측정!
  ; 비전형적인 위치에 발생, 다발성 병변, 설명되지 않는 설사/지방변, 치료에 반응 없거나 지속, 위/십이지장 점막주름의 비후, MEN-1 동반(e.g., hypercalcemia, 신결석), *H. pylori* 음성, basal hyperchlorhydria, PUD의 합병증(e.g., 출혈, 폐쇄, 식도협착), PUD의 강한 가족력 ...

(3) 진단

① fasting serum gastrin↑ (>150~200 pg/mL)

- ZES가 의심되지만 낮게 나오는 경우(e.g., PPI 복용) 반드시 재검
- PPI는 검사 7일전 중단, H_2-RA로 대치 (gastrin에 대한 영향이 짧음), 1일전에는 제산제만

② 위산분비 평가

- 내시경 or NG tube를 통한 위액 채취, basal gastric pH 측정
  - pH <3 → gastrinoma 시사
  - pH >3 → gastrinoma를 R/O하기에는 부족, 정식 위산 분석 검사 시행
- BAO↑ (>15 meq/h), BAO/MAO >0.6 → ZES일 가능성이 매우 높음

③ gastrin provocation tests

- secretin stimulation test (m/g)
  - ZES → gastrin level 크게 증가 (15분 이내에 120 pg/mL 이상 증가)
  - normal or common DU → 거의 변화 없음
  - PPI는 false(+)를 일으킬 수 있으므로 검사 1주일 전 중단
- calcium infusion study ; 덜 정확하고, 부작용이 심해 거의 이용 안 됨

④ tumor localization … 생화학검사로 gastrinoma가 진단되면 시행

- 우선 원격전이를 R/O ; SRS (somatostatin receptor scintigraphy), CT, MRI
- SRS (somatostatin receptor scintigraphy)가 m/g!
  - OctreoScan® with SPECT : ^{111}In-pentreotide 이용
  - PET : ^{68}Ga-labelled somatostatin analogs 이용, OctreoScan보다 해상도 더 우수함
- 원격전이가 R/O되면, 수술 가능성을 결정하기 위해 primary gastrinoma 위치파악/평가
  ; EUS (+ 십이지장 내시경 검사 포함), 시험적 개복술 (수술 중 US or transillumination), SASI (selective arterial secretin injection, functional gastrin localization) 등
- 췌장 gastrinoma의 진단 민감도는 높지만, 십이지장 gastrinoma는 크기가 작아 민감도 낮음

ZES에서 영상검사의 진단 민감도(%)		
	Primary Gastrinoma*	Metastasis
SRS (OctreoScan)	69~72	92~97
EUS	70	–
Angiography (요즘엔 잘 안씀)	48~68	62~65
CT	38	42~48
MRI	22~40	63~71
수술 중 US	83	–
SASI**	86~89	–

* primary duodenal gastrinoma (<1 cm)를 놓치는 경우가 많아 전체 민감도는 낮음
** 침습적이라, 수술 예정이고 다른 모든 영상검사에서 음성일 때만 고려

(4) 감별진단

Hypergastrinemia의 원인	
Inappropriate hypergastrinemia (위산 분비 증가)	Gastrinoma (ZES) Retained gastric antrum Antral gastrin (G) cell hyperplasia/hyperfunction (secretin test에는 반응×, meal stimulation에는 반응) Pheochromocytoma, RA, DM
Appropriate hypergastrinemia (위산 분비 감소에 따른 feedback)	심한 hypochlorhydria, achlorhydria (e.g., pernicious anemia) Atrophic gastritis, gastric ulcer, PPI or H_2-RA, vagotomy CKD, chronic *H. pylori* infection (pangastritis) Massive small bowel obstruction or resection Gastric outlet obstruction

(5) 치료

① 위산 과다분비의 치료
- 대부분 위산분비억제제로 잘 조절됨 ; long-term high-dose PPI (DOC)
  - vitamin B_{12} 결핍 발생이 흔하므로 반드시 vitamin B_{12} level monitoring
  - PPI로 조절 안 되고 somatostatin receptor 양성이면 somatostatin analogues 추가 고려
- total gastrectomy ; 위산분비억제제를 복용할 수 없는 극히 일부 경우에만
- MEN I/ZES ; parathyroidectomy 먼저 (→ 위산↓, 위산분비억제제에 대한 감수성↑)

② gastrinoma 종양의 치료
- 완전 절제는 15~20%에서만 가능 (→ 이중 40~60% 완치, 일부는 위산 과다분비 지속됨)
- 최근 수술 성적의 향상으로 sporadic ZES 환자는 가능하면 수술을 먼저 고려
- MEN I/ZES ; 수술 어려움(∵ multiple), sporadic ZES보다 예후 좋아 권장×
- advanced metastatic pNET
  (1) well-differentiated pNET (grade 1, 2)
    - somatostatin analogues (e.g., octreotide, lanreotide) ; gastrin & 위산 분비 억제
      + pNET와 GI-NET 종양의 성장을 억제함, 다른 약제들에 비해 부작용 적은 편
    - CTx ; streptozocin (STZ)/doxorubicin (± 5-FU) ; 20~45%에서 반응, 완치는 드묾
      → 최근 연구 결과로는 temozolomide (TMZ)/capecitabine이 더 효과 좋음
    - 표적치료제 ; everolimus (mTOR inhibitor), sunitinib (TK receptor inhibitor)
    - IFN-α2b ; somatostatin analogue와 효과 비슷, somatostatin receptor 음성이면 고려
  (2) poorly-differentiated pNET (grade 3) → CTx (etoposide, vincristine, paclitaxel)
- 수술 불가능 & 간 전이만 있는 경우 → TAE/TACE, radioembolization (^{90}Yttrium) 도 고려

(6) 예후

- 5YSR 62~75% (간 전이시 <20%)
- 종양 전체를 수술로 완전 제거시 5YSR >90%, 불완전 제거시 5YSR 43%

예후가 좋은 경우	예후가 나쁜 경우
Primary duodenal gastrinoma Isolated LN tumor 개복술에서 종양이 발견 안 되었을 때 MEN1/ZES	고령, 여성, 진단 전 짧은 유병기간 위산과다분비 조절 힘듦 Sporadic ZES (MEN1 無) High gastrin level (>10,000 pg/mL) Large pancreatic gastrinoma (>3 cm) Poorly-differentiation LN, 간, 뼈 등의 전이 간 전이가 빨리 성장할 때 Ectopic Cushing's syndrome 발생

2. Insulinoma

(1) 개요

- 대개 작고 (90% 이상이 2 cm 미만), 단발성
- pancreas의 head, body, tail에서 골고루 발생
- 약 10%에서 malignant (예후는 좋음) / 8%에서 MEN I (Wermer's syndrome)과 관련

(2) 임상양상

- 40~50세에 호발
- Whipple's triad → 내분비내과 참조
  ① fasting hypoglycemia (≤ 40 mg/dL)
  ② hypoglycemia의 Sx
  ③ glucose 투여 (IV) 뒤 즉시 호전
- neuroglycemic Sx ; 두통, 시각장애, 혼돈, 지남력장애, 혼수 ...
- 2ndary adrenergic Sx ; sweating, tremer, anxiety, palpitation ...
- 체중 증가 (∵ 음식 섭취의 증가로)

(3) 진단

- 72시간 금식 시험 : 어느 때라도 glucose <40 mg/dL면 진단
  → insulin, C-peptide 등도 측정
- hypoglycemia인데도 insulin level은 정상 or 증가 (insulin/glucose >0.3)
- hypoglycemia의 다른 원인을 R/O (e.g., insulin or 혈당강하제의 과다 사용, 심한 간질환, 알코올중독, 영양결핍)

(4) localization

- EUS (77~93%) : pancreas의 종양 발견에 매우 민감
- angiography with selective venous sampling (80%)
- CT (50%)

(5) 치료

① glucose IV, frequent small meals
② diazoxide (insulin 분비 억제) → 50~60%가 반응
③ 기타 약물치료 ; verapamil, diphenylhydantoin, octreotide (somatostatin)

④ 환자의 75~95%는 surgical resection으로 완치됨
⑤ malignant insulinoma ; 우선 약물치료뒤 효과 없으면 TACE, CTx. 등

3. VIPoma (Verner-Morrison syndrome, pancreatic cholera, WDHA [Watery Diarrhea, Hypokalemia, Achlorhydria] syndrome)

(1) 개요

- 대부분 body or tail에 위치
- 예후 안 좋다 (40~70% malignant)
- MEN I 과 관련 거의 없다

(2) 임상양상

- large-volume (>1 L/day) secretory diarrhea (100%), dehydration (83%)
- hypokalemia (80~100%), hypochlorhydria (54~76%), flushing (20%)
- 25~50%에서는 hyperglycemia와 hypercalcemia도 발생

* 진단 : 혈장 VIP 상승 + large-volume diarrhea

(3) 치료

① fluid & electrolyte 보충
② somatostatin analogues : octreotide or lanreotide (→ VIP 분비 감소)
③ 수술 : 37~68%는 간전이가 존재하여 대부분 수술 불가능
④ metastatic dz. → CTx. chemoembolization 등

■ NET의 나쁜 예후 인자

<table>
<tr><th>GI-NETs (carcinoids)</th><th>pNETs</th></tr>
<tr><td>발생부위: 췌장>소장>폐,직장>충수
Carcinoid syndrome 존재
남성, 다른 악성종양 동반
Urinary 5-HIAA ↑
Plasma neuropeptide K ↑
Serum chromogranin A ↑
TGF-α, gain chr 4p, gain chr 14,
chr 16q LOH (loss of heterozygosity),
loss of 3p13 (ileal carcinoid),
Hoxc 6 upregulation</td><td>발생부위: 췌장이 십이지장보다 예후 나쁨
여성
MEN-1 없을 때
Ha-Ras oncogene or p53 overexpression
Serum chromogranin A ↑
(gastrinoma에서는 gastrin ↑)
조직: c-KIT(+), cyclin B1 ↓, PTEN loss, FGF-13(+)
HER2/neu ↑, chr 1q, 3p, 3q, or 6q LOH,
EGF receptor ↑, gain chr 7q, 17q, 17p, 20q,
VHL gene alterations (deletion, methylation)</td></tr>
<tr><td colspan="2">고령, 증상 발생
간 전이 & 침범 정도, LN 전이, 뼈 등 간외 전이
침범 깊이, 빠른 성장 속도
원발 종양의 크기 및 발생부위
Serum ALP ↑, chromogranin A ↑, 말초혈액에 종양세포 존재
조직 특징 ; differentiation, growth index ↑ (Ki-67, PCNA), mitotic content ↑, aneuploidy,
vascular or perineural invastion, necrosis, cytokeratin 19, CD10 metalloproteinase ↑,
VEGF ↑ (low-grade or well-differentiated NET에서만)</td></tr>
</table>

- 일반적으로 pNETs (insulinoma는 제외)가 GI-NETs (carcinoids)보다 예후 나쁨
- 간 전이가 단일 예후인자 중 가장 중요!, 간 전이의 발생의 m/i 요인은 원발 종양의 크기임!